U0377726

国家出版基金资助项目

国家出版基金项目
NATIONAL PUBLICATION FOUNDATION

9

秦岭昆虫志

鳞翅目　蝶类

总　主　编　杨星科

本卷主编　房丽君

世界图书出版公司

西安　北京　上海　广州

图书在版编目(CIP)数据

秦岭昆虫志. 9,鳞翅目. 蝶类 / 房丽君主编. —西安:
世界图书出版西安有限公司, 2018.1
ISBN 978 - 7 - 5192 - 3124 - 8

Ⅰ. ①秦… Ⅱ. ①房… Ⅲ. ①秦岭—昆虫志
②秦岭—蝶蛾科—昆虫志 Ⅳ. ①Q968.224.1

中国版本图书馆 CIP 数据核字(2018)第 067855 号

书　　名	秦岭昆虫志·鳞翅目　蝶类
总 主 编	杨星科
本卷主编	房丽君
策　　划	赵亚强
责任编辑	冀彩霞　王　娟
装帧设计	诗风文化
出版发行	世界图书出版西安有限公司
地　　址	西安市北大街 85 号
邮　　编	710003
电　　话	029 - 87214941　87233647(市场营销部)
	029 - 87234767(总编室)
网　　址	http://www.wpcxa.com
邮　　箱	xast@ wpcxa.com
经　　销	新华书店
印　　刷	陕西博文印务有限责任公司
开　　本	787mm×1092mm　1/16
印　　张	28.75
插　　页	71
字　　数	600 千字
版　　次	2018 年 1 月第 1 版　2018 年 1 月第 1 次印刷
国际书号	ISBN 978 - 7 - 5192 - 3124 - 8
定　　价	380.00 元

ISBN 978-7-5192-3124-8

9 787519 231248 >

内容简介

    本志是《秦岭昆虫志》第九卷。蝴蝶属鳞翅目，是昆虫纲中颇受人们关注的类群，是主要的观赏和传粉昆虫，有些种类的幼虫为农林害虫。本志内容主要包括总论和各论两部分。总论部分介绍了鳞翅目蝶类的分类系统，概述了蝴蝶的主要鉴别特征、生物学、寄主植物、蝴蝶与人类的关系、蝴蝶资源的保护与利用，以及秦岭蝴蝶的区系组成；各论部分系统记述了陕西秦岭地区分布的5科199属502种蝴蝶，对所涉及的每一阶元和物种均进行了较为详细的记述，每种记录有引证、主要鉴别特征、采集记录、分布和寄主；文中附有各级分类单元检索表，文后配有主要种类的成虫彩色图版。

    本志可供从事昆虫学、生态学、保护生物学，以及环境科学领域的研究者与工作者使用，并为其提供相关参考；也是一册帮助广大蝴蝶爱好者、环境监测与保护者、自然保护区管理人员、科普工作者及传粉昆虫研究者等直观了解、认识和掌握秦岭蝴蝶的基本知识的常用工具书；同时也可用于教学、科普宣传等领域。

序

　　秦岭是我国最古老的山脉之一，在我国生物地理上占据着重要地位。它是我国南北气候的分水岭，环境的复杂性成就了生物的多样性，因此受到了世界的高度关注。关于秦岭的生物资源、区系组成、分布格局等，植物和大型动物都有较为系统的研究和显著的成果，《秦岭植物志》《秦岭动物志》陆续问世，而无脊椎动物研究却一直属于空白。

　　杨星科研究员长期从事昆虫区系的研究，先后组织开展过多次大型科学考察，并且都有很好的成果以专著、考察报告等形式展现给大家，为我国的昆虫多样性研究做出了实质性的贡献。2013年，他利用在中国科学院西安分院、陕西省科学院工作的机会，积极争取项目支持，团结全国同行，全面开展秦岭地区昆虫资源的考察。通过3年的野外工作，在大家的共同努力下，完成了《秦岭昆虫志》这部12卷册的巨著。《秦岭昆虫志》所包括的种类是原已知种类的2倍，编写完全按照志书的规则，不同阶元都有鉴别特征及检索表，属、种都有科学引证，在保证种类准确性的同时，为大家提供了更为广泛的信息，文后附有详细的参考文献，有力地保证了《秦岭昆虫志》的质量和水平，使这套志书具有很高的科学价值和应用价值，我相信这套志书的出版必定会对我国乃至世界昆虫多样性研究产生深远的影响。

　　生物多样性研究，直接关系到生物资源的合理开发与科学利用，关系到生态系统的平衡与可持续发展，关系到友好型生态环境的建设。我国地域广阔，地形复杂多样，生物多样性极为丰富。但是，我国昆虫资源家底远不清楚，昆虫多样性研究与国际相比相差甚远。如何改变这种现状，在需要国家政策支持的同时，更需要我们同行的共同努力。《秦岭昆虫志》的完成与问世，为我们大家起到了很好的示范与引领作用。

随着全球化的发展态势，世界各国、不同地域之间的各种交流、来往、贸易、物流等出现新的模式和高频次现象，这也给我们带来巨大的挑战。首先是生物安全问题，随着贸易往来、物流循环、人员交流的不断增长，外来入侵生物的入侵形势严峻，农林生产及生态环境的安全威胁加大；其次是生物产业作为未来战略新兴产业，对生物资源的挖掘与开发日趋强化，生物资源的研究与保护已不仅仅是一个科学问题。这些都关系到我们国家的经济与社会发展战略。昆虫是生物界最大的家族，蕴藏着巨大的资源，摸清昆虫资源家底，不但可以有效应对外来生物入侵，破解生物安全的威胁，同时也可以对我国生物资源的保护和利用做出实质性的贡献，这是我们科技工作者义不容辞的责任和义务。我衷心希望我国昆虫界的同仁们，在国家建设科技强国战略的指引下，大家齐心协力，共同努力，把我国昆虫多样性研究推向一个新的水平，真正服务于国家战略需求！

这或许是《秦岭昆虫志》带给我们的启迪吧！

是为序！

中国科学院院士

中国科学院上海植物生理生态研究所研究员 尹文英

2016 年 11 月于上海

出版前言

　　秦岭自西向东横贯我国中部，是长江、黄河两大水系的分水岭，西起甘肃临洮，东抵河南鲁山，东西长达 500km，南北宽 140～200km，地处北纬 32°5′～34°45′，东经 104°30′～115°52′。秦岭西部比较陡峭，海拔较高，一般在 2000～3000m；东部比较舒缓，海拔较低，一般在 2000m 以下。它是古北区和东洋区的分界线，同时为亚热带、暖温带的分界线，亚热带常绿阔叶林的分布北线。该地区具有从一种自然地理条件向另一种自然过渡、从一种地质构造单元向另一种构造单元过渡的特性。同时，秦岭作为我国大陆青藏高原以东的最高山地，具有自己独特的垂直景观带谱。正因为秦岭山地地理位置的特殊性，使得其物种多样性非常丰富且具较强的区域特异性，一直是生物分类学和生物地理学研究的热点区域。然而，之前对该地区昆虫区系研究多较为零散，缺乏系统的专著。

　　1997 年，中国科学院生命科学院生物技术局设立"关键地区生物资源综合考察及其评价"重大项目，并于 1998～1999 年由项目主持单位组织考察秦岭西段和甘肃南部地区。在此研究基础上，形成了 2005 年出版的《秦岭西段及甘南地区昆虫》这一专著。该书对于秦岭西部地区的昆虫类群的系统研究有着重要意义，推动了对该区生物多样性的研究，也让更多的人认识到了秦岭地区的重要性。然而，由于其工作多集中在秦岭西部地区，对秦岭中、东部地区的调查较少，未能反映整个秦岭地区昆虫的全貌。为了全面系统地评价和利用秦岭昆虫资源，我们在陕西省财政厅科技专项经费的支持下，在陕西省科学院的大力帮助下，从 2012 年开始，再次进行了为期3年的野外调查工作，在借鉴秦岭西段研究结果的基础上，重点加强了秦岭中、东部地区的调查工作。参加野外工作的包括陕西省动物研究所、西北农林科技大学、陕西师范大学、中国科学院动物研究所、南开大学、浙江大学、河北大学、中国农业大学、中南科技大学等十多家单位，计120多人次，共获得昆虫标本50余万号，进一步完善了秦岭地区昆虫多样性资料，为编写《秦岭昆虫志》奠定了良好基础。

《秦岭昆虫志》按照《中国动物志》的编写体例进行编写，顺序上参照六足动物的系统关系；各目按照系统发育关系，以科为单元进行编写，科下各属按照系统关系排序，属内各种以种名的首字母顺序编排，各阶元都有鉴别特征和检索表，属、种都有科学引证，文后附参考文献。为了准确体现各位专家的劳动，除了《秦岭昆虫志》编委会外，各卷都有本卷的编委会，各科作者署名紧跟其后。

《秦岭昆虫志》共分为十二卷：第一卷由廉振民教授主编，包括无翅昆虫、蜉蝣目、蜻蜓目、襀翅目、蜚蠊目、等翅目、螳螂目、革翅目、直翅目、竹节虫目；第二卷由卜文俊教授主编，包括半翅目异翅亚目；第三卷由张雅林教授主编，包括半翅目同翅亚目；第四卷由花保祯教授主编，包括螠目、缨翅目、广翅目、蛇蛉目、脉翅目、毛翅目、长翅目；第五卷鞘翅目（一）由杨星科、葛斯琴研究员主编，包括步甲科、龙虱科、牙甲总科、隐翅虫总科、金龟总科、花甲总科、丸甲总科、长蠹总科、吉丁甲总科、叩甲总科、郭公甲总科、扁甲总科、拟步甲总科等；第六卷鞘翅目（二）由林美英博士主编，包括暗天牛科、瘦天牛科和天牛科；第七卷鞘翅目（三）由杨星科、张润志研究员主编，主要包括叶甲总科（除去天牛类）、象甲总科；第八卷鳞翅目由薛大勇研究员、韩红香和姜楠博士主编，包括大蛾类；第九卷鳞翅目（二）由房丽君研究员主编，包括蝶类；第十卷由杨定教授、王孟卿副研究员和董慧博士主编，包括双翅目；第十一卷由陈学新教授主编，包括膜翅目。十一卷共记述了秦岭地区六足类4纲27目334科3325属7496种，其中包括1个新属、27个新种、12个中国新纪录属、34个新纪录种、42个陕西新纪录属、260个陕西新纪录种。需要说明的是：鳞翅目小蛾类已由南开大学李后魂教授主编先期出版，我们这次没有组织重新编写；另有部分目、科因为国内没有专家研究，因此没有办法编写。为了弥补缺憾，系统总结陕西秦岭地区已知昆虫种类，同时也便于读者使用，由唐周怀研究员、杨美霞博士主编，完成了《陕西昆虫名录》，作为本志的第十二卷。

目前，《秦岭昆虫志》即将付梓。该项目成果的获得，是全国广大同行通力合作、共同努力的结果，凝聚了昆虫分类学者忠诚于神圣事业的集体智慧。项目主持单位、《秦岭昆虫志》编委会对各卷主编的辛勤劳动和各位专家的全力支持、无私奉献表示衷心的感谢！对大家的科学精神表示敬佩！

在项目立项初期，白明博士在项目建议书的起草、成稿等方面做了大量工作；张雅林、廉振民等多位教授提出了许多宝贵意见；陕西省财政厅教科文处在项目申请和审批方面给予了诸多指导和帮助。在项目执行过程中，陕西省动物研究所领导给予了全力的支持，唐周怀研究员对野外工作给予了多方面的协调和帮助。

在本志编写过程中，尹文英院士、印象初院士、康乐院士分别给予了不同程度的鼓励、支持、指导和帮助，特别是尹文英院士在大病初愈的情况下欣然为本志写序，让我们深受鼓舞和激励！

在本志的统稿过程中，杨美霞博士付出了巨大的劳动，崔俊芝女士和郭明霞同学在文字整理、格式修改、学名审核等方面做了大量的工作。本书的出版，得到了世界图书出版有限公司的鼎力支持，特别是薛春民先生的全力支持与帮助，责任编辑同志亦付出了的艰辛的努力和辛勤的劳动，终使本志得以顺利出版。

本志的出版得到陕西省科学院财政专项资金的部分资助。

我们谨借此对以上相关单位和个人，以及在项目执行和出版过程中提供帮助和做出贡献的同志表示衷心的感谢！

由于我们的水平所限，本志的错误和缺憾在所难免，诚望大家不吝赐教！

《秦岭昆虫志》编委会
2017 年 10 月于古城西安

Preface

Through the middle China from the West to the East, the Qinling Mountains provide a natural boundary between the Yangtze River and the Yellow River, the two major river systems in China. Located around the latitude 32°5′ – 34°45′N and the longitude 104°30′ – 115°52′E, they stretch from Lintao, Gansu Province in the west to Lushan, Henan Province in the east, with the length of 500km from west to east and the breadth of 140 – 200km from north to south. The west part of the Qinling Mountains is considerably steep, with higher elevations of 2000 – 3000m, while the east part is comparatively gentle, with lower elevation generally below 2000m. The Qinling Mountains are generally accepted as the boundary between Palaearctic and Oriental Regions, subtropical and warm temperate zones, as well as the north line of distribution of subtropical evergreen broad-leaved forests. This region is characterized by transition from one natural geographical condition to another and one geological structure unit to another. Furthermore, the Qinling Mountains, as the highest mountain in the east of the Qinghai-Tibet Plateau, have their own unique vertical landscape spectrum. Because of the special geographical location of the Qinling Mountains Range, it is rich in species diversity and has strong regional endemism, which constantly makes it research hotspot both for taxonomy and biogeography. However, the study of insect fauna in this area is fragmented and still lacks systematic monographs.

In 1997, the Biotechnology Bureau of the Chinese Academy of Sciences established a major Project of "Comprehensive Survey and Evaluation of Biological Resources in Key Regions". In 1998 – 1999, the presider of this project investigated the western part of Qinling range and southern Gansu. On the basis of these expeditions, a monograph entitled *Insect Fauna of Mid-West Qinling Range and Southern Gansu* was published in 2005. This book is of great significance for the systematic study of insects in the western Qinling region. It has promoted the study of biodiversity in this region and made more people realize the importance of Qinling region. However, since its work is mainly concentrated on the west part of Qinling, there are little surveys in the mid-east part, which hardly reflects the true state of the insect fauna of the entire Qinling Mountains. In order to comprehensively and systematically evaluate and utilize the insect resources of the Qinling Mountains, funded by special expenses of Science and Technology Project from the Financial Department of Shaanxi Province, as well as the help from Shaanxi Academy of Sciences, we have carried out a three-year field survey since 2012. Based on the expedition results of the western region, we have paid more attention to the eastern part of the Qinling Mountains during the investigations. More than 120 researchers from over 10 institutions participated in the field work, including Shaanxi Institute of Zoology, Northwest A & F University, Shaanxi Normal University, Institute of Zoology, Chinese Academy of Sciences, Nankai University, Zhejiang University, Hebei University, China Agricultural University, Central South University of Forestry and Technology etc. Over half million insect specimens were collected, which would greatly improve the biodiversity data of insect fauna in the Qinling region and lay a good foundation for the compiling of the monograph *Insect Fauna of the Qinling Mountains*.

The compiling style of *Insect Fauna of the Qinling Mountains* is mainly in accordance with *Fauna Sinica*, and the sequence is based on the systematic relationship of the hexapod system. The compiling of each order is according to the phylogenetic relationship and one family is taken as a unit. Below the family, the sequence of each genus is also according to the phylogenetic relationship, while below the genus, the arrangement of species is in alphabetical order. Each species is sorted according to the first letter. Each category is accompanied by identification feature and identification key, and each genus, as well as each species has scientific citation. At the end, references are attached. In order to accurately reflect the work of every specialist, apart from the Editorial Board of *Insect Fauna of the Qinling Mountains*, the Editorial Board for each volume is also provided, and the authors for each family immediately follow the family name.

There are totally 12 volumes for *Insect Fauna of the Qinling Mountains*. Volume I is edited by Professor Lian Zhenmin, and includes apterygot insects, Ephemeroptera, Odonata, Plecoptera, Blattodea, Isoptera, Mantodea, Dermaptera, Orthoptera and Phasmatodea. Volume II is edited by Professor Bu Wenjun, and includes Hemiptera-Heteroptera. Volume III is edited by Professor Zhang Yalin, and includes Hemiptera-Homoptera. Volume IV is edited by Professor Hua Baozhen, and includes Psocoptera, Thysanoptera, Megaloptera, Raphidioptera, Neuroptera, Trichoptera and Mecoptera. Volume V (Coleoptera I) is jointly edited by Professor Yang Xingke and Ge Siqin, and includes Carabidae, Dytiscidae, Hydrophiloidea, Staphylinoidea, Scarabaeoidea, Dascilloidea, Byrrhoidea, Dryopoidea, Buprestoidea, Elateroidea, Cleroidea, Cujoidea and Tenebrionoidea. Volume VI (ColeopteraII) is edited by Dr. Lin Meiying, and includes

Vesperidae, Disteniidae and Cerambycidae. Volume VII (Coleoptera III) is jointly edited by Professor Yang Xingke and Zhang Runzhi, and includes Chrysomeloidea (except Cerambycid-beetles) and Curculionoidea. Volume VIII (Lepidoptera I) is jointly edited by Professor Xue Dayong, Dr. Han Hongxiang and Jiang Nan, and includes large moths. Volume IX (Lepidoptera II) is edited by Professor Fang Lijun, and includes exclusively butterflies. Volume X is edited by Professor Yang Ding, Associate Prof. Wang Mengqing and Dr. Dong Hui, and includes Diptera. Volume XI is edited by Professor Chen Xuexin, and includes Hymenoptera. There are totally 4 classes, 27 orders, 334 families, 3325 genera and 7496 species of Hexapoda recorded in the 11 volumes of this series, including one new genus and 27 new species. For the new record, there are 12 genera and 34 species from China, as well as 42 genera and 260 species from Shaanxi Province. It should be noted that the contents of Microlepidoptera have been published previously by Professor Li Houhun, Nankai University, therefore, we haven't rewritten the same context. Besides, due to the unavailability of suitable specialists, some insect groups unavoidably are not covered in this series. In order to make up for this defect and systematically summarize the known species of insects, as well as make convenience for the readers, the book *Insect Fauna of Shaanxi Province*, was jointly compiled by Prof. Tang Zhouhuai and Dr. Yang Meixia, which will be the twelfth volume of this series.

Currently, 12 volumes have been completed and are ready for publication. The achievements should be addressed to the cooperation and collective intelligence of numerous entomologists throughout China. The project presiding institution and the editorial board are highly appreciated with all specialists' hard work, full support and unselfish dedication!

During the initial stage of the program, Dr. Bai Ming had contributed a lot to the drafting of the research proposal. Prof. Zhang Yalin and Prof. Lian Zhenmin had proposed many valuable comments. The Financial Department of Shaanxi Province had given a lot of guidance and helps during the application process and final approval of the program. During the conduction of the program, the authority of Shaanxi Institute of Zoology had given a full support to the research. Prof. Tang Zhouhuai had made a lot of coordination and assistances in the fieldwork.

In the preparation of this series of books, Academicians Yin Wenying, Yin Xiangchu and Kang Le had provided various degrees of encouragement, supports, guidance and help! In particular, Prof. Yin Wenying readily consented to write the preface even though she had just recovered from a severe illness, which really made us encouraged and inspired!

In the process of drafting preparation, Dr. Yang Meixia had paid a great labor. Mrs. Cui Junzhi and Miss Guo Mingxia had done a lot of work in word polishing, format adjustment, and terms checking. While, the publication of this series have obtained great support from World Publishing Corporation, especially Mr. Xue Chunmin. The executive editors have also made a lot of hard work.

The publication of this series of books is partly funded by the special finance of the Shaanxi Academy of Sciences.

We would like to express our heartfelt gratitude to the above-mentioned institutes and individuals, as well as those not mentioned above but provided various assistances in the implementation period of the program, drafting preparation and publication.

Due to the limitations of our expertise, there are inevitable mistakes and shortcomings in this series. We sincerely expect you to enlighten us with your instruction!

Editorial Board of *Insect Fauna of the Qinling Mountains*

前　言

蝴蝶属鳞翅目（Lepidoptera），是昆虫纲（Insecta）中的第二大目。蝴蝶色彩斑斓，形态各异，是主要的观赏和传粉昆虫，它们的存在点缀了大自然，维持着生态平衡，其在经济、科学、文化、艺术等方面均具有重要价值，是环境监测的有效指示物种。2015 年 1 月 1 日实施的《中华人民共和国国家环境保护标准——区域生物多样性评价标准》已将蝴蝶列入其中，它是唯一入选的昆虫类群。然而，要保护和利用蝴蝶资源，首先必须开展分类研究，认清种类，这是至关重要的一环，不可或缺。《生物多样性公约》《二十一世纪议程》《物种 2000》及国际生物多样性科学计划（DIVERSITAS）等都要求缔约国列出已知物种及其分布的详细清单，作为生物多样性研究的基础。

秦岭主体位于陕西南部，总面积约 5.79 万平方千米，具有气候等环境垂直方向的多层次性和南北方向的过渡性的特点，是古北区与东洋区两大动物地理区系的分界线和交汇过渡地带，是全球 25 个生物多样性热点地区及中国 14 个生物多样性关键地区之一。该地区蝴蝶资源丰富，适生种类多，南北兼有，蝴蝶种质资源在物种、遗传、生态系统和景观多样性 4 个层次上均具有独特的研究、保护与利用价值。在研究蝴蝶多样性及其保护、区系演化、环境监测与预警等方面具有不可替代的作用。

秦岭分布的三尾凤蝶和中华虎凤蝶是国家二级重点保护动物，金裳凤蝶、太白虎凤蝶、宽尾凤蝶、大紫蛱蝶、陕西灰蝶等是中国珍稀蝶种。由于人类的肆意捕捉和对生态环境的严重破坏，许多珍稀蝶类濒临灭绝；国外的蝴蝶研究者不断前往秦岭腹地大量扑捉，国家有关部门曾为此专门采取措施，海关已多次截获采集的秦岭蝴蝶标本，其中不乏我国的珍稀濒危蝶种。

本志内容主要包括总论和各论两大部分。总论部分简要介绍了鳞翅目蝶类的分类系统，概述了蝴蝶的主要鉴别特征、生物学、寄主植物、蝴蝶与人类的关系、蝴蝶资源的保护与利用，以及秦岭蝶类的区系组成。各论部分记录了陕西秦岭地区分布的 5 科 199 属 502 种蝴蝶，对所涉及的各级分类单元和物种进行了记述，包括引证、主要鉴别特征、采集记录、分布与寄主，并配有主要种类的成虫彩色图版，同时附有各级分类单元的检索表。所用标本材料 90% 以上均为著作者及其团队近 20 年来的采集与调查所得，其余标本记录来自其他单位或个人收藏者。

本志的撰写得到了中科院西安分院杨星科研究员、西北农林科技大学张雅林教授、中科院动物研究所薛大勇研究员和武春生研究员等专家学者的热情指导与帮助，陕西省林业厅唐周怀副厅长对我们前往秦岭各自然保护区调查采集给予了大力支持与协助，团队成员张宇军、王峰伟等，以及参与调查的研究生与本科生们，包括丁昌萍、高可、张辰生、程帅、彭涛、王伟、陈芳颖、王韬等人在采集、标本整理、资料收集等过程中付出了辛勤的劳动，同时感谢在我们调查采集过程中给予各种支持与帮助的朋友们。长期以来，本项研究直接或间接的得益于陕西省财政专项（No. 2013 - 19）、陕西省科技厅项目（No. 2008K08 - 03）及陕西省科学院项目（No. 2009k - 04）等的资助，在此一并表示衷心感谢！

房丽君
2017 年 10 月于西安

目 录

总 论

各　　论

总　　论

第一章　蝴蝶的分类系统

蝶类 Rhopalocera 隶属于昆虫纲 Insecta，鳞翅目 Lepidoptera，有喙亚目 Glossata，双孔次亚目 Ditrysia。鳞翅目是昆虫纲第 2 大目，已知 146565 种（Heppner，1998），其中蝶类占 10% 以上。我国已知鳞翅目昆虫约 10000 种，蝶类 1700 余种。

蝴蝶的总科级分类系统已被广泛接受，分为凤蝶总科 Papilionoidea 和弄蝶总科 Hesperoidea，并一起构成单系群（Ackery，1984；Scott，1986；Smart，1989；de Jong *et al.*，1996；等等）。但科级系统争议较大，Ehrlich（1958，1967），Kristensen（1976），Ackery（1984），Scott（1985），Martin *et al.*（1992），de Jong *et al.*（1996），Heppner（1998），Brower（2000），Wahlberg *et al.*（2003）等，分别对蝴蝶亲缘关系及分类系统进行了研究，但因研究方法及材料的不同，结论相差甚远，难以统一，蝶类被划分成 5～17 科不等，主要差别是蛱蝶科和灰蝶科的某些亚科是否提升为科。

本志采用 de Jong *et al.*（1996）的蝶类 5 科分类系统（图 1）。

蝴蝶分科（5 科）检索表

1. 触角端部弯钩状，前翅 R 脉无共柄（弄蝶总科）······························· **弄蝶科 Hesperiidae**
   触角端部棒状，前翅 R 脉有共柄（凤蝶总科）····································· 2
2. 后翅 A 脉 1 条 ··· **凤蝶科 Papilionidae**
   后翅 A 脉 1 条以上 ·· 3
3. 前足发育正常，爪二分叉或有齿 ·································· **粉蝶科 Pieridae**
   雄蝶前足退化，爪不如上述··· 4
4. 雌蝶前足正常，爪发达 ··· **灰蝶科 Lycaenidae**
   雌蝶前足退化，无爪 ··· **蛱蝶科 Nymphalidae**

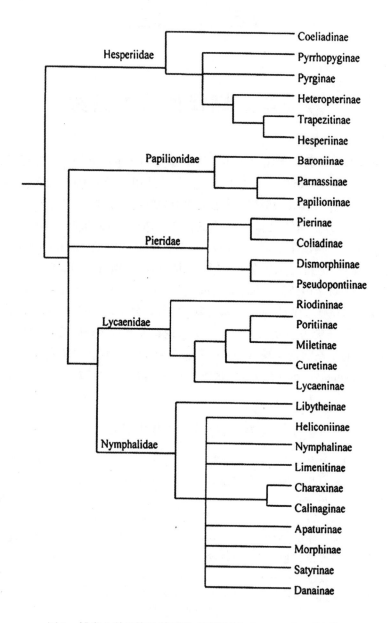

图 1　蝶类 5 科系统及其亚科支序图（de Jong *et al*., 1996）

第二章　蝴蝶的主要鉴别特征

一、蝴蝶的形态特征概述

蝴蝶属完全变态，一生分成虫、卵、幼虫及蛹四个阶段。

成虫：体躯分为头、胸、腹三段。翅及身体被鳞片及毛，形成各种色彩和斑纹。触角端部膨大，具虹吸式口器，胸部分为前胸、中胸及后胸，着生 2 对翅和 3 对足，腹部由 10 节组成。蝴蝶的翅型和色斑变化较大，易受环境变化影响，有大量地方种群，少数种类有性二型，有的呈现季节型，极少数种类有拟态。

卵：形状多样，色彩各异，凤蝶科的卵表面光滑，或有微小的纹脊，形状多为圆球形或半球形；粉蝶科的卵表面多有隆起的纵横脊线，形状多呈塔形或炮弹形；蛱蝶科的卵表面光滑或具纵横脊，或呈蜂窝状，形状多圆球形、半圆球形、馒头形、炮弹形、椭圆形、柱形、圆锥形等；灰蝶科的卵表面布满多角形雕纹，形状多扁球形或半球形；弄蝶科的卵表面多有不规则的雕纹或纵横脊，形状多呈盘形、半球形或球形。

幼虫：是取食和生长时期，为蠋式，体多呈圆筒形，由头部及 13 个体节组成；胸部 3 节，各节均有 1 对胸足；腹部 10 节，第 3～6 节及第 10 节各有 1 对腹足。幼虫形态各异，体色多变，头部坚硬，略呈圆球形或半圆球形，头上常有突起，有时突起大，呈角状，体节上有的种类有成排的纵或横斑纹，有的有棘刺或毛结节分布，有的种类光滑或有颗粒状突起物等。

蛹：被蛹，其形状、大小、颜色及纹理因种而异。蝴蝶化蛹多在敞开的环境中，附着方式各有不同，凤蝶及粉蝶为缢蛹；蛱蝶和灰蝶为悬蛹；弄蝶则多在树皮下、土块或卷叶中结成丝质薄茧化蛹；少数眼蝶在土中做茧化蛹。蛹的颜色多随环境而发生变化，如凤蝶和粉蝶在墙上化蛹，多呈灰白色；在树上化蛹，多呈绿色等。

二、蝴蝶的分类特征

蝴蝶分类以成虫外部形态特征，尤其是翅脉、翅斑纹及外生殖器特征为主要依据，其他虫态的特征由于研究较少，缺乏资料而使用较少。

1. 头部（head）

头部圆球形或半球形，颈部细短，可自由活动。着生有口器和 1 对触角及复眼，是蝴蝶的取食及感觉中心。

（1）触角（antennae）

蝶类触角生于额区上方，紧靠复眼内侧；末端膨大呈锤状或钩状，其形状、粗细、长短、色彩、锤状部膨大形式及2个触角间距离等是分类划分依据。

（2）复眼（eyes）

1对，发达，分别位于头部两侧，由上万个六角形小眼组成，其色彩、光滑或有毛程度等是高级阶元的划分依据。

（3）下唇须（palpi）

3节，基部着生于头颅的下后方，向上方伸出，有的种类第3节弯向前方，其形态、长短、斑纹、色彩及着生状态、鳞毛的长短和稀疏等可用来划分族或属。

2. 胸部（thorax）

位于体躯的中部，是运动中心。由前胸、中胸及后胸3个体节组成，各节腹面着生1对足，中胸和后胸侧背面各有1对翅。

（1）足（legs）

足是蝴蝶分类的重要特征之一。有前中后3对足，各足均由5个部分组成，即连接于胸部的基节、较小的转节、较粗的腿节、细长的胫节及分为5小节的跗节。胫节末端通常有1对能动的距，弄蝶的后足在胫节中部有第2对距；跗节末端有1对爪，爪在粉蝶科常二分叉，在绢蝶属常不对称。

（2）翅（wings）

蝴蝶有前后2对翅，十分发达，翅形、脉相、翅斑纹及色彩等都是蝴蝶分类的重要特征。

翅形（wing shape）：通常前翅近三角形，后翅近梨形，有明显的3个角（基角、顶角、后角）和3个边（前缘、外缘、后缘）；翅形在有些类群中差异极大，是区分某些类群的重要特征，如臀叶及尾突等可作为高级阶元划分的有效特征。

翅脉（wing venation）：前翅纵脉11～14条，后翅8～9条，另有少数横脉，科、属间明显不同，有重要的分类价值。中室闭或开式。

根据康尼命名法，蝴蝶前翅第1条纵脉为亚前缘脉（Sc），从基角发出，不分支；第2条径脉（R），通常具5条分支（R_1、R_2、R_3、R_4、R_5），有时少1～2条；第3条纵脉为中脉（M），其基部消失形成中室，端部留下3条分支（M_1、M_2、M_3）；第4条肘脉（Cu），从基部后方生出，有2条分支（Cu_1、Cu_2）；最后从基角伸出1～3条臀脉（1A＋2A、3A），凤蝶、斑蝶、喙蝶及弄蝶的3A脉在翅脉基部留有极小的一段，其余部分并入 2A 脉，其他蝶类 3A 脉均退化消失。

后翅第 1 条纵脉为 Sc + R$_1$ 脉；第 2 条为径总脉 Rs；中脉、肘脉的数目和位置与前翅相似，臀脉 2 条，均完整。

翅斑纹（**wing patch**）：蝴蝶翅正反两面均具有形状和色彩各异的斑纹，是区分属、种的常用特征。

翅室（**wing cell**）：翅脉的存在将翅面划分为许多小区域，称翅室。采用康尼命名法时，各翅室依其前面 1 条脉纹名称命名，用小写字母表示，如 M$_1$ 脉后面的翅室为 m$_1$ 室，Cu$_1$ 脉后的翅室为 cu$_1$ 室，2A 脉后的翅室为 2a 室等。

翅区（**wing section**）：为了方便描述及辨别，人们常将翅面划分为不同的区域。

3. 腹部（abdomen）

腹部是蝴蝶体躯的第 3 体段，紧接于胸部之后，外部构造较为简单，是代谢及生殖中心，内部包含消化系统、呼吸系统、循环系统、排泄系统及生殖系统等重要器官；由 10 节组成，第 1 节退化，第 7 和第 8 节变形，第 9 和第 10 节演化成外生殖器。

(1) 雄性外生殖器（male genitalia）

蝴蝶的雄性外生殖器结构复杂，变化多样，由第 9 和第 10 腹节形成，是进行高级阶元及种间区分的重要分类依据。

背兜（tagumen）弧形，是第 9 腹节背板形成的骨化环的背面部分，其两侧连有基腹弧（vinculum）；囊突（saccus）连接于基腹弧下方，呈盲囊状或槽状，长短、粗细变化较大；1 对抱器（clasper）分别位于背兜及基腹弧后左右两侧，形状各异，由第 9 节刺突演化形成，不同类群间差异显著；其各部位及附属构造有不同的名称，如抱器的腹侧称抱器腹（sacculus），背侧称抱器背（costa），端部称抱器端（cucullus）及片状的抱器瓣（valvae），在抱器瓣上着生有不同形状的突起称内突（ampulla）；钩突（uncus）由第 10 节演变而成，连接在第 9 腹节背板（背兜）的中后方，常为钩形或分叉，在粉蝶科颚突常呈 1 对钩状，称背钩（dorsal hooks）；颚突（gnathos）多位于钩突与背兜交界处，形状、大小变化较大，1 对或在端部相连，呈"U"形，侧观臂状、片状、条带形不等，有的种类缺失；凤蝶科第 8 节大型背板中央向后的突起为上钩突（superuncus），代替了背兜的作用；灰蝶科的背兜后缘成对的圆垫形突起为唇状突（labides）；尾突（socius）位于钩突之前的两侧，常与钩突愈合，由尾须演化而来，许多种类缺失；阳茎（aedeagus）多为长管状，粗细、大小等变化多样，骨化；阳茎轭片（juxta）多呈"V"形、"U"形或板状等结构，位于阳茎下方，起固定及支撑阳茎的作用。

(2) 雌性外生殖器（female genitalia）

蝴蝶属双孔类，具有 2 个生殖孔，即产卵孔（ostium oviductus）和交配孔（ostium bursae）。产卵孔位于腹部末端，交配孔多位于第 8 腹板，裸露或隐蔽，其周围有前阴片（lamella antevaginalis）和后阴片（lamella postvaginalis），形状多有不同；囊导管（ductus bursae）是联系交配囊与交配孔间的管状物，其粗细、长短及骨化程度和方式等在属间差异显著；交配囊(corpus bursae)膜质，多椭圆形，其大小及形状在类群及种间有差异；交配囊片(signa)是位于交配囊上的骨化区域，形状各异，其着生位置、大小、形状等是划分种的极好特征；囊尾(apendix bursae)膜质，位于交配囊底部，其有无、大小、形状等可作为种间划分的特征；肛突(papillae anales)即产卵瓣，为腹部末端1对生毛的瓣状突起，由第9和第10两节形成。

4. 第二性征(secondary sexual characters)

雌蝶与雄蝶除生殖官不同外，还表现在体型和色斑上。一般雌蝶体型较大，腹部粗短，中部膨大，末端尖细；雄蝶体型较小，腹部多细长，末端常可见抱器末端及阳茎伸出。另外还表现在身体的其他部分，如触角、须、翅、足的形状，腹部末端及特殊的鳞片上，这些都被称为第二性征。

如蛱蝶科较为典型的第二性征包括：紫斑蝶属 *Euploea* 的蝴蝶，前翅后缘雌蝶平直，雄蝶弧形且前翅后缘区有特殊鳞形成的条带状或斑点状的性标；蚜灰蝶属 *Taraka* 的雄蝶，翅的脉纹一部分膨大；斑蝶属 *Danaus* 及紫斑蝶属 *Euploea* 的雄蝶，腹部末端有可翻出的毛簇，即发香鳞，在飞翔时可发出特殊的气味，以吸引异性；绢斑蝶属 *Parantica* 的雄蝶，后翅臀脉上有香鳞斑；豹蛱蝶族 Argynnini 的许多属的雄蝶前翅翅脉上有条状的香鳞斑；弄蝶科的黄斑弄蝶属 *Ampittia*、酣弄蝶属 *Halpe* 及伞弄蝶属 *Bibasis* 的雄蝶，发香鳞毛存在于后翅的前缘褶内；凤蝶科中许多种类的雄蝶，在后翅后缘有褶或袋，其中装有发香的毛簇；有些种类的雄蝶在前翅或后翅的正面有特殊鳞形成的条带或斑点，其上有竖立的毛，能扇状展开并散发香气。

第三章　蝴蝶的生物学

蝴蝶寿命长短不一，多在11个月至几个星期之间，这期间蝴蝶需要进行取食以补充营养、交配及产卵等生命活动。

一、 成虫习性

取食饮水：蝴蝶成虫不仅吸食花蜜，有的种类还有嗜食烂果、树汁液、人畜粪便及饮水等习性。如凤蝶嗜食百合科植物的花蜜；粉蝶嗜食十字花科植物的花蜜；小豹蛱蝶属 *Brenthis* 的种类嗜食菊科植物花蜜；帅蛱蝶 *Sephisa chandra*、枯叶蝶 *Kallima inachus* 等嗜食发酵浆果的汁液；闪蛱蝶属 *Apatura* 和红蛱蝶属 *Vanessa* 的种类及琉璃蛱蝶 *Kaniska canace* 等吸食杨栎流出的汁液；螯蛱蝶属 *Charaxes* 的种类嗜食人粪；棒纹喙蝶 *Libythea myrrha* 嗜食马粪等。

飞行与迁飞：蝴蝶为昼出性昆虫，其飞行都在白天，飞行姿态与速度因种而异：

斑蝶飞行缓慢而优美；眼蝶多波浪形飞翔；鳌蛱蝶属、尾蛱蝶属 *polyura*、闪蛱蝶属、电蛱蝶属 *Dichorragia*、绿弄蝶属 *Choaspes* 的种类等则飞翔迅速。另外，其飞行活动会随着阳光、环境和温度变化而改变，当天气晴朗时，飞行频繁，阴雨天时则停止活动。迁飞的种类，如君主斑蝶 *Danaus plexippus* 能成群大规模远距离迁飞。

　　栖息：蝶类喜栖息于安静而隐蔽的地方，栖息场所依种类而有所不同，一般种类喜栖息于植物枝叶上；蛱蝶科有些种类喜欢倒挂于枝叶下面，如八目丝蛱蝶 *Cyrestis cocles*；有的种类喜栖息于悬崖峭壁上，如素饰蛱蝶 *Stibochiona nicea*；蛱蝶一般是单栖的，但有些种类则喜群栖于一处，如斑蝶属的种类；另有一些蛱蝶（如闪蛱蝶属）具有领域性地栖息于山路隘口的树木上，一有其他蝴蝶飞过，即行追赶，后再回到原栖息处。

　　交配：交配前，许多种类需经过一段婚飞过程，交配方式多尾部相接而头分向两端，交配过的雌蝶，如果再遇其他雄蝶追逐求爱时，会平展四翅并将腹部翘起，以示拒绝交配。

　　产卵：蝴蝶中最为常见的产卵方式是单产于寄主植物叶片反面，有些种类则有其特殊的产卵位置和习性，如朴喙蝶 *Libythea celtis* 的卵产于朴树嫩芽上；黄缘蛱蝶 *Nymphalis antiopa* 产卵于杨树细枝上，并呈环状排列；朱蛱蝶 *Nymphalis xanthomelas* 的卵产于朴树嫩芽基部的枝条上，100～200 粒堆积成圆球形；枯叶蝶则将卵产于寄主植物上方 30～60mm 的枝条上，幼虫孵出后，吐丝下垂到达寄主植物叶面。成虫产卵量一般为 50～200 枚，当成虫获得充足营养时，产卵量增加，营养不足时，产卵量下降。

二、 幼虫习性

　　取食：有的种类孵化后首先食去卵壳；有的种类则稍事休息，直接取食寄主植物。取食部位因种类不同而不同，嗜食的部位有叶片、花蕾、嫩荚、嫩茎等。

　　群集性：成堆产卵孵化出来的幼虫，通常保留群居习性，这种习性多被认为是一种原始特性，如绢粉蝶 *Aporia crataegi* 幼虫在寄主植物上结网群栖；荨麻蛱蝶 *Aglais urticae* 幼虫往往数十条群集于荨麻的枝叶间，吐丝结网，隐匿其间，取食与栖息；锯蛱蝶属 *Cethosia* 的种类也有群集性。

三、 休眠与越冬

　　蝴蝶越冬与休眠的虫态因种类不同而各有不同，较多的是以蛹的状态越冬（如凤蝶及粉蝶）；也有以老熟幼虫越冬（如环蝶）或卵越冬（如灰蝶）的；极少数种类以成虫越冬，如钩粉蝶属 *Gonepteryx*、喙蝶属 *Libythea*、小红蛱蝶 *Vanessa cardui*、孔雀蛱蝶 *Inachis io*、黄钩蛱蝶 *Polygonia c-aureum* 等。又如绿豹蛱蝶 *Argynnis paphia* 以 1 龄初孵幼虫（共 5 龄）在植物皮层裂缝间进行休眠；艾诺红眼蝶 *Erebia aethiops* 以 2 龄幼虫在植株基部表面休眠；隐线蛱蝶 *Limenitis camilla* 以 3 龄幼虫在枝丫间或枯叶基部，吐丝做垫并匍匐其上进行休眠；潘非珍眼蝶 *Coenonympha pamphilus* 以 4 龄幼虫于茎秆基部蛰伏，进行越冬，且遇气候温暖时可继续取食；网蛱蝶 *Melitaea cinxia* 集合许多幼虫吐丝做出网袋并蛰伏其中休眠。

四、化蛹模式

蝴蝶化蛹模式多为缢蛹或悬蛹。缢蛹为老熟幼虫以腹部末端的臀棘及丝垫附着于植物上，并在腰部缠绕一圈丝带；悬蛹即老龄幼虫吐丝做垫，用尾足钩固定其上，身体倒悬下来，进入前蛹阶段，及至成熟即行化蛹。化蛹时幼虫表皮在背中线上裂开，之后，由于蛹体的不停伸缩而使皮层迅速后移，退至尾部末端时迅即伸出，同时急速扭动体躯，使臀钩钩着于丝垫之上，安全悬垂，随后幼虫旧皮脱落，蛹体体壁逐渐收缩硬化，形成蛹体。有些眼蝶（*Hipparchia semele*）的幼虫老熟后，下行至寄主植物附近土表下，做成极薄的土室，化蛹其中。

五、保护色、警戒色与拟态

保护色：是指某些蝶类具有同它的生活环境背景相似的颜色，以达到有利于躲避天敌而保护自己的效果，如枯叶蝶停息时双翅竖立，极似枯叶；闪蛱蝶亚科的种类在叶上化蛹，蛹为绿色等。

警戒色：与保护色相反，是具有同背景成鲜明对照的色彩，以引起天敌的恐惧感，从而逃避灾难，如眼蝶翅上鲜艳的眼斑，斑蝶胸部及腹部 2～4 对长丝状的突起，大二尾蛱蝶 *Polyura eudamippus* 幼虫头部 4 个鹿角状的长突起，都起到了警戒避敌的作用。

拟态：是指一种蝶类与另一种蝶类很相像，因而借此保护自己。拟态的概念基于这样的设想：某些种类的蝴蝶对鸟及其他捕食性天敌来说是令其厌恶的，不可口或不可食的，这些种类具有醒目的警戒色，让捕食者识别而避开它们；另一些无害而又很可口的蝴蝶则以类似花纹保护自己，使捕食者误以为它们是不可口的种类而放弃捕食。拟态现象有两种基本的类型，即贝氏拟态和缪氏拟态。贝氏拟态指被模拟者对捕食者来说是不可食的，而拟态昆虫则是可食的，其对拟态昆虫有利，对被模拟者是不利的；缪氏拟态指两种或多种不可口的种类具有相同的花纹，捕食者只要误食其一，以后两者就都不受其害，这是对两者都有利的拟态，如金斑蝶 *Danaus chrysippus* 含有从幼虫取食的马利筋中吸收来的卡烯内酯（对心脏有毒）而令捕食者望而生畏。这些具有保护能力的种类通常具有由红、黑、白、黄及橘黄等混合而成的醒目色彩，经常飞行缓慢，遇到干扰也不逃离。

六、　天敌及其防御机制

　　天敌：蝴蝶一生中每个虫态都面临天敌的危害，主要种类有捕食蝴蝶成虫、幼虫和蛹的鸟类（如雀形目 Passeriformes、䴕形目 Piciformes）；捕食蝴蝶成虫和幼虫的蛙及蟾蜍；捕食蝴蝶成虫的蜘蛛、螳螂、蜻蜓等；捕食蝴蝶幼虫的胡蜂、土蜂、步行虫、猎蝽。此外，还有寄生蜂类，如茧蜂科的种类主要寄生在蝴蝶的卵内，姬蜂科和小蜂科的种类主要寄生在蝴蝶的幼虫和蛹内，如黑基钩尾姬蜂 Apechthis capulifera 寄生于朴喙蝶和日本斜纹脉蛱蝶 Hestina japonica，锥盾凹顶姬蜂 Psilomastax pyramidalis 寄生于日本斜纹脉蛱蝶和紫闪蛱蝶 Apatura iris，姬蜂 Ichneumon molitorius 寄生于大红蛱蝶 Vanessa indica 等；寄生蝇类主要是寄蝇科 Tachinidae 和长足寄蝇科 Dexiidae 的种类；另有寄生微生物，如蛱蝶微粒子 Thelohania vanessae。

　　防御机制：蛱蝶防御主要是通过拟态、伪装、保护色、警戒色及化学防御等几种方式来实现，如斑蝶、珍蝶成虫有特殊臭味及眼蝶翅上的眼斑，都可避免鸟类及肉食动物袭击；枯叶蝶伪装成枯枝样及枯枝色以避免天敌侵害；斑蝶幼虫胸部及腹部各有 1~2 对长丝状突起，散发臭气以防御敌害等。

七、　共栖

　　有些灰蝶科的种类（霾灰蝶属 Maculinea、蓝灰蝶属 Everes、豆灰蝶属 plebeius 等）的幼虫和蚂蚁建立了共栖关系，蚂蚁将灰蝶运回巢穴中，舔食其幼虫身体背腺的分泌物，尽其保护职责，帮助其驱逐天敌。如霾灰蝶属的幼虫在第 3 龄时会由食草上掉到地上，而由红蚁属 Myrmica 的蚂蚁搬回巢中，并舔食蝴蝶幼虫身上的分泌物，这些幼虫会在这个阶段由植食性转变为肉食性，将蚂蚁幼虫吃掉，虽然每一只这种蚂蚁都有可能带回任何一种霾灰蝶属的蝴蝶幼虫，但在同一时间内，只有一种蝴蝶幼虫能在巢中完成生活史，而其他的幼虫会被蚂蚁杀死。

第四章　　蝴蝶的寄主植物

　　蝴蝶的幼虫绝大多数为植食性，其寄主植物范围很广，主要寄主植物（科）及其取食的蝶类（属）分列如下：

　　伞形花科 Umbelliferae：宽尾凤蝶属 Agehana、凤蝶属 Papilio。

　　樟科 Lauraceae：宽尾凤蝶属 Agehana、凤蝶属 Papilio、斑凤蝶属 Chilasa、青凤蝶属 Graphium、鳌蛱蝶属 Charaxes、环蛱蝶属 Neptis。

　　马兜铃科 Aristolochiaceae：裳凤蝶属 Troides、尾凤蝶属 Bhutanitis、麝凤蝶属

Byasa、珠凤蝶属 *Pachliopta*、虎凤蝶属 *Luehdorfia*、丝带凤蝶属 *Sericinus*、绢蝶属 *Parnassius*、紫斑蝶属 *Euploea*。

防己科 Menispermaceae：麝凤蝶属 *Byasa*、青斑蝶属 *Tirumala*。

豆科 Leguminosae：凤蝶属 *Papilio*、迁粉蝶属 *Catopsilia*、豆粉蝶属 *Colias*、方粉蝶属 *Dercas*、黄粉蝶属 *Eurema*、钩粉蝶属 *Gonepteryx*、小粉蝶属 *Leptidea*、尾蛱蝶属 *Polyura*、螯蛱蝶属 *Charaxes*、老豹蛱蝶属 *Argyronome*、青斑蝶属 *Tirumala*、环蛱蝶属 *Neptis*、璃灰蝶属 *Celastrina*、银灰蝶属 *Curetis*、蓝灰蝶属 *Everes*、艳灰蝶属 *Favonius*、灰蝶属 *Lycaena*、酢浆灰蝶属 *Pseudozizeeria*、豆灰蝶属 *Plebejus*、诗灰蝶属 *Shirozua*、线灰蝶属 *Thecla*、爱灰蝶属 *Aricia*、亮灰蝶属 *Lampides*、红珠灰蝶属 *Lycaeides*、趾弄蝶属 *Hasora*。

芸香科 Rutaceae：凤蝶属 *Papilio*、青凤蝶属 *Graphium*、螯蛱蝶属 *Charaxes*、钩蛱蝶属 *Polygonia*、璃灰蝶属 *Celastrina*。

木兰科 Magnoliaceae：青凤蝶属 *Graphium*。

桃金娘科 Myrtaceae：青凤蝶属 *Graphium*、银线灰蝶属 *Spindasis*。

蒙立米科 Monimiaceae：青凤蝶属 *Graphium*。

山榄科 Sapotaceae：青凤蝶属 *Graphium*。

漆树科 Anacardiaceae：凤蝶属 *Papilio*。

伞形科 Umbelliferae：凤蝶属 *Papilio*。

半边莲科 Lobeliaceae：凤蝶属 *Papilio*。

景天科 Crassulaceae：绢蝶属 *Parnassius*、玄灰蝶属 *Tongeia*、珞灰蝶属 *Scolitantides*。

紫堇科 Fumariaceae：绢蝶属 *Parnassius*。

十字花科 Brassicaceae：粉蝶属 *Pieris*、襟粉蝶属 *Anthocharis*。

小檗科 Berberidaceae：绢粉蝶属 *Aporia*。

鼠李科 Rhamnaceae：黄粉蝶属 *Eurema*、钩粉蝶属 *Gonepteryx*、燕灰蝶属 *Rapala*、洒灰蝶属 *Satyrium*。

金丝桃科 Hypericaceae：黄粉蝶属 *Eurema*。

乌饭树科 Vacciniaceae：钩粉蝶属 *Gonepteryx*。

白花菜科 Capparaceae：粉蝶属 *Pieris*。

菝葜科 Smilacaceae：串珠环蝶属 *Faunis*。

紫金牛科 Myrsinaceae：褐蚬蝶属 *Abisara*、尾蚬蝶属 *Dodona*、波蚬蝶属 *Zemeros*。

胡桃科 Juglandaceae：癞灰蝶属 *Araragi*。

山茱萸科 Cornaceae：璃灰蝶属 *Celastrina*。

五加科 Araliaceae：璃灰蝶属 *Celastrina*、伞弄蝶属 *Bibasis*。

茶科 Theaceae：璃灰蝶属 *Celastrina*。

桦木科 Betulaceae：珂灰蝶属 *Cordelia*。

虎耳草科 Saxifragaceae：燕灰蝶属 *Rapala*。

薯蓣科 Dioscoreaceae：银线灰蝶属 *Spindasis*、黑弄蝶属 *Daimio*。

酢浆草科 Oxalidaceae：酢浆灰蝶属 *Pseudozizeeria*。

苏铁科 Cycadaceae：紫灰蝶属 *Chilades*。

蔷薇科 **Rosaceae**：绢粉蝶属 *Aporia*、尾蛱蝶属 *Polyura*、豹蛱蝶属 *Argynnis*、老豹蛱蝶属 *Argyronome*、小豹蛱蝶属 *Brenthis*、穆蛱蝶属 *Moduza*、斑蝶属 *Danaus*、环蛱蝶属 *Neptis*、钩蛱蝶属 *Polygonia*、璃灰蝶属 *Celastrina*、金灰蝶属 *Chrysozephyrus*、霾灰蝶属 *Maculinea*、燕灰蝶属 *Rapala*、生灰蝶属 *Sinthusa*、线灰蝶属 *Thecla*、白弄蝶属 *Abraximorpha*。

锦葵科 **Malvaceae**：斑蝶属 *Danaus*、斑蛱蝶属 *Hypolimnas*、环蛱蝶属 *Neptis*。

杨柳科 **Salicaceae**：闪蛱蝶属 *Apatura*、窗蛱蝶属 *Dilipa*、白蛱蝶属 *Helcyra*、脉蛱蝶属 *Hestina*、珐蛱蝶属 *Phalanta*、线蛱蝶属 *Limenitis*、带蛱蝶属 *Athyma*、缕蛱蝶属 *Litinga*、肃蛱蝶属 *Sumalia*、葩蛱蝶属 *Patsuia*、瑟蛱蝶属 *Seokia*、姹蛱蝶属 *Chalinga*、蛱蝶属 *Nymphalis*、钩蛱蝶属 *Polygonia*。

茜草科 **Rubiaceae**：带蛱蝶属 *Athyma*、穆蛱蝶属 *Moduza*、丽蛱蝶属 *Parthenos*、紫斑蝶属 *Euploea*。

大戟科 **Euphorbidaceae**：青凤蝶属 *Graphium*、黄粉蝶属 *Eurema*、带蛱蝶属 *Athyma*、波蛱蝶属 *Ariadne*、斑蝶属 *Danaus*、玛灰蝶属 *Mahathala*、银线灰蝶属 *Spindasis*。

木樨科 **Oleaceae**：带蛱蝶属 *Athyma*、精灰蝶属 *Artopoetes*。

大风子科 **Flacourticeae**：珐蛱蝶属 *Phalanta*、襟蛱蝶属 *Cupha*。

榆科 **Ulmaceae**：尾蛱蝶属 *Polyura*、迷蛱蝶属 *Mimathyma*、铠蛱蝶属 *Chitoria*、罗蛱蝶属 *Rohana*、猫蛱蝶属 *Timelaea*、白蛱蝶属 *Helcyra*、芒蛱蝶属 *Euripus*、脉蛱蝶属 *Hestina*、紫蛱蝶属 *Sasakia*、缕蛱蝶属 *Litinga*、喙蝶属 *Libythea*。

壳斗科 **Fagaceae**：帅蛱蝶属 *Sephisa*、俳蛱蝶属 *Parasarpa*、青灰蝶属 *Antigius*、璃灰蝶属 *Celastrina*、金灰蝶属 *Chrysozephyrus*、艳灰蝶属 *Favonius*、黄灰蝶属 *Japonica*、诗灰蝶属 *Shirozua*、铁灰蝶属 *Teratozephyrus*、红灰蝶属 *Lycaeides*。

荨麻科 **Urticaceae**：芒蛱蝶属 *Euripus*、秀蛱蝶属 *Pseudergolis*、麻蛱蝶属 *Aglais*、珍蝶属 *Acraea*。

西番莲科 **Passifloraceae**：锯蛱蝶属 *Cethosia*。

堇菜科 **Violaceae**：豹蛱蝶属 *Argynnis*、斐豹蛱蝶属 *Argyreus*、老豹蛱蝶属 *Argyronome*、云豹蛱蝶属 *Nephargynnis*、小豹蛱蝶属 *Brenthis*、青豹蛱蝶属 *Damora*、福蛱蝶属 *Fabriciana*、斑豹蛱蝶属 *Speyeria*、珍蛱蝶属 *Clossiana*。

杜鹃花科 **Ericaceae**：豆粉蝶属 *Colias*、珍蛱蝶属 *Clossiana*。

蓼科 **Polygonaceae**：斑豹蛱蝶属 *Speyeria*、璃灰蝶属 *Celastrina*、灰蝶属 *Lycaena*、彩灰蝶属 *Heliophorus*、豆灰蝶属 *Plebejus*。

忍冬科 **Caprifoliaceae**：线蛱蝶属 *Limenitis*、带蛱蝶属 *Athyma*。

萝藦科 **Asclepiadaceae**：麝凤蝶属 *Byasa*、斑蝶属 *Danaus*、绢斑蝶属 *Parantica*。

旋花科 **Convolvulaceae**：斑蝶属 *Danaus*、紫斑蝶属 *Euploea*。

菊科 **Compositae**：斑蝶属 *Danaus*、珠蛱蝶属 *Issoria*、豆灰蝶属 *Plebejus*。

夹竹桃科 **Apocynaceae**：粉蝶属 *Pieris*、斑蝶属 *Danaus*、青斑蝶属 *Tirumala*、旖斑蝶属 *Ideopsis*、帛斑蝶属 *Idea*、紫斑蝶属 *Euploea*。

玄参科 **Scrophulariaceae**：斑蝶属 *Danaus*。

无患子科 **Sapindaceae**：青凤蝶属 *Graphium*、斑蝶属 *Danaus*。

桑科 **Moraceae**：紫斑蝶属 *Euploea*、丝蛱蝶属 *Cyrestis*、绢蛱蝶属 *Calinaga*。

桑寄生科 **Loranthaceae**：斑粉蝶属 *Delias*、豆灰蝶属 *Plebejus*。

清风藤科 **Sabiaceae**：电蛱蝶属 *Dichorragia*、绿弄蝶属 *Choaspes*。

棕榈科 **Palmaceae**：锯眼蝶属 *Elymnias*。

禾本科 **Gramineae**：林眼蝶属 *Aulocera*、珍眼蝶属 *Coenonympha*、红眼蝶属 *Erebia*、黛眼蝶属 *Lethe*、暮眼蝶属 *Melanitis*、蛇眼蝶属 *Minois*、眉眼蝶属 *Mycalesis*、奥眼蝶属 *Orsotriaena*、古眼蝶属 *Palaeonympha*、斑眼蝶属 *Penthema*、矍眼蝶属 *Ypthima*、尾蚬蝶属 *Dodona*、刺胫弄蝶属 *Baoris*、籼弄蝶属 *Borbo*、谷弄蝶属 *Pelopidas*、黄室弄蝶属 *Potanthus*。

石蒜科 **Amaryllidaceae**：珍眼蝶属 *Coenonympha*。

莎草科 **Cyperaceae**：珍眼蝶属 *Coenonympha*、红眼蝶属 *Erebia*。

芭蕉科 **Musaceae**：串珠环蝶属 *Faunis*、锯眼蝶属 *Elymnias*、蕉弄蝶属 *Erionota*。

番荔枝科 **Annonaceae**：青凤蝶属 *Graphium*、璞蛱蝶属 *Prothoe*。

金缕梅科 **Hamamelidaceae**：耙蛱蝶属 *Bhagadatta*、珠灰蝶属 *Iratsume*。

第五章　蝴蝶与人类的关系

一、蝴蝶与人类文化生活

蝴蝶与人类关系极为密切，其体态窈窕，艳丽多姿，在飞舞、探吸花蜜过程中，既帮助植物传授花粉，维持生态平衡，又以其自身斑斓的色彩和图案点缀大自然。人类对蝴蝶的称颂，自古而然，骚人墨客已不知为它们写下了多少脍炙人口的诗篇，如李白的"八月蝴蝶黄，双飞西园草"；杜甫的"穿花蛱蝶深深见，点水蜻蜓款款飞"；宋朝王安石的诗《蝶》："翅轻于粉薄于缯，长被花牵不自胜。若信庄周尚非我，岂能投死为韩凭。"北宋另一位诗人谢逸一生仅咏蝶诗就写了300多首，被后人称为"谢蝴蝶"，尤其是"狂随柳絮有时见，舞入梨花何处寻"，更是把蝴蝶的飘逸风姿写得出神入化；同是宋代诗人的薛季宣在《游祝陵善权》诗中有"万古英台面，云泉响佩环。练衣归洞府，香雨落人间。蝶舞凝山魄，花开想玉颜……"。至此，人们便把美丽的蝴蝶和自己的思想及感情联系在了一起，翩翩追逐嬉戏的蝴蝶便不断挑动起幽居孤栖的处子和绵绵情思的佳人扯不断理还乱的相思，因之而生的《蝶恋花》《玉蝴蝶》等辞章也蔚为大观。

在历代艺术作品中，以蝶为题材的很多，如在明、清两代，蝶和花构成的图案代表吉祥，蝶和花卉配合使画面生动而自然，成对的蝶是爱情的象征；这些都被民间习惯上所采纳，且一直沿袭下来。戏曲《梁山伯与祝英台》的结尾以男女主人公化为一对蝴蝶作为忠贞爱情的象征；由梁山伯与祝英台的爱情悲剧故事写成的一曲《梁祝》，感动了世间多少人，其中"化蝶"一段的旋律更是优美动听，感人肺腑，《梁祝》已成为我国人民宝贵的精神财富，寄托着人们对爱情和自由的向往。

蝴蝶最早见于文学作品，要数先秦散文名著《庄子》，《庄周梦蝶》即为其中有名的一篇，文中述说庄周梦见自己变成了一只蝴蝶，"栩栩然蝴蝶也……不知周也"，等他醒来，惊奇地看到自己是庄周，不知是庄周做梦变成蝴蝶，还是蝴蝶做梦变成庄周。这个寓言是要说明，蝴蝶与庄周，物与我，本来就是一体，没有差别，因此不必去追究。自此以后的两千多年中，庄周梦蝶就成了文人墨客借物言志的重要题材，蝶梦也就成了梦幻的代称。唐代诗人李商隐的《锦瑟》诗中充满对亡友的追思，抒发了悲欢离合的情怀，诗中引用庄周梦蝶的典故，上句"庄生晓梦迷蝴蝶"喻物为合，而下句"望帝春心托杜鹃"喻物为离。南宋杨万里《宿新市徐公店二首》诗云："儿童急走追黄蝶，飞入菜花无处寻。"分别描述菜粉蝶在白色的梨花中飞舞和黄粉蝶喜欢在黄色的油菜花中飞舞的情景，由于两种蝶的保护色，致使蝶、花一色，难以辨认。唐代祖咏《赠苗发员外》中有"丝长粉蝶飞"的诗句，说的就是尾突细长如丝、婀娜多姿的丝带凤蝶。

画家们也常将它们融入令人留恋的画卷，北京故宫博物院珍藏着不少祖国历代名画。其中有一幅宋画，名为《晴春蝶戏图》，画面清晰生动，十多只彩蝶，色彩鲜艳，风姿秀丽。这幅画据说为南宋画家李安忠所作，画上的各种蝴蝶的大小比例、形态特征以及色彩斑纹等，大都酷似实物，栩栩如生，虽时隔千年，仍然能辨明都是属于南宋时期、产于国都临安(今杭州)附近的蝶种，个别种类还可明显无误地识别其雌雄。

蝴蝶是重要的仿生原型，以蛱蝶为题材的图画、工艺品、商标等随处可见，蛱蝶天然色彩及图案常被应用到纺织、印染、丝绸图案上；至于在织物、刺绣、邮票以及工艺品中看到的蝴蝶图案就更多了。凤蝶是工艺美术品的最好材料，凤蝶标本可以展姿成各种形态并与花草搭配，装入玻璃罩或相框中，作为装饰，在欧美市场颇受欢迎；另外，艺术家们还利用美丽多姿的蝶翅拼贴成艺术价值很高的蝶翅画。

蝴蝶的翅上具有许多存在于生物界中的最优美的色彩。在纺织工艺中，人们从蝴蝶翅的色彩中用光谱分析出许多色谱，为服装设计者提供了各种各样的调和色，可做镶边及服饰色彩的搭配，给人以美的感觉；根据蝶翅的色彩和斑纹可设计出各种各样图案的花布；纺织品中的闪光也是利用了鳞翅的闪光原理，使织物从不同的角度可呈现不同的颜色；蝶翅色彩在日用品设计、工艺设计，甚至建筑设计中都得到应用。

蝴蝶邮票是集邮爱好者争相收藏的品种，世界各国均有发行，据记载，截至1980年，世界上共有171个国家和地区发行了1898枚昆虫邮票，其中蝴蝶邮票1128枚。我国于1963年发行了一套20枚蝴蝶邮票。

综上所述，蝴蝶与我们的生活息息相关，有关它们的知识与趣闻还有很多，有待人们去了解和认识，并造福于人类。

二、蝴蝶的社会经济价值

（一）物种多样性的重要组成部分

全世界蝴蝶种类繁多，可谓是自然界最美丽的生物之一。已记载 17000 余种，估计总数 18000～20000 种，其中许多是珍稀物种。喙凤蝶属 *Teinopalpus* 和尾凤蝶属 *Bhutanitis* 的种类生活在中国西南部的高海拔地带，一年只发生一代，寄主范围狭窄；绢蝶生活于严寒的高山地带，分布可达人迹罕见的冰线以下；鸟翼凤蝶的种类，翅展可达 300mm，是世界上最大的蝴蝶，仅分布在西南太平洋的一些孤立的岛屿上。这些蝴蝶都是十分珍贵的物种，和显花植物一道构成了自然界缤纷的景观。

（二）观赏、收藏及经济与艺术价值

许多蝴蝶色彩艳丽，飞行姿态优雅，具有极高的观赏价值，是世界上极有收藏价值的昆虫之一，从而成为珍贵的可开发的生物资源。蝴蝶作为国际贸易商品，有着悠久的历史，它不仅是可供观赏的美丽标本，还可制作成精美的蝴蝶画、多种多样的蝴蝶工艺品，是重要的旅游资源，具有极高的经济价值和收藏价值。

凤蝶在昆虫中是极有收藏价值的佼佼者之一，多数为美丽的大型种类，包括很多珍稀名贵的蝴蝶，例如世界上最大的蝴蝶亚历山大鸟翼凤蝶 *Ornithoptera alexandrae*，尾突最长的燕凤蝶 *Lamproptera curius*，世界上最珍贵稀有的金斑喙凤蝶 *Teinopalpus aureus*，为中国特有种，是收藏家竞相收藏的珍品；还有从不同角度发出多彩光泽的荧光裳凤蝶 *Troides magellanus* 等。蝴蝶标本作为国际贸易的商品有着悠久的历史，其中以凤蝶为主，据 1985 年 IUCN 出版的《受威胁的世界凤蝶》红皮书记载，有 51 个国家和地区已记录凤蝶共 573 种，它们大多可以作为商品进行贸易，台湾 1976 年的蝶类出口总额达 3000 万美元之多。

蝴蝶作为商品，按观赏类型和贸易情况可分为三大类。第一，价低量大的标本，这类标本都是常见种，数量很多且价格便宜，买来后以其翅膀和触角等加工制成各种装饰品。遗留下的虫体一般做饲料，是一种高蛋白、低脂肪的营养饲料。蝴蝶工艺品（如各种贴画）可以高价出售，如仿照名画《百骏图》制作的蝶翅画，价值高达 16700 美元，台湾省以往的蝴蝶贸易多属这一类型。由于商人大量捕杀和收集蝴蝶加工外销，曾经导致台湾的蝴蝶数量锐减，已引起了各界人士的关注，并实施了一系列的蝴蝶保护措施加以遏止。第二，价高量少的标本，这类标本都是珍稀美丽的种类，一般附有科学记录，如采集地点、日期、海拔等，每只价格很高，是博物馆和科学研究工作者及收藏家所渴望得到的标本。欧洲、北美和日本的贸易商都曾提出欲收购的蝴蝶标本目录，这些交易在巴布亚新几内亚国际珍贵蝴蝶贸易活动中达到了顶峰，若用珍贵标本制成装饰品或图画，则价值连城。第三，活虫贸易，蝶种多为常见而又美丽的种类，主要是凤蝶类，价格中等，订购的活蛹或活成虫被迅速地从产地传送到蝴蝶生态园的网室或温室中，展室内花香蝶舞的奇妙庭园景观可供游人观赏。例如，日本的上野市多摩动物园内建有"昆虫生态园"，外观似展翅欲飞的绢蝶，里面放养着十几种近千只五彩缤纷、翩翩飞舞的蝴蝶，供游人观赏。

在国外及中国的台湾、香港、云南等地，都有大规模的蝴蝶贸易中心或企业，他们从外地或本地收购大量蝴蝶进行交易，中国台湾及日本已成为主要的蝴蝶进出口地区和国家，据不完全统计，全世界蝴蝶贸易成交额可达1亿美元。

（三）药用与营养价值

研究蝴蝶的药用价值，主要在于分离其有效成分，研究其化学结构与抗癌药物的关系，设计合成高效抗癌药物，是很有发展前景的产业。如人们对蝴蝶进行抗癌药物分析研究后发现，稻暮眼蝶 *Melanitis leda* 等蝴蝶体内均含有抗癌活性物质，蝴蝶的色素异黄嘌呤已被证明有抗癌活性。此外，黄斑蕉弄蝶 *Erionota torus* 的干燥幼虫及成虫入药，具有清热解毒、消肿止疼的功效，可用于治疗化脓性中耳炎；李时珍在《本草纲目》中记述了金凤蝶 *Papilio machaon* 幼虫（茴香虫）以酒醉死，焙干研成粉可治胃病、小肠气并具有壮阳的功效。中医入药的还有柑橘凤蝶 *Papilio xuthus*、菜粉蝶 *Pieris rapae* 等。相当大一部分蝴蝶的寄主植物本身就是中药材，而以之为食的蝴蝶各个虫态的药用成分的开发很有潜力，包括以芸香科植物为寄主的凤蝶属，以马兜铃属植物为寄主的裳凤蝶属、麝凤蝶属和尾凤蝶属等。

蝴蝶幼虫、蛹以及成虫含高蛋白，可食用或作为饲料，如弄蝶科 Hesperiidae、粉蝶科 Pieridae 和以芸香科植物为寄主的凤蝶的幼虫可以食用；在美国，以蝶类幼虫为馅制成的巧克力夹心糖，颇受欢迎；丽波竖翅弄蝶 *Coeliades libeon* 幼虫在刚果被作为食品食用；大弄蝶类幼虫在墨西哥被制成罐头出口，作为餐前小吃等。

（四）为显花植物授粉

据估计，自然界中有80%的高等植物的授粉要靠昆虫来进行，而蝴蝶是其中重要的一类。在自然界长期的进化过程中，蝴蝶与植物相互适应，协同进化，形成了稳定的互利关系，授粉行为就是其中的一例，在森林生态系统中起着不可低估的作用，其传粉作用位居膜翅目、双翅目和鞘翅目之后，排第4位，给人类带来了巨大的经济效益。

（五）科学研究和教育价值

蝴蝶在昆虫学、植物进化及环境科学中都有重要的研究价值，是进行遗传生态学、化学生态学、群体生态学、保护生物学、昆虫学及进化、仿生研究、生物地理研究的基础材料。

蝴蝶有许多奇特的机能，如保护色和拟态，可用于军事仿生学研究。在二战期间，苏联昆虫学家提出在军事设施上覆盖模拟蝴蝶保护色的伪装，减少了战斗中的伤亡。

蝴蝶幼期和成虫期的栖息地和食性等生态位不同，其生存受到众多环境因子的影响。在幼虫期，它们往往以特定的植物为食，而在成虫期，则常以花蜜为食，对环境污染异常敏感，一旦生存环境受到损害，往往很难存活下去，可作为生态环境的指示物种，是生态系统中其他无脊椎动物的"伞物种"。

蝴蝶是青少年喜闻乐见的昆虫，以蝴蝶为材料开展教学实习和科普活动，可以寓教于乐。通过参加采集、制作和收藏标本，制作工艺品等活动，可以陶冶他们的情操，提高审美水平，增加自然知识，丰富课外生活。当今城市扩张，周边生态环境遭到破坏，青少年的日常生活渐渐远离自然界，而在蝴蝶园或蝴蝶馆中，他们能够随时观察和了解蝴蝶，从中可以获得大量的知识和乐趣。世界上众多的"活蝶生态园"尤其受在校学生和学龄前儿童的欢迎，有的展览还允许孩子们捕捉少量蝴蝶，极大地增强了孩子们的参与性。各国的经验表明，以蝴蝶为主题的各种形式的展览活动，深受人们喜爱，不仅能获得巨大的经济效益，而且还在青少年科普和美育活动中取得了较好的成效。

（六）旅游观光与休闲娱乐价值

随着人们保护自然意识的提高，蝴蝶的旅游观光产业开始展露生机。在大都市建立蝴蝶博物馆和模拟野外环境的蝴蝶园，不仅可为资源的异地保护开辟新路，而且还可以为大众提供一个科普教育的基地，同时也为人们休闲观光提供了一个好去处，蝴蝶美丽的舞姿，直接赢得了游览者的青睐，成群飞舞的彩蝶，为风景区增添了一份情趣。

在欧洲、北美、东南亚及澳大利亚，近20年来建立了大量的蝴蝶生态观赏园，获得了巨大成功。马来西亚的槟城蝴蝶园以其浓郁的热带植物和蝴蝶景观配置，成为马来西亚极为知名的景点之一。中国台湾是蝴蝶产业发祥地之一，在蝴蝶的休闲观光和科普方面有独到之处；近年来，大陆的蝴蝶产业发展也很迅猛，在云南、海南、福州、广州和北京等大城市陆续出现了一批蝴蝶园，有的规模和设施超出了欧洲的许多同类园区，已成为游客观赏蝶的著名旅游胜地。迄今全世界已建有规模化蝴蝶园100余个，如英国伦敦赛翁公园的育蝶场，每年约有25万游客前往观光游览。

200多年前，在维多利亚时代，英国创建了第一座蝴蝶园，其后，自20世纪80年代以来，随着旅游业的发展，各地旅游景区纷纷建立大型的蝴蝶生态观赏园，吸引了大批游客参观。当前世界各地以蝴蝶为主题的各种形式的展览活动深受人们喜爱，据统计，目前世界上蝴蝶产业每年创造的价值在10亿元以上。蝴蝶正与观赏植物一道，形成一个全新的蝴蝶园艺领域，拥有广阔的市场前景，尤其是城市蝴蝶观赏园，将很快以全新的形象出现在各地，供人们观光休闲和开展美育科普活动。

三、 蝴蝶对植物的危害

蝴蝶的幼虫以植物为食并对其造成危害，但真正造成较大经济损失的种类并不多，如危害水稻的稻弄蝶、稻眉眼蝶，危害十字花科蔬菜的菜粉蝶，危害柑橘的玉带凤蝶和柑橘凤蝶，危害樟树的樟凤蝶，危害铁刀木的迁粉蝶等。

第六章　蝴蝶资源的保护与利用

蝴蝶是自然生态系统的重要组成部分，是一类在科学、文化、经济、艺术、装潢设计和医药等方面均具有重要价值的可再生昆虫资源，随着人类科学研究和经济文化的发展，生物学、生态学、遗传学、生物系统学、生物地理学等理论已为我们提供了可持续利用蝶类资源的依据，而蝴蝶作为一种宝贵的生物资源，在做好科学保护的基础上，应该得到有效的保护及合理的开发利用。但在蝴蝶资源的开发利用过程中，出现了肆意捕捉和不正当的贸易；加之生存环境的破坏，有的特有珍稀蝶类濒临灭绝，若不采取有效保护措施，很多珍稀蝶类可能被人为灭绝，给我国珍贵蝶类资源造成难以挽回的损失。因此，蝶类资源的保护工作已势在必行，其途径主要有：

1. 摸清家底，加强基础研究，为科学保护和合理利用提供依据

我国作为一个具有丰富蝴蝶资源的大国，其种类组成及分布状况等缺乏基础数据，尤其是种群大小及密度等缺少较为准确的统计数字，致使我们对其动态变化规律的认识不清；许多蝴蝶生物学特性的观察研究还几近空白；珍稀濒危蝶种的等级划分仅仅根据数量少、分布狭、遇见度低等感性指标来衡量，没有准确的定量标准和细则，缺乏科学性和可操作性，导致执行中有较大的盲目性和不确定性。对此，在现有基础上，必须加大蝶类的科研力度，特别是要加强野外生态学研究，摸清我国的蝴蝶资源状况；另外，还需深入开展重要蝴蝶的保护生物学、生态学、遗传学、生物化学等方面研究，为其科学保护和合理开发利用提供基础资料。

2. 保护环境和栖息地，建立自然保护区，保护蝴蝶的多样性

珍稀蝶类生存的主要威胁来自人类对其原始生态系统的破坏，以及肆意捕捉和不

正当的贸易，致使森林被毁，植被锐减，严重破坏蝴蝶赖以生存的环境，导致蝴蝶的种类与数量急剧下降。保护生态环境与栖息地是一项最有效的措施，如果能将蝶类的寄主植物加以保护，用来发展蝴蝶产业，其经济效益会几十倍乃至上百倍地增加。

建立自然保护区，把保护国产稀有濒危蝶类同保护野生动植物资源结合起来，分地区建立各具特色的保护区、保护带，如天然蝴蝶园、蝴蝶谷、人工育蝶场等，进行原地保护，对一些特有珍贵、濒危的蝶种，应进行迁地保护。

3. 合理开发蝶类资源，逐步形成新兴产业

蝶类资源同其他任何生物资源一样，都是大自然奉献给人类的宝贵财富。我们应在确保良性循环的基础上，加强管理，合理开发利用，充分发挥其潜在的资源价值，造福人类，美化生活，并将其逐步发展成为一项新兴的产业，这一定会带来与之相适应的经济效益，可一举数得。

中国是亚洲拥有蝴蝶种类最多的国家之一，如能合理开发利用，将对发展农村经济、旅游业以及教育、科研和文化事业起到积极的作用，要辩证地认识资源保护与利用的问题，保护与利用的关系不是两个完全对立的方面，只要正确处理就能起到相互促进的作用。我国蝴蝶资源丰富的地区大多为贫困山区，森林资源破坏严重是保护意识差和生活水平低造成的，由于毁林烧山，很多珍贵的生物资源在被人们发现或认识以前就从地球上消失了，这是十分可惜的。所以，我们既要开展宣传教育工作，又要重视当地农民的实际利益，引导和鼓励他们通过抓捕或饲养蝴蝶来改善生活，但在此过程中，必须让人们认识到若森林没有了，就没有蝴蝶可捕可养的朴素道理，增强不毁林、不破坏蝴蝶生存环境的观念。在贫困地区只有发挥资源效益，实现区域经济的发展，才能在有效地保护资源的同时也维护贫困人群的资源利益，这需要开拓新的思路，有目的有计划地引导民众，吸收高素质的人才参与资源管理和利用。

蝴蝶不仅具有观赏价值，还有为植物传粉、食用（文礼章，1998；尤民生，1997）、药用、科研、科普教育、旅游观光、收藏与艺术等多方面的价值，而且有较高的经济和社会效益，对某些种类进行人工养殖并在自然界种植蝴蝶的寄主植物，发展近自然林业，不仅可以保护蝴蝶的栖息地，而且对增加它们在自然界的种群密度具有重要意义。

当然这种开发利用应当在有关专家指导下合理科学地进行，万不可盲目一哄而上，否则只会造成竭泽而渔的悲剧。在贫困落后的地区，自然物种一旦成为有价值的商品，又无人指导如何利用的话，其后果是不堪设想的。台湾兰屿的著名蝶种荧光裳凤蝶过去每年可见万只以上的个体，而当其寄主植被被破坏后，每年发现个体数不足 15 只，直到当地政府制定严厉的法规来加以保护后，其种群数量才有所恢复。

从国际上的经验和教训来看，对于常见的蝴蝶，人力捕捉相对庞大的种群而言，

只不过九牛一毛，只要不去破坏其寄主植物，以蝶类强大的繁殖力（一些种类 1 只雌蝶 1 次产卵数百粒，每年有多个世代），足以抵消适量采捕带来的影响。自然状态下，根据环境容纳量原理，即使不去捕捉，过多的幼虫也会因食物短缺等原因而自然死亡；成蝶的寿命一般不超过 1 个月，只要采捕适量，就能持续利用蝴蝶资源；但对珍稀种来讲，则应当减少野外采捕，加强基础研究和开发人工养殖，使野生种群得以恢复和扩大。

国家鼓励对野生动物（包括蝴蝶）进行人工饲养，利用人工饲养的生物不会破坏生态环境，具可持续性。对蝴蝶的饲养要突破以前仅限于室内的概念，将蝴蝶饲养扩展到自然环境中去，发展近自然林业。可选择交通方便的林缘地带，设计营造有多种蝴蝶寄主的混交林，既增加了生物的多样性，又可将蝶类幼虫的密度控制在经济阈值之内。这种增殖自然界蝴蝶种群与密度的林业措施，既是蝴蝶资源的保护与更新建设，也是遵循生态学原理的科学管理，发展近自然林业不仅是蝴蝶资源可持续性利用的需要，也是环境建设和经济发展的需要，还可逐步形成一门新兴产业。

4. 大力开展科普与法制宣传教育，加强濒危及珍稀蝶类保护，禁止非法贸易

1987 年我国《野生动物法》及《陆生动物保护条例》的公布对保护我国珍稀濒危蝶类、合理开发利用蝴蝶资源、维护生态环境、振兴昆虫资源事业，提供了有力的法律保证。《国家重点保护野生动物名录》列入了金斑喙凤蝶 *Teinopalpus aureus*（Ⅰ级）、二尾凤蝶 *Bhutanitis mansfieldi*（Ⅱ级）、三尾凤蝶 *B. thaidina*（Ⅱ级）、中华虎凤蝶 *Luehdorfia chinensis*（Ⅱ级）、阿波罗绢蝶 *Parnassius apollo*（Ⅱ级），并规定对濒危野生动植物种和国际贸易公约中的中国蝶类不许捕捉、收购和出口，真正做到有法必依，执法必严，并大力开展相关科普与法制的宣传教育，加强濒危及珍稀蝶类保护措施，禁止非法贸易。我们深信，随着公众生态保护意识的提高，人们一定会更好地保护蝴蝶资源，蝴蝶也一定能为人类做出更大的贡献！

第七章　陕西秦岭蝴蝶的种类组成

经十余年调查采集及资料收集，本卷共记录陕西秦岭地区蝴蝶 5 科 199 属 502 种。

一、属级构成

以蛱蝶科、灰蝶科分布的属最丰富，分别为 84 属和 57 属，两科占蝶类总属数的

70.85％；粉蝶科最少，为 11 属，占总属数的 5.53％。（见表1）

表1　秦岭地区蝶类各科的属、种统计表

Table 1　Statistics of butterfly genera and species on the level of families in Mt. Qinling

科名 Families	属数 Genera	所占百分比（％）Percentage（％）	种数 Species	所占百分比（％）Percentage（％）	属种比值系数 Ratio of genus／species
凤蝶科 Papilionidae	13	6.53	42	8.37	0.31
粉蝶科 Pieridae	11	5.53	44	8.77	0.25
蛱蝶科 Nymphalidae	84	42.21	222	44.22	0.38
灰蝶科 Lycaenidae	57	28.64	119	23.71	0.48
弄蝶科 Hesperiidae	34	17.09	75	14.94	0.45
合计 Total	199	100	502	100	0.40

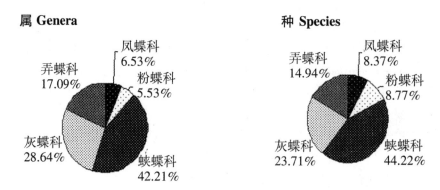

图2　秦岭地区蝶类各科所占的属、种比例

二、种级构成

以蛱蝶科、灰蝶科及弄蝶科占优势，3 科占总种数的 82.87％，其中以蛱蝶科种类最多，达 222 种，占蝶类总种数的 44.22％；凤蝶科的种类较少，共 42 种，占到总种数的 8.37％。（见表1，图2）

各　　论

第八章　凤蝶科 Papilionidae

大型或中型种类，色彩艳丽，多在阳光下活动，飞翔迅速。底色多黑、褐、黄或白色，有红、黄、白、绿和蓝等颜色的斑纹。少数性二型或多型。复眼光滑；下唇须小；喙管及触角发达。前足正常，有 1 双对称爪；胫节内侧有 1 个下垂的距；前跗节爪垫和爪间突退化。前后翅多三角形，中室闭式。前翅 R 脉 4～5 条，R_4 脉与 R_5 脉共柄；A 脉 2 条，3A 脉短，仅达翅的后缘；常有 1 条基横脉。后翅 A 脉和肩脉各 1 条；多数种类 M_3 脉常延伸成尾突，有的种类无尾突或有 2 条以上尾突。

全世界记载 600 余种，分布于世界各地。中国已知 130 余种，陕西秦岭地区记录 42 种。

分亚科检索表

1. 翅三角形，前翅 R 脉 5 条；后翅常有尾突 ·· 2
   翅卵形，前翅 R 脉 4 条；后翅无尾突 ····················· 绢蝶亚科 Parnassiinae
2. 前翅 Cu 脉与 A 脉间有发达的基横脉；M_1 脉着生点在 R 脉与 M_2 脉之间 ·················
   ·· 凤蝶亚科 Papilioninae
   前翅 Cu 脉与 A 脉间无基横脉或只有遗迹；M_1 脉着生点接近 R 脉 ·················
   ·· 锯凤蝶亚科 Zerynthiinae

一、凤蝶亚科 Papilioninae

大型或中型。触角和足上有鳞；触角细长，锤状部明显；下唇须短；胸部背面有鳞片。前翅 M_1 脉始于中室端脉中部；Cu 脉与 A 脉间有 1 条基横脉。后翅尾突有或无。

分族检索表

1. 足胫节覆鳞 ·· 2

足胫节无鳞 ⋯⋯⋯⋯⋯⋯⋯⋯⋯⋯⋯⋯⋯⋯⋯⋯⋯⋯⋯⋯⋯ 3

2. 前翅中室端脉中段直 ⋯⋯⋯⋯⋯⋯⋯⋯⋯⋯⋯ **燕凤蝶族 Lampropterini**

　　前翅中室端脉中段凹入 ⋯⋯⋯⋯⋯⋯⋯⋯⋯⋯ **喙凤蝶族 Teinopalpini**

3. 后翅 Sc + R$_1$ 脉较前翅2A脉短；头胸间有彩色软毛 ⋯⋯⋯⋯⋯⋯⋯⋯

⋯⋯⋯⋯⋯⋯⋯⋯⋯⋯⋯⋯⋯⋯⋯⋯⋯⋯ **裳凤蝶族 Troidini**

　　后翅 Sc + R$_1$ 脉与前翅2A脉约等长；头胸间无彩色软毛 ⋯⋯⋯⋯⋯⋯

⋯⋯⋯⋯⋯⋯⋯⋯⋯⋯⋯⋯⋯⋯⋯⋯⋯⋯ **凤蝶族 Papilionini**

（一）裳凤蝶族 Troidini

头后部及前胸有红色、黄色或白色软毛。后翅 Sc + R$_1$ 脉较前翅2A脉短；雄蝶后翅内缘褶内常有发香鳞。

分属检索表

1. 前翅 R$_1$ 脉长，从近基部分出 ⋯⋯⋯⋯⋯⋯⋯⋯ **裳凤蝶属 *Troides***

　　前翅 R$_1$ 脉短，从远基部分出 ⋯⋯⋯⋯⋯⋯⋯⋯⋯⋯⋯⋯⋯⋯⋯⋯ 2

2. 后翅内缘褶窄，无绒毛 ⋯⋯⋯⋯⋯⋯⋯⋯⋯⋯⋯ **珠凤蝶属 *Pachliopta***

　　后翅内缘褶阔，有发香鳞及绒毛 ⋯⋯⋯⋯⋯⋯⋯ **麝凤蝶属 *Byasa***

1. 裳凤蝶属 *Troides* Hübner, 1819

Troides Hübner, 1819: 88. **Type species**: *Papilio helena* Linnaeus, 1758.

Ornithoptera Boisduval, 1832: 33. **Type species**: *Papilio priamus* Linnaeus, 1758.

Aetheoptera Rippon, [1890]: 4. **Type species**: *Ornithoptera victoriae* Gray, 1856.

Schoenbergia Pagenstecher, 1893: 35. **Type species**: *Schoenbergia schoenbergi* Pagenstecher, 1893.

Phalaenosoma Rippon, [1906]: 121. **Type species**: *Troides chimaera* Rothschild, 1904.

Ripponia Haugum, 1975: 111. **Type species**: *Papilio hypolitus* Cramer, 1775.

属征：中国蝶类中体型最大的蝴蝶。雌雄异型，翅黑色。前翅有白色条纹；后翅短阔，无尾突，亮黄色；雌蝶亚缘区多有1列三角形黑斑；雄蝶后翅正面沿后缘有皱褶，内有长毛和发香软毛(性标)。前翅三角形，前缘长约为后缘的2倍；R$_1$脉长，从翅1/2处前分出；R$_3$与R$_5$脉共柄。后翅方阔；中室狭长，约为翅长的1/2。雄性外生殖器：背兜窄，有侧突；上钩突较短；囊突粗短；抱器大；阳茎短，末端斜截。雌性外生殖器：交配囊片大，宽阔，由数条平行排列的条带组成。

分布：主要分布于东洋区，有1种分布于古北区。全世界记载18种，中国已知3种，秦岭地区记录1种。

(1) 金裳凤蝶 *Troides aeacus* (**C. & R. Felder, 1860**) (图版 1)

Ornithoptera aeacus C. & R. Felder, 1860: 225.

Troides aeacus: Rothschild, 1895: 223.

鉴别特征: 雌雄异型。前翅黑色，具天鹅绒光泽；脉纹两侧灰白色。雄蝶后翅金黄色；翅脉黑色；翅外缘有 1 列三角形黑色斑纹；斑列近臀角处的斑纹内侧，有近"V"形阴影纹相连。雌蝶体稍大，前翅中室内纵纹较雄蝶明显。后翅较雄蝶多 1 列黑色亚缘斑列。

采集记录: 3♂，佛坪岳坝保护站，1120m，2013. Ⅶ. 27，张宇军采；1♀，宁陕火地塘火地沟，1510m，2009. Ⅵ. 22，房丽君采；3♂1♀，山阳银花，620m，2012. Ⅵ. 30，房丽君采；1♂，商南过风楼，420m，2014. Ⅶ. 19，房丽君采。

分布: 陕西(佛坪、宁陕、山阳、商南)、浙江、江西、福建、台湾、广东、广西、四川、云南、西藏；泰国，越南，缅甸，印度，马来西亚，不丹，斯里兰卡。

寄主: 西藏马兜铃 *Aristolochia griffithii* (Aristotochiaceae)、青木香 *A. debilis*、异叶马兜铃 *A. heterophylla*、管花马兜铃 *A. tubiflora*、卵叶马兜铃 *A. tagala*、港口马兜铃 *A. kankauensis*、彩花马兜铃 *A. elegans* 等。

2. 麝凤蝶属 *Byasa* Moore, 1882

Byasa Moore, 1882: 258. **Type species**: *Papilio philoxenus* Gray, 1831.

Panosmia Wood-Mason *et* de Nicéville, 1886: 374. **Type species**: *Papilio dasarada* Moore, 1857.

属征: 翅黑色、黑褐色、棕褐色或棕灰色。翅脉黑色；前翅各翅室均有 1 条贯穿全室的黑色纵条纹；中室有 4 条纵纹。后翅狭长，外缘锯齿形；M_3 脉末端延伸成尾突；外缘斑列斑纹红色或灰白色；内缘褶有发香鳞及软毛。前翅 R_3 脉与 R_5 脉从中室上端角同点分出；M_1 脉分出点靠近中室上端角。雄性外生殖器：上钩突较长，有的二分叉；抱器近椭圆形，末端无尖突；内突两端有角突，有的外缘具齿；阳茎粗短。雌性外生殖器：囊导管短，交配囊片近梭形，纵脊有或无，具横脊纹。

分布: 东洋区，古北区。中国已知 14 种，秦岭地区记录 6 种。

分种检索表

(2) 麝凤蝶 *Byasa alcinous* (Klug, 1836)（图版 2：1-4）

Papilio alcinous Klug, 1836：1.

Papilio spathatus Butler, 1881：139.

Atrophaneura alcinous：Smart, 1989：158.

Byasa alcinous：Chou, 1994：105.

　　鉴别特征：翅黑色、黑褐色或棕褐色。后翅狭长，脉纹不明显，外缘区及臀角有 5~7 个红色或浅红色新月形斑。

　　采集记录：1♂，长安石砭峪，1180m，2010.Ⅶ.04，张宇军采；1♂，周至黑河森林公园，1100m，2013.Ⅵ.16，房丽君采；1♂，眉县红河谷，1800m，2013.Ⅴ.26，房丽君采；2♂1♀，太白青峰峡，1900~1960m，2012.Ⅵ.21，房丽君采；2♂，太白鹦鸽镇，1670m，2012.Ⅴ.19，房丽君采；1♂，华阴华阳川林场，1350m，2011.Ⅴ.07，房丽君采；1♂，留坝红岩沟，1180m，2012.Ⅵ.23，张宇军采；1♀，佛坪东岳镇桃园村，1000m，2011.Ⅵ.05，房丽君采；1♂，洋县华阳石塔河，1040m，2011.Ⅵ.04，房丽君采；1♂，石泉两河镇土门垭，680m，2011.Ⅴ.17，房丽君采；1♂，宁陕旬阳坝小茨沟，1360m，2010.Ⅶ.30，房丽君采；1♂，镇安结子乡木元村，820m，2011.Ⅵ.19，房丽君采；1♂，商州夜村镇贾庄村，920m，2013.Ⅶ.23，房丽君采；1♂，山阳中村捷峪沟，650m，2010.Ⅳ.28，房丽君采；1♂1♀，丹凤月日镇北炉村，600m，2013.Ⅷ.20，房丽君采；1♂，商南湘河镇湘河大桥，250m，2013.Ⅸ.11，房丽君采。

　　分布：陕西（长安、周至、眉县、太白、华阴、留坝、佛坪、洋县、石泉、宁陕、镇安、商州、山阳、丹凤、商南）、黑龙江、吉林、辽宁、河北、山西、山东、河南、江苏、江西、福建、台湾、广东、海南、广西、四川、云南；日本，韩国，越南。

　　寄主：异叶马兜铃 *Aristolochia heterophylla*（Aristotochiaceae）、大叶马兜铃 *A. kaempferi*、瓜叶马兜铃 *A. cucurbitifolia*、马兜铃 *A. debilis*、卵叶马兜铃 *A. tagala*、长叶马兜铃 *A. championii*、木防己 *Coccuius trilobus*（Menispermaceae）等植物。

(3) 长尾麝凤蝶 *Byasa impediens* (Rothschild, 1895)

Papilio alcinous mencius f. *impediens* Rothschild, 1895：269.

Atrophaneura impediens：Bridges, 1988：142.

Byasa impediens：Chou，1994：107.

鉴别特征：翅黑色、黑褐色或棕褐色。后翅狭长；外缘区及臀角有 1 列梯形斑纹，红色或淡红色；臀斑不规则形；尾突长；翅反面红色斑较正面明显；有的臀区较正面多 1 个红斑。

采集记录：1♂，华县少华山，860m，2013.Ⅶ.19，张宇军采；1♂，宁陕旬阳坝，1120m，2010.Ⅴ.23，房丽君采；1♂1♀，宁陕蒿沟，1220m，2010.Ⅶ.07，房丽君采；1♂，汉阴凤凰山，1000m，2011.Ⅴ.28，房丽君采；1♂，镇安结子乡木元村，850m，2011.Ⅳ.30，房丽君采；1♂，商南金丝峡，700m，2013.Ⅶ.26，房丽君采；2♂1♀，商南太吉河，790m，2013.Ⅶ.23，房丽君采。

分布：陕西(华县、宁陕、汉阴、镇安、商南)、河南、甘肃、安徽、浙江、湖北、江西、湖南、福建、台湾、四川、云南。

寄主：异叶马兜铃 *Aristolochia heterophylla*（Aristotochiaceae）、大叶马兜铃 *A. kaempferi*、瓜叶马兜铃 *A. cucurbitifolia*、彩花马兜铃 *A. elegans* 等。

(4) 突缘麝凤蝶 *Byasa plutonius*（Oberthür，1876）

Papilio plutonius Oberthür，1876：16.

Papilio alcinous plutonius：Rothschild，1895：271.

Atrophaneura plutonius：Bridges，1988：242.

Byasa plutonius：Chou，1994：107.

鉴别特征：翅黑褐色、棕褐色或棕灰色。前后翅脉纹均清晰；外缘凹刻很深；尾突较短，末端膨大明显。后翅正面外缘红斑多不明显，有的仅剩臀角 1 个；翅反面色淡；斑纹明显。

采集记录：1♂，周至厚畛子后沟，1480m，2010.Ⅶ.13，房丽君采；1♂1♀，太白黄柏塬核桃坪，1300m，1400m，2010.Ⅵ.15，房丽君采；2♂，太白石沟，1780m，2010.Ⅵ.14，房丽君采；1♂，留坝红岩沟，1120m，2012.Ⅵ.23，张宇军采；1♂，宁陕旬阳坝七里沟，1250m，2010.Ⅶ.07，房丽君采；1♂1♀，宁陕旬阳坝大茨沟，1450m，2010.Ⅴ.23，房丽君采；1♂，镇安结子乡木元村，1100m，2011.Ⅳ.30，房丽君采；1♂，山阳银花岬峪沟，900m，2010.Ⅵ.01，房丽君采。

分布：陕西(周至、太白、留坝、宁陕、镇安、山阳)、四川、云南、西藏；印度，不丹，尼泊尔。

寄主：大叶马兜铃 *Aristolochia kaempferi*（Aristotochiaceae）及防己属 *Cocculus* spp.（Menispermaceae）植物。

(5) 灰绒麝凤蝶 *Byasa mencius*（C. & R. Felder，1862）

Papilio mencius C. & R. Felder，1862：22.

Papilio alcinous mencius: Rothschild, 1895: 268.

Atrophaneura mencius: Bridges, 1988: 190.

Byasa mencius: Chou, 1994: 108.

鉴别特征：翅黑褐或灰黑色。后翅尾突狭长，末端不膨大；正面外缘区月牙形红斑仅4个；反面外缘红斑6~7个。

采集记录：1♂1♀，汉中天台山，2004.Ⅵ.12，许家珠采；1♂，佛坪自然保护区三关庙；1♂，留坝杨士岭，2005.Ⅶ.15，许家珠采。

分布：陕西（汉台、佛坪、留坝）、河南、甘肃、安徽、浙江、福建、湖北、江西、广西、四川、云南等。

寄主：北马兜铃 *Aristolochia contorta*（Aristotochiaceae）。

(6) 多姿麝凤蝶 *Byasa polyeuctes*（**Doubleday, 1842**）（图版2：5-6）

Papilio polyeuctes Doubleday, 1842: 74.

Atrophanerua polyeuctes: D'Abrera, 1982: 36.

Byasa polyeucte: Chou, 1994: 113.

鉴别特征：翅黑色、黑褐色或棕灰色。后翅外缘区斑纹变化大；m_1室有1个白色大斑，长方形或三角形，有时在大斑下连有1~2个白色小斑；外缘区其余斑纹均为红色；臀角区的条斑多弯曲；尾突较短，末端膨大，有1个圆形小红斑；翅反面臀区上方近后缘处增加1个红斑。

采集记录：1♂，长安石砭峪，1300m，2010.Ⅶ.04，张宇军采；1♂，户县朱雀森林公园，1600m，2012.Ⅶ.12，房丽君采；2♂1♀，太白咀头镇，1700m，2011.Ⅵ.12，房丽君采；3♂2♀，太白青峰峡，1900~2100m，2012.Ⅵ.22，房丽君采；1♂，留坝紫柏山，1490m，2012.Ⅵ.22，张宇军采。

分布：陕西（长安、户县、太白、留坝）、山西、河南、台湾、四川、云南、西藏；越南，泰国，印度，不丹，尼泊尔。

寄主：大叶马兜铃 *Aristolochia kaempferi*（Aristotochiaceae）、瓜叶马兜铃 *A. cucurbitifolia*。

(7) 达摩麝凤蝶 *Byasa daemonius*（**Alphéraky, 1895**）

Atrophaneura daemonius Alphéraky, 1895: 180.

Papilio alcinous plutonius ab. *fatuus* Rothschild, 1895: 272.

Byasa daemonius: Chou, 1994: 108.

鉴别特征：翅黑褐色或灰褐色；脉纹清晰。后翅正面内缘灰白色；中室有2条纵纹；外缘有 4~5 个长形红斑；反面臀角上方有 2 个相对排列的红斑。

采集记录：1♂，佛坪自然保护区西河。

分布：陕西（佛坪）、甘肃、四川、云南、西藏。

寄主：管花马兜铃 *Aristolochia tubiflora*（Aristolochiaceae）。

3. 珠凤蝶属 *Pachliopta* Reakirt，[1865]

Pachliopta Reakirt，[1865]：503. **Type species**：*Papilio diphilus* Esper，1793.

Polydorus Swainson，[1833]：100. **Type species**：*Papilio polydorus* Linnaeus，1763.

Tros Kirby，1896：305. **Type species**：*Papilio hector* Linnaeus，1758.

属征：前翅黑褐色或棕褐色；翅脉黑色；各翅室均有 1 条贯穿全室的黑色纵条纹；中室有 4 条纵纹。后翅外缘波状较浅；外缘区有 1 列红色或淡黄色斑纹；中室端脉外方有 3~5 个条状白斑；内缘褶狭，无绒毛，发香鳞不发达。前翅 R_4 与 R_5 脉共柄，其余各脉相互分离。雄性外生殖器：上钩突宽短，端部具齿；背兜侧突舌状；抱器小，三角形，末端尖而向上弯曲；囊突宽扁；阳茎粗长，端部斜截。雌性外生殖器：囊导管膜质；交配囊长圆形。

分布：古北区，东洋区。全世界仅记载 1 种，秦岭地区有记录。

(8) 红珠凤蝶 *Pachliopta aristolochiae*（Fabricius，1775）

Papilio aristolochiae Fabricius，1775：443.

Papilio diphilus Esper，1793：156.

Byasa aristolochiae：Evans，1927：27.

Tros aristolochiae：Wynter-Blyth，1957：375.

Pachliopta aristolochiae：D'Abrera，1982：30.

鉴别特征：翅黑褐色或棕褐色。前翅翅脉两侧灰白色，各翅室均有 1 条贯穿全室的黑色纵条纹。后翅外缘齿状；外缘斑列有 6~7 个红色或淡黄色斑纹；中室端脉外方有 3~5 个条状白斑，放射状排列，近后缘的 1 个斑多为红色；内缘褶狭；翅反面斑纹较清晰。

分布：陕西（秦岭）、河北、河南、浙江、江西、湖南、福建、台湾、海南、香港、广西、四川、云南；缅甸，印度，泰国，菲律宾，马来西亚，斯里兰卡，新加坡，印度尼西亚。

寄主：马兜铃 *Aristolochia debilis*（Aristolochiaceae）、港口马兜铃 *A. kankauensis*、卵叶马兜铃 *A. tagala*、彩花马兜铃 *A. elegans*、瓜叶马兜铃 *A. cucurbitifolia*。

（二）凤蝶族 Papilionini

头部后方及前胸无彩色毛。部分种类前翅有明显的性标。后翅内缘褶中无性标；$Sc + R_1$ 脉与前翅 2A 脉近等长。

分属检索表

1. 模拟斑蝶，无尾突；前翅多有斑 ……………………………………… 斑凤蝶属 *Chilasa*

   不模拟斑蝶，常有尾突；前翅多无斑 ……………………………………………… 2

2. 尾突宽大，具 2 条脉纹 ……………………………………… 宽尾凤蝶属 *Agehana*

   尾突有或无，如有，尾突具 1 条脉纹 ……………………………………… 凤蝶属 *Papilio*

4. 斑凤蝶属 *Chilasa* Moore, 1881

Chilasa Moore, 1881: 153. **Type species**: *Papilio dissimilis* Linnaeus, 1758.

Cadugoides Moore, 1882: 32. **Type species**: *Papilio agestor* Gray, 1831.

Euploeopsis de Nicéville, [1887]: 433. **Type species**: *Papilio telearchus* Hewitson, 1852.

Menamopsis de Nicéville, [1887]: 433. **Type species**: *Papilio tavoyanus* Butler, 1882.

Isamiopsis Moore, 1888: 284. **Type species**: *Papilio telearchus* Hewitson, 1852.

属征：模拟斑蝶科的种类，胸腹部有白色斑纹。翅黑色、黑褐色、棕色、浅棕色或蓝色；斑纹多呈放射状纵向排列；各翅室多有长条形、圆形或半月形斑纹。前翅中室长阔。后翅近卵形，外缘及亚外缘区有斑列，有的具臀斑；中室狭；无尾突及性标。前翅 R_3 脉与 R_5 脉同点从中室上端角分出。雄性外生殖器：上钩突短或中长，有尾突，囊突短小；抱器长，内突变化大；阳茎棒状，长短不一，中部强度弯曲。雌性外生殖器：囊导管细；交配囊椭圆形；交配囊片近梭形。

分布：亚洲东部和东南部。全世界记载 10 种，中国已知 5 种，秦岭地区记录 2 种。

分种检索表

前翅外缘区有 2 列斑；后翅大部或部分锈褐色 ……………………………………… 褐斑凤蝶 *C. agestor*

前翅外缘区有 1 列斑；后翅黑色或黑褐色 ……………………………………… 小黑斑凤蝶 *C. epycides*

(9) 褐斑凤蝶 *Chilasa agestor* (Gray, 1831)

Papilio agestor Gray, 1831: 32.

Chilasa agestor：Wynter-Blyth，1957：379.

鉴别特征：前翅黑色或黑褐色；中室有白色、青白或污白色放射状纵条纹；外缘及亚外缘区各有1列白色斑列；中室端部及下方放射状排列1圈条斑；反面顶角区及外缘区黄褐色。后翅黑色；亚外缘斑列白色；雄蝶臀角区锈黄色，雌蝶臀角区及前缘区锈黄色；中室内外密布灰白色放射状条斑；反面锈黄色，斑纹较模糊。

采集记录：1♀，留坝竹巴沟，2007.Ⅴ.01，许家珠采；1♂，洋县长青自然保护区，2001.Ⅳ-Ⅷ，邢连喜、袁朝辉采。

分布：陕西（长安、留坝、洋县、镇安）、浙江、江西、福建、台湾、广东、广西、四川、云南；缅甸，尼泊尔，印度，泰国，马来西亚。

寄主：樟树 *Cinnamomum camphora*（Lauraceae）、牛樟 *C. kanehirae*、大叶楠 *Persea japonica*、红楠 *P. thunbergii*、香楠 *P. zuihoensis* 等。

（10）小黑斑凤蝶 *Chilasa epycides*（Hewitson，1864）（图版3：1-2）

Papilio epycides Hewitson，1864.

Chilasa epycides：Wynter-Blyth，1957：379.

鉴别特征：翅棕褐色或棕色；翅脉黑色；两翅中室有4条灰白色纵条带。前翅中室端部和下方有2列放射状排列的条带或斑点，灰白色。后翅外缘区及亚缘区各有1列圆斑；中室外放射状排列1圈长短不一的斑带；臀角斑纹半圆形，杏黄色，伴有黑色晕圈。雌蝶斑纹较雄蝶大。

采集记录：1♂，洋县长青自然保护区，2001.Ⅳ-Ⅷ，邢连喜、袁朝辉采。

分布：陕西（洋县、宁陕）、辽宁、甘肃、浙江、江西、福建、台湾、四川、贵州、云南；越南，缅甸，印度，不丹，泰国，马来西亚，印度尼西亚。

寄主：樟树 *Cinnamomum camphora*（Lauraceae）、黑壳楠 *Lindera megaphylla*、山胡椒 *L. glauca*、山鸡椒 *Litsea cubeba* 等。

5. 凤蝶属 *Papilio* Linnaeus，1758

Papilio Linnaeus，1758：458. **Type species**：*Papilio machaon* Linnaeus，1758.

Pterourus Scopoli，1777：433. **Type species**：*Papilio troilus* Linnaeus，1758.

Iliades Hübner，[1819]：88. **Type species**：*Papilio memnon* Linnaeus，1758.

Chilasa Moore，[1881]：153. **Type species**：*Papilio dissimilis* Linnaeus，1758.

Sarbaria Moore，1882：258. **Type species**：*Papilio polyctor* Boisduval，1836.

Araminta Moore，1886：50. **Type species**：*Papilio demolion* Cramer，[1776].

Euploeopsis de Nicéville，[1887]：433. **Type species**：*Papilio telearchus* Hewitson，1852.

Tamera Moore，1888：284. **Type species**：*Papilio castor* Westwood，1842.

Sadengia Moore, [1902]: 213. **Type species**: *Papilio nephelus* Boisduval, 1836.

Mimbyasa Evans, 1912: 972. **Type species**: *Papilio janaka* Moore, 1857.

Agehana Matsumura, 1936: 86. **Type species**: *Papilio maraho* Shiraki *et* Sonan, 1934.

Sinoprinceps Hancock, 1983: 35. **Type species**: *Papilio xuthus* Linnaeus, 1767.

属征：通常黑色，少数黄色；胸部和腹部无红色毛。翅斑纹红色、蓝色、黄色或白色，有的翅面散布有金绿色或金蓝色鳞片。前翅中室长而阔。后翅内缘狭，弯曲凹入。雄性外生殖器：上钩突及颚突多发达；无囊突；抱器方阔，抱器腹发达；阳茎中等，弯曲。

分布：世界广布。全世界记载 210 多种，中国已知 27 种，秦岭地区记录 14 种。

分亚属检索表

1. 前翅中室端部有与端脉近平行的条形斑 ……………………………………………… 2
   前翅中室端部无与端脉近平行的条形斑 ……………………………………………… 3
2. 前翅中室基部斑纹放射状排列 ………………………………… 华凤蝶亚属 *Sinoprinceps*
   前翅中室基部无上述斑纹 ……………………………………………… 凤蝶亚属 *Papilio*
3. 翅正反面覆盖金绿色或金蓝色鳞片；后翅中域斑纹翠绿或翠蓝色 ………… 翠凤蝶亚属 *Princeps*
   翅正反面无上述鳞片；后翅中域斑纹白色或淡黄色 ………………… 美凤蝶亚属 *Menelaides*

5-1. 美凤蝶亚属 *Menelaides* Hübner, 1819

Menelaides Hübner, 1819: 84. **Type species**: *Papilio polytes* Linnaeus, 1758.

大型种类；多为雌雄异型，有的是雌蝶多型。翅面无金绿色或金蓝色鳞片。前翅中室有多条黑色纵纹，放射状排列；其余各翅室具有长"U"形或"V"形斑纹，黑灰色、灰褐色或灰白色；红色斑纹多分布于翅基部或翅的内外缘。后翅中域多有白色斑或淡黄色斑，尾突及雄蝶前翅发香鳞有或无。

本亚属世界记载 55 种，中国已知 14 种，秦岭地区记录 7 种。

分种检索表

1. 后翅中域雌蝶有白斑 ……………………………………………………………… 2
   后翅中域雌雄蝶均无白斑 ………………………………………………………… 6
2. 前翅、后翅或两翅反面基部红色 ………………………………………………… 3
   翅基部非红色 …………………………………………………………………… 5
3. 后翅宽，雄蝶反面臀角有红斑；雌蝶有白色斑，尾突有或无 ………… 美凤蝶 *P.（M.）memnon*
   后翅窄，臀角与内缘有红斑 ……………………………………………………… 4
4. 雄蝶无尾突；雌蝶有尾突，中室有白斑 …………… 红基美凤蝶 *P.（M.）alcmenor*

　　雌雄蝶均有尾突，雌蝶中室无白斑 ······················· 黑美凤蝶 *P.*（*M.*）*bootes*
5.　雄蝶后翅中部白斑排成带状，雌蝶的斑纹数目与排列多变 ········ 玉带美凤蝶 *P.*（*M.*）*polytes*
　　雌雄蝶后翅白斑不如上述（后翅有大白斑 4 个，雌蝶有数个小斑）···············
　　·· 宽带美凤蝶 *P.*（*M.*）*nephelus*
6.　后翅狭长，有尾突 ································ 姝美凤蝶 *P.*（*M.*）*macilentus*
　　后翅较宽，无尾突 ································ 蓝美凤蝶 *P.*（*M.*）*protenor*

（11）美凤蝶 *Papilio*（*Menelaides*）*memnon* Linnaeus，1758

Papilio memnon Linnaeus，1758：460.

Papilio memnon f. *distantianus*：Lewis，1974.

Papilio memnon f. *alcanor*：Wynter-Blyth，1957：384.

Papilio（*Menelaides*）*memnon*：Chou，1994：124.

　　鉴别特征：雌雄异型及雌蝶多型。雄蝶翅基部色深，有天鹅绒光泽；翅脉纹两侧蓝色，有闪光。前翅反面脉纹两侧灰白色，中室基部红斑水滴状。后翅反面基部有 1 排小红斑，翅端部有 2 列由蓝色鳞片组成的环形斑列，时有模糊；臀角区有 2～5 个环形或半环形红色斑纹；无尾突。雌蝶无尾突型：前翅基部及前缘黑色；中室基部红斑近楔形。后翅中室外白色条带放射状排列；亚外缘区斑列黑色，近圆形。雌蝶有尾突型：前翅与无尾突型相似。后翅黑色，中室有 1 个白色大斑；中室外条形白斑放射状排列，端部多有红色晕染；外缘区有 1 列斑纹，红色、白色或橘黄色；臀角眼斑红色或橘黄色，眼点大，黑色。

　　采集记录：1♂，周至厚畛子，1200m，2010.Ⅴ.30，房丽君采；1♂1♀，镇安结子乡，800m，2011.Ⅳ.30，房丽君采。

　　分布：陕西（周至、镇安）、浙江、湖北、江西、湖南、福建、台湾、广东、海南、广西、四川、云南；日本，泰国，缅甸，印度，斯里兰卡。

　　寄主：雪柚 *Citrus grandis*（Rutaceae）、柚子 *C. maxima*、圆金橘 *Fortunella japonica*、枸枳 *Poncirus trifoliata*、光叶花椒 *Zanthoxylum nitidum*、食茱萸 *Z. ailanthoides*。

（12）宽带美凤蝶 *Papilio*（*Menelaides*）*nephelus* Boisduval，1836

Papilio nephelus Boisduval，1836：210.

Menelaides nephelus：Igarashi，1979：136.

Papilio（*Menelaides*）*nephelus*：Chou，1994：140.

　　鉴别特征：翅黑色或黑褐色；前翅反面臀角附近有 2～3 个楔形白斑。后翅正面中域端半部有 4～5 个白色或淡黄色斑纹，长短不一；反面除 4 个白斑与正面相同外，在白斑下还有 3 个小的白斑或黄斑排列至内缘；外缘有 1 列月牙形斑纹，黄色或白色。

　　分布：陕西（南郑）、山西、江西、福建、台湾、广东、海南、广西、四川、贵州、云南；越南，泰国，柬埔寨，缅甸，印度，不丹，尼泊尔，马来西亚，印度尼西亚。

　　寄主：飞龙掌血 *Toddalia asiatica*（Rutaceae）、楝叶吴茱萸 *Euodia meliifolia*、光叶花椒 *Zanthoxylum nitidum*、接骨草 *Sambucus chinensis*（Caprifoliaceae）。

（13）蓝美凤蝶 *Papilio*（*Menelaides*）*protenor* Cramer，[1775]（图版3：3-4）

Papilio protenor Cramer，[1775]：77.

Papilio（*Menelaides*）*protenor*：Chou, 1994：126.

　　鉴别特征：雌雄异型。翅黑色或黑褐色，有靛蓝色天鹅绒光泽。雄蝶后翅正面前缘有1条淡黄色横带（雌蝶无），但多被前翅后缘遮盖；臀角有1个红色眼斑，瞳点黑色；雌蝶正面臀角红斑多为2~3个；反面顶角区有2~3个不完整的红色眼斑，臀角区红色眼斑3个，其中2个不完整，呈半环状，红斑区常有白色晕染。雄蝶多较雌蝶小，翅面蓝色鳞较少。

　　采集记录：1♂，长安石砭峪，1000m，2010. Ⅸ. 17，彭涛采；1♂，蓝田汤峪，950m，2008. Ⅶ. 20，房丽君采；1♂，周至厚畛子，1300m，2009. Ⅶ. 14，高可、杨伟采；1♂，户县紫阁峪，980m，2010. Ⅴ. 27，房丽君采；1♂，宝鸡坪头，1120m，2011. Ⅷ. 27，房丽君采；2♂1♀，太白二郎坝，1040~1070m，2011. Ⅷ. 24，程帅、张辰生采；1♀，佛坪桃园村，1000m，2011. Ⅵ. 05，房丽君采；1♂，佛坪长角坝，820m，2010. Ⅸ. 21，房丽君采；1♂，洋县四郎乡，670m，2011. Ⅳ. 09，房丽君采；1♂，宁陕火地塘，1700m，2009. Ⅷ. 30，房丽君采；1♂，宁陕广货街，1200m，2010. Ⅸ. 18，房丽君采；1♂，柞水营盘朱家湾，1080m，2010. Ⅵ. 13，彭涛采；2♂1♀，镇安结子乡，700m，2010. Ⅸ. 04，房丽君采；1♂，商州夜村，950m，2013. Ⅶ. 23，房丽君采；1♂，山阳银花岬峪沟，600m，2010. Ⅷ. 09，房丽君采；1♂，丹凤土门七星沟，680m，2010. Ⅵ. 01，房丽君采；1♂，商南梁家湾，500m，2013. Ⅷ. 25，房丽君采。

　　分布：陕西（长安、蓝田、周至、户县、陈仓、太白、佛坪、洋县、宁陕、柞水、镇安、商州、山阳、丹凤、商南）、辽宁、河南、甘肃、山东、浙江、江西、福建、台湾、海南、广西、四川、云南、西藏；朝鲜，韩国，日本，越南，缅甸，印度，不丹，尼泊尔。

　　寄主：甜橙 *Citrus sinensis*（Rutaceae）、柑橘 *C. reticulata*、光叶花椒 *Zanthoxylum nitidum*、蜀椒 *Z. piperitum* 等植物。

（14）姝美凤蝶 *Papilio*（*Menelaides*）*macilentus* Janson，1877（图版3：5-6）

Papilio macilentus Janson，1877：158.

Papilio scaevola Oberthür, 1879: 37.

Papilio tractipennis Butler, 1881: 139.

Papilio (*Menelaides*) *macilentus*: Chou, 1994: 134.

鉴别特征: 翅黑色或黑褐色, 狭长。后翅正面雄蝶前缘有 1 条淡黄色横带(雌蝶无), 但多被前翅后缘遮盖; 尾突长, 端部膨大; 反面外缘斑列红色, 斑纹月牙形; 亚外缘区 cu_1 与 m_3 室各有 1 个红色斑纹叠加于其外缘区红斑上方; 臀角眼斑红色, 眼点黑色; 翅反面的红色斑纹上多覆有同形的白色斑纹。

采集记录: 1♂, 长安大峪, 900m, 2008. V.01, 房丽君采; 1♂, 蓝田汤峪, 1000m, 2008. VII.20, 房丽君采; 1♂, 周至厚畛子, 1500m, 2009. VI.11, 高可、杨伟采; 1♂, 华县少华山, 730m, 2013. VII.19, 张宇军采; 1♂, 宁陕旬阳坝, 1420m, 2010. V.02, 房丽君采; 2♂, 丹凤老君洞, 680m, 2013. VIII.11, 张宇军采。

分布: 陕西(长安、蓝田、周至、华县、宁陕、丹凤)、辽宁、河南、甘肃及长江以南各地; 俄罗斯, 韩国, 日本。

寄主: 芸香 *Ruta graveolens* (Rutaceae)、食茱萸 *Zanthoxylum ailanthoides*、枸枳 *Poncirus trifoliata*、常臭山 *Orixa japonica*、半边莲 *Lobelia chinensis* (Lobeliaceae)。

(15)红基美凤蝶 *Papilio* (*Menelaides*) *alcmenor* C. & R. Felder, [1864](图版 4)

Papilio alcmenor C. & R. Felder, [1864]: 129.

Papilio rhetenor: Westwood, 1842: 59.

Papilio (*Menelaides*) *alcmenor*: Chou, 1994: 130.

鉴别特征: 雌雄异型。翅黑色, 狭长, 覆有蓝色鳞片。前翅中室基部红色斑楔形。雄蝶后翅无尾突; 正面臀角小眼斑红色, 瞳点黑色; 反面翅基部、后缘及外缘分别散布有多个形状不一的红斑, 有的嵌有黑色圆斑。雌蝶后翅尾突宽而短, 正面中室端及其外侧有 1 个块状大白斑, 多被翅脉分割, 时有模糊; 其余红斑与雄蝶近似, 但多较雄蝶斑大。

采集记录: 1♂, 户县朱雀森林公园, 1550m, 2012. VII.12, 房丽君采; 1♂, 佛坪岳坝保护站, 1120m, 2013. VII.23, 张宇军采; 1♂, 商南金丝峡, 730m, 2013. VII.26, 房丽君采。

分布: 陕西(户县、佛坪、商南)、河南、湖南、海南、四川、云南、西藏; 缅甸, 印度, 不丹, 尼泊尔。

寄主: 柑橘 *Citrus reticulata* (Rutaceae)等。

(16)黑美凤蝶 *Papilio* (*Menelaides*) *bootes* Westwood, 1842(图版 5)

Papilio bootes Westwood, 1842: 36.

Papilio（*Menelaides*）*bootes*：Chou, 1994：133.

鉴别特征：雌雄异型。翅黑色或黑褐色；前翅中室基部红色斑近三角形。后翅有尾突；正面雄蝶臀角有 2 个红色眼斑，瞳点黑色；雌蝶中室端外侧有 2~3 个白色斑纹，时有消失；臀角有 3 个红色眼斑。反面雄蝶翅基部、后缘及外缘后半部有大小、形状不一的红色斑纹，连贯排列。

采集记录：1♂，长安石砭峪，1100m，2010.Ⅶ.04，房丽君采；1♂，周至楼观台，1000m，2010.Ⅵ.03，房丽君采；1♂，户县涝峪，1450m，2009.Ⅵ.06，房丽君采；1♂，太白桃川，1050m，2011.Ⅵ.11，房丽君采；1♂，华县石堤峪，950m，2011.Ⅴ.08，房丽君采；1♂，留坝青桥铺，2004.Ⅷ.07，许家珠采；1♂，洋县长青自然保护区，2001.Ⅳ-Ⅷ，邢连喜、袁朝辉采；1♂，柞水营盘大甘沟，1380m，2010.Ⅵ.15，彭涛采。

分布：陕西（长安、周至、户县、太白、华县、留坝、洋县、柞水）、河南、四川、云南；缅甸。

寄主：光叶花椒 *Zanthoxylum nitidum*（Rutaceae）、竹叶花椒 *Z. armatum* 及柑橘属 *Citrus* spp. 等植物。

（17）玉带美凤蝶 *Papilio*（*Menelaides*）*polytes* **Linnaeus, 1758**（图版 6）

Papilio polytes Linnaeus, 1758：460.

Papilio astyanax Fabricius, 1793：13.

Papilio hector de Haan, 1840：39.

Papilio walkeri Janson, 1879：433.

Papilio ocha Fruhstorfer, 1908：38.

Papilio chalcas Fabricius, 1938：24.

Papilio ab. *inaequalis* Murayama, 1958：27.

Menelaides polytes：Igarashi, 1979：126.

Papilio（*MeneLaides*）*polytes*：Chou, 1994：134.

鉴别特征：雌雄异型及雌蝶多型。雄蝶翅黑色或黑褐色。前翅外缘有 1 列白斑。后翅有尾突；中域有 1 列白色或黄色斑纹；反面外缘凹陷处有橙色点；亚外缘斑列橙红色，斑纹新月形；臀角眼斑橙红色，瞳点黑色。雌蝶前翅基部黑色，其余翅面灰褐色或灰白色；多型间差异主要表现在后翅，有 3 种基本类型：白带型，后翅外缘斑与雄蝶后翅的反面相似；白斑型，后翅中域下半部有 2~5 个白色斑及 1~3 个红色斑；赤斑型，后翅中域有 2~3 个红色斑。

采集记录：1♂，商州二龙山水库，800m，2013.Ⅶ.24，房丽君采；6♂4♀，商南金丝峡，500m，2013.Ⅷ.25，房丽君采；2♂，商南湘河大桥，250m，2013.Ⅸ.11，房丽君采。

分布: 陕西(商州、商南)、河北、山西、河南、甘肃、青海、山东、江苏、安徽、浙江、湖北、江西、湖南、福建、台湾、广东、海南、广西、四川、贵州、云南、西藏；日本，泰国，印度，马来西亚，印度尼西亚。

寄主: 柚子 *Citrus maxima* (Rutaceae)、假黄皮 *Clausena excavata*、黄皮 *C. lansium*、圆金橘 *Fortunella japonica*、飞龙掌血 *Toddalia asiatica*、光叶花椒 *Zanthoxylum nitidum*。

5-2. 翠凤蝶亚属 *Princeps* Hübner, 1807

Princeps Hübner, 1807: pl. [116]. **Type species**: *Papilio demodocus* Esper, 1799.

翅多黑色，翅面密布翠绿色或翠蓝色鳞片。后翅外缘区及中域多有斑纹，大部分呈翠绿色或蓝色，有时呈白色或黄色；外缘波状，多具尾突。

全世界记载 41 种，分布于非洲、澳洲和亚洲，中国已知 11 种，秦岭地区记录 5 种。

分种检索表

1. 后翅有金蓝色鳞片形成的大块斑或长带纹 ………………………………………… 2
   后翅金蓝色鳞片均匀散布，未形成斑纹 …………………………………………… 4
2. 前后翅各有 1 条蓝绿色或黄绿色横带纹从前缘伸向臀角 ……… **绿带翠凤蝶 P.** (*P.*) *maackii*
   前后翅无横纹，后翅有金蓝色鳞片形成的大块斑 ………………………………… 3
3. 后翅的金蓝色大斑后面有黄绿色线纹通到后缘 ……………… **巴黎翠凤蝶 P.** (*P.*) *paris*
   后翅的金蓝色大斑后面无黄绿色线纹 ………………… **窄斑翠凤蝶 P.** (*P.*) *arcturus*
4. 后翅尾突长，正面亚外缘有粉红色和蓝色的飞鸟形斑 ……………… **碧翠凤蝶 P.** (*P.*) *bianor*
   后翅尾突短，正面亚外缘粉红色斑多不明显 ………………… **穹翠凤蝶 P.** (*P.*) *dialis*

(18) 碧翠凤蝶 *Papilio* (*Princeps*) *bianor* Cramer, [1777] (图版 7)

Papilio bianor Cramer, [1777]: 10.

Achillides bianor: Igarashi, 1979: 142.

Papilio (*Princeps*) *bianor*: Chou, 1994: 147.

鉴别特征: 翅黑色，密布翠绿色鳞片；雄蝶前翅臀域有天鹅绒状性标。前翅基半部黑色，端半部各翅室均有灰黑色条形纹。后翅尾突较宽，端部多膨大；正面特别是近前缘区有大片蓝绿色鳞片密集区；亚外缘有 1 列飞鸟形斑纹，蓝色、红色和白色；反面亚外缘区红色飞鸟纹明显，斑纹上多镶有白色同形条纹。

采集记录: 1♂，长安饮马池，1780m，2008. Ⅶ.12，彭涛采；1♂，长安大峪，760m，2010. Ⅷ.06，彭涛采；1♂，蓝田九间房，1200m，2013. Ⅵ.23，房丽君采；1♂，

周至厚畛子，1220m，2010. Ⅴ.29，房丽君采；1♂，户县太平峪，890m，2008. Ⅸ.13，房丽君采；1♂，户县东涝峪，1350m，2010. Ⅶ.06，房丽君采；1♂，凤县通天河，1400m，2012. Ⅴ.05，房丽君采；1♂，凤县灵官峡，1000m，2012. Ⅴ.26，房丽君采；1♂1♀，眉县蒿坪寺，1310m，2011. Ⅷ.11，程帅、张辰生采；1♂，太白药王谷，980m，2013. Ⅷ.09，房丽君采；1♂，华县少华山，790m，2013. Ⅶ.19，张宇军采；1♂，华阴华阳川林场，1350m，2011. Ⅴ.07，房丽君采；1♂，佛坪立房沟，900m，2010. Ⅸ.12，房丽君采；1♂，洋县秧田石家庄，950m，2011. Ⅵ.05，房丽君采；1♂，宁陕旬阳坝，1120m，2010. Ⅴ.23，房丽君采；2♂，石泉云雾山，1530m，2011. Ⅴ.26，房丽君采；1♂，汉阴龙垭乡石家沟，680m，2011. Ⅴ.27，房丽君采；1♂，柞水营盘大甘沟，1550m，2009. Ⅸ.05，房丽君采；1♂，镇安结子乡，760m，2010. Ⅸ.04，房丽君采；1♂，商州二龙山水库，800m，2013. Ⅶ.24，房丽君采；2♂，山阳岬峪沟，630m，2013. Ⅶ.30，房丽君采；1♂，丹凤月日镇江湾村，570m，2013. Ⅷ.21，房丽君采；2♂1♀，丹凤谷峪沟，880m，2010. Ⅷ.16，房丽君采；10♂4♀，商南梁家湾，500m，2013. Ⅷ.24，房丽君采。

分布：陕西（长安、蓝田、周至、户县、凤县、眉县、太白、华阴、华县、佛坪、洋县、宁陕、石泉、汉阴、柞水、镇安、商州、山阳、丹凤、商南），除新疆外全国广大地区都有分布；朝鲜，韩国，日本，越南，缅甸，印度。

寄主：黄檗 *Phellodendron amurense*（Rutaceae）、飞龙掌血 *Toddalia asiatica*、樗叶花椒 *Zanthoxylum ailanthoides*、光叶花椒 *Z. nitidum*、臭常山 *Orixa japonica*、野漆 *Rhus succedanea*（Anacardiaceae）。

(19) 窄斑翠凤蝶 *Papilio*（*Princeps*）*arcturus* Westwood, 1842

Papilio arcturus Westwood, 1842：37.

Papilio（*Princeps*）*arcturus*：Chou, 1994：151.

Achillides arcturus：Igarashi, 1979：146.

鉴别特征：翅黑色，密布翠绿色鳞片；前翅端部有很宽的灰白色带，近前缘处带纹加宽。后翅正面亚外缘斑列红色，斑纹时有断续；从中室上角到顶角有翠蓝色斧状斑；臀角有红色圆形眼斑，瞳点黑色；反面外缘斑列红色，斑纹"U"形；臀角处2个红斑近圆环形。

采集记录：1♂，镇安结子乡，750m，2010. Ⅸ.04，房丽君采；1♂，山阳银花岬峪沟，650m，2010. Ⅷ.09，房丽君采。

分布：陕西（镇安、山阳、洋县）、江西、四川、云南；泰国，缅甸，印度，尼泊尔。

寄主：毛刺花椒 *Zanthoxylum acanthopodium*（Rutaceae）、柑橘 *Citrus reticulate*、接骨草 *Sambucus chinensis*（Caprifoliaceae）等。

(20) 穹翠凤蝶 *Papilio*（*Princeps*）*dialis* Leech，1893

Papilio dialis Leech，1893：104.

Achillides dialis：Igarashi，1979：140.

Papilio（*Princeps*）*dialis*：Chou，1994：152.

鉴别特征：翅黑色，翅面密布翠绿色或黄绿色鳞片；雄蝶在前翅 M_3、Cu_1、Cu_2 及 2A 脉上有较宽的天鹅绒状性标。后翅尾突短；正面亚外缘斑列粉红色，斑纹多模糊；反面较清晰；臀角红斑环形。

采集记录：3♀，留坝柳树沟，2004. Ⅷ. 07，许家珠采。

分布：陕西（留坝）、河南、甘肃、浙江、江西、福建、台湾、广东、海南、广西、四川；越南，老挝，泰国，柬埔寨，缅甸。

寄主：棟叶吴茱萸 *Euodia meliifolia*（Rutaceae）、飞龙掌血 *Toddalia asiatica*（Rutaceae）、漆树 *Rhus verniciflua*（Anacardiaceae）。

(21) 巴黎翠凤蝶 *Papilio*（*Princeps*）*paris* Linnaeus，1758（图版 8）

Papilio paris Linnaeus，1758：459.

Papilio（*Princeps*）*paris*：Chou，1994：145.

Achillides paris：Igarashi，1979：150.

鉴别特征：翅黑色或黑褐色，散布翠绿色鳞片。前翅正面亚外缘区有 1 条黄绿色或翠绿色横带，近前缘处消失；反面亚外缘区至翅中部有 1 条很宽的灰白色带。后翅正面顶角至翅中部有 1 个块状斑，翠蓝或翠绿色，外缘齿状，斑下角有 1 条淡黄色或黄绿色或翠蓝色窄带纹通到臀角附近的后缘；亚外缘斑列斑纹近月牙形，淡黄或绿色，时有模糊；臀角眼斑红色，瞳点黑色；反面外缘斑列粉红色，斑纹飞鸟形，缘线白色。

采集记录：1♂，周至板房子，1500m，2013. Ⅷ. 17，房丽君采；1♂1♀，佛坪长角坝，920m，2010. Ⅸ. 11，房丽君采；12♂5♀，商南金丝峡，500m，2013. Ⅷ. 23，房丽君采；6♂2♀，商南梁家湾，500m，2013. Ⅷ. 24，房丽君采。

分布：陕西（周至、佛坪、商南）、河南、浙江、湖北、江西、福建、台湾、广东、海南、香港、广西、四川、贵州、云南；越南，老挝，泰国，缅甸，印度，马来西亚，印度尼西亚。

寄主：飞龙掌血 *Toddalia asiatica*（Rutaceae）、光叶花椒 *Zanthoxylum nitidum*、三桠苦 *Euodia lepta*。

(22) 绿带翠凤蝶 *Papilio*（*Princeps*）*maackii* Ménétriès，1859

Papilio maackii Ménétriès，1859：212.

Papilio maacki Pryer, 1882：487.

Papilio raddei Bremer, 1864：3.

Papilio bianor maacki：Rothschild, 1895：380.

Achillides macckii：Igarashi, 1979：147.

Papilio (*Princeps*) *maackii*：Chou, 1994：154.

鉴别特征：翅黑色，布满翠绿色鳞片。前翅正面亚缘区有 1 条翠绿色条带，被黑色脉纹及脉间纹分割形成断续的横带；反面亚缘区横带白色或灰白色。后翅正面外缘斑列翠蓝色，斑纹弯月形，常有红色半月形斑纹相伴；外中区有 1 条翠蓝色或翠绿色横带；臀角眼斑红色，瞳点黑色；反面外缘斑列红色，斑纹月牙形；亚缘区横带灰白色，时有断续。

采集记录：1♂，周至楼观台，780m，2011.Ⅳ.22，彭涛采。

分布：陕西(周至)、黑龙江、吉林、辽宁、北京、河北、河南、浙江、湖北、江西、台湾、四川、贵州、云南；俄罗斯，朝鲜，日本。

寄主：黄檗 *Phellodendron amurense*、樗叶花椒 *Zanthoxylum ailanthoides*、楝叶吴茱萸 *Euodia meliifolia*、接骨草 *Sambucus chinensis* (Caprifoliaceae)等。

5－3. 华凤蝶亚属 *Sinoprinceps* Hancock，1983

Sinoprinceps Hancock, 1983：35. **Type species**：*Papilio xuthus* Linnaeus, 1767.

翅斑纹黄绿色或黄色，前翅中室基半部斑纹呈放射状排列。

全世界记载 2 种，中国已知 1 种，秦岭地区有分布。

(23) 柑橘凤蝶 *Papilio* (*Sinoprinceps*) *xuthus* Linnaeus，1767(图版 9：1-2)

Papilio xuthus Linnaeus, 1767：751.

Papilio xuthulus Bremer, 1861：463.

Papilio xuthulinus Murray, 1875：166.

Papilio xanthus：Rothschild, 1895：278.

Papilio (*Sinoprinceps*) *xuthus*：Chou, 1994：157.

鉴别特征：翅黑褐色，斑纹黄绿色、黄白色或黄色。前翅中室端部有 2 个横斑，下部有 4~5 条纵纹；外缘区及亚外缘区各有 1 列月牙形斑纹；中域有 1 列条斑，斑纹外缘排列整齐，内缘从前缘向后缘逐个加长，cu_2 室横斑伸达翅基，端部折钩状。后翅中室黄色；中室外放射状排列 1 圈长条斑，斑列外缘排列整齐；亚缘区斑列蓝色，时有模糊；外缘斑列黄色，m_3 室斑延伸进尾突；臀角眼斑圆形，橘红色，瞳点黑色；反面亚缘区蓝色斑纹较正面清晰，两侧间断散布有橘黄色晕染。

采集记录：2♂1♀，长安五道梁，1250m，2009.Ⅲ.29，房丽君采；1♂，长安石砭峪，550m，2012.Ⅸ.22，张宇军采；1♂，蓝田王顺山，1800m，2010.Ⅶ.31，房丽君采；1♂1♀，周至楼观台，450m，2010.Ⅸ.26，房丽君采；1♂，户县紫阁峪，980m，2010.Ⅴ.27，房丽君采；1♂，眉县蒿坪寺，1100m，2010.Ⅷ.10，房丽君采；1♂，太白黄柏塬，1450m，2010.Ⅷ.08，房丽君采；2♂，华县少华山，700m，2013.Ⅶ.20，张宇军采；1♂，华阴华阳川林场，1320m，2011.Ⅴ.07，房丽君采；1♂1♀，佛坪立房沟，1360m，2010.Ⅸ.12，房丽君采；1♂，佛坪桃园村，880m，2011.Ⅵ.5，房丽君采；1♂，宁陕火地塘，1700m，2010.Ⅷ.28，房丽君采；2♂，镇安结子乡，620m，2010.Ⅸ.04，房丽君采；1♂，商州麻街镇，850m，2011.Ⅵ.01，房丽君采；1♂，丹凤谷峪沟，520m，2010.Ⅷ.16，房丽君；2♂，丹凤国家湿地公园，580m，2013.Ⅶ.27，房丽君采；3♂1♀，山阳银花岬峪沟，590m，2013.Ⅶ.30，房丽君采；6♂3♀，商南梁家湾，500m，2013.Ⅶ.28，房丽君采。

分布：陕西(长安、蓝田、周至、户县、眉县、太白、华阴、华县、佛坪、宁陕、石泉、镇安、商州、山阳、丹凤、商南)，中国广布，为东亚特有种。

寄主：枸橘 *Poncirus trifoliata*(Rutaeeae)、樗叶花椒 *Zanthoxylum ailanthoides*、光叶花椒 *Z. nitidum*、吴茱萸 *Evodia rutaecarpa*、黄檗 *Phellodendron amurense* 等。

5-4. 凤蝶亚属 *Papilio* Linnaeus，1758

Papilio Linnaeus，1758：458. **Type species**：*Papilio machaon* Linnaeus，1758.

翅斑纹黄色或黄绿色，前翅中室端部斑纹与端脉近平行排列。

全世界记载11种，中国已知1种，秦岭地区有记录。

(24) 金凤蝶 *Papilio machaon* Linnaeus，1758

Papilio machaon Linnaeus，1758：462.

鉴别特征：翅黑色或黑褐色，斑纹黄色或淡黄色。前翅基部密布黄色或黄绿色鳞片；中室端部有2个横斑；亚外缘斑列半月形；中域横斑列外缘排列整齐，内缘从前缘向后缘逐个加长；反面外缘带细，黑色；亚外缘带及亚缘带宽；中室黄色，有2个黑色横斑。后翅尾突细；中室黄色；中室外放射状排列1圈长条斑，外缘排列整齐；亚外缘斑列黄色，m_3 室斑延伸进尾突；亚缘斑列蓝色，反面较正面清晰，两侧间断散布有橘黄色晕染；臀角有1个近圆形的橘红色斑。与柑橘凤蝶 *P. xuthus* 的主要区别为：本种前翅基部黄绿色，中室基部无黄色放射纹；前翅后缘中域斑不达翅基部。

采集记录：1♂，长安大峪，1100m，2011.Ⅳ.24，彭涛采；1♂，周至厚畛子，

1250m，2009. Ⅸ. 21，高可、杨伟采；1♂，太白黄柏塬，1300m，2010. Ⅵ. 15，房丽君采；1♂，佛坪龙草坪，1250m，2013. Ⅶ. 31，张宇军采；1♀，宁陕旬阳坝，1430m，2010. Ⅶ. 28，房丽君采；1♂，商州夜村，930m，2013. Ⅶ. 23，房丽君采；1♂，丹凤土门谷峪沟，840m，2010. Ⅷ. 16，房丽君采；1♂1♀，山阳中村梅岔村，600m，2013. Ⅶ. 27，房丽君采；1♂，商南金丝峡，800m，2013. Ⅶ. 26，房丽君采。

分布：陕西（长安、周至、太白、佛坪、宁陕、商州、丹凤、山阳、商南）、黑龙江、吉林、辽宁、河北、山西、河南、甘肃、青海、新疆、山东、浙江、江西、福建、台湾、广东、广西、四川、贵州、云南、西藏；亚洲，欧洲，北美洲。

寄主：胡萝卜 *Daucus carota*（Umbelliferae）、茴香 *Foeniculum vulgare*、野当归 *Angelica dahurica*、林当归 *A. Silvestris*、芹菜 *Apium graveolens*、芫荽 *Coriandrum sativum*、防风 *Saposhnikovia divaricata* 等。

6. 宽尾凤蝶属 *Agehana* Matsumura，1936

Agehana Matsumura，1936：86. **Type species**：*Papilio maraho* Shiraki *et* Sonan，1934.

属征：大型蝴蝶，模拟凤蛾科的种类。主要鉴别特征是尾突特别宽大，M_3 脉和 Cu_1 脉 2 条翅脉进入尾突。雄性外生殖器：上钩突较凤蝶属短小；抱器宽大，片状，有锯齿；阳茎弯曲，两端宽大，末端斜截。雌性外生殖器：囊导管短，膜质；交配囊近圆形或椭圆形；交配囊片纺锤形。

分布：全世界记载 2 种，均为中国特有种，很珍贵，秦岭地区记录 1 种。

(25) 宽尾凤蝶 *Agehana elwesi*（Leech，1889）

Papilio elwesi Leech，1889：113.

Papilio（*Agehana*）*elwesi*：Bridges，1988：96.

Agehana elwesi：Chou，1994：161.

鉴别特征：翅黑色或棕褐色，翅面散布淡黄色鳞片。前翅中室有 4 条黑色纵纹，呈放射状排列；其余各翅室具有长"U"形或"V"形斑纹，呈灰黑色或棕灰色。后翅外缘凹入处红色；外缘斑列红色，斑纹弯月形或"U"形，其中 1 个进入尾突；中室灰白色或棕灰色，有 3~4 条放射状黑色细纹贯穿其中，形成多个条带形斑纹；尾突宽而短，靴形；白斑型种类中室白色；臀角有 1 个红色眼斑，瞳点黑色。

采集记录：1♂，汉中天台山，2008. Ⅴ. 07，许家珠采；1♀，勉县连城山，2009. Ⅴ. 31，许家珠采；1♂，佛坪观音山保护区，1640m，2013. Ⅶ. 30，张宇军采。

分布：陕西（汉台、勉县、佛坪）、河南、浙江、湖北、江西、湖南、福建、广东、广西、四川。

　　寄主：凹叶厚朴 *Magnolia officinalis*（Magnoliaceae）、玉兰 *M. denudata*、深山含笑 *Michlia maudiae*、马褂木 *Liriodendron chinense*。

（三）燕凤蝶族 Lampropterini

　　触角有鳞；胫节和跗节有鳞及刺列；雄蝶有发香鳞。前翅中室端脉中段直。后翅肩脉发达。

分属检索表

后翅无尾突或尾突较短 ·· 青凤蝶属 *Graphium*
后翅有长尾突 ··· 剑凤蝶属 *Pazala*

7. 青凤蝶属 *Graphium* Scopoli，1777

Graphium Scopoli，1777：433. **Type species：** *Papilio sarpedon* Linnaeus，1758.

Zelima Fabricius，1807：279. **Type species：** *Papilio pylades* Fabricius，1807.

Arisbe Hübner，[1819]：89. **Type species：** *Papilio leonidas* Fabricius，1793.

Idaides Hübner，[1819]：85. **Type species：** *Papilio codrus* Cramer，1777.

Ailus Billberg，1820：81. **Type species：** *Papilio pylades* Fabricius，1807.

Chlorisses Swainson，[1832]：pl. 89. **Type species：** *Papilio sarpedon* Linnaeus，1758.

Semicudati Koch，1860：231. **Type species：** *Papilio sarpedon* Linnaeus，1758.

Pathysa Reakirt，[1865]：503. **Type species：** *Papilio antiphates* Cramer，1775.

Dalchina Moore，[1881]：143. **Type species：** *Papilio sarpedon* Linnaeus，1758.

Paranticopsis Wood-Mason & de Nicéville，1887：376. **Type species：** *Papilio macareus* Godart，1819.

Pazala Moore，1888：283. **Type species：** *Papilio glycerion* Gray，1831.

Deoris Moore，[1903]：31. **Type species：** *Papilio agetes* Westwood，1843.

　　属征：翅黑色或黑褐色；翅面有半透明斑组成的蓝色、绿色、白色或黄色带；中室狭长；雄蝶有性斑。前翅狭，三角形，有 1 或 3 行斑列；外缘常凹入；R_1 与 Sc 脉接触或合并，有时与 R_2 脉亦接触。后翅外缘齿状；尾突较短或无；反面常有红色斑纹，其余斑纹同正面。雄性外生殖器：上钩突有或无，如有，不发达，骨化弱；尾突膜质；抱器阔圆，内突变化大；阳茎细长，末端尖。雌性外生殖器：导管端片圆筒形，交配囊片指状。

　　分布：古北区，东洋区，非洲区。全世界记载 35 种，中国已知 7 种，秦岭地区记录 3 种。

分种检索表

(26) 宽带青凤蝶 *Graphium cloanthus*（Westwood，1841）

Papilio cloanthus Westwood, 1841：42.

Zetides cloanthus：Wynter-Blyth, 1957：401.

Graphium cloanthus：D'Abrera, 1982：98.

鉴别特征：翅黑褐色或黑色，斑纹青绿色、浅蓝色或淡黄色；前翅亚外缘带浅灰色，时有模糊；中域有 1 列横斑，从顶角内侧斜向后缘中部，并逐渐加宽；中室斑 2 个。后翅尾突细指状；中域有 1 条未达后缘的短宽带，带下部楔形尖出；亚外缘有 1 列不规则形斑纹；反面翅基部、中部及臀角处有红色斑纹。

分布：陕西（南郑）、甘肃、浙江、湖北、江西、湖南、福建、台湾、广东、广西、四川、云南；日本，泰国，缅甸，印度，不丹，尼泊尔，印度尼西亚。

寄主：樟 *Cinnamomum camphora*（Lauraceae）、阴香 *C. burmanii*、芳香桢楠 *Machilus odoratissima*、大叶楠 *M. kusanoi*、香楠 *M. zuihoensis*、红楠 *M. thunbergii* 等。

(27) 青凤蝶 *Graphium sarpedon*（Linnaeus，1758）（图版 9：3-4）

Papilio sarpedon Linnaeus, 1758：461.

Zetides sarpedon：Wynter-Blyth, 1957：401.

Graphium sarpedon：Igarastu, 1979：170.

鉴别特征：翅黑色或黑褐色，斑纹青蓝色、淡绿色或白色。前翅中域有 1 列近长方形斑纹，从顶角斜向后缘中部，斑纹逐渐增大。后翅无尾突；中横斑列上宽下窄，近臀角楔形；亚外缘斑列斑纹新月形；反面基部有 1 个红色条纹；中室端部到臀角区有 1 列红色斑纹。雄蝶有内缘褶，密布灰白色的发香鳞。

采集记录：1♂，佛坪长角坝，880m，2010. IX. 01，房丽君采；1♂1♀，佛坪县城，800m，2010. IX. 12，房丽君采；1♂，商州二龙山，740m，2013. VIII. 03，张宇军采。

分布：陕西（佛坪、商州）、河南、甘肃、浙江、湖北、江西、湖南、福建、台湾、广东、海南、香港、广西、四川、贵州、云南、西藏；日本，泰国，缅甸，印度，不丹，尼泊尔，菲律宾，马来西亚，斯里兰卡，印度尼西亚，澳大利亚。

寄主：樟树 *Cinnamomum camphora*（Lauraceae）、鳄梨 *Persea gratissima*、土肉桂 *C. osmophloeum*、红楠 *Machilus thunbergii*、香楠 *M. zuihoensis*、大叶楠 *M. japonica*、山胡椒 *Lindera glauca*。

(28) 木兰青凤蝶 *Graphium doson*（C. & R. Felder，1864）

Papilio doson C. & R. Felder，1864：305.

Papilio telephus C. & R. Felder，1865：64.

Zetides doson：Wynter-Blyth，1957：402.

Graphium doson：Chou，1994：164.

Arisbe（*Eurypleana*）*doson*：Page & Treadaway，2003：4.

鉴别特征：翅黑色或黑褐色，斑纹淡绿色或淡蓝色。前翅亚外缘斑列斑纹近圆形；中室有 5 个长短不一的斑纹；亚顶区有 1 个小斑；中横斑列从前缘到后缘斑纹逐渐增大；后缘基部有 2 个细斑纹；反面斑纹均有银白色缘线。后翅无尾突；亚缘斑列排列不整齐；中横斑列上宽下窄，未达臀角；臀域有长带纹；雄蝶臀域具长毛；反面中域前缘的白斑镶有 1 个楔形黑斑，其上覆有 1 个红色横斑；中域白斑下半部外方及臀角有 5 个黑色斑纹，每个黑斑外侧均有红色条斑相伴；臀区条斑内侧亦有红色条带相连。

分布：陕西（秦岭）、甘肃、江西、福建、台湾、广东、海南、广西、四川、云南；日本，越南，泰国，缅甸，印度，马来西亚。

寄主：白兰花 *Michelia alba*（Magnoliaceae）、柳叶木姜子 *Litsea salicifolia*（Lauraceae）。

8. 剑凤蝶属 *Pazala* Moore，1888

Pazala Moore，1888：283. **Type species**：*Papilio glycerion* Gray，1831.

属征：翅薄，半透明，翅面鳞片少。前翅 Sc 脉与 R 脉不合并。后翅尾突剑形，臀角瓣状突出；亚臀角区有黄色或橙黄色斑。雄性外生殖器：上钩突、尾突及颚突均不发达；囊突短；抱器阔梨形，内突结构复杂，阳茎长。

分布：东洋区，古北区。全世界记载 7 种，中国均有记录，秦岭地区记录 5 种。

分种检索表

1. 后翅有 2 条中带 ⋯⋯⋯⋯⋯⋯⋯⋯⋯⋯⋯⋯⋯⋯⋯⋯⋯⋯⋯⋯⋯⋯⋯⋯⋯⋯⋯⋯ 2
   后翅有 1 条中带 ⋯⋯⋯⋯⋯⋯⋯⋯⋯⋯⋯⋯⋯⋯⋯⋯⋯⋯⋯⋯⋯⋯⋯⋯⋯⋯⋯⋯ 3
2. 后翅 2 条黑褐色中带近平行 ⋯⋯⋯⋯⋯⋯⋯⋯⋯⋯⋯⋯⋯ **升天剑凤蝶 *P. eurous***
   后翅 2 条黑褐色中带相交 ⋯⋯⋯⋯⋯⋯⋯⋯⋯⋯⋯⋯ **华夏剑凤蝶 *P. glycerion***

3. 后翅中带在前缘处有 1 个黄色的圆形斑，反面更明显 ·················· **金斑剑凤蝶 P. alebion**

上述黄斑不呈圆形 ···

4. 后翅中带较细，中室端横脉与中带构成小室 ·················· **四川剑凤蝶 P. sichuanica**

后翅中带较粗，中室端横脉与中带不构成小室 ·················· **乌克兰剑凤蝶 P. tamerlana**

(29) 金斑剑凤蝶 *Pazala alebion*（Gray，［1853］）

Papilio alebion Gray，［1853］：30.

Papilio mariesi Butler，1881：33.

Cosrmdesmus alebion：Bang-Haas，1927：1.

Pazala alebion alebion：D'Abrera，1990：57.

鉴别特征：翅薄，乳白色；斑纹黑色或黑褐色。前翅外缘带及亚外缘带黑褐色；中横带"Y"形；中室有 6 条横斑，基部 2 条从翅前缘直达后缘。后翅正面有 6 条、反面有 7 条斜带，从前缘斜向臀角区，上述条带到臀角处汇合形成 1 个大块斑，黑色，并与位于臀角的橘黄色眼斑相连；中斜带端部外侧有 1 个橘黄色斑；臀角花瓣形，黑色，有青蓝色弯月形纹；尾突细长，末端青灰色。

采集记录：1♂，长安石砭峪，1220m，2010. V.25，房丽君采；1♂，周至楼观台，760m，2011. IV.22，张宇军采；2♂1♀，华阴华阳川林场，1400m，2011. V.07，房丽君采；1♂，宁陕旬阳坝，1550m，2010. V.02，房丽君采；2♂，柞水营盘大甘沟，1330m，2010. VI.15，张宇军采。

分布：陕西（长安、周至、华阴、宁陕、柞水）、河南、甘肃、江苏、浙江、湖北、江西、福建、台湾、广东、广西、四川、云南；印度。

寄主：润楠属 *Machilus* spp.（Lauraceae）、山胡椒属 *Lindera* spp. 植物。

(30) 乌克兰剑凤蝶 *Pazala tamerlana*（Oberthür，1876）

Papilio tamerlanus Oberthür，1876：13.

Cosmcdesmus tamerlanus：von Rosen，1932：14.

Cosmodesmus tamerlanus kansuensis Bang-Haas，1933：90.

Pazala alebion tamerlanus：D'Abrera，1990：57.

Pazala tamerlana：Koiwaya，1993：78.

Pazala tamerlana：Chou，1994：174.

鉴别特征：与金斑剑凤蝶 *P. alebion* 近似，主要区别为：本种后翅臀域条带正面 2 条，反面 1 条；外缘带与亚缘带间相距较远。

采集记录：1♂，长安石砭峪，1220m，2010. V.25，房丽君采；1♂，周至楼观台，760m，2011. IV.22，张宇军采；2♂1♀，华阴华阳川林场，1400m，2011. V.07，

房丽君采；1♂，洋县长青自然保护区，2001.Ⅳ-Ⅷ，邢连喜、袁朝辉采；1♂，宁陕旬阳坝，1550m，2010.Ⅴ.02，房丽君采；2♂，柞水营盘大甘沟，1330m，2010.Ⅵ.15，张宇军采。

分布：陕西（长安、周至、华阴、洋县、宁陕、柞水）、河南、湖北、江西、四川。

寄主：山鸡椒 *Litsea cubeba*（Lauraceae）等植物。

(31) 升天剑凤蝶 *Pazala eurous*（Leech，[1893]）（图版 9：5-6）

Papilio eurous Leech，[1893]：521.

Pathysa eurous：Wynter-Blyth，1957：397.

Pazala eurous：D'Abrera，1982：108.

Pazala euroa：Chou，1994：174.

鉴别特征：与金斑剑凤蝶 *P. alebion* 相似，主要区别为：本种前翅外缘带较宽；中室端部 4 条横带均延伸至外缘。后翅正面有 2 条中斜带，上半部串珠形相连；反面中斜带黄色，两侧镶有黑褐色带纹。

采集记录：1♂，洋县长青自然保护区，2001.Ⅳ-Ⅷ，邢连喜、袁朝辉采。

分布：陕西（留坝、南郑、洋县）、甘肃、浙江、湖北、江西、福建、台湾、广东、广西、四川、云南、西藏；缅甸，印度，尼泊尔，不丹，巴基斯坦。

寄主：樟树 *Cinnamomum camphora*（Lauraceae）、香桂 *C. subavenium*、香楠 *Machilus zuihoensis*、润楠 *M. chinensis* 等植物。

(32) 华夏剑凤蝶 *Pazala glycerion*（Gray，1831）

Papilio glycerion Gray，1831：32.

Papilio mandarinus Oberthür，1879：115.

Pathysa glycerion：Wynter-Blyth，1957：398.

Pazala glycerion：D'Abrera，1982：108.

Pazala glycerion mandarina：Lee & Chu，1992：37-38.

PazaLa mandarina：Chou，1994：176.

鉴别特征：与金斑剑凤蝶 *P. alebion* 和升天剑凤蝶 *P. eurous* 相似，主要区别为：本种前翅带纹均较窄；亚缘带及外横带端部弯曲。后翅外缘带及亚缘带均呈竹节状；中斜带上半部哑铃形。

分布：陕西（秦岭）、河南、甘肃、浙江、湖北、江西、四川、云南；缅甸，尼泊尔。

寄主：硬叶楠 *Machilus phocenicis*（Lauraceae）。

(33) 四川剑凤蝶 *Pazala sichuanica* Koiwaya, 1993

Pazala sichuanica Koiwaya, 1993：79.

鉴别特征：本种与华夏剑凤蝶 *P. glycerion* 很相似，主要区别为：本种亚外缘线在 r_4 室明显错位。

分布：陕西(秦岭)、四川。

(四) 喙凤蝶族 Teinopalpini

多为古北区种类，足胫节和跗节上有鳞。前翅中室端脉中段凹入；后翅肩脉不分叉；雄蝶无香鳞区。

9. 钩凤蝶属 *Meandrusa* Moore, 1888

Meandrusa Moore, 1888：284. **Type species**：*Papilio evans* Doubleday, 1845.
Dabasa Moore, 1888：283. **Type species**：*Papilio gyas* Westwood, 1841.

属征：翅黑褐色或棕褐色。前翅外缘凹入；顶角钩状尖出；中室长，端脉中后段向内弯曲；R_3 脉从中室上角前分出。后翅外缘齿状；尾突较长；翅面多有中带；外缘区及亚外缘区有黑褐色或黄色斑纹；反面与正面颜色及斑纹差异较大。雄性外生殖器：上钩突十分发达，末端分叉或不分叉；颚突臂状；抱器近卵形，内突角状；囊突发达；阳茎长，端部具齿突，分叉。雌性外生殖器：囊导管细长；交配囊长椭圆形；交配囊片有小齿突，片状。

分布：古北区，东洋区。全世界记载 2 种，中国均有记录，秦岭地区记录 1 种。

(34) 褐钩凤蝶 *Meandrusa sciron* (Leech, 1890)

Papilio sciron Leech, 1890：192.
Papilio gyas Westwood, 1841：41.
Papilio lachinus Fruhstorfer, 1902：342.
Graphium gyas：Talbot, 1949：240.
Meandrusa gyas：Igarashi, 1979：158.
Meandrusa sciron：Chou, 1994：179.

鉴别特征：翅黑褐色。前翅正面斑纹黄色；外缘斑列位于外缘区下半部；亚顶区有 1 列与后缘平行的斑纹；中横带仅达中室下角，其端部伴有圆形斑纹，雌蝶中横带宽，直达前缘；中室端部斑纹三角形；反面翅端部黄褐色；中域带纹宽，青白色，端部直达前缘并延伸至顶角，带的外侧中部有几个三角形的斑纹相连；中室端部有 1 个白色大斑。后翅尾突细，正面基半部棕黄色；亚外缘斑列斑纹近半月形；中横带未达后缘；反面外缘斑列棕褐或黄褐色，多伴有白色和黑色缘线；中横带白色；中室端部斑纹黑褐色，近圆形。

分布：陕西（留坝、城固、洋县）、甘肃、江西、福建、四川、西藏；缅甸，印度，不丹，马来西亚。

寄主：木姜子属 *Litsea* spp.（Lauraceae）和湘楠 *Phoebe hunanensis* 等植物。

二、 锯凤蝶亚科 Zerynthiinae

中型种类。触角与足上无鳞；触角端部膨大不明显；下唇须很长。前翅 M_1 脉着生点接近 R 脉，远离 M_2 脉；Cu 脉与 A 脉之间无基横脉；R 脉 5 分支；M_1 脉从中室分出。两翅斑纹多横向排列。后翅外缘波状，具齿突或尾突，数量及长度各有不同。

分属检索表

1. 尾突长于后翅中室；前翅 R_3 脉从中室上角分出 ⋯⋯⋯⋯⋯⋯⋯⋯ **丝带凤蝶属 Sericinus**
   尾突短于后翅中室；前翅 R_3 脉与 R_{4+5} 脉共柄 ⋯⋯⋯⋯⋯⋯⋯⋯⋯⋯⋯⋯⋯⋯⋯⋯⋯ 2
2. 后翅除 M_3 脉的尾突外，Cu_1 脉与 Cu_2 脉上亦有短尾突；肩室宽，肩脉不分叉 ⋯⋯⋯⋯⋯
   ⋯⋯⋯⋯⋯⋯⋯⋯⋯⋯⋯⋯⋯⋯⋯⋯⋯⋯⋯⋯⋯⋯⋯⋯⋯⋯ **尾凤蝶属 Bhutanitis**
   后翅仅 M_3 脉有尾突；肩室窄，肩脉分叉 ⋯⋯⋯⋯⋯⋯⋯⋯⋯ **虎凤蝶属 Luehdorfia**

10. 尾凤蝶属 *Bhutanitis* Atkinson，1873

Bhutanitis Atkinson，1873：570. **Type species**：*Bhutanitis lidderdalii* Atkinson，1873.
Armandia Blanchard，1871：809. **Type species**：*Armandia thaidina* Blanchard，1871.

属征：翅面有黄色或白色的横斑纹或斜斑纹。前翅 R_1 脉与 R_2 脉分离；R_3 脉与 R_{4+5} 脉同柄；M_1 脉与 R_5 脉均从中室上角分出；中室端脉凹入；有基横脉遗迹。后翅有红色及蓝色斑纹；外缘有齿，除 M_3 脉上有尾突外，有时 Cu_1 脉及 Cu_2 脉上也有尾突。雄性外生殖器：钩突细长，2 分叉；尾突小，乳头状，具毛；抱器斜方形，分为两段；高度骨化，端部有角突，具毛丛；囊突长；阳茎细长，骨化强。雌性外生殖器：囊导管长，高度骨化；交配囊小；无交配囊片。

分布：中国；不丹，印度。全世界记载 7 种，中国均有分布，其中 5 种是中国特有种，秦岭地区记录1种。

(35) 三尾凤蝶 *Bhutanitis thaidina* (Blanchard, 1871) (图版10)

Armandia thaidina Blanchard, 1871: 809.

Bhutanitis thaidina: Bryk, 1934: 116.

鉴别特征：翅黑色或黑褐色。前翅密布黄色横线纹；反面中室外各脉纹黄色；外缘区各翅室中部均有1条短横线，各线均从翅面最外1条横纹上生出并伸达翅外缘。后翅密布长短不一的黄色条纹；反面黄色条纹更加密集，形成网状；外缘斑多橙红色；尾突3条，M_3脉上的尾突最长，其后依次尾突缩短；臀角区具大型黑色块斑，上端镶有红色带纹和3条蓝色斑纹。

采集记录：1♂，长安滦镇，1810m，2010.Ⅵ.30，房丽君采；1♂，周至厚畛子，2280m，2012.Ⅵ.23，高可；1♂1♀，太白咀头，1720m，2011.Ⅵ.12，房丽君采。

分布：陕西（长安、周至、太白）、甘肃、四川、云南、西藏。

寄主：木香马兜铃 *Aristolochia moupinensis* (Aristolochiaceae)。

11. 丝带凤蝶属 *Sericinus* Westwood, 1851

Sericinus Westwood, 1851: 173. **Type species**: *Papilio telamon* Donovan, 1798.

属征：雌雄异型。翅半透明，有黑色斑纹及红色和蓝色斑点；尾突长。前翅中室宽；R_3脉从中室前角分出，M_3脉单独从中室下角分出；有基横脉遗迹。后翅肩室宽；肩脉不分叉；M_3脉延伸成长尾突，长度超过后翅中室。雄性外生殖器：背兜发达，盔状；钩突和颚突发达；囊突细长；抱器细长，弯曲，端部具齿突；阳茎管状，基段短，末端尖。雌性外生殖器：囊导管宽大，高度骨化；交配囊小；无交配囊片。

分布：中国；朝鲜，日本，俄罗斯，是东亚的特有种。全世界记载1种，秦岭地区有记录。

(36) 丝带凤蝶 *Sericinus montela* Gray, 1852 (图版11：1-2)

Sericinus montela Gray, 1852: 71.

Sericinus telamon: Bryk, 1934: 80.

Sericinus telamon montela: Bryk, 1934: 89.

Sericinus montelus: Chou, 1994: 184.

鉴别特征：雌雄异型。雄蝶翅斑纹黑色、黑褐色、红色或深蓝色。前翅外缘带端半部灰黑色；亚顶区有灰黑色模糊斑纹；中室中部和端部各有 1 个黑色条斑；中横斑列斑纹大小、形状不一，弧形排列，斑纹间常镶有红色斑纹。后翅外横带近"C"形，带中镶有红色条纹；臀区有黑色块斑；尾突细长。雌蝶黑褐色；斑纹虎纹形，淡黄色、白色、红色及深蓝色。后翅外中区有 1 条红色近"C"形横带，端部时有断续，红带下半部较宽，外侧伴有蓝色斑纹，并与臀角大黑斑相连；尾突较雄蝶长，基部淡黄色，其余部位黑褐色。

采集记录： 1♂，长安黄峪沟，460m，2008.Ⅵ.01，房丽君采；1♂1♀，周至楼观台，1100m，2011.Ⅵ.29，张宇军采；2♂1♀，华县石堤峪，950m，2011.Ⅴ.08，房丽君采；1♂2♀，华阴华阳川林场，1340m，2011.Ⅴ.07，房丽君采；1♂，太白桃川，1050m，2011.Ⅵ.11，房丽君采；1♂，商州大商塬，900m，2011.Ⅵ.01，房丽君采；1♂，丹凤月日滩，570m，2013.Ⅶ.27，房丽君采；1♂1♀，丹凤竹林关，490m，2010.Ⅵ.12，房丽君采；1♂，商南金丝峡，500m，2013.Ⅶ.28，房丽君采；1♂，商南梁家湾，500m，2013.Ⅶ.28，房丽君采。

分布： 陕西（长安、周至、太白、华县、华阴、商州、丹凤、商南）、黑龙江、吉林、辽宁、北京、河北、山西、山东、河南、宁夏、甘肃、江苏、安徽、浙江、湖北、江西、湖南、广西、四川；俄罗斯，朝鲜，韩国，日本。

寄主： 北马兜铃 *Aristolochia contorta*（Aristolochiaceae）、青木香 *A. debilis*。

12. 虎凤蝶属 *Luehdorfia* Crüger，1878

Luehdorfia Crüger，1878：128. **Type species**：*Luehdorfia eximia* Crüger 1878.

属征： 翅黑色或黑褐色，具黄色或淡黄色虎皮纹。前翅三角形；R_1 及 R_2 脉独立；R_3、R_4 及 R_5 脉共柄；M_1 脉与 R_5 脉均从中室上角分出；无基横脉。后翅三角形；外缘波状；肩室狭；肩脉分叉；外缘有红色、蓝色及橙黄色的斑纹；有 1 个短尾突。雄性外生殖器：钩突细长，二分叉，音叉状；尾突和颚突缺失；抱器简单，背面隆起，腹缘有毛刷，抱器端倾斜；囊突细长；阳茎细长，末端尖，高度骨化。雌性外生殖器：囊导管短，交配囊小。

分布： 中国；朝鲜，日本，俄罗斯。全世界记载 4 种，是亚洲东部的特有种，中国已知 3 种，秦岭地区记录 2 种。

分种检索表

尾突长，末端略膨大；翅的黄色带细；后翅基斜带不与中斜带相连 ……………… **太白虎凤蝶** *L. taibai*

尾突较短，末端细；翅的黄色带宽；后翅基斜带与中斜带连成一片 ………… **中华虎凤蝶** *L. chinensis*

(37) 中华虎凤蝶 *Luehdorfia chinensis* Leech, 1893

Luehdorfia japonica var. *chinensis* Leech, 1893: 491.

鉴别特征：翅黑色；斑纹似虎皮纹，黄色；中域 2 个"Y"形纹从前缘通到后缘；基部及亚缘区上半部各有 1 条黄色条带。后翅外缘锯齿状，有 1 个短的小尾突；外缘区有 2 列新月形斑纹，外侧 1 列黄色，内侧 1 列蓝色；亚缘带红色，波曲，上部未达前缘；中域三条斜带形成近"山"字形大黄斑；臀角有 2 个蓝斑。

分布：陕西（周至、太白、华阴、宁陕）、山西、河南、江苏、安徽、浙江、湖北、江西、湖南、四川。

寄主：杜衡 *Asarum forbesii*（Aristolochiaceae）、细辛 *A. sieboldii*。

(38) 太白虎凤蝶 *Luehdorfia taibai* Chou, 1994

Luehdorfia taibai Chou, 1994: 752.

鉴别特征：本种近似中华虎凤蝶 *L. chinensis*，主要区别为：本种翅的黄色条带很窄，中室下方尤为明显。后翅尾突长，末端略膨大；中域黄色斑纹外侧的 2 条相连，形成近"Y"形斑纹；臀角 2 个蓝斑大。

采集记录：1♂，长安滦镇，1380m，2011. Ⅳ. 27，王峰伟采；2♂，周至板房子，1120m，2012. Ⅳ. 21，郭振营采；1♂1♀，宁陕旬阳坝，1550m，2010. Ⅴ. 02，房丽君采。

分布：陕西（长安、户县、周至、华阴、洋县、宁陕）、湖北、四川。

寄主：马蹄香 *Saruma henryi*（Aristolochiaceae）、细辛 *A. sidboldi*。

三、 绢蝶亚科 Parnassiinae

多数为中型，白色或蜡黄色。翅近卵形，外缘平整；翅面鳞片稀少，半透明；有黑色、红色或黄色斑纹，部分成环状。前翅 R 脉 4 条；R_2 脉与 R_3 脉合并；R_4、R_5 脉与 M_1 脉共柄；A 脉 2 条，无基横脉。后翅无尾突；A 脉 1 条。雌蝶交配后在腹部末端产生各种形状的角质臀袋，是重要的分类依据。

本亚科种类多为高山种类，耐寒力强，有的在雪线上下贴地面飞翔，行动缓慢，容易捕捉，仅少数种类分布在低海拔地区。

13. 绢蝶属 *Parnassius* Latreille, 1804

Parnassius Latreille, 1804: 185, 199. **Type species**: *Papilio apollo* Linnaeus, 1758.

Doritis Fabricius，1807：283．**Type species**：*Papilio apollo* Linnaeus，1758．

Parnassis Hübner，1819：90．**Type species**：*Papilio apollo* Linnaeus，1758．

Therius Billberg，1820：75．**Type species**：*Papilio apollo* Linnaeus，1758．

Tadumia Moore，1902：116．**Type species**：*Parnassius acco* Gray，1852．

Kailasius Moore，1902：118．**Type species**：*Parnassius charltonius* Gray，1853．

Koramius Moore，1902：120．**Type species**：*Parnassius delphius* Eversmann，1843．

Lingamius Bryk，1935：538-540．**Type species**：*Parnassius hardwickii* Gray，1831．

属征：前翅 R 脉 4 条，M_1 脉基部与 R_5 脉接近或共柄。后翅无肩室；肩脉不分叉；雄蝶跗节的爪不对称。雄性外生殖器：背兜发达程度各有不同；侧突爪形；多数种类无囊突；抱器形状因种而异；阳茎细长。雌蝶交配后有臀袋；无交配囊片。

分布：多在古北区，少数在新北区西部。世界记载 37 种，中国记载 33 种，秦岭地区记录 4 种。

分种检索表

1. 后翅正面无成列的亚缘蓝色眼斑 ……………………………………………… 2
   后翅正面有成列的亚缘蓝色眼斑 ………………………… 珍珠绢蝶 *P. orleans*
2. 翅无红色斑纹 ……………………………………………… 冰清绢蝶 *P. glacialis*
   翅有红色斑纹 …………………………………………………………………… 3
3. 触角无白色鳞；前翅亚顶区无红斑或仅有 1 个小红斑 ……………… 红珠绢蝶 *P. bremeri*
   触角有白色鳞；前翅亚顶区有 2 个大红斑 ……………… 小红珠绢蝶 *P. nomion*

(39) 冰清绢蝶 *Parnassius glacialis* **Butler，1866**（图版 11：3-4）

Parnassius glacialis Butler，1866：50．

Parnassius stubbendorfii glacialis：Bryk，1935：128．

Parnassius glacialis：Chou，1994：199．

鉴别特征：翅白色或乳白色；翅脉灰黑色。前翅正面外缘带与亚外缘带灰色，隐约可见，时有消失；中室中部及端部各有 1 个不清晰的灰色横斑。后翅正面基部及后缘区灰黑色，密布灰黑色或灰褐色长毛。

采集记录：6♂，长安大峪，900m，2008. Ⅴ.01，房丽君采；1♀，蓝田九间房，1510m，2013. Ⅵ.23，房丽君采；1♂1♀，周至楼观台，530m，2011. Ⅳ.23，彭涛采；1♂，户县东涝峪，1300m，2013. Ⅴ.12，房丽君采；1♂，眉县蒿坪寺，1150m，2011. Ⅵ.25，房丽君采；2♂1♀，太白高山草甸，2040m，2011. Ⅵ.12，房丽君采；1♂，太白咀头，1850m，2012. Ⅴ.20，房丽君采；1♂，太白桃川，1230m，2012. Ⅴ.20，程帅、张辰生采；3♂1♀，华县石堤峪，850m，2011. Ⅴ.08，房丽君采；1♂，宁陕城关森林公园，840m，2010. Ⅳ.30，房丽君采；1♂1♀，宁陕沙沟林场，1520m，2010. Ⅴ.04，

房丽君采；1♂1♀，柞水营盘朱家湾，1340m，2010. Ⅵ. 15，张宇军采；6♂，镇安结子乡，1100m，2011. Ⅳ. 30，房丽君采；6♂2♀，山阳中村捷峪沟，660m，2010. Ⅳ. 28，房丽君采；1♂，商南金丝峡，800m，2006. Ⅴ. 14，房丽君采。

分布：陕西（长安、蓝田、周至、户县、眉县、太白、华县、留坝、城固、洋县、宁陕、柞水、镇安、山阳、商南）、黑龙江、吉林、辽宁、山西、山东、河南、甘肃、安徽、浙江、四川、贵州、云南；韩国，日本。

寄主：延胡索 *Corydalis yanhusuo*（Fumariaceae）、刻叶紫堇 *C. incisa*、马兜铃 *Aristolochia debilis*（Aristolochiaceae）。

(40) 红珠绢蝶 *Parnassius bremeri* Bremer，1864

Parnassius bremeri Bremer，1864：6.

鉴别特征：翅白色；翅脉黑褐色。前翅前缘褐色；中室中部及端部各有 1 个近圆形黑斑；中室端部外侧有 2 个黑斑，斑中部红色有或无；后缘近中部有 1 个黑色或褐色斑纹。后翅后缘区有 1 条灰黑色或黑褐色条带，此条带在后缘内侧中部向中室下角三角形外扩；前缘基部和中部各有 1 个近圆形红色斑，外环黑色；m_1 室基部的圆形斑黑色，中心红斑有或无；翅反面基部有 4 个镶黑边的红斑，下部 2 个时有模糊。

分布：陕西（太白山）、黑龙江、吉林、辽宁、北京、河北、内蒙古、山西、河南、宁夏、甘肃、新疆、山东；俄罗斯，朝鲜，欧洲。

寄主：土三七 *Sedum aizoon*（Crassulaceae）。

(41) 小红珠绢蝶 *Parnassius nomion* Fischer *et* Waldheim，1823

Parnassius nomion Fischer *et* Waldheim，1823：242.

鉴别特征：翅白色或乳白色；翅脉黄褐色。前翅红斑 3 个，其中 2 个在中室端部外侧，1 个在后缘近中部，红斑外缘黑色；中室中部及端部各有 1 个椭圆形黑斑；反面红斑中心有白色瞳点。后翅后缘区有 1 条灰黑色或黑褐色宽带，仅达后缘区 2/3 处，内侧齿状；前缘基部和中部及 m_1 室中部各有 1 个近圆形的红色斑，外环黑色，白色瞳点有或无；臀角近后缘处有 2~3 个斑纹，黑色或红色，镶有黑色外环，大小及形状多变；翅反面基部有 4 个具黑色外环的红斑。

采集记录：1♂，太白山放羊寺，3200m；1♂，太白山拔仙台，3720m。

分布：陕西（眉县）、黑龙江、吉林、辽宁、北京、山西、河南、甘肃、青海、新疆、四川、西藏；俄罗斯，朝鲜，哈萨克斯坦，美国。

寄主：延胡索 *Corydalis yanhusuo*（Fumariaceae）、小丛红景天 *Rhodiola dumulosa*（Crassulaceae）、红景天 *Rhodiola rosea* 等。

(42) 珍珠绢蝶 *Parnassius orleans* Oberthür, 1890 (图版 11：5-6)

Parnassius orleans Oberthür, 1890：1.

鉴别特征：翅白色或乳黄色；翅脉褐色或淡黄色。前翅亚缘斑列时有模糊；中室斑纹 3 个，灰黑色；中横斑列斑纹间有灰黑色横带相连或断续，瞳点白色或淡红色。后翅前缘中部及 m_1 室中部各有 1 个近圆形红色斑，外环黑色，中心白色，瞳点有或无，有时红色消失，仅剩黑色外环；近臀角有 2~3 个圆形眼斑，瞳点深蓝色；后缘区有 1 条灰黑色或黑褐色宽带，内侧齿状，带末端近臀角处镶有斑纹，黑色或红色，外环黑色，中心白色，瞳斑有或无，大小及形状多变。

采集记录：1♂，太白山大文公庙，3480m，2012.Ⅶ.28，房丽君采；2♂1♀，太白山天圆地方，3500m，2012.Ⅶ.28，房丽君采。

分布：陕西(眉县)、北京、甘肃、青海、新疆、四川、云南、西藏；蒙古。

第九章　粉蝶科 Pieridae

中小型种类，色彩较淡，多数为白色或黄色，少数种为红色、橙色或黑色，有黑色、黄色、白色或红色斑纹，前翅顶角常为黑色。有些种类性二型，也有季节型。雄蝶香鳞在不同属散布于不同的部位，如前翅 Cu 脉的基部(黄粉蝶属 *Eurema*)、后翅基角(豆粉蝶属 *Colias*)、中室基部(迁粉蝶属 *Catopsilia*)或腹部末端(尖粉蝶属 *Appias*)。头小；触角端部膨大成锤状；下唇须发达。两性前足发达，可用来步行；有 1 对分叉的爪。两翅中室闭式；前翅通常三角形，顶角尖出或圆形；R 脉 3 或 4 条，极少有 5 条的；A 脉 1 条。后翅卵圆形；外缘光滑；无尾突；无肩室；肩脉有或无；A 脉 2 条；臀区发达，可包容腹部。

广布全世界，已记载 1200 余种。中国已知 150 余种，陕西秦岭地区记录 44 种。

分亚科检索表

1. 前翅 R 脉 5 分支，同柄；M_1 脉独立，从中室分出；中室短，不及翅长的 1/3 ………………
………………………………………………………………………… 袖粉蝶亚科 Dismorphiinae
　 前翅 R 脉 4 分支；M_1 脉与 R_5 脉同柄；中室约为翅长的 1/2 ………………………………… 2
2. 后翅无肩脉或仅有遗迹；多为黄色 ……………………………………… 黄粉蝶亚科 Coliadinae
　 后翅有肩脉；多为白色 ……………………………………………………… 粉蝶亚科 Pierinae

一、黄粉蝶亚科 Coliadinae

翅多为黄色；前翅 M_3 脉从中室端脉中部前分出。后翅无肩脉，或肩脉极度退化，指向翅基部。

分属检索表

1. 后翅肩脉细小，向翅基部弯曲 ……………………………………………… **方粉蝶属 Dercas**
   后翅无肩脉，或只存遗迹 …………………………………………………………………… 2
2. 前翅 R_{2+3} 脉与 R_5 脉同柄 ………………………………………………… **豆粉蝶属 Colias**
   前翅 R_{2+3} 脉从中室分出，不与 R_5 脉同柄 ……………………………………………… 3
3. 前翅顶角尖出；翅边缘无黑色 ………………………………………… **钩粉蝶属 Gonepteryx**
   前翅顶角不尖出；翅边缘黑色 ………………………………………… **黄粉蝶属 Eurema**

14. 方粉蝶属 *Dercas* Doubleday，1847

Dercas Doubleday, 1847：70. **Type species**：*Colias verhuelli* van der Hoeven, 1839.

属征：中型，黄色；翅短阔。前翅顶角尖出；外缘有时锯齿状；中室短，不及翅长度的 1/2。后翅外缘光滑或在 M_3 脉处角状尖出；肩脉细，向翅的基部弯曲；$Sc + R_1$ 脉短，只到后翅前缘的中部。雄性外生殖器：背兜与钩突愈合，狭长；抱器短阔；囊突长；阳茎细长。雌性外生殖器：囊导管粗长；交配囊较大；无囊尾；有交配囊片。

分布：中国；印度，马来西亚等地区。全世界记载 4 种，中国已知 3 种，秦岭地区记录 1 种。

(43) 黑角方粉蝶 *Dercas lycorias*（Doubleday，1842）（图版 12：1-2）

Rhodocera lycorias Doubleday, 1842：77-78.
Dercas lycorias：Chou, 1994：217.

鉴别特征：前翅正面橙黄色，多在前缘及顶角橙色加重；顶角钩状尖出；顶角、前缘和外缘或其端部黑色；m_3 室中部有 1 个黑色圆斑，有时消失；反面黄色或淡黄色；前缘及外缘上半部有紫褐色或黑色斑点；从前缘近顶角处穿越 m_3 室斑至其下方有 1 条紫褐色细带，上有黑色或淡紫色斑点。后翅黄色；中域中部至近前缘处有 1 条紫褐色细带(有时消失)，其上均匀分布有点斑。两翅中室内及后翅中室下方密布紫红色斑点。雌蝶前翅顶角比雄蝶尖锐。

采集记录：1♂，太白二郎坝，1070m，2011.Ⅷ.24，程帅、张辰生采；2♂，留坝红岩沟，1080m，2012.Ⅵ.23，张宇军采；1♂，佛坪凉风垭，1770m，2013.Ⅶ.30，张宇军采；1♂，汉阴石家沟，600m，2011.Ⅴ.27，房丽君采；1♂，镇安结子乡，1100m，2010.Ⅹ.07，房丽君采。

分布：陕西（太白、留坝、佛坪、汉阴、镇安）、浙江、福建、湖北、广西、江西、四川、贵州、云南、西藏；印度，尼泊尔。

15. 豆粉蝶属 *Colias* Fabricius，1807

Colias Fabricius，1807：284. **Type species**：*Papilio hyale* Linnaeus，1758.

Eurymus Horsfield，1829：134. **Type species**：*Papilio hyale* Linnaeus，1758.

Scalidoneura Butler，1871：250. **Type species**：*Scalidoneura hermina* Butler，1871.

Eriocolias Watson，1895：167. **Type species**：*Papilio edusa* Fabricius，1787.

Coliastes Hemming，1931：273. **Type species**：*Papilio hyale* Linnaeus，1758.

Mesocolias Petersen，1963：144. **Type species**：*Colias vauthierii* Guérin-Méneville，1830.

Protocolias Petersen，1963：144. **Type species**：*Colias imperialis* Butler，1860.

属征：黄色或橙色的种类，雌蝶有时白色，顶角与外缘黑色；中室端斑前翅为黑色，后翅为红色或黄色；翅反面中室端斑眼状，瞳点白色。前翅三角形，顶角钝，R_{2+3}-R_5 脉共柄；M_1 脉与 R_4、R_5 脉共柄；M_2 脉从中室的近上端角处分出。后翅圆阔；无肩脉；$Sc+R_1$ 脉短，略伸过后翅前缘的中点。雄性外生殖器：背兜后缘舌状，有 1 个指状突起；钩突爪状；囊突粗大；抱器短宽，末端尖；阳茎细长，弧形弯曲，基侧突大。

分布：广泛分布，以古北区最丰富。世界记载 80 多种，中国已知 34 种，秦岭地区记录 3 种。

分种检索表

1. 翅白色或黄色 ·· 斑缘豆粉蝶 *C. erate*
   翅橙黄色或橙红色 ·· 2
2. 雄蝶两翅反面中室端部眼斑明显 ······························· 橙黄豆粉蝶 *C. fieldii*
   雄蝶两翅反面中室端部斑小，不明显 ························· 黎明豆粉蝶 *C. heos*

(44)斑缘豆粉蝶 *Colias erate*（Esper，[1805]）（图版 12：3-6）

Papilio erate Esper，[1805]：13.

Colias erate：Chou，1994：218.

　　鉴别特征：翅黄色、淡黄色或白色（雌蝶）；前翅外缘区及顶角区黑褐色；顶角区黄色斑纹弧形排列；中室端斑黑色，圆形；反面亚外缘区黑色圆斑未达前缘。后翅正面外缘区有 1 列黑色斑纹，前部多相连，后部多消失；中室端部有 1 个橙黄色圆斑；反面亚外缘区有 1 列斑纹；中室端斑 1~2 个，银白色，圆形，外环褐色。雌蝶有 2 种色型，淡黄色或白色。

　　采集记录：2♂，长安抱龙峪，600m，2008.Ⅵ.21，房丽君采；1♀，蓝田城南，450m，2008.Ⅴ.25，房丽君采；1♂，周至楼观台，920m，2010.Ⅳ.29，房丽君采；1♂，户县太平峪，890m，2008.Ⅸ.13，房丽君采；1♂，太白桃川，1310m，2011.Ⅶ.17，程帅、张辰生采；1♂，潼关西潼峪，1100m，2012.Ⅹ.02，房丽君采；1♂，留坝紫柏山，1500m，2008.Ⅹ.04，房丽君采；1♂，南郑元坝，1280m，2004.Ⅶ.22，房丽君采；1♂，宁陕平河梁，2280m，2011.Ⅳ.23，房丽君采；1♂，石泉云雾山，1530m，2011.Ⅴ.26，房丽君采；2♂1♀，洛南巡检，1200m，2012.Ⅹ.02，房丽君采；1♂，山阳天竺山，940m，2013.Ⅶ.21，张宇军采；1♂，丹凤国家湿地公园，580m，2013.Ⅷ.21，房丽君采；1♂，商南金丝峡，1120m，2013.Ⅶ.26，房丽君采。

　　分布：陕西（长安、蓝田、周至、户县、太白、潼关、留坝、南郑、宁陕、石泉、洛南、山阳、丹凤、商南）、黑龙江、吉林、辽宁、内蒙古、北京、山西、河南、宁夏、甘肃、青海、新疆、江苏、浙江、湖北、江西、湖南、福建、海南、台湾、四川、贵州、云南、西藏；俄罗斯，日本。

　　寄主：蓝雀花 *Parochetus communis*（Fabaceae）、苜蓿 *Medicago polymorpha*、紫花苜蓿 *M. sativa*、天蓝苜蓿 *M. lupulina*、紫云英 *Astragalus sinicus*、大豆 *Glycine max*、百脉根 *lotus corniculatus*、三叶草 *Trifolium pratense*、野豌豆 *Vicia sepium*、列当 *Orobanche* spp.（Orobanchaceae）。

(45) 橙黄豆粉蝶 *Colias fieldii* Ménétriès, 1855（图版 12：7-10）

Colias fieldii Ménétriès, 1855：79.
Colias electo：Lee, 1982：134.

　　鉴别特征：雌雄异型。前翅正面橙黄色；顶角及外缘区有黑褐色宽带，雄蝶宽带中无斑纹，内侧边缘较整齐，雌蝶带中有 1 列橙黄色的斑纹，黑带内侧波状；中室端斑黑色，圆形；反面亚缘区下半部有 3 个黑色近圆形斑纹；中室端部眼斑黑色，瞳点白色。后翅正面橙黄色；中室端斑圆形，橙黄色；前缘区及外缘区黑褐色，前缘区基部有 1 个橙黄色条斑。雌蝶前缘区的黑色带较宽，亚外缘区有 1 列橙黄色圆斑；反面中室端斑有一大一小 2 个斑纹，银白色，镶有玫红色外环。

　　采集记录：1♂，长安抱龙峪，700m，2008.Ⅵ.21，房丽君采；1♂，蓝田九间房，1470m，2013.Ⅵ.27，房丽君采；1♂，周至厚畛子，1330m，2013.Ⅷ.31，房丽君采；1♂，户县东涝峪，1450m，2013.Ⅴ.12，房丽君采；1♂，太白鳌山，2700m，2013.Ⅷ.

09，房丽君采；3♂2♀，凤县通天河，1400m，2012.Ⅴ.25，房丽君采；1♂，潼关西潼峪，1100m，2012.Ⅹ.02，房丽君采；1♂，留坝紫柏山，1500m，2008.Ⅹ.04，房丽君采；1♂，洋县大西沟，850m，2010.Ⅹ.16，房丽君采；1♂，宁陕火地塘，1700m，2008.Ⅷ.31，房丽君采；1♂1♀，汉阴石家沟，680m，2011.Ⅴ.27，房丽君采；1♂，丹凤土门，660m，2010.Ⅵ.01，房丽君采；1♂，山阳捷峪沟，800m，2010.Ⅳ.28，房丽君采。

分布：陕西(长安、蓝田、周至、户县、太白、凤县、潼关、留坝、洋县、宁陕、汉阴、丹凤、山阳)、黑龙江、北京、山西、山东、河南、甘肃、青海、湖北、湖南、广西、四川、贵州、云南、西藏；泰国，缅甸，印度，不丹，尼泊尔，巴基斯坦。

寄主：紫花苜蓿 *Medicago sativa*（Fabaceae）、白车轴草 *Trifolium repens*。

(46) 黎明豆粉蝶 *Colias heos*（Herbst，1792）

Papilio heos Herbst，1792：213.

Papilio aurora Esper，1783：161.

Colias heos：Chou，1994：220.

鉴别特征：雌雄异型。与橙黄豆粉蝶 *C. fieldii* 极为相似，主要区别为：本种雄蝶外缘带较窄，内缘整齐；反面亚缘斑多消失；中室端斑小。雌蝶分基本型和绿色型两种。基本型：翅面橙黄色，前翅外缘黑带宽，其内缘在 m_3 室凹入，带内有 1 列黄斑，但 m_3 室的黄斑消失；中室端斑大。后翅臀域和外缘黑褐色，有时整个翅面都呈黑褐色；亚外缘区有 1 列黄色斑；反面颜色较雄蝶深。绿色型：前翅正面乳白色，基部1/3和端部1/3灰黑色；中室端斑黑色，有 1 列断续的乳白色亚外缘斑。后翅灰黑色，前缘区白色；中室端斑及亚缘斑列乳白色；反面前翅顶角及后翅黄绿色。

采集记录：2♂，长安沣峪口，500m，2008.Ⅹ.31，房丽君采。

分布：陕西(长安)、黑龙江、吉林、辽宁、内蒙古、北京、河北、宁夏、甘肃、四川；蒙古，俄罗斯，朝鲜。

寄主：车轴草 *Trifolium lucanicum*（Fabaceae）、广布野豌豆 *Vicia cracca*、黄芪 *Astragalus membranaceus* 等。

16. 黄粉蝶属 *Eurema* Hübner，［1819］

Eurema Hübner，［1819］：96. **Type species：** *Papilio delia* Cramer，［1870］.

Abaeis Hübner，［1819］：97. **Type species：** *Papilio nicippe* Cramer，1779.

Terias Swainson，［1821］：pl. 22. **Type species：** *Papilio hecabe* Linnaeus，1758.

Xanthidia Boisduval *et* Leconte，［1830］：48. **Type species：** *Papilio nicippe* Cramer，1779.

Pyrisitia Butler，1870：35，55. **Type species：** *Papilio proterpia* Fabricius，1775.

Sphaenogona Butler，1870：35，44. **Type species：** *Terias bogotana* C. & R. Felder，1861.

Maiva Grose-Smith et Kirby, 1893: 96. **Type species**: *Maiva sulphurea* Grose-Smith et Kirby, 1893.

Kibreeta Moore, [1906]: 36. **Type species**: *Papilio libythea* Fabricius, 1798.

Nirmula Moore, [1906]: 40. **Type species**: *Terias venata* Moore, 1857.

Teriocolias Röber, [1909]: 89. **Type species**: *Terias atinas* Hewitson, 1874.

属征：黄色小型的种类。翅正面边缘常有黑色带纹，后翅有时会退化成脉点；反面有少数锈红色小点。前翅顶角不突出；R_1 脉分离；R_2 脉与 R_3 脉合并；R_4、R_5 脉与 M_1 脉共柄；顶角在 R_5 脉与 M_1 脉之间；M_2 脉与 M_1 脉远离。后翅圆阔；$Sc + R_1$ 脉长；无肩脉；Rs 脉与 M_1 脉基部接近。雄蝶前翅反面在 Cu 脉上多有长的性标。雄性外生殖器：背兜膜质化；钩突小；囊突长；抱器背有很多突起；阳茎轭片心形；阳茎基部膨大，端部长。雌性外生殖器：交配囊片横置于交配囊口，有 1 对较粗的侧刺和许多短刺。

分布：各大动物地理区均有分布。全世界记载 40 种，中国已知 7 种，秦岭地区记录 3 种。

分种检索表

1. 前翅顶角尖；外缘黑带只到达 Cu_2 脉 ⋯⋯⋯⋯⋯⋯⋯⋯⋯⋯⋯⋯ **尖角黄粉蝶 *E. laeta***
   前翅顶角不尖；外缘黑带通常到达后缘⋯⋯⋯⋯⋯⋯⋯⋯⋯⋯⋯⋯⋯⋯⋯⋯⋯ 2
2. 翅柠檬黄色 ⋯⋯⋯⋯⋯⋯⋯⋯⋯⋯⋯⋯⋯⋯⋯⋯⋯⋯ **檗黄粉蝶 *E. blanda***
   翅黄色或淡黄色⋯⋯⋯⋯⋯⋯⋯⋯⋯⋯⋯⋯⋯⋯⋯⋯⋯ **宽边黄粉蝶 *E. hecabe***

(47) 尖角黄粉蝶 *Eurema laeta* (Boisduval, 1836)

Terias laeta Boisduval, 1836: 674.

Terias venata Moore, 1857: 65.

Nirmula laeta Moore, 1906: 44.

Eurema laeta: Chou, 1994: 225.

鉴别特征：翅正面黄色，反面色稍淡。前翅前缘、顶角及外缘黑色；反面中室端斑红褐色，时有褐色斑驳纹。翅的颜色和斑纹因雌雄和季节的不同而有变化，有夏型和秋型之分。夏型：前翅顶角尖锐度不及秋型；雄蝶翅浓黄色；前翅外缘黑带止于 Cu_2 脉。后翅外缘黑带细。雌蝶翅色较淡而有黑色鳞片散布；前翅外缘黑带止于 Cu_1 脉。后翅顶角有黑斑；外缘黑带消失仅留黑色脉端点；反面中央及其正下方各有 1 条暗色细带或消失。秋型：雌雄蝶翅面的颜色、斑纹相同。后翅外缘仅具脉端点；反面黄褐色，有 2 条红褐色细带纹及数枚小点斑。

采集记录：1♂，太白二郎坝，1080m，2011.Ⅷ.24，程帅、张辰生采；1♂，太白黄柏塬，1340m，2011.Ⅷ.26，程帅、张辰生采；1♂，山阳照川，1650m，2009.Ⅹ.04，

房丽君采。

　　分布：陕西（太白、山阳）、黑龙江、辽宁、山西、河南、山东、江苏、浙江、湖北、江西、福建、台湾、广东、海南、香港、四川、贵州、云南；朝鲜，日本，越南，老挝，泰国，柬埔寨，缅甸，印度，不丹，尼泊尔，孟加拉国，菲律宾，马来西亚，斯里兰卡，印度尼西亚，澳大利亚。

　　寄主：含羞草 *Mimosa pudica*（Fabaceae）、含羞草决明 *Cassia mimosoides*、胡枝子 *Lespedeza* spp.。

(48) 宽边黄粉蝶 *Eurema hecabe*（Linnaeus，1785）（图版 12：11-14）

Papilio hecabe Linnaeus，1758：470.

Papilio luzoniensis Linnaeus，1764：249.

Papilio chrysopterus Gmelin，1790：2261.

Terias sinensis Lucas，1852：429.

Terias aesiope Ménétriès，1855：85.

Terias anemone C. & R. Felder，1862：23.

Terias fimbriata Wallace，1867：323.

Terias arcuata Moore，1878：700.

Terias connexiva Butler，1880：199.

Terias apicalis Moore，1882：253.

Terias fraterna Moore，1886：46.

Terias blanda acandra Fruhstorfer，1910：169.

Terias paroeana Strand，1922：19.

Eurema hecabe：Chou，1994：225.

　　鉴别特征：前翅正面深黄色或淡黄色；前缘黑褐色带窄；顶角区黑褐色；外缘黑色带宽，直到后角，内侧在 M_3 脉与 Cu_1 脉处向外"M"形凹入；反面前缘及外缘各有 1 列黑色点斑；中室内有 2 个褐色小圈纹。后翅外缘区黑褐色带窄；反面外缘区有 1 列黑色点斑；翅面均匀散布有数个黑褐色圈纹（雌蝶更明显）；前后翅中室端斑肾形，黑褐色。雄蝶色深，中室下脉两侧有长形性斑；雌蝶亚顶区中部褐色带纹与外缘平行。有干湿型之分。与尖角黄粉蝶 *E. laeta* 相似，区别为：本种前翅顶角较圆；外缘黑色带直达后缘。后翅反面斑纹点状；无直横带。

　　采集记录：1♂，长安白石峪，750m，2013. Ⅶ. 26，房丽君采；1♂，周至楼观台，730m，2010. Ⅶ. 20，彭涛采；1♂，宝鸡安坪沟，1250m，2011. Ⅷ. 27，房丽君采；1♂，凤县通天河，1400m，2012. Ⅴ. 25，房丽君采；1♂，眉县蒿坪寺，1120m，2011. Ⅵ. 25，房丽君采；2♂1♀，太白黄柏塬大箭沟，1380~1780m，2010. Ⅷ. 07，房丽君采；1♂，华县少华山，650m，2013. Ⅶ. 17，房丽君采；1♂，留坝红岩沟，1080m，2012. Ⅵ. 23，房丽君采；2♂1♀，勉县茶店大沟口，660m，2013. Ⅹ. 05，房丽君采；1♂，佛

坪立房沟, 920m, 2010. Ⅺ. 12, 房丽君采；1♂1♀, 洋县青石垭, 900m, 2011. Ⅵ. 04, 房丽君采；2♂2♀, 宁强宽川, 780m, 2013. Ⅹ. 06, 房丽君采；1♂, 宁陕江口, 800m, 2010. Ⅶ. 07, 房丽君采；1♂1♀, 宁陕火地塘, 1600m, 2008. Ⅷ. 31, 房丽君采；1♂, 石泉七里沟, 550m, 2009. Ⅳ. 05, 房丽君采；1♂, 汉阴铁佛寺, 600m, 2011. Ⅴ. 27, 房丽君采；1♂, 柞水营盘大甘沟, 1550m, 2009. Ⅸ. 05, 房丽君采；2♂, 镇安木王, 1400m, 2009. Ⅹ. 17, 房丽君采；2♂1♀, 山阳照川, 1800m, 2009. Ⅹ. 04, 房丽君采；1♂1♀, 丹凤竹林关, 450m, 2012. Ⅹ. 05, 房丽君采；1♂1♀, 丹凤谷峪沟, 880m, 2010. Ⅷ. 16, 房丽君采；1♂, 商南金丝峡, 400m, 2012. Ⅹ. 05, 房丽君采。

分布: 陕西(长安、周至、宝鸡、凤县、眉县、太白、华县、留坝、勉县、佛坪、洋县、宁强、宁陕、石泉、汉阴、镇安、山阳、丹凤、商南)、北京、河北、山西、河南、甘肃、山东、江苏、安徽、浙江、湖北、江西、福建、台湾、广东、海南、香港、广西、四川、贵州、云南、西藏；朝鲜, 韩国, 日本, 越南, 泰国, 柬埔寨, 缅甸, 尼泊尔, 孟加拉国, 阿富汗, 菲律宾, 马来西亚, 印度, 斯里兰卡, 新加坡, 印度尼西亚, 澳大利亚, 非洲。

寄主: 合欢 *Albizia julibrissin*（Fabaceae）、大叶合欢 *A. lebbeck*、银合欢 *Leucaena leucocephala*、金合欢 *Acacia farnesiana*、花生 *Arachis hypogaea*、黄槐 *Cassia surattensis*、决明 *C. tora*、黑面神 *Breynia fruticosa*（Euphorbiaceae）、红仔珠 *B. officinalis*、雀梅藤 *Sageretia theezans*（Rhamnaceae）、黄牛木 *Cratoxylum ligustrinum*（Hypericaceae）等植物。

(49) 檗黄粉蝶 *Eurema blanda*（Boisduval, 1836）

Terias blanda Boisduval, 1836: 672.

Eurema blanda: Chou, 1994: 225.

鉴别特征: 本种有干湿季型之分。湿季型：中室端斑肾形；前翅正面柠檬黄色；前缘黑褐色带极窄；顶角区黑褐色；外缘带窄；反面中室有 3 条褐色纹。后翅正面外缘区黑褐色带窄；反面翅面散布有数个褐色圈纹、点斑或弯曲带纹；翅外缘黑带宽窄个体间差异甚大，雌蝶外缘黑色部分较雄蝶宽。干季型：前翅正面的黑色端带较窄，内缘的凹陷较湿季型深，但有时平滑；前翅有亚顶纹；前缘黑边很窄，经常消失。后翅黑色外缘带比湿季型窄，有时退化成脉端点；反面大多数斑纹较发达；两翅基部时有浓重的黑色雾点；近前缘有亚端纹，几乎与中室斑相连。春型：翅面黑色部分不发达。后翅有小黑点；雄蝶性标淡橙红色，狭长，通常止于 Cu_2 脉分出点的近前方。

采集记录: 1♂, 汉中天台山, 2004. Ⅵ, 许家珠采。

分布: 陕西(汉中)、湖南、福建、台湾、广东、海南、广西、云南、西藏、香港；越南, 印度, 斯里兰卡, 菲律宾, 马来西亚, 印度尼西亚。

寄主： 亮叶猴耳环 *Pithecellobium lucidum*（Fabaceae）、铁刀木 *Cassia siamea*、黄槐 *C. surattensis*、大托叶云实 *Caesalpinia crista*（Caesalpinaceae）。

17. 钩粉蝶属 *Gonepteryx* Leach，[1815]

Gonepteryx Leach，[1815]：127. **Type species**：*Papilio rhamni* Linnaeus, 1758.

Rhodocera Boisduval *et* Leconte，[1830]：70. **Type species**：*Papilio rhamni* Linnaeus, 1758.

Earina Speyer, 1839：98. **Type species**：*Papilio thamni* Linnaeus, 1758.

Eugonepteryx Nekrutenko, 1968：46. **Type species**：*Papilio thamni* Linnaeus, 1758.

Lsogonepteryx Nekrutenko, 1968：57. **Type species**：*Papilio cleopatra* Linnaeus, 1767.

属征： 雄蝶黄色或淡黄色；雌蝶白色、乳白色或淡绿色；翅短阔，略呈方形；中室端部有红点或圆斑。前翅顶角明显向外突出成钩状，尖角在 R_5 脉与 M_1 脉之间；M_2 脉接近中室上端角而远离 M_3 脉。后翅无肩脉；$Sc + R_1$ 脉很长；Rs 脉明显粗壮；外缘在 Cu_1 脉处尖出。雄性外生殖器：背兜短；钩突指钩状；抱器末端尖；囊突及阳茎长。

分布： 欧亚大陆。全世界记载 13 种，中国已知 6 种，秦岭地区记录 5 种。

分种检索表

1. 后翅外缘弧形，仅 Cu_1 脉末端尖出 ································ 2
   后翅外缘锯齿状 ·· 4
2. 中型；翅鲜黄色 ·························· **钩粉蝶 *G. rhamni***
   大型；翅深黄色 ·· 3
3. 后翅 Cu_1 脉末端尖出明显；雄蝶两翅颜色一致 ·········· **大钩粉蝶 *G. maxima***
   后翅 Cu_1 脉末端尖出不太明显；中室端斑特别大；雄蝶前翅深柠檬黄色，后翅颜色稍浅 ······
   ··· **圆翅钩粉蝶 *G. amintha***
4. 后翅外缘锯齿形不明显；臀角尖 ·········· **淡色钩粉蝶 *G. aspasia***
   后翅外缘明显锯齿形 ······················ **尖钩粉蝶 *G. mahaguru***

(50) 尖钩粉蝶 *Gonepteryx mahaguru*（Gistel, 1857）（图版 13：1-4）

Gonepteryx mahaguru Gistel, 1857：93.

Rhodovera mahaguru Gistel, 1857：60.

Gonepteryx zaneka：Chou, 1994：227.

鉴别特征： 前翅顶角尖钩形突出；雄蝶前翅正面黄色；前缘和外缘脉端有红褐色点或斑；中室端斑暗橙红色，小而圆；反面淡黄色。后翅正面淡黄色，前缘区乳白色；外缘脉端点红褐色；Cu$_1$脉端部角状突出；中室端斑大，橙色；反面乳白色；中室端斑锈红色。雌蝶翅色为淡绿色或黄白色；前翅顶角的钩状突比雄蝶更显著；翅反面淡黄色、白色或淡绿色；中室端斑暗褐色。后翅有2~3条脉较粗。

采集记录：1♂，长安黄峪沟，1120m，2013. Ⅶ. 27，房丽君采；1♂，蓝田九间房，1470m，2013. Ⅵ. 23，房丽君采；2♂1♀，周至厚畛子，1370~1420m，2009. Ⅳ. 25，房丽君采；3♂1♀，户县东涝峪，1400~1560m，2010. Ⅶ. 6，房丽君采；1♂，宝鸡鸡峰山，1580m，2012. Ⅷ. 25，房丽君采；2♂1♀，太白石沟，1720~2050m，2010. Ⅷ. 09，房丽君采；3♂1♀，凤县通天河，1400m，2012. Ⅴ. 25，房丽君采；3♂1♀，留坝紫柏山，1800m，2008. Ⅹ. 04，房丽君采；1♂，佛坪长角坝，1050m，2010. Ⅸ. 11，房丽君采；1♂，洋县茅坪，780m，2011. Ⅵ. 04，房丽君采；4♂2♀，宁陕火地塘，1580~1720m，2008. Ⅷ. 31，房丽君采；1♂，石泉饶峰镇，700m，2011. Ⅴ. 25，房丽君采；1♂，商州黑龙口，1530m，2013. Ⅵ. 23，房丽君采；1♂，丹凤留岭，790m，2013. Ⅵ. 11，房丽君采；2♂，山阳洛峪，700m，2010. Ⅵ. 26，房丽君采。

分布：陕西（长安、蓝田、周至、户县、宝鸡、太白、凤县、留坝、佛坪、洋县、宁陕、石泉、商州、丹凤、山阳）、浙江、湖北、云南、西藏、东北、华北；朝鲜，日本，缅甸，印度，尼泊尔。

寄主：鼠李 *Rhamnus davurica*（Rhamnaceae）、枣 *Ziziphus jujuba*、酸枣 *Z. jujuba* var. *spinosa*、黄槐 *Cassia surattensis*（Fabaceae）等。

(51)钩粉蝶 *Gonepteryx rhamni*（**Linnaeus，1758**）

Papilio rhamni Linnaeus, 1758：470.
Gonepteryx rhamni：Chou, 1994：229.

鉴别特征：本种与尖钩粉蝶 *G. mahaguru* 极相似，区别是前翅外缘前段较平直；顶角尖出的小。后翅 Rs 脉明显粗大；翅的边缘有明显的脉端红点。雌蝶翅色为乳白色，而非淡绿色。雄蝶前翅反面中部至后缘淡黄色。

采集记录：1♂，太白桃川，1250m，2011. Ⅶ. 17，程帅、张辰生采；1♂，宁陕沙沟林场，1520m，2010. Ⅴ. 04，房丽君采。

分布：陕西（太白、宁陕）、黑龙江、吉林、北京、河南、甘肃、宁夏、新疆、浙江、湖北、江西、福建、四川、云南、西藏；朝鲜，日本，印度，尼泊尔，欧洲，非洲西北部。

寄主：鼠李 *Rhamnus davurica*（Rhamnaceae）、欧鼠李 *R. frangula*、药鼠李 *R. cathartica*。

(52)圆翅钩粉蝶 *Gonepteryx amintha* **Blanchard，1871**

Gonepteryx amintha Blanchard, 1871：810.

鉴别特征：与本属近似种的区别为：本种前、后翅中室端斑橙色，明显大于其他近似种。雄蝶前翅正面深柠檬黄色。后翅黄色；前缘及后缘乳黄色；Cu$_1$脉末端尖出不明显；反面淡黄或淡绿色；Rs脉明显粗大。雌蝶白色、乳黄色或白绿色；翅反面中室端斑淡紫色。

采集记录：1♂1♀，佛坪凉风垭，1700m，2150m，1999. Ⅵ.28；2♂3♀，洋县茅坪，2006. Ⅵ.11，许家珠采。

分布：陕西（佛坪、洋县）、河南、甘肃、浙江、福建、湖北、台湾、海南、四川、贵州、云南、西藏；俄罗斯，朝鲜。

寄主：鼠李 *Rhamnus davurica*（Rhamnaceae）、琉球鼠李 *R. liukiuensis*、黄槐 *Cassia surattensis*（Fabaceae）、山芥菜 *Rorippa indica*（Brassicaceae）、荠菜 *Capsella bursa-pastoris* 等植物。

(53) 淡色钩粉蝶 *Gonepteryx aspasia* Ménétriès，1859

Gonepteryx mahaguru aspasia Ménétriès，1859：213.

Gonepteryx aspasia：Kudma，1975：25.

鉴别特征：雄蝶前翅正面柠檬黄色；外缘有阔的淡色区；反面淡黄色。后翅正面淡黄色；反面乳白色；中室端斑正面小而圆，浅橙红色；反面黑褐色；有2~3条脉粗，Cu$_1$脉末端中等尖出。雌蝶白绿色；翅狭长；斑纹与雄蝶相似；反面乳白色，但前翅中部和基部白色。

采集记录：2♂，留坝红崖沟，1500m，1998. Ⅶ.22，张学忠采；2♂1♀，宁陕火地塘，1580m，1998. Ⅶ.27-Ⅷ.18，姚健、袁德成采。

分布：陕西（留坝、宁陕）、黑龙江、吉林、辽宁、北京、河北、内蒙古、山西、河南、甘肃、青海、新疆、江苏、浙江、湖北、福建、四川、云南、西藏；俄罗斯，朝鲜，日本。

寄主：鼠李 *Rhamnus davurica*（Rhamnaceae）。

(54) 大钩粉蝶 *Gonepteryx maxima* Butler，1885

Gonepteryx maxima Butler，1885：407.

鉴别特征：雄蝶前翅正面暗橙黄色；顶角明显突出；边缘褐色小点相连形成细线，从 Cu$_2$ 脉经翅顶到达翅基部；反面淡绿色，中部除外；乳黄色细条带从基部贯穿中室直达顶角下方。后翅正面有明显的淡绿色；中室端斑大而明显；边缘有褐色小点，部分联合；Cu$_1$脉末端尖出；反面淡绿色；亚外缘区有1列黑褐色小点。雌蝶正面白绿色。

分布：陕西(秦岭)、黑龙江、辽宁、北京、江苏、湖北、湖南、广西、四川、贵州、云南；俄罗斯，朝鲜，韩国，日本。

寄主：乌苏里鼠李 *Rhamnus ussuriensis*（Rhamnaceae）

二、 粉蝶亚科 Pierinae

翅多白色或黑色、黑褐色、黄色及橘红色；脉纹多黑色；有些种类前翅有红色或橙黄色斑带。后翅有黄色、红色斑带或反面为黄色。前翅至少有 1 条 R 脉独立；M_2 脉从中室端脉生出。后翅有发达的向外弯曲的肩脉；下唇须第 3 节长而多毛。

分族检索表

前翅脉纹 11 条或 10 条；翅多白色(少数橙红色，有的种类后翅黄色) ················· **粉蝶族 Pierini**
前翅脉纹 12 条；如 11 条，则雄蝶前翅端部橙红色或橙黄色 ··············· **襟粉蝶族 Anthocharini**

(一)粉蝶族 Pierini

前翅脉纹 10 或 11 条。通常为白色，少数种类橙色，有的后翅黄色，或后翅基部红色。

分属检索表

1. 前翅脉纹 11 条 ·· 2
   前翅脉纹 10 条 ·· 3
2. 前翅三角形；中室长为翅长度的 1/2；R_4 与 R_5 脉共柄长 ················· **绢粉蝶属 Aporia**
   前翅卵形；中室长超过翅长度的 1/2；R_4 与 R_5 脉共柄短 ················· **妹粉蝶属 Mesapia**
3. 后翅反面有黄色或红色斑 ·· **斑粉蝶属 Delias**
   后翅反面无黄色或红色斑 ·· 4
4. 后翅反面有云状斑 ·· **云粉蝶属 Pontia**
   后翅反面无云状斑 ·· **粉蝶属 Pieris**

18. 斑粉蝶属 *Delias* Hübner，[1819]

Delias Hübner，[1819]：91. **Type species**：*Papilio egialea* Cramer，1777.
Cathaemia Hübner，[1819]：92. **Type species**：*Cathaemia anthyparete* Hübner，[1819].
Symmachlas Hübner，[1821]：pl.[122]. **Type species**：*Papilio nigrina* Fabricius，1775.
Thyca Wallengren，1858：76. **Type species**：*Papilio aganippe* Donovan，1805.

Piccarda Grote，1900：32. **Type species**：*Papilio eucharis* Drury，[1773]．

属征：粉蝶中较大的种类。中室稍长于翅长的1/2；前翅斜长三角形；R 脉 3 条；R_1 脉从中室发出；R_{2+3} 脉与 R_{4+5} 脉共柄后又与 M_1 脉同柄；M_2 脉从中室端脉中部生出，离 M_1 脉与 M_3 脉距离相等；中室端脉在 M_1 脉与 M_2 脉间直。后翅卵形；肩脉长，向外弯曲；$Sc + R_1$ 脉短，不及翅前缘长度的1/2；Cu_1 与 Cu_2 脉的距离大于 Cu_1 脉与 M_3 脉的距离；反面斑纹黄色或红色。雌蝶沿脉纹有黑色鳞。雄性外生殖器：背兜略隆起；钩突爪状；囊突短；抱器平板状，有些种类内膜上有圆孔、沟、短瓣或突起；阳茎较短。雌性外生殖器：交配囊片哑铃形，多横置于交配囊的下半部。

分布：印澳区，东洋区。世界记载 240 余种，中国已知 11 种，秦岭地区记录 5 种。

分种检索表

1. 两翅正面中室内有完整的淡色长条斑 ……………………………… 侧条斑粉蝶 *D. lativitta*
   两翅正面中室内无完整的淡色长条斑 ……………………………………………… 2
2. 后翅正面臀角无黄斑 ……………………………………………… 倍林斑粉蝶 *D. berinda*
   后翅正面臀角有黄斑 ……………………………………………………………… 3
3. 后翅反面中室端半部黄色斑纹短，仅达中室中部 ……………… 艳妇斑粉蝶 *D. belladonna*
   后翅反面中室斑纹长，超过中室中部；基部白色 …………………………………… 4
4. 大型种类；斑纹无青灰色晕染 ……………………………………… 隐条斑粉蝶 *D. subnubila*
   中型种类；斑纹上覆有青灰色晕染 ………………………………… 洒青斑粉蝶 *D. sanaca*

(55) 侧条斑粉蝶 *Delias lativitta* Leech，1893

Delias lativitta Leech，1893：422.

鉴别特征：翅正面黑色或黑褐色；前后翅斑纹排列方式基本相同；斑纹白色或黄色；亚外缘区有 1 列水滴形或圆形白斑；中室内长条斑棒状；中域 1 列长条斑放射状排列；反面顶角区斑纹黄色。后翅方阔；前缘基部梭形斑黄色；反面亚外缘斑列黄色；肩区有 1 个水滴形黄色斑；其余斑纹多覆有黄色晕染；后缘区雄蝶黄色，雌蝶正面白色，反面淡黄色。

采集记录：5♂2♀，周至厚畛子，1380~1500m，2010.Ⅶ.13，房丽君采。

分布：陕西(周至)、浙江、江西、福建、台湾、云南、西藏；老挝，泰国，缅甸，不丹，巴基斯坦。

寄主：槲寄生 *Viscum coloratum*(Loranthaceae)、稠栎柿寄生 *V. articulatum*、桑寄生 *Taxillus sutchuenensis*。

(56) 隐条斑粉蝶 *Delias subnubila* Leech, 1893

Delias subnubila Leech, 1893: 421.

鉴别特征: 与侧条斑粉蝶 *D. lativitta* 近似, 区别为: 本种前翅正面中室斑纹几近消失; 反面中室斑纹近"Y"形。

采集记录: 3♂, 周至厚畛子, 1380~1480m, 2010. Ⅶ. 13, 房丽君采。

分布: 陕西(周至)、四川、云南、西藏。

(57) 洒青斑粉蝶 *Delias sanaca* (Moore, 1857)

Pieris sanaca Moore, 1857: 79.
Delias flavalba Marshall, 1882: 759.
Delias sanaca: Chou, 1994: 237.

鉴别特征: 斑纹排列与隐条斑粉蝶 *D. subnubila* 近似, 区别为: 本种的翅为黑色; 斑纹青蓝色; 前翅正面斑纹变小, 模糊不清。

采集记录: 1♂, 周至厚畛子, 1400m, 2010. Ⅶ. 11, 房丽君采; 1♂, 南郑, 2009. Ⅶ. 01, 许家珠采。

分布: 陕西(周至、南郑)、甘肃、四川、云南、西藏; 越南, 泰国; 缅甸, 印度, 不丹, 尼泊尔, 马来西亚。

寄主: 桑寄生 *Taxillus sutchuenensis* (Loranthaceae)等植物。

(58) 艳妇斑粉蝶 *Delias belladonna* (Fabricius, 1793)

Papilio belladonna Fabricius, 1793: 180.
Delias hearseyi Butler, 1885: 58.
Delias surya Mitis, 1893: 132.
Delias belladonna: Chou, 1994: 237.

鉴别特征: 本种与本属相似种的主要区别为: 后翅反面中室斑位于中室端部, 水滴状; 臀角黄色块斑较小。

采集记录: 1♂, 佛坪自然保护区大城壕。

分布: 陕西(佛坪)、浙江、湖北、湖南、福建、广东、广西、江西、四川、云南、西藏; 越南, 老挝, 泰国, 缅甸, 印度, 尼泊尔, 不丹, 斯里兰卡, 马来西亚, 印度尼西亚。

寄主: 长花桑寄生 *Loranthus longiflorus* (Loranthaceae)、灰叶桑寄生 *L. vestitus*、朱砂藤 *Cynanchum officinale* (Asclepiadaceae)、夹竹桃 *Nerium indicum* (Apocynaceae)等。

(59) 倍林斑粉蝶 *Delias berinda* (Moore, 1872)

Thyca Pieris berinda Moore, 1872: 566.

Delias amarantha Mitis, 1893: 133.

Delias berinda: Moore, 1904, 6: 167.

鉴别特征: 与洒青斑粉蝶 *D. sanaca* 近似, 主要区别为: 本种翅反面斑纹细小; 后翅反面斑纹多橙黄色; 臀区黑色。

分布: 陕西(秦岭)、湖北、江西、福建、广西、四川、贵州、云南、西藏; 越南, 老挝, 泰国, 缅甸, 印度, 不丹。

寄主: 忍冬叶桑寄生 *Scurrula lonicerifolius* (Loranthaceae) 和槲树桑寄生 *Loranthus delavayi*。

19. 绢粉蝶属 *Aporia* Hübner, [1819]

Aporia Hübner, [1819]: 90. **Type species**: *Papilio crataegi* Linnaeus, 1758.

Leuconea Donzel, 1837: 80. **Type species**: *Papilio crataegi* Linnaeus, 1758.

Metaporia Butler, 1870: 38, 51. **Type species**: *Pieris agathon* Gray, 1831.

属征: 翅半透明, 白色、乳白色或黑色。斑纹白色、黑色或黄色; 翅脉黑色。前翅近三角形; 顶角钝圆; R 脉 4 条; R_2 脉与 R_3 脉合并, 从中室上端角附近生出; R_4、R_5 脉与 M_1 脉同柄, M_2 与之远离; 中室长约为翅长度的 1/2。后翅方阔; 肩脉短; Sc + R_1 脉发生于翅基部, 远离 Rs 脉。雄性外生殖器: 背兜大; 钩突发达; 囊突粗; 抱器阔, 密布刺毛, 多有孔洞, 阳茎弯曲, 基部侧突很发达。雌性外生殖器: 囊导管细长; 交配囊片条状, 中间缢缩, 对称, 两端圆, 密生小齿突。

分布: 古北区, 东洋区, 澳洲区。世界记载 32 种, 中国记录 29 种, 秦岭地区记录 12 种。

分种检索表

1. 翅正面无箭状纹和宽的外缘带 ……………………………………………… 2
   翅正面有上述斑纹之一 …………………………………………………………… 8
2. 后翅反面肩区基部无黄色斑 ………………………………… **绢粉蝶 *A. crataegi***
   后翅反面肩区基部有黄色斑 ……………………………………………………… 3
3. 后翅中室内有"Y"形细纹 ………………………………………………………… 4
   后翅中室内无"Y"形细纹 ………………………………………………………… 5
4. 后翅反面各翅室内的条纹呈直线形 ……………… **灰姑娘绢粉蝶 *A. intercostata***
   后翅反面各翅室内的条纹呈"Y"形 ……………………… **丫纹绢粉蝶 *A. delavayi***

5.　后翅 Sc + R$_1$ 脉短，末端远离 Rs 脉 ··· 6

　　后翅 Sc + R$_1$ 脉长，末端靠近 Rs 脉 ··························· **暗色绢粉蝶 A. bieti**

6.　翅面乳白色或蜡黄色 ··· **酪色绢粉蝶 A. potanini**

　　翅面白色或微偏黄色 ··· 7

7.　后翅中室狭长 ··· **小檗绢粉蝶 A. hippia**

　　后翅中室宽 ··· **普通绢粉蝶 A. genestieri**

8.　中型种类，前翅长度小于 65mm ··· 9

　　大型种类，前翅长度大于 70mm ··· 11

9.　后翅反面缘室斑纹箭头形，连在一起 ··· 10

　　后翅反面缘室斑纹非箭头形，相互分离 ··························· **秦岭绢粉蝶 A. tsinglingica**

10.　前翅箭纹排列不齐；后翅反面赭黄色 ··························· **箭纹绢粉蝶 A . procris**

　　　前翅箭纹排列整齐；后翅反面淡黄色 ························· **锯纹绢粉蝶 A. goutellei**

11.　前翅中室端脉黑带窄 ··· **大翅绢粉蝶 A. largeteaui**

　　　前翅中室端脉黑带宽 ··· **奥倍绢粉蝶 A. oberthuri**

(60) 绢粉蝶 *Aporia crataegi* (Linnaeus, 1758) (图版 13：5-6)

Papilio crataegi Linnaeus, 1758：467.

Aporia crataegi：Chou, 1994：246.

鉴别特征：前翅白色或乳白色，多呈半透明状；翅脉黑色；翅面无斑纹；有时前翅外缘及顶角有烟灰色晕染。后翅反面脉纹清晰；翅面多散布有黑褐色鳞片；反面肩角区无橙黄色斑纹。

采集记录：2♂1♀，长安黄峪沟，890~940m，2008.Ⅵ.01，房丽君采；2♂2♀，周至楼观台，860m，2010.Ⅵ.04，房丽君采；2♂，户县涝峪，1100m，2009.Ⅵ.06，房丽君采；2♂，太白黄柏塬，1400m，2010.Ⅵ.15，房丽君采；1♂，留坝紫柏山，1640m，2012.Ⅵ.22，张宇军采；1♂，佛坪东岳桃园村，880m，2011.Ⅵ.05，房丽君采；1♂，洋县华阳，1040m，2011.Ⅵ.04，房丽君采；1♂，石泉云雾山，1380m，2011.Ⅴ.26，房丽君采；1♂，柞水营盘，1370m，2010.Ⅵ.15，彭涛采；2♂，丹凤土门七星沟，900m，2011.Ⅵ.01，房丽君采；1♂，商南梁家湾，500m，2013.Ⅵ.12，房丽君采。

分布：陕西（长安、周至、户县、太白、留坝、佛坪、洋县、石泉、柞水、丹凤、商南）、黑龙江、吉林、辽宁、北京、河北、内蒙古、山西、河南、宁夏、甘肃、青海、新疆、江苏、安徽、浙江、湖北、四川、西藏；俄罗斯，朝鲜，日本，非洲北部，欧洲西部。

寄主：稠李 *Prunus padus*(Rosaceae)、黑刺李 *P. spinosa*、毛黑山楂 *Crataegus jozana*、贴梗木瓜 *Chaenomeles lagenaria*、西洋梨 *Pyrus communis*、西府海棠 *Malus micromalus*、苹果 *M. domestica*、深山柳 *Salix phylicifolia*(Salicaceae)。

(61) 小檗绢粉蝶 *Aporia hippia*（Bremer，1861）

Pieris hippia Bremer，1861：464.
Aporia hippia：Chou，1994：246.

鉴别特征：本种与绢粉蝶 *A. crataegi* 极为近似，主要区别为：本种翅灰白色或微偏黄色；前翅透明程度较弱；顶角多灰黑色；中室端斑及外缘灰黑色带纹较宽。后翅中室较窄；反面肩角区有黄色斑；翅脉两侧黑边明显。雌蝶稍带黄色。

采集记录：2♂1♀，长安白石峪，870m，2008.Ⅴ.31，房丽君采；2♂1♀，蓝田蓝桥，1000m，2011.Ⅵ.01，房丽君采；2♂1♀，周至厚畛子，1780m，2009.Ⅵ.27，房丽君采；8♂3♀，户县涝峪，1260m，2009.Ⅵ.06，房丽君采；6♂2♀，凤县唐藏镇，1280m，2012.Ⅴ.26，房丽君采；1♂1♀，眉县蒿坪寺，1140m，2011.Ⅵ.25，程帅采；1♂1♀，太白咀头，1730m，2011.Ⅵ.21，房丽君采；1♂1♀，华县石堤峪，920m，2011.Ⅶ.11，房丽君采；1♂，留坝城关，1120m，2012.Ⅵ.21，张宇军采；2♂，佛坪东岳桃园村，900m，2011.Ⅵ.05，房丽君采；1♂，洋县华阳，1040m，2011.Ⅵ.04，房丽君采；4♂2♀，宁陕火地塘，1620m，2009.Ⅵ.21，房丽君采；3♂，石泉云雾山，1180m，2011.Ⅴ.26，房丽君采；2♂，汉阴石家沟，680m，2011.Ⅴ.27，房丽君采；3♂，柞水营盘朱家湾，1370m，2010.Ⅵ.15，彭涛采；2♂，镇安结子乡，1200m，2011.Ⅵ.19，房丽君采；3♂2♀，商州麻街镇，1370m，2010.Ⅵ.15，房丽君采；5♂3♀，山阳中村碾岔沟，760m，2010.Ⅵ.6，房丽君采；2♂1♀，丹凤土门七星沟，660m，2010.Ⅵ.01，房丽君采。

分布：陕西（长安、蓝田、周至、户县、凤县、眉县、太白、华县、留坝、佛坪、洋县、宁陕、石泉、汉阴、柞水、镇安、商州、山阳、丹凤）、黑龙江、吉林、辽宁、河北、内蒙古、山西、河南、宁夏、甘肃、青海、上海、江苏、台湾、四川、西藏；俄罗斯，朝鲜，日本。

寄主：小檗 *Berberis amurensis*（Berberidaceae）、日本小檗 *B. thunbergii*、紫叶小檗 *B. thunbergii* var. *atropurpurea*、九连小檗 *B. virgetorum* 等。

(62) 暗色绢粉蝶 *Aporia bieti*（Oberthür，1884）

Pieris bieti Oberthür，1884：12.
Aporia bieti：Chou，1994：247.

鉴别特征：近似于小檗绢粉蝶 *A. hippia*，主要区别为：本种前翅中室端脉加粗，黑纹更加明显。后翅中室稍窄；Rs 脉较长；翅脉两侧黑色加宽；反面黄色；脉纹清晰。

分布：陕西（秦岭）、甘肃、新疆、四川、云南、西藏。

(63) 秦岭绢粉蝶 *Aporia tsinglingica* (**Verity, 1911**) (图版 13：7-10)

Pieris tsinglingica Verity, 1911：326.

Aporia soracta taibaishana Murayama, 1983：281.

Aporia tsinglingica：Della Bruna *et al.*, 2004：38.

　　鉴别特征：两翅中室端脉加粗明显。前翅正面白色或乳白色；外缘各翅脉端部斑纹加粗并相连，灰黑色或黑褐色；各翅室箭头纹较淡，时有消失；反面外缘端部脉纹线状加粗，互不相连。后翅反面肩角区有黄色斑纹；中室端部黑褐色区域宽；各翅室有 1 个上端稍有分叉的线状箭头纹；臀域黄色较深。

　　采集记录：1♂，长安大峪，1640m，2009.Ⅵ.14，房丽君采；1♀，长安分水岭，2000m，2010.Ⅶ.01，房丽君采；1♂，周至厚畛子，1780m，2009.Ⅵ.27，房丽君采；1♂，户县东涝峪，1400m，2010.Ⅶ.01，房丽君采；1♂，眉县红河谷，1800m，2013.Ⅴ.26，房丽君采；1♂，太白咀头，1760m，2011.Ⅵ.12，房丽君采；1♂，宁陕火地塘，1750m，2009.Ⅵ.22，房丽君采；1♂，柞水营盘朱家湾，1440m，2010.Ⅵ.15，彭涛采。

　　分布：陕西（长安、周至、户县、太白、眉县、宁陕、柞水）、河南、甘肃、青海、四川。

　　寄主：小檗 *Berberis amurensis* (Berberidaceae)。

(64) 箭纹绢粉蝶 *Aporia procris* Leech, 1890

Aporia procris Leech, 1890：191.

Aporia uedai Koiwaya, 1989：204.

　　鉴别特征：前翅正面乳白色，多有黄色晕染；各翅脉黑褐色带纹由翅脉基部到端部逐渐加宽；亚缘区箭头纹棕褐色，下部 2 个向内错位，较模糊；反面顶角区及其附近赭黄色；箭头纹较正面清晰。后翅正面脉纹渐进加粗；亚缘区箭头纹时有模糊；反面赭黄色；肩角区有橙黄色斑纹；翅脉及箭头纹较正面清晰。与秦岭绢粉蝶 *A. tsinglingica* 的区别为：本种前翅箭头纹明显，其排列错位，分成两段。后翅反面中室端部无黑褐色加宽区。

　　采集记录：1♂，长安分水岭，1800m，2010.Ⅶ.01，房丽君采；1♂，长安东佛沟，1750m，2010.Ⅶ.26，彭涛采；1♂，周至板房子，1500m，2013.Ⅵ.15，房丽君采；1♂，佛坪熊猫谷，1450m，2013.Ⅵ.25，房丽君采。

　　分布：陕西（长安、周至、佛坪）、河南、甘肃、青海、新疆、四川、云南、西藏；蒙古，朝鲜。

(65) 锯纹绢粉蝶 *Aporia goutellei* (**Oberthür, 1886**) (图版 14: 1-4)

Pieris goutellei Oberthür, 1886: 15.

Aporia goutellei: Chou, 1994: 249.

鉴别特征: 翅乳黄色; 各翅脉加粗明显; 翅端部箭头纹呈锯齿状排列, 下部两个较模糊, 箭头纹基部与相应翅脉相连。前翅中室端半部及后翅中室下缘加粗更甚, 黑褐色。后翅反面赭黄色; 肩角区有黄色斑纹; 翅脉及箭头纹较正面清晰。雌蝶和有的雄蝶个体, 前翅外缘常有宽的黑褐色或灰黑色带。

采集记录: 2♂1♀, 长安石砭峪, 1130m, 2011. V.25, 张宇军采; 1♂, 户县涝峪, 1380m, 2009. VI.06, 房丽君采; 1♂, 太白咀头, 1730m, 2011. VI.12, 房丽君采; 1♂, 太白高山草甸, 2120m, 2012. VI.22, 房丽君采; 1♂, 宁陕火地塘, 1750m, 2009. VI.22, 房丽君采。

分布: 陕西(长安、户县、太白、宁陕)、河南、甘肃、四川、云南、西藏。

(66) 灰姑娘绢粉蝶 *Aporia intercostata* **Bang-Haas, 1927** (图版 14: 5-6)

Aporia intercostata Bang-Haas, 1927: 39.

鉴别特征: 两翅各翅室均有 1 条纵贯全室的黑色细线纹; 端半部黑灰色鳞片浓密。前翅正面外缘带灰黑色, 有时翅面整体呈灰黑色; 翅脉灰黑色, 两侧等宽加粗; 中室有 3 条灰黑色细纵纹。后翅中室有叉状细纹; 反面肩区有 1 个黄色斑纹。

采集记录: 2♂2♀, 长安大峪, 1050m, 2009. V.16, 房丽君采; 1♂, 周至厚畛子, 1510m, 2009. V.20, 杨伟采; 1♂, 户县涝峪, 1380m, 2009. VI.06, 房丽君采; 9♂4♀, 凤县唐藏镇, 1200m, 2012. V.25, 房丽君采; 1♂, 眉县蒿坪寺, 1200m, 2011. VI.25, 房丽君采; 1♂, 太白青峰峡, 1450m, 2011. VI.11, 房丽君采; 1♂, 洋县华阳, 1120m, 2011. VI.04, 房丽君采; 1♂1♀, 镇安大青沟, 2010. V.24, 房丽君采; 1♂, 商州黑龙口, 1200m, 2011. VI.01, 房丽君采; 1♂1♀, 山阳银花岬峪沟, 1000m, 2010. VI.01, 房丽君采。

分布: 陕西(长安、周至、户县、凤县、眉县、太白、洋县、镇安、商州、山阳)、河南、甘肃。

寄主: 小檗 *Berberis amurensis* (Berberidaceae)。

(67) 酪色绢粉蝶 *Aporia potanini* **Alphéraky, 1889**

Aporia potanini Alphéraky, 1889: 93.

鉴别特征: 与绢粉蝶 *A. crataegi* 相似, 主要区别为: 本种翅乳白色或乳黄色; 翅脉黑色；前翅顶角和外缘区有淡黑色斑纹。后翅反面脉纹清晰，加粗；肩区有1个黄色斑纹。

采集记录：1♂，华阴华山，1956，Ⅵ.16，杨集昆采；1♂，华阴华山，2001.Ⅵ.31，李兆东采；3♂，佛坪岳坝保护站，1120m，2013.Ⅶ.27，张宇军采；1♀，宁陕火地塘，1510m，2009.Ⅵ.22，房丽君采；3♂1♀，山阳银花，620m，2012.Ⅵ.30，房丽君采。

分布：陕西（华阴、佛坪、宁陕、山阳）、黑龙江、吉林、辽宁、北京、天津、河北、内蒙古、山西、河南、宁夏、甘肃、青海、四川；俄罗斯，朝鲜，日本。

寄主：沙枣 *Elaeagnus angustifolia*（Elaeagnaceae）。

（68）普通绢粉蝶 *Aporia genestieri*（Oberthür，1902）（图版 14：7-8）

Pieris genestieri Oberthür，1902：411.

Aporia genestieri：Della *et al.*，2004：30.

鉴别特征：体型比酪色绢粉蝶 *A. potanini* 大；翅正面翅脉两侧的黑边端部加宽，在外缘形成密集的缘带。斑纹与小檗绢粉蝶 *A. hippia* 相似，但本种后翅的中室比小檗绢粉蝶更宽；反面底色偏白。

采集记录：2♂，周至厚畛子，1350m，1999.Ⅵ.25，朱朝东、姚建采；1♂，宁陕火地塘，1580~1650m，1999.Ⅵ.30，袁德成采；6♂，汉中天台山，2005.Ⅵ.12，许家珠采。

分布：陕西（周至、宁陕、汉台）、山西、河南、湖北、台湾、四川、云南。

寄主：牛奶子 *Elaeagnus umbellata*（Elaeagnaceae）、薄叶胡颓子 *E. thunbergii*。

（69）奥倍绢粉蝶 *Aporia oberthuri*（Leech，1890）

Pieris oberthuri Leech，1890：46.

Aporia oberthuri：Chou，1994：251.

鉴别特征：与锯纹绢粉蝶 *A. goutellei* 较为相似，但本种属大型种类；翅脉纹及脉端部加宽明显；翅正面白色；前翅中室端部灰黑色横带宽。雌蝶前翅箭头纹分叉端加宽，灰黑色边界多模糊。

采集记录：1♀，宁陕火地塘，1580~1650m，1999.Ⅵ.30，袁德成采；1♂，宁陕火地塘，2009.Ⅶ.03，许家珠采。

分布：陕西（宁陕）、甘肃、湖北、湖南、四川。

(70) 大翅绢粉蝶 *Aporia largeteaui* (Oberthür, 1881) (图版 15：1-4)

Pieris largeteaui Oberthür, 1881：12.

Aporia largeteaui：Chou, 1994：250.

鉴别特征：翅白色或乳白色；脉纹及其两侧、外缘及顶角区黑褐色或灰褐色；亚缘带近"V"形，褐色或黑褐色，时有模糊或消失；中室内有数条隐约的黑褐色细线，时有消失（后翅消失的较多）。后翅反面肩角区有1个黄色斑。雌蝶体型较大；斑纹加粗加深明显；各斑纹在翅面多形成网状。

采集记录：1♂，长安黄峪沟，880m，2008. Ⅵ.01，房丽君采；2♂3♀，周至楼观台，840m，2010. Ⅵ.04，房丽君采；1♂1♀，户县涝峪，1200m，2009. Ⅵ.06，房丽君采；1♂，太白黄柏塬，1350m，2010. Ⅵ.15，房丽君采；3♂4♀，凤县唐藏镇，1200m，2012. Ⅴ.25，房丽君采；1♂，佛坪东岳桃园村，880m，2011. Ⅵ.05，房丽君采；2♂，洋县金水，600m，2011. Ⅵ.05，房丽君采；1♂，汉阴凤凰山，1330m，2011. Ⅴ.28，房丽君采；1♂，柞水营盘朱家湾，1230m，2010. Ⅵ.16，彭涛采；3♂1♀，山阳洛峪，800m，2010. Ⅵ.26，房丽君采；1♂，丹凤土门七星沟，680m，2010. Ⅵ.01，房丽君采。

分布：陕西（长安、周至、户县、太白、凤县、佛坪、洋县、汉阴、柞水、山阳、丹凤）、河南、甘肃、浙江、湖北、湖南、福建、广东、广西、江西、四川、贵州、云南。

寄主：阔叶十大功劳 *Mahonia bealei* (Berberidaceae)。

(71) 丫纹绢粉蝶 *Aporia delavayi* (Oberthür, 1890)

Pieris delavayi Oberthür, 1890：37.

Aporia delavayi：Chou, 1994：254.

鉴别特征：翅白色，前翅正面顶角灰黑色；外缘区翅脉端部及中室端部翅脉两侧灰黑色加粗。后翅中室及各翅室均有1条"Y"形细纹，末端直达外缘；反面有赭黄色晕染；斑纹较正面清晰；肩区基部黄斑近圆形。

采集记录：2♂，洋县大坪，2100m，1990. Ⅶ.27。

分布：陕西（洋县）、甘肃、湖北、四川、云南、西藏。

20. 妹粉蝶属 *Mesapia* Gray, 1856

Mesapia Gray, 1856：92. **Type species**：*Pieris peloria* Hewitson, 1853.

属征：与绢粉蝶属 *Aporia* 相似，主要区别为：本种体型较小，翅较圆。下唇须及胸部多毛；触角长，黑色，锤状部大而扁。前翅狭长；R 脉 4 条；R_2 脉与 R_3 脉合并，从中室上端角与 R_4 脉从同点分出；R_5 脉与 M_1 脉从 R_4 脉等距离分出。后翅卵形；$Sc + R_1$ 脉短于中室的长度。雄性外生殖器：背兜背面平坦；钩突发达；抱器短阔，端部突出，无内膜孔；囊突粗短，端部窄；阳茎犁头形弯曲。雌性外生殖器：囊导管细长；交配囊片近心形。

分布：全世界仅记载 1 种，为中国特有属，秦岭地区有记录。

(72) 妹粉蝶 *Mesapia peloria* (Hewitson, 1853)

Pieris peloria Hewitson, 1853：[32].

Mesapia peloria：Chou, 1994：255.

鉴别特征：小型种类，翅圆；正面白色，反面略带黄色，翅脉两侧浅灰黑色；翅基部黑色；雄蝶前翅及中室狭长；端缘近透明。后翅反面翅脉两侧条带加宽明显，中室周缘、$Sc + R_1$ 脉及 Rs 加宽区黑色，其余加宽区为棕褐色；肩区及中室下缘基部橙黄色。

采集记录：1♂，长安黄峪沟，870m，2008.Ⅵ.01，房丽君采。

分布：陕西(长安)、甘肃、青海、新疆、四川、云南、西藏。

21. 粉蝶属 *Pieris* Schrank, 1801

Pieris Schrank, 1801：152, 161. **Type species**：*Papilio brassicae* Linnaeus, 1758.

Ganoris Dalman, 1816：61. **Type species**：*Papilio brassicae* Linnaeus, 1758.

Artogeia Verity, 1947：192, 193. **Type species**：*Papilio napi* Linnaeus, 1758.

Talbotia Bernardi, 1958：125. **Type species**：*Mancipium naganum* Moore, 1884.

属征：翅面白色，有时稍带黄色。前翅正面顶角区黑色；中域中部至后缘常有 1~2 个黑斑。雌蝶颜色比雄蝶深，黑斑比雄蝶发达。前翅 R 脉 3 条；R_2 脉与 R_3 脉合并；R_4 脉极短，在近顶角处分出，不易见到或完全没有；R_5 脉与 M_1 脉共柄；M_2 脉与 M_3 脉基部远离，其间的中室端脉直；中室长约为前翅长度的 1/2。后翅中室长超过后翅长度的 1/2。雄性外生殖器：背兜长；钩突发达；抱器阔；囊突多粗短；阳茎中等大小，较直。

分布：世界各地。中国记载 18 种，秦岭地区记录 6 种。

分种检索表

2. 后翅正面外缘有黑色斑纹 ·· **东方菜粉蝶 *P. canidia***
　 后翅正面外缘无黑色斑纹 ··· **菜粉蝶 *P. rapae***
3. 后翅中室有 1 条黑色纵纹 ·· **大卫粉蝶 *P. davidis***
　 后翅中室无纵线 ·· 5
4. 大型种类，翅展 70 ~ 90 mm ··· **大展粉蝶 *P. extensa***
　 中型种类，翅展 45 ~ 60 mm ··· 6
5. 前翅正面 m_3 室与 cu_2 室黑色斑发达，圆形；后翅反面脉纹带不加粗 ····· **黑纹粉蝶 *P. melete***
　 前翅正面 m_3 室与 cu_2 室黑色斑模糊或消失；后翅反面脉纹带加粗 ····· **暗脉菜粉蝶 *P. napi***

（73）菜粉蝶 *Pieris rapae*（Linnaeus, 1758）（图版 15：5-6）

Papilio rapae Linnaeus, 1758：468.

Pontia rapae：Dyar, 1903：6.

Pieris rapae：Chou, 1994：257.

鉴别特征：翅白色、乳白色；翅面常有淡黄色及灰黑色鳞粉覆盖。前翅顶角黑褐色；亚缘区下半部有 1 ~ 2 个黑色或褐色斑纹；翅基部密布灰黑色鳞粉；反面顶角淡黄色；亚缘斑较正面小。后翅前缘中部斑纹黑色或褐色；反面白色或淡黄色，黄色鳞显著；无斑纹。雌蝶体型较雄蝶略大；斑纹色彩较浓；cu_2 室的黑斑显著发达，其下方有 1 条黑褐色细带纹，沿后缘伸向翅基。

采集记录：2♂1♀，长安石砭峪，1100m，2010．Ⅶ.04，房丽君采；1♂，蓝天汤峪，950m，2008．Ⅶ.20，房丽君采；3♂3♀，周至厚畛子，1380 ~ 1550m，2009．Ⅵ.27，房丽君采；4♂2♀，户县涝峪，1100 ~ 1450m，2009．Ⅵ.06，房丽君采；1♂，宝鸡安坪沟，1260m，2011．Ⅷ.27，房丽君采；1♂，凤县嘉陵江源头，1450m，2012．Ⅴ.25，房丽君采；1♂，眉县红河谷，1670m，2013．Ⅴ.26，房丽君采；2♂3♀，太白咀头，1770 ~ 1840m，2010．Ⅵ.14，房丽君采；4♂2♀，华阴华阳川林场，1400 ~ 1480m，2011．Ⅴ.07，房丽君采；1♂，华县少华山，2013．Ⅶ.07，张宇军采；1♂，潼关西潼峪，1700m，2012．Ⅹ.02，房丽君采；1♂，留坝城关，1040m，2012．Ⅵ.21，张宇军采；1♂，勉县茶店，780m，2013．Ⅹ.05，房丽君采；1♂，佛坪岳坝，1150m，2012．Ⅵ.30，房丽君采；1♂，洋县金水，600m，2011．Ⅵ.05，房丽君采；1♂，宁强宽川，780m，2013．Ⅹ.06，房丽君采；4♂2♀，宁陕火地塘，1600 m，2009．Ⅵ.21，房丽君采；5♂，石泉云雾山，900m，2011．Ⅴ.26，房丽君采；2♂，柞水营盘，1390 ~ 1410m，2010．Ⅵ.15，彭涛采；2♂，镇安结子乡，800m，2011．Ⅳ.30，房丽君采；2♂，洛南巡检，1200m，2012．Ⅸ.02，房丽君采；3♂2♀，商州二龙山水库，800m，2013．Ⅵ.10，房丽君采；1♂，山阳中村苏峪沟，900m，2013．Ⅸ.21，房丽君采；1♂，丹凤国家湿地公园，580m，2013．Ⅵ.11，房丽君采；1♂，商南过凤楼，360m，2012．Ⅹ.04，房丽君采。

分布：陕西（长安、蓝田、周至、户县、宝鸡、凤县、眉县、太白、华阴、华县、潼关、留坝、勉县、佛坪、洋县、宁强、宁陕、石泉、柞水、镇安、洛南、商州、山阳、丹凤、商南)、黑龙江、吉林、辽宁、北京、河北、内蒙古、山西、河南、宁夏、甘肃、青海、新疆、山东、江苏、上海、安徽、浙江、湖北、江西、湖南、福建、台湾、广东、海南、香港、广西、四川、贵州、云南、西藏；全北区。

寄主： 芥蓝 *Brassica alboglabra*（Brassicaceae）、油菜 *B. campestris*、甘蓝 *B. oleracea*、萝卜 *Raphanus sativus*、木樨草属 *Reseda* spp.（Resedaceae）等。

(74) 东方菜粉蝶 *Pieris canidia*（**Linnaeus, 1768**）（图版 15：7-10）

Papilio canidia Linnaeus, 1768：504n.

Pieris canidia：Chou, 1994：258.

鉴别特征： 翅白色或乳白色；斑纹黑色或黑褐色。前翅顶角黑色，外缘带内缘锯齿形，仅达 Cu_2 脉附近；雌蝶亚缘区中部及近后缘处各有 1 个斑纹；翅基部灰黑色或灰褐色；反面白色；亚缘区 3 个近圆形斑纹等距离排列，近前缘的斑纹模糊不清。后翅正面外缘区有 1 列圆形或近三角形斑纹；前缘中部斑纹近半圆形；反面无斑纹；肩角区黄色。

采集记录： 2♂1♀，长安石砭峪，1250~1300m，2010. V.25，房丽君采；1♂，蓝田汤峪，950m，2008. Ⅶ.20，房丽君采；4♂2♀，周至厚畛子，1300~1400m，2010. V.29，房丽君采；2♂1♀，户县涝峪，1300m，2009. Ⅵ.06，房丽君采；1♂，宝鸡安坪沟，1240m，2011. Ⅷ.27，房丽君采；1♂，凤县嘉陵江源头，1450m，2012. V.25，房丽君采；1♂，眉县蒿坪寺，1100m，2010. Ⅷ.10，房丽君采；1♂，太白黄柏塬，1420m，2010. Ⅷ.08，房丽君采；1♂，华县少华山，2013. Ⅶ.07，张宇军采；1♂，留坝红岩沟，1070m，2012. Ⅵ.21，张宇军采；2♂，勉县茶店余家湾，660m，2013. X.05，房丽君采；2♂2♀，南郑元坝，1280m，2004. Ⅶ.22，房丽君采；1♂，佛坪立房沟，900m，2010. Ⅸ.12，房丽君采；1♂，洋县大西沟，780m，2010. X.16，房丽君采；1♂2♀，宁强宽川，780m，2013. X.06，房丽君采；4♂3♀，宁陕火地塘，1700~1800m，2009. Ⅸ.26，房丽君采；3♂，石泉七里沟，680m，2009. Ⅳ.05，房丽君采；2♂，汉阴龙垭，680m，2011. V.27，房丽君采；1♂1♀，紫阳播鼓台，1580m，2011. V.28，房丽君采；1♂，柞水营盘大甘沟，1500m，2009. Ⅸ.05，房丽君采；2♂，镇安黑窑沟，570m，2010. V.21，房丽君采；4♂1♀，商州二龙山水库，900m，2013. Ⅶ.06，张宇军采；1♂，山阳大北沟，610m，2013. Ⅶ.29，房丽君采；1♂，丹凤土门七星沟，660m，2010. Ⅵ.01，房丽君采；2♂2♀，商南过风楼，360m，2012. X.04，房丽君采。

分布： 陕西(长安、蓝田、周至、户县、宝鸡、凤县、眉县、太白、华县、留坝、勉县、南郑、佛坪、洋县、宁强、宁陕、石泉、汉阴、紫阳、柞水、镇安、商州、山阳、丹凤、商南)，中国广布；韩国，越南，老挝，泰国，柬埔寨，缅甸，欧洲。

寄主： 蔊菜 *Rorippa montana*（Brassicaceae）、荠菜 *Capsella bursa-pastoris*、芥蓝

Brassica alboglabra、芥菜 *B. juncea*、冬白菜 *B. campestris*、萝卜 *Raphanus sativus*、硬毛南芥 *Arabis hirsuta*、白花菜 *Cleome gynandra*（Capparidaceae）。

（75）暗脉菜粉蝶 *Pieris napi*（Linnaeus, 1758）（图版 16：1-2）

Papilio napi Linnaeus, 1758：468.

Pontia napi：Dyar, 1903：6.

Pieris napi：Chou, 1994：258.

鉴别特征：翅白色；反面前翅顶角及后翅淡黄色；两翅脉纹尤其是中室下缘脉较翅正面加粗。前翅翅脉、翅基部及顶角黑色或黑褐色；顶角黑斑窄，被脉纹分割；臀角及 m_3 室斑纹黑褐色，时有消失。后翅反面肩角区黄色。雌蝶翅正面的脉纹明显；基部淡黑褐色；黑色斑及后缘末端的条纹扩大。夏型雌蝶顶角斑缩小。后翅暗色脉纹加粗。

采集记录：1♂1♀，长安东佛沟，1800m，2010.Ⅶ.26，房丽君采；1♂，蓝田九间房，1470m，2013.Ⅵ.23，房丽君采；2♂2♀，周至厚畛子，1300m，2009.Ⅵ.26，房丽君采；2♂1♀，户县紫阁峪，900m，2010.Ⅴ.27，房丽君采；2♂1♀，宝鸡安坪沟，1100m，2011.Ⅷ.27，房丽君采；2♂，眉县蒿坪寺，1180m，2011.Ⅵ.25，张辰生采；2♂，太白黄柏塬大箭沟，1620m，2010.Ⅷ.07，房丽君采；1♂，留坝紫柏山，2008.Ⅹ.04，房丽君采；1♂，佛坪立房沟，960m，2010.Ⅸ.12，房丽君采；1♂，洋县大西沟，780m，2010.Ⅹ.16，房丽君采；1♂1♀，宁陕火地塘，1800m，2006.Ⅴ.14，房丽君采；3♂，石泉七里沟，550m，2009.Ⅳ.04，房丽君采；1♂，汉阴凤凰山，1330m，2011.Ⅴ.28，房丽君采；1♂，柞水营盘大甘沟，1500m，2009.Ⅸ.05，房丽君采；1♂，镇安木王，1680m，2009.Ⅹ.17，房丽君采；1♂，商州夜村，960m，2013.Ⅶ.23，房丽君采；1♂，山阳银花岬峪沟，1020m，2009.Ⅸ.03，房丽君采；3♂，丹凤土门七星沟，700m，2010.Ⅵ.01，房丽君采。

分布：陕西（长安、蓝田、周至、户县、宝鸡、眉县、太白、留坝、佛坪、洋县、宁陕、石泉、汉阴、紫阳、柞水、镇安、商州、山阳、丹凤）、黑龙江、吉林、辽宁、河北、河南、青海、新疆、湖北、西藏；俄罗斯，朝鲜，韩国，日本，印度，巴基斯坦，欧洲，北美洲，非洲。

寄主：荠菜 *Capsella bursa-pastoris*（Brassicaceae）、薄菜 *Rorippa montana*、小白菜 *Brassica chinensis*、冬油菜 *B. campestris*、甘蓝 *B. oleracea*、萝卜 *Raphanus sativus*、野萝卜 *R. raphanistrum*、蓝香芥 *Hesperis matronalis*、木樨草 *Reseda odorata*（Resedaceae）、旱金莲 *Tropaeolum majus*（Tropaeolaceae）、金盏菊 *Calendula officinalis*（Asteraceae）。

（76）黑纹粉蝶 *Pieris melete* Ménétriès, 1857（图版 16：3-6）

Pieris melete Ménétriès, 1857：113.

Pieris erutae Poujade, 1888：19.

Pieris melete montana Verity, 1908：141.

鉴别特征：翅正面白色。前翅顶角区灰黑色；m_3 及 cu_2 室各有 1 个黑褐色斑纹，其中 m_3 室斑常与后缘区黑色带相连；反面顶角区淡黄色；前缘基半部灰黑色；m_3 及 cu_2 室斑纹较正面模糊。后翅前缘区近顶角处斑纹黑色，反面淡黄色。肩区基部黄色。本种有春、夏两型：春型较小，翅形稍细长，翅面黑色部分色更浓；夏型较大，体色较春型淡。

采集记录：2♂，长安乌桑峪，1000m，2008. Ⅶ.17，房丽君采；2♂1♀，周至厚畛子，1250m，2010. Ⅴ.30，房丽君采；2♂1♀，户县太平峪，890m，2008. Ⅸ.13，房丽君采；1♂，凤县灵官峡，1000m，2012. Ⅴ.26，房丽君采；2♂，眉县蒿坪寺，1100m，2010. Ⅷ.10，房丽君采；1♂，太白黄柏塬大箭沟，1750m，2010. Ⅷ.07，房丽君采；1♂，留坝红岩沟，990m，2012. Ⅵ.23，房丽君采；1♂，佛坪长角坝，920m，2010. Ⅸ.11，房丽君采；1♂，洋县长溪，730m，2011. Ⅵ.10，房丽君采；1♂，宁强谢家沟，1060m，2013. Ⅹ.04，房丽君采；1♂，宁陕广货街，1410m，2010. Ⅴ.04，房丽君采；1♂，石泉七里沟，550m，2009. Ⅳ.05，房丽君采；1♂，汉阴凤凰山，1230m，2011. Ⅴ.28，房丽君采；1♂，柞水营盘朱家湾，1330m，2010. Ⅵ.15，彭涛采；1♂，镇安木王，1400m，2009. Ⅹ.17，房丽君采；1♂，山阳中村枣树沟，700m，2010. Ⅵ.06，房丽君采；1♂，丹凤土门七星沟，680m，2010. Ⅵ.01，房丽君采；1♂，商南金丝峡，400m，2012. Ⅹ.04，房丽君采。

分布：陕西（长安、周至、户县、凤县、眉县、太白、留坝、佛坪、洋县、宁强、宁陕、石泉、汉阴、紫阳、柞水、镇安、山阳、丹凤、商南）、河北、河南、甘肃、上海、安徽、浙江、湖北、江西、湖南、福建、广西、四川、贵州、云南、西藏；俄罗斯，韩国，日本。

寄主：白花碎米荠 *Cardamine leucantha*（Brassicaceae）、硬毛南芥 *Arabis hirsuta*、箭叶南芥 *A. sagittata*、金叶大蒜芥 *Sisymbrium luteum*。

(77) 大展粉蝶 *Pieris extensa* Poujade，1888

Pieris erutae var. *extensa* Poujade, 1888：19

Pieris eurydice Leech, 1891：5.

Pieris extensa：Chou, 1994：259.

Pieris extensa extensa：Winhard, 2000：29.

鉴别特征：翅正面白色。前翅顶角区黑色，内缘锯齿形；中室下缘脉加粗；m_3 及 cu_2 室各有 1 个黑色斑纹，时有模糊；反面顶角区淡黄色。后翅前缘区近顶角处黑色斑纹大；反面有淡黄色晕染；肩角区黄色。雌蝶较雄蝶的斑纹更显粗重。后翅正面外缘区有 1 列近圆形黑斑。

采集记录：1♂，长安白石峪，1000m，2008. Ⅷ.24，房丽君采；1♂，周至楼观台，580m，2011. Ⅴ.17，彭涛采；1♂，太白黄柏塬大箭沟，1750m，2010. Ⅷ.07，房丽君采；1♂，留坝红岩沟，1060m，2012. Ⅵ.23，张宇军采；1♂，宁陕旬阳坝，1400m，2010. Ⅶ.29，房丽君采；1♂，镇安大青沟，2010. Ⅴ.24，房丽君采；1♂，山阳中村捷峪沟，620m，2010. Ⅶ.25，房丽君采。

分布: 陕西(长安、周至、太白、留坝、宁陕、镇安、山阳)、甘肃、湖北、四川、云南、西藏;不丹。

(78)大卫粉蝶 *Pieris davidis* Oberthür,1876

Pieris davidis Oberthür,1876:18.
Aporia davidis: Bollow,1932:94.

鉴别特征: 翅正面白色。前翅基部及脉纹黑色;端部有1条梳齿状宽带,始于前缘,止于 Cu_2 脉,黑灰色;前缘、M_3 脉及中室下缘脉加黑加粗明显;反面顶角区淡黄色;脉纹较正面加黑加粗。后翅正面基部黑色;中室内有1条纵纹;反面淡黄色;脉纹及中室纵纹较正面加粗,黑色;肩角区黄色。雌蝶翅反面的黄色区较浓重;黑色脉纹加粗明显。

采集记录: 6♂3♀,太白咀头,1720~1830m,2010.Ⅵ.14,房丽君采;3♂1♀,太白青峰峡,1650m,2012.Ⅴ.19,房丽君采。

分布: 陕西(太白)、甘肃、四川、云南、西藏。

22. 云粉蝶属 *Pontia* Fabricius,1807

Pontia Fabricius,1807:283. **Type species**: *Papilio dapidice* Linnaeus,1758.
Synchloe Hübner,[1818]:26. **Type species**: *Papilio callidice* Hübner,[1799-1800].
Parapieris de Nicéville,1897:563. **Type species**: *Papilio callidice* Hübner,[1799-1800].
Leucochloë Röber,[1907]:49. **Type species**: *Papilio daplidice* Linnaeus,1758.
Pontieuchloia Verity,1929:347. **Type species**: *Papilio chloridice* Hübner,[1808-1813].

属征: 以前包括在粉蝶属 *Pieris* 内。正面与粉蝶属的种类相似;触角约为前翅长度的1/2,锤部膨大显著。后翅外缘较平截;反面有黄绿色云斑。前翅脉纹9或10条;R脉3条;R_2 与 R_3 脉合并;R_4 与 R_5 脉合并,与 M_1 脉共柄,并与 R_{2+3} 脉及 M_1 脉分出点接近;中室长于前翅长的1/2;中室端脉向内弯曲。雄性外生殖器:背兜有大的关节突;钩突较粗壮;囊突粗大;抱器略呈圆形;阳茎弯曲。雌性外生殖器:囊导管极短,仅为交配囊的1/4;交配囊片"V"形,位于交配囊的开口处,密布齿状突。

分布: 欧洲,亚洲。全世界记载9种,中国已知3种,秦岭地区记录1种。

(79)云粉蝶 *Pontia daplidice* (Linnaeus,1758)(图版16:7-8)

Papilio daplidice Linnaeus,1758:468.
Pieris daplidice var. *albicide* Oberthür,1881:47.
Pontia daplidice f. *nitida* Verity,1908:132.
pontia daplidice: Chou,1994:260.

鉴别特征：翅及翅脉白色。前翅正面顶角区及外缘中部各有1个黑色云纹斑；中室端脉处有1个长方形黑色块斑；反面斑纹同正面，但顶角区及外缘中部斑纹褐绿色或黄绿色；cu_2 室中部斑纹较正面清晰。后翅正面斑纹为反面斑纹的投射，模糊不清；反面云纹斑灰绿色或黄绿色，基部云纹斑齿轮状，端部云纹斑"C"形排列。雌蝶较雄蝶色深。本种的春型和秋型差别较大，春型个体小，斑纹色深；秋型的个体较大，斑纹色浅。

采集记录：1♂，长安石砭峪，1100m，2011. V.25，张宇军采；1♂，周至厚畛子，1320m，2013. VIII.30，房丽君采；1♂1♀，宝鸡安坪沟，1230m，2011. VIII.27，房丽君采；1♂，太白石沟，1790m，2013. V.18，房丽君采；1♂，太白鳌山，2700m，2013. VIII.09，房丽君采；1♂，华阴华阳川林场，1400m，2011. V.07，房丽君采；2♂1♀，商州会峪，860m，2013. VII.12，张宇军采；1♂，山阳银花，620m，2013. V.11，房丽君采。

分布：陕西（长安、周至、宝鸡、太白、华阴、商州、山阳）、黑龙江、吉林、辽宁、北京、河北、内蒙古、山西、山东、河南、宁夏、甘肃、青海、新疆、上海、江苏、浙江、江西、广东、广西、四川、云南、西藏；俄罗斯，中亚，欧洲，非洲北部。

寄主：芥蓝 *Brassica alboglabra*（Brassicaceae）、油菜 *B. campestris*、甘蓝 *B. oleracea*、小油菜 *B. rapa*。

（二）襟粉蝶族 Anthocharini

多白色。雄蝶前翅顶角常有黄色或橙色斑纹；前翅脉纹12条。

23. 襟粉蝶属 *Anthocharis* Boisduval, Rambur, Duméril *et* Graslin, 1833

Anthocharis Boisduval, Rambur, Duméril *et* Graslin, 1833：pl. 5. **Type species**：*Papilio cardamines* Linnaeus, 1758.

Midea Herrich-Schäffer, 1867：105, 143. **Type species**：*Papilio genutia* Fabricius, 1793.

Tetracharis Grote, 1898：37. **Type species**：*Anthocharis cethura* C. & R. Felder, [1865].

Paramidea Kuznetsov, 1929：58. **Type species**：*Anthocharis scolymus* Butler, 1866.

Falcapica Klots, 1930：83. **Type species**：*Papilio genutia* Fabricius, 1793.

属征：小型种类。雄蝶前翅正面顶角常有红色或黄色斑。后翅反面有绿色或黄绿色的云纹斑。前翅顶角圆或镰刀形尖出；R 脉 5 条；R_1 脉与 R_2 脉从中室前缘分出；R_3、R_4、R_5 脉与 M_1 脉同柄，从中室上端角分出；中室长超过前翅长的1/2；中室端脉凹入。后翅卵形；前缘平直；肩脉长，末端向基部稍弯；$Sc + R_1$ 脉很长；中室长，端部加宽。雄性外生殖器：背兜关节突较小；钩突端部向下弯曲，与背兜等长；抱器内突片状，端部钝圆；囊突长；阳茎略弯曲，与抱器等长。

分布: 古北区, 东洋区。全世界记载 19 种, 中国已知 4 种, 秦岭地区记录 3 种。

分种检索表

(80) 黄尖襟粉蝶 *Anthocharis scolymus* Butler, 1866(图版 17: 1-4)

Anthocharis scolymus Butler, 1866: 52.

Paramidea scolymus: Winhard, 2000: 5.

鉴别特征: 翅白色。前翅狭长; 前缘及基部黑色; 顶角钩状尖出; 顶角区有 1 个三角形鲜黄色大斑, 黄斑的 3 个角均镶嵌有黑色斑纹; 中室端斑黑色; 反面顶角区黄斑覆有褐色斑驳纹。后翅正面斑纹为反面云状斑的透视; 反面翅面密布斑驳云状纹, 端部浅褐色, 其余翅面褐绿色或栗褐色。雌蝶前翅正面顶角区无黄色斑纹。

采集记录: 1♂, 长安子午峪, 840m, 2008.V.02, 房丽君采; 1♂, 周至厚畛子, 1350m, 2009.Ⅳ.24, 陈芳颖采; 1♂, 户县太平峪, 920m, 2010.Ⅳ.17, 房丽君采; 1♂, 眉县红河谷, 1500m, 2013.V.26, 房丽君采; 1♂, 太白黄柏塬, 1260m, 2011.Ⅷ.27, 程帅、张辰生采; 2♂1♀, 华县石堤峪, 850m, 2011.V.08, 房丽君采; 1♂, 洋县四郎乡, 630m, 2011.Ⅳ.09, 房丽君采; 1♂, 宁陕旬阳坝, 1420m, 2010.V.02, 房丽君采; 1♂, 石泉七里沟, 600m, 2009.Ⅳ.04, 房丽君采; 1♂, 镇安黑窑沟, 580m, 2010.V.21, 房丽君采。

分布: 陕西(长安、周至、户县、眉县、太白、华县、洋县、宁陕、石泉、镇安)、黑龙江、吉林、辽宁、北京、河北、山西、河南、青海、上海、安徽、浙江、湖北、福建; 俄罗斯, 朝鲜, 日本。

寄主: 芥菜 *Brassica juncea* (Brassicaceae)、冬油菜 *B. campestris*、硬毛南芥 *Arabis hirsuta*、碎米荠 *Cardamine hirsuta*、弹裂碎米荠 *C. impatiens*、诸葛菜 *Orychophragmus violaceus*、播娘蒿 *Descurainia sophia* 等。

(81) 红襟粉蝶 *Anthocharis cardamines* (Linnaeus, 1758)(图版 17: 5-8)

Papilio cardamines Linnaeus, 1758: 468.

Anthocharis cardamines: Chou, 1994: 264.

鉴别特征：翅白色，正面基部黑色。前翅顶角圆形，顶部稍有尖出；中室端斑肾形，灰黑色；雄蝶从亚顶区至中室端斑内侧（下缘至臀角）为橙黄色或橙红色；反面顶角斜带下延至外缘臀角，梳齿状，较正面宽，绿褐色；前缘基半部黑色。后翅正面斑纹为反面斑纹的透视；反面密布斑驳云纹斑，绿褐色；沿前缘和外缘斑驳纹呈规则锯齿形。雌蝶前翅无橙色斑纹；顶角区带纹梳齿状，棕褐色；后翅斑纹颜色较雄蝶淡。

采集记录：1♂，长安小峪，1180m，2010.Ⅴ.18，房丽君采；1♂，周至厚畛子，1350m，2009.Ⅳ.24，陈芳颖采；1♂，户县太平峪，920m，2010.Ⅳ.17，房丽君采；1♂，太白石沟，1720m，2010.Ⅵ.14，房丽君采；1♂，凤县通天河，1800m，2012.Ⅴ.25，房丽君采；2♂1♀，华县石堤峪，850m，2011.Ⅴ.08，房丽君采；2♂1♀，洋县四郎乡，630m，2011.Ⅳ.09，房丽君采；1♂，宁陕旬阳坝，1450m，2010.Ⅴ.23，房丽君采；1♂，镇安结子乡，820m，2011.Ⅵ.19，房丽君采。

分布：陕西（长安、周至、户县、太白、凤县、华县、洋县、宁陕、镇安）、黑龙江、吉林、山西、河南、宁夏、甘肃、青海、新疆、江苏、浙江、湖北、福建、四川、西藏；俄罗斯，朝鲜，日本，伊朗，叙利亚，欧洲。

寄主：冬油菜 *Brassica campestris*（Brassicaceae）、芥菜 *B. juncea*、芥蓝 *B. albo-glabra*、小白菜 *B. chinensis*、碎米荠 *Cardamine hirsuta*、荠菜 *Capsella bursa-pastoris*、沼生蘋菜 *Rorippa islandica*、旗杆芥 *Turritis glabra*、板蓝根 *Isatis tinctoria* 等植物。

（82）橙翅襟粉蝶 *Anthocharis bambusarum* Oberthür, 1876

Anthocharis bambusarum Oberthür, 1876：20.

鉴别特征：与红襟粉蝶 *A. cardamines* 近似，主要区别为：本种前翅端部圆；雄蝶前翅均为橙红色或橙黄色；中室端斑更加明显。后翅正面斑驳云状纹清晰，淡褐绿色；前缘及外缘区有 1 列绿褐色斑列；反面雌雄蝶亚外缘区斑驳纹均较密集。

分布：陕西（秦岭）、河南、青海、江苏、浙江、四川。
寄主：弹裂碎米荠 *Cardamine impatiens*（Brassicaceae）。

三、袖粉蝶亚科 Dismorphiinae

前翅 R 脉 5 支，共柄；M_1 脉从中室端脉分出，不与 R 脉同柄。

24. 小粉蝶属 *Leptidea* Billberg, 1820

Leptidea Billberg, 1820：76. **Type species**：*Papilio sinapis* Linnaeus, 1758.

Leucophasia Stephens，1827：24. **Type species**：*Papilio sinapis* Linnaeus，1758.

Leptoria Stephens，1835：404. **Type species**：*Papilio sinapis* Linnaeus，1758.

Azalais Grote，1900：13. **Type species**：*Leucophasia gigantea* Leech，1890.

属征：小型种类，翅白色，薄弱。两翅中室小，约为前后翅长的1/4。前翅 R 脉 5 条，均同柄，梳状分支；M_1 脉至 Cu_2 脉 5 条脉间等距离扇状排列。后翅前缘平直；$Sc + R_1$ 脉长；Rs 脉与 M_1 脉共柄；M_2、M_3 脉及 Cu 脉均从中室端部分出，扇状排列。雄性外生殖器：钩突二分叉，每个叉端部具钩状突起；囊突很长；抱器和背兜愈合，末端齿状，骨化强；阳茎略弯曲，基部粗，端部细长。

分布：古北区。全世界记载 8 种，中国已知 5 种，秦岭地区记录 4 种。

分种检索表

1. 前翅顶角尖 ·· 2
   前翅顶角阔圆 ··· 3
2. 前翅中室上端角有小黑斑；后翅反面无锯齿状网纹 ················· 突角小粉蝶 *L. amurensis*
   前翅中室上端角无小黑斑；后翅反面有锯齿状网纹 ················· 锯纹小粉蝶 *L. serrata*
3. 小型种类，前翅黑色斑位于顶角区 ····························· 莫氏小粉蝶 *L. morsei*
   中型种类，前翅黑色斑位于亚顶区 ····························· 圆翅小粉蝶 *L. gigantea*

(83) 突角小粉蝶 *Leptidea amurensis*（Ménétriès，1859）(图版 17：9-12)

Leptidea amurensis Ménétriès，1859：213.

Leptidea amurensis：Chou，1994：266.

鉴别特征：翅白色。前翅狭长；外缘斜截；顶角突出明显；雄蝶顶角圆斑黑色或褐色；雌蝶顶角黑斑多不明显。后翅正面白色；中域齿状纹 1～2 条或无；反面齿状纹较明显。

采集记录：2♂，长安鸭池口，620m，2008.Ⅷ.23，房丽君采；1♂1♀，周至厚畛子，1400m，2009.Ⅳ.24，房丽君采；1♂，户县东涝峪河，1300m，2012.Ⅴ.05，房丽君采；1♂,宝鸡潘溪镇，1200m，2013.Ⅷ.03，房丽君采；1♂，太白黄柏塬，1480m，2010.Ⅷ.08，房丽君采；1♂，华县石堤峪，950m，2011.Ⅴ.08，房丽君采；1♂，华阴华阳川林场，1440m，2011.Ⅴ.07，房丽君采；1♂1♀，留坝城关镇，1050m，2012.Ⅵ.24，张宇军采；1♂，佛坪立房沟，1360m，2010.Ⅸ.12，房丽君采；1♂，洋县华阳，1190m，2012.Ⅵ.27，张宇军采；1♂，宁陕城关森林公园，850m，2010.Ⅳ.30，房丽君采；1♂，柞水营盘朱家湾，1370m，2010.Ⅵ.15，彭涛采；1♂，镇安黑窑沟，570m，2010.Ⅴ.21，房丽君采；1♂，商州黑龙口，1530m，2013.Ⅵ.23，房丽君采；1♂，丹凤土门谷峪沟，880m，2010.Ⅷ.16，房丽君采。

分布：陕西(长安、周至、户县、宝鸡、太白、华县、华阴、留坝、佛坪、洋县、宁陕、柞水、镇安、商州、丹凤)、黑龙江、吉林、辽宁、北京、河北、内蒙古、山西、河南、宁夏、甘肃、新疆、山东、四川；蒙古，俄罗斯，朝鲜，日本。

寄主：山野豌豆 *Vicia amoena*(Fabaceae)、碎米荠 *Cardamine hirsuta*(Brassicaceae)。

(84) 锯纹小粉蝶 *Leptidea serrata* Lee, 1955(图版 17：13-14)

Leptidea serrata Lee, 1955：237, 240.

鉴别特征：本种与本属其他种类的区别：前翅顶角尖出；外缘区灰色或灰褐色；脉纹加深；前翅中室上端角有 1 个灰黑色小斑点。后翅中室内有 1 条从基部伸达中室端脉中部的直线纹；中室外至翅外缘密布放射状排列的锯齿纹，灰色或灰褐色。

采集记录：1♂，长安分水岭，1980m，2010.Ⅶ.01，张宇军采；1♂，周至楼观台，820m，2011.Ⅳ.22，张宇军采；1♂，太白咀头，1730m，2011.Ⅵ.22，房丽君采；1♂，太白小华山，1790m，2011.Ⅵ.12，房丽君采。

分布：陕西(长安、周至、太白)、黑龙江、河南、甘肃、四川。

寄主：碎米荠 *Cardamine hirsuta*(Brassicaceae)。

(85) 莫氏小粉蝶 *Leptidea morsei* Fenton, 1881

Leptidea morsei Fenton, 1881：855.

鉴别特征：翅白色。前翅顶角较圆；顶角区黑斑明显。后翅无斑纹，或仅有灰色斑驳点。雄蝶夏型斑纹明显，春型和雌蝶斑纹不明显。

采集记录：2♂1♀，宝鸡陈仓，1000m，2012.Ⅵ.24，房丽君采；1♂，凤县通天河，1580m，2012.Ⅴ.25，房丽君采；1♂，眉县蒿坪寺，1480m，2011.Ⅷ.11，程帅、张辰生采；1♂，太白青峰峡，1650m，2012.Ⅴ.19，房丽君采。

分布：陕西(宝鸡、凤县、眉县、太白)、黑龙江、吉林、北京、河北、河南、甘肃、新疆；蒙古，俄罗斯，朝鲜，日本，欧洲。

寄主：广布野豌豆 *Vicia cracca* (Fabaceae)、东方野豌豆 *V. japonica*、山野豌豆 *V. amoena*。

(86) 圆翅小粉蝶 *Leptidea gigantea* (Leech, 1890)

Leucophasia gigantea Leech, 1890：45.

Leptidea gigantea：Chou, 1994：266.

Leptidea yunnanica Koiwaya, 1996：278.

鉴别特征：翅白色。前翅顶角圆而阔；正面亚顶区斑纹灰黑色，远离顶角，此特征是与本属其他种类区别的显著特征，但春型此黑斑多缺失。后翅中域常有 1 个不规则的灰色波状纹。雌蝶较雄蝶斑纹淡。

采集记录：1♀，留坝太白河，2008.Ⅶ.06，许家珠采；1♀，南郑，2004.Ⅵ.20，许家珠采。

分布：陕西（留坝、南郑）、黑龙江、吉林、辽宁、河北、河南、新疆、四川、云南。

寄主：碎米荠 *Cardamine hirsuta*（Brassicaceae）。

第十章　蛱蝶科 Nymphalidae

蝴蝶中的大科，包括许多大中型种类，少数为小型种类；翅型和色斑变化较大，易受环境变化的影响。根据翅型和斑纹记述有大量地方种群（亚种）和型。少数种类有性二型，有的呈现季节型，极少数种模拟斑蝶。

复眼裸出或有毛；下唇须各亚科不同；触角长，多节，上有鳞片，端部锤状。除喙蝶亚科的雌蝶外，成虫两性的前足退化，不能用于行走，缩在胸部下方；中、后足正常；胫节和跗节有刺，胫节端部有 1 对距；具爪中垫及侧垫；雌蝶跗节多 4～5 节，有时略膨大，下方有刺，雄蝶跗节 1 节，多毛，呈小毛刷状，多无爪（个别属有很小的爪）。前翅中室闭或开式；R 脉 5 条，基部多在中室顶角处合并；A 脉 1～2 条。后翅中室开或闭式；A 脉 2 条；尾突有或无。雄性外生殖器不同属种变化很大，有的类群抱器上有抱器铗及其他附属构造。

喜在阳光下活动，行动活泼，飞翔力强。常吸食花蜜或积水，有些种类喜吸食过熟果子的汁液、流出的树汁或牛、马粪汁液。

广泛分布于世界各大地理区。全世界记载 6500 余种，中国已知近 700 种，陕西秦岭地区记录 222 种。

分亚科检索表

1. 雌蝶前足正常；下唇须与胸部等长，前伸 ……………………………… **喙蝶亚科 Libytheinae**
   雌蝶前足退化，不能用于行走；下唇须比胸部短 ………………………………………… 2
2. 前翅有 1 条或多条翅脉基部膨大 …………………………………………… **眼蝶亚科 Satyrinae**
   前翅翅脉基部不膨大 ……………………………………………………………………… 3
3. 前翅基部具短的 3A 脉 …………………………………………………… **斑蝶亚科 Danainae**
   前翅无短的 3A 脉 ………………………………………………………………………… 4
4. 后翅肩脉与 $Sc + R_1$ 脉多同点分出 …………………………………… **线蛱蝶亚科 Limenitinae**
   后翅肩脉多从 $Sc + R_1$ 脉基部分出 ……………………………………………………… 5
5. R_3 脉从 R_5 脉基部近中室处分出 …………………………………… **螯蛱蝶亚科 Charaxinae**
   R_3 脉从 R_5 脉近中室端 1/3 处之后分出 ……………………………………………… 6

6. 两翅中室均为闭式 ……………………………………………………………… 7
　　两翅中室开式或仅 1 个翅室闭式，或 2 个翅室被极细条纹封闭 ……………… 8
7. 中室长，超过翅长的 1/2 以上；后翅有肩室 …………………… **绢蛱蝶亚科 Calinaginae**
　　中室短，仅有翅长的 1/3 ～ 2/5；后翅无肩室 …………………… **袖蛱蝶亚科 Heliconiinae**
8. 后翅中室闭式 ……………………………………………… **秀蛱蝶亚科 Pseudergolinae**
　　后翅中室多开式或被极细条纹而非翅脉封闭 ……………………………………… 9
9. R_4 脉通向翅顶角或前缘近顶角处 ……………………………… **环蝶亚科 Amathusiinae**
　　R_4 脉通向翅外缘近顶角处 ………………………………………………………… 10
10. 前翅中室开式 ……………………………………………………… **闪蛱蝶亚科 Apaturinae**
　　前翅中室被极细条纹而非翅脉封闭 ……………………………… **蛱蝶亚科 Nymphalinae**

一、螯蛱蝶亚科 Charaxinae

　　大中型种类，体粗壮，飞行迅速。前翅中室短，闭式；R_3、R_4 脉从 R_5 脉近中室端分出，R_4 与 R_5 脉分叉长于共柄。后翅中室开式或闭式，闭式时端脉细，较退化；外缘 M_3 与 Cu_2 脉间常有短的尾突；肩脉在 $Sc + R_1$ 脉上分出。

25. 尾蛱蝶属 *Polyura* Billerg，1820

Polyura Billberg，1820：79. **Type species**：*Papilio pyrrhus* Linnaeus，1758.
Eulepis Scudder，1875：170. **Type species**：*Papilio athamas* Drury，1773.
Murwareda Moore，1896：263. **Type species**：*Charaxes dolon* Westwood，1847.
Pareriboea Roepke，1938：346. **Type species**：*Papilio athamas* Drury，1773.

　　属征：中型种类，翅淡绿色或淡黄色。前翅中室短，闭式；R_3、R_4 脉在 R_5 脉近基部处分出。后翅在 M_3、Cu_2 脉末端有 2 个尖齿状的尾突；中室开式。雄性外生殖器：背兜小；钩突短；颚突侧面观臂状；囊突宽；抱器长椭圆形，阳茎极细长。雌性外生殖器：囊导管骨化；囊颈细短；交配囊长圆形，有两条纵贯囊体的交配囊片。

　　分布：东亚，东南亚，印澳区。全世界记载 28 种，中国已知 10 种，秦岭地区记录 2 种。

分种检索表

前翅正面端部黑带内有 2 列斑纹 …………………………………… **大二尾蛱蝶 *P. eudamippus***
前翅正面端部黑带内有 1 列斑纹 …………………………………… **二尾蛱蝶 *P. narcaea***

（87）二尾蛱蝶 *Polyura narcaea*（Hewitson，1854）（图版 18：1-2）

Nymphalis narcaeus Hewitson，1854：［85］.

Eulepis narcaeus：Rothschild & Jordan，1899：277.

Polyura narcaea：Chou，1994：413.

鉴别特征：翅淡绿色或淡黄色。前翅正面翅端部及前缘带黑色或褐色；亚外缘斑列淡绿色或黄色；中室附近有"Y"形纹，黑色或褐色；反面前缘带、外缘带、外中带棕褐色；亚外缘区及中室银白色；亚缘斑列淡绿色；中室有 1～2 个黑色斑点。后翅正面外缘带、亚缘带黑色或褐色；亚外缘区淡绿或淡黄色，外侧镶有 1 列条斑；翅基至臀角棕色斜带有或模糊；Cu$_2$ 和 M$_3$ 脉端延伸成 2 个小尾突；反面外缘带两色，灰黑色和橘黄色；亚外缘斑列淡绿色或黄绿色，外侧镶有黑色斑点；外中带红褐色，基半部"W"形弯曲，内缘线两条，银灰色及黑色；基斜带赭黄色，两侧缘线黑色。

采集记录：1♂，长安白石峪，870m，2008.Ⅷ.24，房丽君采；1♂，蓝田，820m，2013.Ⅶ.05，张宇军采；2♂，周至楼观台，700m，2010.Ⅶ.20，彭涛采；1♂，户县太平峪，900m，2009.Ⅶ.25，房丽君采；1♂，眉县蒿坪寺，1150m，2010.Ⅷ.10，房丽君采；1♂1♀，太白县黄柏塬，1350m，2010.Ⅵ.15，房丽君采；1♂，华阴华阳川林场，1380m，2011.Ⅴ.07，房丽君采；1♂，佛坪长角坝，1080m，2010.Ⅸ.11，房丽君采；1♂，宁陕江口，800m，2010.Ⅶ.07，房丽君采；1♂，石泉七里沟，550m，2009.Ⅳ.05，房丽君采；1♂，汉阴龙垭，600m，2011.Ⅴ.27，房丽君采；1♂，镇安结子乡，1130m，2011.Ⅳ.30，房丽君采；2♂1♀，商南梁家湾，500m，2013.Ⅷ.24，房丽君采。

分布：陕西（长安、蓝田、周至、户县、眉县、太白、华阴、佛坪、宁陕、石泉、汉阴、镇安、商南）、辽宁、北京、河北、内蒙古、山西、山东、河南、甘肃、上海、江苏、浙江、湖北、江西、湖南、福建、台湾、广东、广西、四川、贵州、云南，越南，泰国，缅甸，印度。

寄主：合欢 *Albizza julibrissin*（Fabaceae）、腺叶野樱 *Prunus phaeosticta*（Rosaceae）、异色山黄麻 *Trema orientalis*（Ulmaceae）、石朴 *Celtis formosana* 等。

（88）大二尾蛱蝶 *Polyura eudamippus*（Doubleday，1843）（图版 18：3-4）

Charaxes eudamippus Doubleday，1843：218.

Eriboea eudamippus：Fruhstorfer，1914：722.

Polyura eudamippus：Stichel，1939：577.

鉴别特征：翅淡绿色或淡黄色。前翅前缘区、顶角区、外缘至亚缘区黑色或黑褐色；外缘及亚缘区各有 1 列白色圆形斑；前缘区中部有 2 个并列的白色斑；中室端脉外侧斑纹白色；反面前缘区及翅端部银白色；外缘带及外斜带橄榄色，外斜带外侧伴有"V"形斑纹；中室中部有 2 个黑色圆斑；中室端部附近区域"Y"形斑纹斜置，呈橄榄色。后翅正面外缘斑列淡黄色；亚外缘至亚缘区黑色，镶有白色和蓝灰色两列斑纹；Cu_2 和 M_3 脉端延伸成 2 个小尾突；臀角外缘黄色，有 2 个小眼斑；反面外缘带蓝灰和赭黄两色；亚外缘带银灰色，中间镶有 1 列黑色圆斑；亚缘带赭黄色，镶有 1 列蓝灰色"V"形斑纹；基斜带赭黄色；臀角上方近后缘有 1 个黑色眉形斑纹。

采集记录：1♂，略阳硖口驿，900m，2014. Ⅵ. 02，房丽君采。

分布：陕西（略阳）、甘肃、浙江、湖北、江西、福建、台湾、广东、海南、广西、四川、贵州、云南、西藏；日本，越南，老挝，泰国，缅甸，印度，马来西亚。

寄主：颌垂豆 *Archidendron lucida*（Fabaceae）、疏花鱼藤 *Derris laxiflora*、小叶鼠李 *Rhamnus parvifolia*（Rhamnaceae）、朴树 *Celtis sinensis*（Ulmaceae）。

二、闪蛱蝶亚科 Apaturinae

多为大中型种类，身体强壮。前翅近三角形；顶角多数属略突出。后翅多梨形。翅正面色彩鲜艳，有的种类翅闪光。中室多开式，个别闭式；前翅中室短，不及翅长度的 1/2，端部倾斜；R_1 脉在中室上缘端部分出；R_2 脉从中室端部或 R_5 脉上分出；R_5 脉与 M_1 脉分出于中室上端角；R_3、R_4、R_5 脉共柄；M_2 脉从中室上端角下方分出；后翅中室短，开式。

分属检索表

26. 闪蛱蝶属 *Apatura* Fabricius, 1807

Apatura Fabricius, 1807: 280. **Type species**: *Papilio iris* Linnaeus, 1758.

Potamis Hübner, [1806]: [1] **Type species**: *Papilio iris* Linnaeus, 1758.

Aeola Billberg, 1820: 78. **Type species**: *Papilio iris* Linnaeus, 1758.

属征: 翅多有紫色或褐色闪光。前后翅中室开式。前翅三角形; 外缘在 R_5 及 Cu_2 脉处凸出; m_2 至 m_3 室处凹入; R_2 脉从中室端部或 R_5 脉上分出。后翅方; 外缘波状; 后缘灰白色; M_1 脉与 Cu_2 脉处微尖出; 臀角无瓣。雄性外生殖器: 中等骨化; 背兜马鞍形; 钩突锥形; 颚突侧面观"L"形; 基腹弧窄; 囊突细长; 抱器近长圆形; 阳茎长棒状。雌性外生殖器: 交配囊球形; 囊导管骨化; 交配囊片有或无。

分布: 古北区, 东洋区。全世界记载 5 种, 中国已知 4 种, 秦岭地区均有记录。

分种检索表

1. 后翅中横带外侧有刺状突起 …………………………………… **紫闪蛱蝶** *A. irts*
   后翅中横带无刺状突起 ……………………………………………………… 2
2. 后翅中横带外缘平直 ………………………………………… **柳紫闪蛱蝶** *A. ilia*
   后翅中横带外缘凹凸或弧形 ………………………………………………… 3
3. 白色带纹窄; 后翅中横带下部内缘凹入 ……………………… **细带闪蛱蝶** *A. metis*
   淡黄色带纹宽; 后翅中横带下部内缘凸出 …………………… **曲带闪蛱蝶** *A. laverna*

(89) 紫闪蛱蝶 *Apatura iris* (**Linnaeus, 1758**)（图版 19: 1-2）

Papilio iris Linnaeus, 1758: 476.

Apatura pallas Leech, 1890: 190.

Apatura iris: Chou, 1994: 426.

鉴别特征: 翅正面黑褐色, 雄蝶翅面有蓝紫色闪光; 反面红褐色。前翅正面顶角区有白斑 2~3 个; 中斜斑列白色; 基斜斑列仅从中室下缘至后缘; 中室 2 个横斑隐约可见; 反面中室灰白色, 有 4 个黑色斑纹; cu_1 室眼斑瞳点蓝紫色。后翅正面亚外缘斑列橙黄色; 中横带白色, 其外侧 m_2 室处角状尖出; cu_1 室中部眼斑黑色, 瞳点蓝紫色, 外圈暗黄色; 臀角有 2 个橙黄色斑纹; 反面基部、后缘及翅端部棕灰色; 中横带上宽下窄。

采集记录：1♂，长安分水岭，1830m，2011. Ⅶ. 25，房丽君采；1♂，周至厚畛子，1280m，2009. Ⅶ. 15，高可、杨伟采；1♂，户县涝峪，1220m，2010. Ⅶ. 06，房丽君采；1♂，太白黄柏塬，1600m，2010. Ⅷ. 07，房丽君采；1♂2♀，凤县通天河，2300m，2012. Ⅶ. 22，房丽君采；1♂，华县少华山，1250m，2013. Ⅶ. 18，张宇军采；1♂，留坝紫柏山，1660m，2012. Ⅵ. 22，张宇军采；1♂1♀，宁陕旬阳坝，1480m，2010. Ⅶ. 29，房丽君采；1♂，商州麻街镇，770m，2013. Ⅷ. 04，张宇军采。

分布：陕西（长安、周至、户县、太白、凤县、华县、留坝、宁陕、商州）、黑龙江、吉林、河北、内蒙古、山西、山东、河南、宁夏、甘肃、青海、安徽、浙江、湖北、江西、湖南、四川；俄罗斯，日本，朝鲜，欧洲。

寄主：垂柳 *Salix babylonica*（Salicaceae）、黄花柳 *S. caprea*、灰柳 *S. cinerea*。

(90) 柳紫闪蛱蝶 *Apatura ilia*（**Denis *et* Schiffermüller, 1775**）（图版 19：3-6）

Papilio ilia Denis *et* Schiffermüller, 1775：172.
Apatura ilia：Chou, 1994：427.

鉴别特征：与紫闪蛱蝶 *A. iris* 近似，主要区别为：本种后翅中横带无刺状突起；顶角区白斑 3 个；反面中室内多有黑色斑点。

采集记录：1♂，长安黄峪沟，630m，2008. Ⅵ. 01，房丽君采；1♂，周至楼观台，900m，2011. Ⅷ. 10，张宇军采；1♂，户县涝峪，1300m，2010. Ⅶ. 06，房丽君采；1♂1♀，太白黄柏塬，1560m，2010. Ⅷ. 08，房丽君采；1♂，略阳接官亭，940m，2014. Ⅵ. 01，房丽君采；1♂，佛坪岳坝，1140m，2013. Ⅶ. 28，张宇军采；1♂，安康香溪洞，400m，2008. Ⅴ. 11，房丽君采；1♂，宁陕火地塘，1730m，2010. Ⅶ. 27，房丽君采；2♂，山阳中村，620m，2013. Ⅶ. 29，房丽君采；1♂1♀，丹凤国家湿地公园，580m，2013. Ⅶ. 27，房丽君采；1♂，商南清油河，820m，2014. Ⅸ. 06，房丽君采。

分布：陕西（长安、周至、户县、太白、略阳、佛坪、安康、宁陕、山阳、丹凤、商南）、黑龙江、辽宁、吉林、北京、河北、内蒙古、山东、河南、宁夏、甘肃、新疆、江苏、浙江、湖北、江西、湖南、福建、广东、海南、四川、贵州、云南；朝鲜，日本，缅甸，欧洲。

寄主：垂柳 *Salix babylonica*（Salicaceae）、山杨 *Populus davidiana*、欧洲山杨 *P. tremula*，黑杨 *P. nigra*。

(91) 细带闪蛱蝶 *Apatura metis* Freyer, 1829

Apatura metis Freyer, 1829：67.

鉴别特征：与柳紫闪蛱蝶 *A. ilia* 近似，主要区别为：本种后翅中横带细，外缘凹凸不平。

采集记录：1♂，长安大峪，780m，2011. Ⅷ. 12，张宇军采。

分布：陕西(长安)、吉林、辽宁、河北、山西、甘肃、江苏、江西、湖南、福建、云南；朝鲜，日本，欧洲。

寄主：柳属 *Salix* spp. (Salicaceae)、杨属 *Populus* spp. 等。

(92) 曲带闪蛱蝶 *Apatura laverna* Leech, 1893 (图版 20：1-4)

Apatura laverna Leech, 1893：194.

鉴别特征：与细带闪蛱蝶 *A. metis* 近似，主要区别为：本种翅有褐色闪光；带纹多橙黄色。后翅中横带宽；外缘弧形；下部内缘突起。

采集记录：1♂，长安饮马池，950m，2008. Ⅶ. 12，房丽君采；1♂，周至厚畛子，1320m，2010. Ⅶ. 12，房丽君采；1♂，户县涝峪，1470m，2010. Ⅶ. 06，房丽君采；1♂，凤县通天河，1780m，2012. Ⅵ. 16，房丽君采；1♂1♀，眉县蒿坪寺，1180m，2011. Ⅵ. 25，房丽君采；1♂1♀，太白桃川，1050m，2011. Ⅵ. 11，房丽君采；1♂，佛坪东岳镇，880m，2011. Ⅵ. 05，房丽君采；3♂1♀，宁陕火地塘，1820m，2009. Ⅵ. 22，房丽君采；2♂，石泉云雾山，1040m，2011. Ⅴ. 26，房丽君采；1♂，柞水营盘花门楼，1400m，2010. Ⅵ. 16，彭涛采。

分布：陕西(长安、周至、户县、凤县、眉县、太白、佛坪、宁陕、石泉、柞水)、辽宁、吉林、北京、河北、内蒙古、山西、河南、甘肃、湖北、四川、贵州、云南。

寄主：垂柳 *Salix babylonica* (Salicaceae)、白杨树 *Populus alba*。

27. 迷蛱蝶属 *Mimathyma* Moore, 1896

Mimathyma Moore, 1896：8. **Type species**：*Athyma chevana* Moore, 1866.

Bremeria Moore, [1896]：9. **Type species**：*Adolias schrenkii* Ménétriès, 1859.

Amuriana Korshunov et Dubatolov, 1984：52. **Type species**：*Adolias schrenkii* Ménétriès, 1859.

属征：翅正面黑色，有白色带纹；反面多银白色，有黑色和赭色斑纹；中室开式。前翅三角形；外缘凹入；R_2 脉从中室端部分出。后翅方；外缘弧形，微波状；臀角明显；M_1 与 M_2 脉分出点近；反面多有 1 条赭色横带从前缘近顶角处伸达臀角。雄性外生殖器：中等骨化；背兜围巾形；钩突尖，颚突臂状；囊突细长，抱器近多边形；阳茎棒状。雌性外生殖器：囊导管长；交配囊梨形；交配囊片小。

分布：古北区，东洋区。全世界记载 4 种，中国均有分布，秦岭地区记录 3 种。

分种检索表

1. 后翅反面褐色；sc + r$_1$ 室基部有梭形斑⋯⋯⋯⋯⋯⋯⋯⋯⋯⋯⋯ **夜迷蛱蝶 *M. nycteis***
   后翅反面银白色，无上述斑纹⋯⋯⋯⋯⋯⋯⋯⋯⋯⋯⋯⋯⋯⋯⋯⋯⋯⋯⋯⋯⋯⋯ 2
2. 前翅正面中室有箭形纹⋯⋯⋯⋯⋯⋯⋯⋯⋯⋯⋯⋯⋯⋯⋯⋯⋯ **迷蛱蝶 *M. chevana***
   前翅正面中室无箭形纹 ⋯⋯⋯⋯⋯⋯⋯⋯⋯⋯⋯⋯⋯⋯⋯ **白斑迷蛱蝶 *M. schrenckii***

(93) 迷蛱蝶 *Mimathyma chevana*（Moore, 1866）（图版 20：5-6；图版 21：1-2）

Athyma chevana Moore, 1866：763.

Mimathyma chevana：Chou, 1994：431.

鉴别特征：翅正面黑褐色，反面银灰色；斑纹白色。前翅正面亚外缘斑列中部 2 个斑纹大；亚顶区白斑 2～3 个；中横斑列"V"形；中室剑纹长；反面外缘带红褐色；亚顶区及中室白色；翅中后部黑褐色；中室有黑色斑纹。后翅正面亚缘斑列端部上弯；基横带宽；反面外缘带及外中带红褐色，其余翅面银灰色，镶有与正面相同的白色斑列；cu$_2$ 室中部小圆斑黑色。

采集记录：1♂，蓝田汤峪，1080m，2008. Ⅶ. 20，房丽君采；1♂，宁陕火地塘，1700m，2010. Ⅷ. 28，房丽君采。

分布：陕西（蓝田、宁陕）、北京、河南、浙江、湖北、江西、福建、四川、云南。

寄主：朴树 *Celtis sinensis*（Ulmaceae）、榆树 *Ulmus pumila*、大果榆 *U. macrocarpa*。

(94) 夜迷蛱蝶 *Mimathyma nycteis*（Ménétriès, 1859）（图版 21：3-6）

Atyma nycteis Ménétriès, 1859：215.

Aptura nyateis：Leech, 1894：155-156.

Mimathyma nycteis：Chou, 1994：43.

鉴别特征：与迷蛱蝶 *M. chevana* 近似，主要区别为：本种翅反面红褐色；后翅横带位于翅中部；反面 sc + r$_1$ 室基部有梭形斑；有外中斑列。

采集记录：1♂1♀，长安黄峪沟，630m，2008. Ⅵ. 01，房丽君采；2♂，周至楼观台，970m，2010. Ⅶ. 21，彭涛采；3♂，户县甘峪，2012. Ⅵ. 14，房丽君采；1♂，眉县蒿坪寺，1140m，2011. Ⅵ. 25，房丽君采；1♂，华县少华山，680m，2013. Ⅶ. 20，张宇军采。

分布：陕西（长安、周至、户县、眉县、华县）、黑龙江、吉林、辽宁、北京、河北、内蒙古、山西、河南、甘肃、江西、福建、四川、云南；俄罗斯，朝鲜。

寄主：榆树 *Ulmus pumila*（Ulmaceae）、春榆 *U. propinqua*。

(95) 白斑迷蛱蝶 *Mimathyma schrenckii* (Ménétriès, 1859) (图版 22)

Adolias schrenckii Ménétriès, 1859: 215

Mimathyma schrenckii: Chou, 1994: 432.

鉴别特征: 翅正面及前翅反面黑褐色。后翅银灰色; 斑纹白色或黄褐色。前翅正面顶角区有白斑 2 个; 中斜斑列从前缘斜向后角; cu$_1$、cu$_2$ 室中部各有 1 个橙红色的模糊 "V" 形斑; 反面外缘带上半部黄褐色; 顶角区、翅基部及中室银灰色; 中室有 2 个黑色斑纹; cu$_1$、cu$_2$ 室橙红色斑纹较正面清晰。后翅正面亚外缘斑列端部上弯; 中央大白斑块状; 反面外缘带及外斜带黄褐色, 两带在臀角相接。

采集记录: 1♂, 长安饮马池, 1100m, 2008. Ⅶ. 12, 房丽君采; 1♂, 蓝田九间房, 1470m, 2013. Ⅵ. 23, 房丽君采; 1♂, 周至板房子, 1100m, 2013. Ⅶ. 06, 房丽君采; 3♂1♀, 户县太平峪, 1040m, 2009. Ⅶ. 25, 房丽君采; 2♂, 宝鸡陈仓苴耳沟, 1000m, 2012. Ⅵ. 24, 房丽君采; 1♂, 眉县蒿坪寺, 1240m, 2011. Ⅵ. 25, 房丽君采; 1♂1♀, 太白桃川, 1050m, 2011. Ⅵ. 11, 房丽君采; 1♂, 柞水牛背梁森林公园, 1170m, 2012. Ⅵ. 13, 张宇军采; 2♂1♀, 商南过凤楼, 600m, 2014. Ⅵ. 22, 房丽君采。

分布: 陕西(长安、蓝田、周至、户县、宝鸡、眉县、太白、柞水、商南)、黑龙江、吉林、辽宁、北京、河北、山西、河南、甘肃、浙江、湖北、江西、湖南、福建、四川、贵州、云南; 俄罗斯, 朝鲜。

寄主: 榆树 *Ulmus pumila* (Ulmaceae)、春榆 *U. propinqua*、裂叶榆 *U. laciniata*、朴树 *Celtis sinensis*、千金榆 *Carpinus cordata* (Betulaceae)。

28. 铠蛱蝶属 *Chitoria* Moore, [1896]

Chitoria Moore, [1896]: 10. **Type species**: *Apatura sordida* Moore, 1866.

Sincana Moore, [1896]: 13. **Type species**: *Apatura fulva* Leech, 1891.

Dravira Moore, [1896]: 14. **Type species**: *Potamis ulupi* Doherty, 1889.

属征: 翅正面黑褐色、褐色或黄褐色; 斑纹白色、黄色或黑褐色; 中室开式。前翅三角形, 外缘凹入; R$_2$ 脉从中室端部分出。后翅斜方, 外缘平截, 微波状, 臀角明显; M$_1$ 与 M$_2$ 脉分出点近。雄性外生殖器: 中等骨化; 背兜鞍形; 钩突弯锥形; 颚突短; 囊突细长; 抱器近梯形且上端角上突; 阳茎棒状。雌性外生殖器: 交配囊椭圆形; 囊导管细长且骨化。

分布: 古北区, 东洋区。全世界记载 7 种, 中国均有分布, 秦岭地区记录 3 种。

分种检索表

(96) 黄带铠蛱蝶 *Chitoria fasciola* Leech, 1890

Chitoria fasciola Leech, 1890: 33.

鉴别特征: 翅正面黑褐色;反面棕粉色;斑纹多黄色。前翅顶角区小圆斑白色;前缘黄色细带未达顶角;中横斑列端部向内弯曲;反面端部栗褐色;亚缘斑列斑点白色,模糊。后翅正面外缘带细,黄褐色;中横带较宽;cu_1 室圆斑黑色;反面中横带土黄色,内侧缘线棕色;外中斑列斑纹圆点状,灰白色;cu_1 室黑色眼斑小,瞳点白色。

采集记录: 1♂,太白黄柏塬,1290m,2011.Ⅷ.26,程帅、张辰生采。

分布: 陕西(太白)、辽宁、河南、浙江、湖北、江西、台湾、广西、四川、贵州、云南、西藏。

寄主: 朴树 *Celtis sinensis*(Ulmaceae)。

(97) 武铠蛱蝶 *Chitoria ulupi*(Doherty, 1889)(图版23: 1-2)

Potamis ulupi Doherty, 1889: 125.
Chitoria ulupi: Chou, 1994: 434.

鉴别特征: 雌雄异型。前翅外缘凹入深;雄蝶翅橙黄色。前翅顶角及亚顶区黑色,亚顶区有橙色斑2个;中斜带黑色;cu_2 室中部有1个黑色圆斑;反面 cu_2 室中部圆斑清晰。后翅正面外缘及亚外缘斑列黑色;反面亚外缘及亚缘斑列模糊;中横带较细;cu_1 室端部有眼斑。雌蝶正面黑褐色,反面银绿色。前翅顶角区有1个白色斑纹;中斜斑列白色或橙黄色;后缘中部斑纹近"C"形;反面顶角区斑纹1个。后翅正面外缘及亚外缘各有1列橙黄色斑纹,模糊;白色中横带宽;cu_1 室端部有眼斑;反面白色中横带内侧伴有黄褐色带纹。

采集记录: 2♂1♀,宝鸡陈仓苜耳沟,1000m,2012.Ⅵ.24,房丽君采;1♂,留坝红岩沟,1080m,2012.Ⅵ.23,张宇军采。

分布: 陕西(宝鸡、留坝)、辽宁、河南、浙江、江西、湖南、福建、台湾、广东、广西、四川、云南、西藏;朝鲜,印度。

寄主: 朴树 *Celtis sinensis*(Ulmaceae)、珊瑚朴 *C. julianae*、柳属 *Salix* spp.(Salicaceae)。

(98) 铂铠蛱蝶 *Chitoria pallas* (Leech, 1890)

Apatura pallas Leech, 1890：190.

Chitoria pallas：Chou, 1994：434.

鉴别特征：翅正面黑褐色；斑纹淡黄色、黄色或白色；反面灰绿色；斑纹多灰白色。前翅顶角区有 2 个白斑；中域有中斜和基斜 2 列斑纹；cu_1 室眼斑黑色；反面亚外缘斑列及中室端斑灰白色。后翅正面外缘及亚外缘斑列黄色；cu_1 室端部眼斑黑色；中横带中部向外弯曲；外斜斑列短；反面红褐色，有灰绿色晕染。

采集记录：1♂1♀，留坝，2005.Ⅶ.24，许家珠采。

分布：陕西(留坝、南郑、城固)、甘肃、四川。

寄主：朴树 *Celtis sinensis*(Ulmaceae)、柳属 *Salix* spp.(Salicaceae)。

29. 猫蛱蝶属 *Timelaea* Lucas, 1883

Timelaea Lucas, 1883：35. **Type species**：*Melitaea maculata* Bremer *et* Grey, [1852].

属征：中小型种类，橙黄色；斑纹黑色。中室长约为翅长为 1/3，开式。前翅顶角钝；中室前缘顶端约与 Cu_2 脉着生点对应；R_2 与 R_5 脉共柄；后翅 M_1 与 M_2 脉分叉点接近。雄性外生殖器：中等骨化；背兜马鞍形；钩突长；颚突小；囊突细长；抱器近扇形且端上缘突起；阳茎长于囊突。雌性外生殖器：交配囊长圆形；囊导管长，骨化。

分布：古北区，东洋区。全世界记载 5 种，中国已知 4 种，秦岭地区记录 1 种。

(99) 猫蛱蝶 *Timelaea maculata* (Bremer *et* Gray, 1852)(图版 23：3-4)

Melitaea maculata Bremer *et* Grey, 1852：59.

Timelaea maculata：D'Abrera, 1985：251.

鉴别特征：翅正面橙黄色；反面淡黄色；翅面密布黑色豹纹。前翅中室斑纹 6 个；2a 室条斑从基部伸至近臀角处；cu_2 室基部有棒纹；反面亚顶区及中域乳白色。后翅正面中室圆斑 4 个；cu_2 室基部有 1 条短棒纹；反面雌蝶乳白色。

采集记录：1♂1♀，长安乌桑峪，970m，2008.Ⅶ.17，房丽君采；1♂，周至秦岭国家植物园，930m，2013.Ⅷ.18，房丽君采；1♂，略阳二河口，890m，2014.Ⅵ.01，房丽君采；1♂，留坝东沟，840m，2014.Ⅵ.01，房丽君采；2♂，佛坪长角坝，950m，2011.Ⅴ.06，房丽君采；2♂，镇安结子乡，1200m，2011.Ⅵ.19，房丽君采；1♂，商州流岭槽，1050m，2013.Ⅶ.23，房丽君采。

分布: 陕西(长安、周至、略阳、留坝、佛坪、镇安、商州)、辽宁、北京、河北、内蒙古、山西、河南、甘肃、青海、江苏、安徽、浙江、湖北、江西、福建、台湾、四川、西藏。

寄主: 石朴 *Celtis formosana*(Ulmaceae)、紫弹树 *C. biondii*、朴树 *C. sinensis*。

30. 窗蛱蝶属 *Dilipa* Moore, 1857

Dilipa Moore, 1857: 201. **Type species**: *Apatura morgiana* Westwood, 1850.

属征: 中型种类。前翅顶角有透明斑纹,中室闭式。前翅近三角形;顶角尖出;外缘中部凹入;中室短于翅长的 1/2;Sc、R、M_1 及 M_2 脉波状扭曲。后翅近梨形;顶角圆;外缘弧形,波状或平滑;臀叶突出;肩脉分叉;Rs、M_1 与 M_2 脉分叉点相互接近。雄性外生殖器:中等骨化;背兜围巾形;钩突弯锥形;颚突弯臂形;囊突管状,长于抱器,抱器近三角形,上端角有 1 个刺状突起;阳茎细长,端部斜截。雌性外生殖器:交配囊长圆形,中部有 2 个交配囊片;囊导管长,骨化弱。

分布: 古北区,东洋区。全世界记载 2 种,中国均有分布,秦岭地区记录 1 种。

(100) 明窗蛱蝶 *Dilipa fenestra*(**Leech, 1891**)(图版 23: 5-6)

Vanessa fenestra Leech, 1891: 26.

Dilipa fenestra: Chou, 1994: 438.

Dilipa shaanxiensis Chou, 2002: 52.

鉴别特征: 雌雄异型。雄蝶翅正面暗黄色;反面淡黄色;斑纹黑褐色。前翅正面前缘带、外缘带、亚顶区黑褐色;顶角区有 2 个透明斑;中斜及基斜斑列斑纹不规则;反面顶角区密布褐色网状细纹;cu_1 室眼斑黑色,瞳点蓝紫色。后翅正面外缘带黑褐色;4 个亚缘斑位于亚缘区中部;反面翅面密布褐色细网纹;中斜带从前缘 1/3 处伸达臀角,带中部伸出侧枝达翅根部,形成"Y"形斑纹。雌蝶个体较大;翅正面暗褐色;斑纹黑色或黄色。前翅顶角区有透明白斑 3~4 个;基部黑色区域宽;中域斜斑列黄色。后翅亚外缘斑列淡黄色,模糊;外横斑列白色。

采集记录: 1♂,长安小峪,1000m,2010. Ⅳ.03,房丽君采;1♂,周至楼观台,940m,2010. Ⅳ.29,房丽君采;1♂,华县杏林,850m,2011. Ⅴ.08,房丽君采;1♂,留坝红岩沟,1060m,2012. Ⅵ.23,房丽君采;1♂,洋县华阳,1040m,2011. Ⅵ.04,房丽君采;1♂,宁陕广货街,1300m,2009. Ⅳ.11,房丽君采。

分布: 陕西(长安、周至、华县、留坝、洋县、宁陕)、辽宁、北京、河北、山西、河南、甘肃、浙江、湖北、四川、云南;朝鲜。

寄主: 四蕊朴 *Celtis tetrandra*(Ulmaceae)、朴树 *C. sinensis*。

31. 累积蛱蝶属 *Lelecella* Hemming, 1939

Lelecella Hemming, 1939: 39. **Type species**: *Vanessa limenitoides* Oberthür, 1890.
Lelex de Nicéville, 1900: 234. **Type species**: *Vanessa limenitoides* Oberthür, 1890.

属征: 中型种类。翅黑褐色; 斑纹白色; 中室闭式。前翅近三角形; 顶角尖出, 微斜截; 外缘 M_1 脉外凸; 中部凹入; 中室短于翅长的 $1/2$; R_2、R_3、R_4 与 R_5 脉共柄。后翅近梨形; 前缘基部拱起, 外缘弧形, 波状; 肩脉分叉; 中室约占后翅长的 $1/2$; M_2 与 M_1 脉分出点相近。雄性外生殖器: 中等骨化; 背兜头盔形; 钩突指形, 前端向下弯曲; 颚突侧面观 "L" 形; 基腹弧窄; 囊突长, 约比抱器长 2 倍; 抱器近扇形, 上端部钩状突起, 下缘呈弧形; 阳茎细长, 比抱器长 3 倍余, 端部直; 盲囊短。雌性外生殖器: 交配囊梨形; 囊导管骨化极弱, 稍长于交配囊。

分布: 全世界记载 1 种, 为中国特有种, 秦岭地区有记录。

(101) 累积蛱蝶 *Lelecella limenitoides* (**Oberthür, 1890**) (图版 24: 1-4)

Vanessa limenitoides Oberthür, 1890: 39.
Lelecella limenitoides: Chou, 1994: 439.

鉴别特征: 翅黑褐色; 斑纹多白色。前翅正面顶角区有 2 个透明白斑; 亚顶区有 3 个白斑斜向排列; 亚外缘斑列斑纹大小不一; 中室内 2 个白斑有或无; cu_1、cu_2 室中部各有 1 个白色斑纹; 反面顶角区棕色; 亚外缘斑列较翅正面大; 中室 2 个斑纹大。后翅亚外缘及亚缘斑列斑纹较小; 中横带宽; 反面翅面密布褐色细纹; 顶角区及其附近区域和臀域棕色; 中室中部斑纹黑褐色。

采集记录: 1♂1♀, 长安小峪, 1170m, 2010. V. 19, 房丽君采; 2♂, 周至厚畛子, 1320m, 2009. IV. 25, 高可采; 1♂, 凤县通天河, 1580m, 2012. V. 25, 房丽君采; 1♂, 华阴华阳川林场, 1400m, 2011. V. 07, 房丽君采; 1♂, 宁陕旬阳坝, 1460m, 2011. IV. 24, 房丽君采; 1♂, 柞水营盘, 1340m, 2010. VI. 15, 张宇军采; 3♂2♀, 商州黑龙口, 1050m, 2011. VI. 01, 房丽君采; 1♂, 商南金丝峡, 500m, 2014. V. 19, 房丽君采。

分布: 陕西(长安、周至、凤县、华阴、宁陕、柞水、商州、商南)、河南、甘肃、福建、四川。

寄主: 垂柳 *Salix babylonica* (Salicaceae)、四蕊朴 *Celtis tetrandra* (Ulmaceae)、榛 *Corylus heterophyll* (Fagaceae)。

32. 帅蛱蝶属 *Sephisa* Moore，1882

Sephisa Moore, 1882：240. **Type species**：*Limenitis dichroa* Kollar, 1844.

Castalia Westwood，[1850]：303. **Type species**：*Limenitis dichroa* Kollar, 1844.

Castalia Moore, 1857：199. **Type species**：*Limenitis dichroa* Kollar, 1844.

属征：中型种类。翅黑褐色；斑纹多白色、黄色和青蓝色；中室开式。前翅近三角形；顶角尖出；外缘在 M_2 脉与 Cu_2 脉间凹入；中室长约为翅长的 1/3；R_2 脉从中室上缘端部分出或与 R_5 脉共柄。后翅近梨形；外缘弧形；肩脉弯曲；中室长约为后翅长度的 1/2 弱；M_2 脉与 M_1 脉分出点接近。雄性外生殖器：中等骨化；背兜马鞍形；钩突粗指状；颚突臂状；囊突管状，端部膨大；抱器斧形；阳茎长，盲囊长圆形。雌性外生殖器：交配囊细袋状；囊导管短，骨化。

分布：东洋区，古北区。全世界记载 4 种，中国均有记录，秦岭地区记录 2 种。

分种检索表

雄蝶前翅有白色中斜带；雌蝶后翅正面中室有黄色斑 ························· 帅蛱蝶 *S. chandra*

雄蝶前翅无白色中斜带；雌蝶后翅正面中室无黄色斑 ······················ 黄帅蛱蝶 *S. princeps*

(102) 黄帅蛱蝶 *Sephisa princeps* Fixsen，1887（图版 24：5-6）

Sephisa princeps Fixsen, 1887：289.

Sephisa princeps：Chou, 1994：441.

鉴别特征：翅黑褐色；斑纹橙黄色和白色；外缘斑列模糊。前翅亚外缘斑列清晰；亚顶区斑纹 3 个；中域斑列斑纹形状不一，cu_1 室斑分成 2 节；中室斑 2 个。后翅亚缘斑列斑纹长短不一，基半部放射状排列 1 圈斑纹；反面中室有 4 个黑色圆斑。雌蝶个体较大；斑纹多为白色。

采集记录：1♂，长安石砭峪，1180m，2010.Ⅶ.01，房丽君采；1♂，周至秦岭国家植物园，860m，2013.Ⅷ.14，房丽君采；1♂，户县太平峪，1150m，2009.Ⅶ.25，房丽君采；1♂，太白桃川，1260m，2011.Ⅶ.17，程帅、张辰生采；1♂，留坝红岩沟，1000m，2012.Ⅵ.23，张宇军采；1♂，商州板桥，1150m，2013.Ⅶ.06，张宇军采；1♂，山阳捷峪沟，780m，2010.Ⅶ.10，房丽君采；1♂，商南梁家湾，500m，2014.Ⅶ.20，房丽君采。

分布：陕西（长安、周至、户县、太白、留坝、商州、山阳、商南）、黑龙江、吉林、辽宁、河北、山西、河南、甘肃、浙江、湖北、江西、湖南、福建、广东、海南、四川、贵州、云南；朝鲜。

寄主：蒙古栎 *Quercus mongolica*（Fagaceae）、栓皮栎 *Q. variabilis*。

（103）帅蛱蝶 *Sephisa chandra*（Moore，1858）

Castalia chandra Moore，1858：200.
Sephisa chandra f. *horishana* Matsumura，1929：93.
Sephisa chandra：Chou，1994：441

鉴别特征：与黄帅蛱蝶 *S. princeps* 近似，主要区别为：本种雄蝶前翅正面外缘斑列、亚外缘斑列、中斜带、亚顶斑列均为白色；前翅中室仅有 1 个橙黄色斑。后翅反面中室仅 1 个黑色圆斑。

采集记录：1♂，山阳捷峪沟，630m，2010. Ⅶ.20，房丽君采。

分布：陕西（山阳）、浙江、江西、福建、台湾、广东、海南、广西、云南；泰国，缅甸，印度。

寄主：栎属 *Quercus* spp.（Fagaceae）。

33. 白蛱蝶属 *Helcyra* Felder，1860

Helcyra Felder，1860：450. **Type species**：*Helcyra chionippe* Felder，1860.
Limina Moore，1896：7. **Type species**：*Apatura subalba* Poujade，1885.

属征：中型种类。翅反面银白色；中室开式。前翅近三角形；中室短，约为翅长的 1/3 弱。后翅外缘锯齿状；M_3、Cu_1、Cu_2 脉外缘微突；肩脉较长，弯曲；中室长度约为后翅长度的 1/2 弱；后缘区有阔的腹褶；Rs、M_1 及 M_2 脉分出点较近，远离 Sc + R_1 脉的基部。雄性外生殖器：骨化弱；背兜围巾形；钩突小，指状；颚突"L"形；钩突和颚突均与背兜愈合；囊突极细长；抱器近梯形，前端尖出；阳茎粗大，长于抱器数倍，有角状器。雌性外生殖器：交配囊球形；交配囊片发达；囊导管长。

分布：古北区，东洋区。全世界记载 7 种，中国已知 4 种，秦岭地区记录 2 种。

分种检索表

翅正面除前翅顶端黑褐色外，其余翅面白色 ···················· 傲白蛱蝶 *H. superba*
翅正面棕褐色 ··· 银白蛱蝶 *H. subalba*

（104）银白蛱蝶 *Helcyra subalba*（Poujade，1885）

Apatura subalba Poujade，1885：207.

Helcyra subalba：Chou，1994：443.

鉴别特征：翅正面棕褐色；反面银白色；亚顶区及翅中部各有 2 个斜向排列的白斑；反面 cu_1 室近端部至后缘有棕色斑纹。后翅正面外缘带褐色；亚缘斑列有或无；前缘外侧 1/3 处有 2~3 个纵向排列的白斑。

采集记录：1♂，山阳中村，590m，2013.Ⅶ.31，房丽君采。

分布：陕西（山阳）、河南、安徽、浙江、湖北、江西、湖南、福建、广东、广西、四川、云南。

寄主：朴树 *Celtis sinensis*（Ulmaceae）和柳属 *Salix* spp.（Salicaceae）植物。

（105）傲白蛱蝶 *Helcyra superba* Leech，1890

Helcyra superba Leech，1890：189.

鉴别特征：翅白色，正面斑纹反面均完全透射。前翅正面端半部自前缘 1/2 至臀角黑色，内缘曲波状；顶角区有白色圆斑 2 个；中室端斑淡黑色；反面翅端半部银白色。后翅外缘带黑色，波曲形；亚缘斑列中部弯曲；反面亚缘斑列由小眼斑组成。

采集记录：1♂，山阳中村捷峪沟，800m，2010.Ⅶ.10，房丽君采。

分布：陕西（山阳）、浙江、江西、湖南、福建、广东、台湾、广西、四川、贵州、云南。

寄主：紫弹树 *Celtis biondii*（Ulmaceae）、石朴 *C. formosana*、朴树 *C. sinensis*、细柱柳 *Salix gracilistyla*（Salicaceae）。

34. 脉蛱蝶属 *Hestina* Westwood，［1850］

Hestina Westwood，［1850］：281. **Type species**：*Papilio assimilis* Linnaeus，1758.

Diagora Snellen，1894：67. **Type species**：*Apatura japonica* C. & R. Felder，1862.

Parhestina Moore，［1896］：34. **Type species**：*Apatura japonica* C. & R. Felder，1862.

Hestinalis Bryk，1938：291. **Type species**：*Hestina mimetica* Butler，1874.

属征：大中型种类。斑纹多放射状排列，中室开式。前翅近三角形，顶角和臀角圆，外缘中部微凹；中室短，约为翅长的 1/3；R_2 脉多与 R_5 脉共柄，个别种类从中室近上端角分出。后翅梨形；肩脉微弯曲；中室长约为后翅长度的 1/2；臀角呈钝角；Rs、M_1 及 M_2 脉分出点较近，远离 Sc + R_1 脉的基部。雄性外生殖器：中等骨化；背兜较小；钩突锥形，顶部弯；颚突"L"形；囊突细长；抱器阔斧形，端缘"V"形凹入；阳茎棒形，长于抱器。雌性外生殖器：交配囊长圆形；交配囊片有或无；囊导管长，骨化强。

分布：古北区，东洋区。全世界记载 15 种，中国已知 5 种，秦岭地区记录3 种。

分种检索表

1. 全翅白色，翅面除亚外缘斑列外，几乎无斑纹 ……………………… 绿脉蛱蝶 *H. mena*
   全翅非白色，翅面有斑纹 ……………………………………………………………… 2
2. 后翅亚缘区中后部有 4~5 个红色斑 …………………………… 黑脉蛱蝶 *H. assimilis*
   后翅无红色斑 ……………………………………………… 拟斑脉蛱蝶 *H. persimilis*

(106) 黑脉蛱蝶 *Hestina assimilis*（**Linnaeus，1758**）(图版 25：1-2)

Papilio assimilis Linnaeus, 1758：479.

Hestina assimilis：Chou, 1994：447.

鉴别特征：翅黑色；斑纹乳白色和红色；翅端部有 3 排斑列；中室棒纹端部断开；中室外侧放射状排列 1 圈长短不一的条斑。后翅外缘斑列圆形；亚缘区上部圆斑3 个；中后部红色圆斑 4~5 个，中间 2 个红斑内移，并有黑色眼点；从 sc + r_1 到 3a室各室均有基生条斑。

采集记录：1♂，长安大峪，760m，2010. Ⅷ. 06，彭涛采；2♂，蓝田汤峪，1080m，2008. Ⅶ. 20，房丽君采；1♂，周至黑河，1100m，2013. Ⅷ. 20，房丽君采；2♂，宝鸡尖山，1080m，2013. Ⅴ. 29，房丽君采；1♂，凤县灵官峡，1000m，2012. Ⅴ. 26，房丽君采；1♂，眉县蒿坪寺，1200m，2011. Ⅵ. 25，房丽君采；1♂，太白黄柏塬，1350m，2010. Ⅵ. 15，房丽君采；1♂，佛坪长角坝，950m，2011. Ⅵ. 06，房丽君采；1♂，洋县茅坪，780m，2011. Ⅵ. 04，房丽君采；1♀，商州夜村，680m，2014. Ⅷ. 09，房丽君采；1♂，商南过凤楼，420m，2014. Ⅶ. 19，房丽君采。

分布：陕西（长安、蓝田、周至、宝鸡、凤县、眉县、太白、佛坪、洋县、商州、商南）、黑龙江、辽宁、北京、河北、山西、河南、甘肃、山东、上海、江苏、浙江、湖北、江西、湖南、福建、台湾、广东、香港、广西、四川、贵州、云南、西藏；朝鲜，日本。

寄主：垂柳 *Salix babylonica*（Salicaceae）、白杨树 *Populus alba*、异色山黄麻 *Trema orientalis*（Ulmaceae）、朴树 *Celtis sinensis*、石朴 *C. formosana*、桑树 *Morus alba*（Moraceae）。

(107) 拟斑脉蛱蝶 *Hestina persimilis* Westwood，[1850] (图版 25：3-6)

Hestina persimilis Westwood, [1850]：281.

鉴别特征：翅黑褐色；反面绿褐色；斑纹淡绿色或淡黄色；外缘及亚外缘斑列斑纹点状。前翅亚顶区斑纹 3 个；中斜斑列 2～3 列，内侧 2 列多不完整，春型斑列多有合并；cu_2 室基生条斑长于中室条斑 2～3 倍，端部多分叉。后翅基生条纹 7～9 条，放射状排列，季节性不同，条纹长短多有变化，春型基生条纹长，夏型短；反面肩区斑纹黄色；臀区条带有时黄色。

采集记录：1♂，长安大峪，900m，2008. V.01，房丽君采；1♂，周至楼观台，860m，2010. Ⅵ.04，房丽君采；1♂，户县涝峪，1200m，2010. Ⅶ.06，房丽君采；1♂，宝鸡雪见洞，1240m，2013. Ⅷ.03，房丽君采；1♂，凤县通天河，1580m，2012. V.25，房丽君采；1♂，眉县蒿坪寺，1160m，2011. Ⅵ.25，房丽君采；1♂，太白桃川，1050m，2011. Ⅵ.11，房丽君采；1♂，镇安黑窑沟，560m，2010. V.21，房丽君采；1♂，商南金丝峡，800m，2013. Ⅶ.24，房丽君采。

分布：陕西（长安、周至、户县、宝鸡、凤县、眉县、太白、镇安、商南）、辽宁、北京、河北、河南、浙江、湖北、福建、台湾、海南、广西、四川、云南；朝鲜，日本，印度。

寄主：南欧朴 *Celtis australis*（Ulmaceae）、朴树 *C. sinensis*。

(108) 绿脉蛱蝶 *Hestina mena* Moore，1858（图版 26）

Hestina mena Moore，1858：48.

Hestina assimilis mena：Chou，1994：447.

鉴别特征：翅正面白绿色；脉纹灰黑色。亚外缘斑列、前翅顶角区及臀角灰黑色。翅反面白色，斑纹同正面。

采集记录：1♂，长安大峪，940m，2009. V.16，房丽君采；1♂，凤县双石铺，1180m，2014. Ⅵ.05，房丽君采；1♂，岐山曹家镇，900m，2014. V.20，房丽君采；1♂1♀，商南梁家湾，500m，2014. V.18，房丽君采。

分布：陕西（长安、岐山、凤县、商南）、山西、河南、浙江、福建、四川。

寄主：朴树 *Celtis sinensis*（Ulmaceae）。

35. 紫蛱蝶属 *Sasakia* Moore，[1896]

Sasakia Moore，[1896]：39. **Type species**：*Diadema charonda* Hewitson，1863.

属征：大型种类。体粗壮；翅面有红色斑纹；雄蝶有蓝色闪光，中室开式。前翅近三角形；外缘中部微凹；中室短，约为翅长的 1/3；R_2、R_5 与 M_1 脉分出于中室上端角；R_4 与 R_5 脉分叉点接近翅外缘。后翅梨形；肩脉弯曲或分叉；中室长度约为后翅长度的 1/2 弱；臀角圆；Rs、M_1 及 M_2 脉分出点远离 $Sc+R_1$ 脉基部。雄性外生殖器：骨化强；背兜屋脊形；钩突圆锥形，顶部钩小；颚突倒"T"形，较大；囊突约与抱器等长；抱器近三角形，端部尖出；阳茎细长，骨化强。雌性外生殖器：交配囊近椭圆形，中部两侧有交配囊片；囊导管强骨化。

分布：中国；朝鲜，日本。全世界记载 3 种，中国均有记录，秦岭地区记录 2 种。

分种检索表

前翅端半部有长"V"形纹；中室有红色斑纹 ………………………………… 黑紫蛱蝶 *S. funebris*
前翅无上述斑纹 ………………………………………………………………… 大紫蛱蝶 *S. charonda*

(109) 黑紫蛱蝶 *Sasakia funebris*（Leech，1891）

Euripus funebris Leech, 1891：27.
Sasakia funebris：Chou, 1994：451.

鉴别特征：翅黑色，有蓝黑色天鹅绒闪光；翅端半部各室有拉长的"V"形斑。前翅正面中室基部棒纹红色；反面中横斑列 4 个斑纹位于下半部，淡蓝色；中室端部、cu_2 室基部各有 1 个淡蓝色斑纹；中室红斑箭头形。后翅反面基部环状斑红色，环纹下方有断裂。

采集记录：1♂，洋县长青自然保护区，2001. Ⅵ-Ⅷ，邢连喜、袁朝辉采；1♂，山阳银花，620m，2010. Ⅵ. 30，房丽君采。

分布：陕西（洋县、山阳）、浙江、江西、福建、台湾、广东、海南、广西、四川、贵州、云南。

寄主：朴树 *Celtis sinensis*（Ulmaceae）、西川朴 *C. vandervoetiana*、紫檀树 *Pterocarpus indicus*（Fabaceae）。

(110) 大紫蛱蝶 *Sasakia charonda*（Hewitson，1863）（图版 27）

Diadema charonda Hewitson, 1863：[20].
Sasakia charonda：Chou, 1994：452.

鉴别特征：翅黑褐色；外缘斑列时有模糊；亚外缘斑列黄色。前翅顶角区斑纹 2~3 个，白色或黄色；中斜斑列外侧 1 列黄色，内侧 1 列白色；cu_2 室基生条斑细长，白色或黄色；反面中斜斑列 3 列，中间 1 列短，止于翅中部，斑纹较小。后翅正面亚缘斑列黄色或白色；臀角区斑纹红色；中横斑列中部"V"形外凸；中室端斑大，白色或黄色；中室端部外侧有 1~3 个斑纹；$sc + r_1$ 室基部斑纹 2 个；肩区黄色；反面黄绿色。雄蝶前后翅基半部有紫蓝色闪光；雌蝶个体较大，但翅面无紫蓝色闪光。

采集记录：1♂，长安饮马池，850m，2008.Ⅶ.12，房丽君采；1♂，周至楼观台，680m，2010.Ⅷ.15，房丽君采；2♂1♀，户县太平峪，1040m，2009.Ⅶ.25，房丽君采；2♂，宝鸡陈仓苜耳沟，1000m，2012.Ⅵ.24，房丽君采；2♂，眉县蒿坪寺，1420m，2011.Ⅵ.25，张辰生采；1♂，留坝红岩沟，1000m，2012.Ⅵ.23，张宇军采。

分布：陕西（长安、周至、户县、宝鸡、眉县、留坝）、辽宁、河北、山西、河南、浙江、湖北、江西、湖南、福建、台湾、广东、四川、贵州、云南；韩国，日本。

寄主：朴树 Celtis sinensis（Ulmaceae）、紫檀树 Pterocarpus indicus（Fabaceae）。

三、袖蛱蝶亚科 Heliconiinae

多数为中小型种类，少数为大型种类。翅多为黄色，斑纹黑色。前翅 R_2 脉从中室端部或 R_5 脉上分出；中室闭式，中室端脉直或弯曲；Cu_1 脉多从中室下缘分出。后翅外缘波状或平滑；尾突有或无；肩脉分出点位于 $Sc + R_1$ 脉基部。

分族检索表

翅正面无典型豹纹 ……………………………………………………… 珍蝶族 Acraeini

翅正面有典型豹纹 ……………………………………………………… 豹蛱蝶族 Argynnini

（一）珍蝶族 Acraeini

中小型种类，飞行缓慢。翅橘黄或灰褐色，狭长；中室闭式。R_2、R_3、R_4 与 R_5 脉共柄。后翅无尾突。

36. 珍蝶属 Acraea Fabricius，1807

Acraea Fabricius, 1807：284. **Type species**：Papilio horta Linnaeus, 1764.

Telchinia Hübner, [1819]：27. **Type species**：Papilio serena Fabricius, 1775.

Pareba Doubleday, [1848]：142. **Type species**：Papilio vesta Fabricius, 1787.

Aphanopeltis Mabille, 1887：85. **Type species**：Papilio horta Linnaeus, 1764.

Solenites Mabille, 1887：82. **Type species**：Acraea igati Boisduval, 1833.

属征：两翅及中室狭长；中室超过翅长度的 1/2，闭式；脉纹完整。前翅 R_1 脉从中室前缘末端分出；R_2、R_3、R_4 与 R_5 脉共柄；M_1 脉从中室上端角或其附近分出，与 M_2 脉基部远离；中室端脉弯曲。后翅 Rs 脉与 M_1 脉有短共柄；肩脉向翅端部弯曲。雄性外生殖器：中等骨化；背兜屋脊形；钩突发达，指形；颚突小或无；囊突长；抱器小；阳茎长。雌性外生殖器：囊导管粗，膜质；交配囊球形。

分布：新热带区，非洲区，极少数分布于东洋区和澳洲区。全世界记载 183 种，中国已知 2 种，秦岭地区记录 1 种。

(111) 苎麻珍蝶 *Acraea issoria*（Hübner，[1819]）

Telchinia issoria Hübner，[1819]：27.

Papilio vesta Fabricius，1787：14.

Acraea issoria：D'Abrera，1985：406.

鉴别特征：翅正面黄色；反面色稍淡；翅脉明显。前翅正面前缘区、外缘区和顶角区灰黑色；外缘斑列点状；中室端斑灰黑色；雌蝶 cu_2 室端部及中室端斑两侧各有 1 个灰黑色条斑。后翅外缘斑列斑纹三角形或圆形，白色；亚外缘带锯齿形，黑色；亚缘带橙黄色。

采集记录：1♂，留坝青桥铺，2009．Ⅵ．14，许家珠采；3♂，洋县茅坪，2006．Ⅵ．11，许家珠采；1♂5♀，汉中天台山，2005．Ⅵ．12，许家珠采。

分布：陕西（留坝、汉中、洋县）、吉林、河南、甘肃、浙江、湖北、江西、湖南、福建、台湾、广东、海南、广西、四川、云南、西藏；越南，泰国，缅甸，印度，菲律宾，马来西亚，印度尼西亚。

寄主：苎麻 *Boehmeria nivea*（Urticaceae）、水麻 *Debregeasia orientalis*、榉树 *Zelkova serrata*（Ulmaceae）、石朴 *Celtis formosana*。

（二）豹蛱蝶族 Argynnini

中小型种类。翅橙黄色，斑纹黑色；中室闭式。前翅近三角形，前缘弧形；R_3、R_4 与 R_5 脉共柄；R_5 与 M_1 脉从中室上端角分出。后翅无尾突。

分属检索表

1. 小型种类，后翅外缘平滑 ·· 10

   中型种类，后翅外缘波状·· 2

2. 后翅反面有银色斑 ··· 3

   后翅反面无银色斑 ··· 4

3. 雄蝶前翅正面有 1~2 条黑色性标·············· **福蛱蝶属 *Fabriciana***

   雄蝶前翅正面有 3 条较细的黑色性标·············· **斑豹蛱蝶属 *Speyeria***

4. 雄蝶前翅正面臀脉及肘脉上均无性标 ······················· 5

   雄蝶前翅正面臀脉或肘脉上有性标 ······················· 6

5. 后翅正面外缘区黑色，镶有 2 列白色细条斑 ·········· **斐豹蛱蝶属 *Argyreus***

37. 豹蛱蝶属 *Argynnis* Fabricius, 1807

Argynnis Fabricius, 1807: 283. **Type species**: *Papilio paphia* Linnaeus, 1758.

Mesodryas Reuss, [1927]: 435. **Type species**: *Papilio paphia* Linnaeus, 1758.

Pandoriana Warren, 1942: 245. **Type species**: *Papilio maja* Cramer, [1775].

属征：雌雄异型。雄蝶翅正面橙黄色，雌蝶灰褐色或橙黄色，有典型的豹纹。前翅前缘弧形；R_2 脉从中室上端角分出；Cu_1 与 Cu_2 脉分出处相接近；中室端脉 M_1-M_2 段短于 M_2-M_3 段；雄蝶前翅有 4 条黑色性标，分别位于 M_3、Cu_1、Cu_2 及 2A 脉上。后翅外缘波状；反面灰绿色；有白色条带及眼斑。雄性外生殖器：骨化强；背兜基部胯形，背面有膜质区；柄突钩形；钩突长，下弯；颚突宽短，半月形；囊突粗短，端部尖；抱器结构复杂，内突掌形，铗片 2 个；阳茎近棒形，角状器黑色。雌性外生殖器：囊导管短，膜质；交配囊长圆形。

分布：古北区，东洋区。全世界记载 1 种，秦岭地区有记录。

(112) 绿豹蛱蝶 *Argynnis paphia* (Linnaeus, 1758)（图版 28：1-4）

Papilio paphia Linnaeus, 1758: 481.

Argynnis paphia Leech, 1887: 424.

Argynnis paphia paphioides Nire, 1918: 17.

鉴别特征：翅橙黄色，翅面布满黑色豹纹；雌蝶翅面多灰褐色；雄蝶 M_3、Cu_1、Cu_2、2A 脉各有 1 条黑色性标；雌蝶在顶角区近前缘有 1 个白色三角形斑纹。后翅正面中横带曲波状；反面灰绿色；中横带及 2 条基横带白色，基横带仅达翅中部。

采集记录：1♂，长安鸭池口，1080m，2008.Ⅷ.23，房丽君采；1♂，蓝田王顺山，1780m，2010. Ⅶ.31，房丽君采；2♂1♀，周至厚畛子，1480m，2010. Ⅶ.13，房丽君采；1♂，户县朱雀森林公园，2350m，2012. Ⅶ.12，房丽君采；1♂，凤县通天河，1800m，2012. Ⅶ.22，房丽君采；2♂，眉县蒿坪寺，1240m，2011. Ⅷ.11，程帅、张辰生采；1♂宝鸡潘溪镇，1220m，2013. Ⅷ.03，房丽君采；1♂，太白鳌山，1850m，2013. Ⅷ.10，房丽君采；1♂，华阴华阳川林场，1320m，2011. Ⅴ.07，房丽君采；1♂，略阳五龙洞，1020m，2014. Ⅵ.02，房丽君采；1♂，佛坪长角坝，920m，2011. Ⅸ.11，房丽君采；3♂1♀，洋县茅坪，780m，2011. Ⅵ.04，房丽君采；2♂，宁陕火地塘，1700m，2010. Ⅷ.28，房丽君采；1♂，石泉两河口，880m，2011. Ⅴ.25，房丽君采；2♂，镇安结子乡，820m，2011. Ⅵ.19，房丽君采；1♂，商州牧护关，1250m，2013. Ⅶ.05，张宇军采；2♂，山阳大北沟，610m，2013. Ⅶ.29，房丽君采；1♂，丹凤界岭梁，1550m，2014. Ⅸ.05，房丽君采；1♂，商南清油河，820m，2014. Ⅸ.06，房丽君采。

分布：陕西（长安、蓝田、周至、户县、凤县、略阳、眉县、宝鸡、太白、华阴、佛坪、洋县、宁陕、石泉、镇安、商州、山阳、丹凤、商南）、黑龙江、吉林、辽宁、北京、河北、山西、河南、宁夏、甘肃、新疆、山东、安徽、浙江、湖北、江西、湖南、福建、台湾、广东、广西、四川、云南、贵州、西藏；亚洲，欧洲，非洲。

寄主：长萼堇菜 *Viola inconspicua*（Violaceae）、犁头草 *V. japonica*、悬钩子属 *Rubus* spp.（Rosaceae）、朴树 *Celtis sinensis*（Ulmaceae）。

38. 斐豹蛱蝶属 *Argyreus* Scopoli, 1777

Argyreus Scopoli, 1777：431. **Type species：***Papilio niphe* Linnaeus, 1767.

Acidalia Hübner, 1819：31. **Type species：***Papilio niphe* Linnaeus, 1767.

Mimargyra Reuss, 1922：211. **Type species：***Papilio hyperbius* Linnaeus, 1763.

属征：雌雄异型。雌蝶前翅端半部黑色；外斜带白色，雄蝶无性标。前翅顶角外突；前缘弧形；外缘微凹；R_1 与 R_2 脉从中室端部分出；中室长约为前翅长度的 1/3 强；中室端脉直。后翅梨形；外缘波状；中室长约为后翅长的 1/2 弱；反面斑纹棕绿色，方或圆形。雄性外生殖器：骨化较强；背兜背面中部膜质；柄突钩形；钩突长，端部下弯；无颚突；囊突粗短；抱器结构复杂；阳茎宽短，端部匙形，角状器黑色。雌性外生殖器：囊导管粗，周缘骨化，有皱褶和纵纹脊；交配囊短；囊尾小。

分布：古北区，东洋区。全世界记载 1 种，秦岭地区有记录。

(113) 斐豹蛱蝶 *Argyreus hyperbius*（Linnaeus, 1763）（图版 28：5-8）

Papilio hyperbius Linnaeus, 1763：408.

Papilio niphe Linnaeus, 1767：785.

Argynnis tephania Godart，1819：262.

Argynnis aruna Moore，[1858]：156.

Argynnis hybrida Evans，1912：558.

Argynnis hyperbius：Doi，1919：120.

Argynnis hyperbius hyperbius：Nire，1920：49.

Argynnis montorum Joicey *et* Talbot，1926：13.

Argynnis（*Dryas*）*castetsoides* Reuss，1926：66.

Argynnis coomani Le Cerf，1933：212.

Argynnis niphe：Seok，1934：727.

Argyreus hyperbius：Chou，1994：464.

鉴别特征：雌雄异型。翅橙黄色，翅面布满黑色豹纹。前翅反面顶角区有2个赭绿色眼斑，瞳点白色。后翅正面外缘区黑色，镶有2列白色条斑；反面外缘带赭绿色；亚外缘带黑色，结节状，缘线白色；亚缘斑列斑纹多相连；外横眼斑列赭绿色，瞳点白色；中横斑列内镶有黑白两色条斑列；翅基部斑纹花瓣形排列。雌蝶前翅正面端半部黑色；顶角区散布有灰白色斑点；白色外斜带边缘锯齿形。

采集记录：1♂，长安大峪，1380m，2010.Ⅷ.07，张宇军采；1♂，太白桃川，1500m，2011.Ⅷ.29，程帅、张辰生采；1♂，留坝红岩沟，1600m，2012.Ⅵ.23，张宇军采；2♂，佛坪岳坝保护站，1120m，2013.Ⅶ.27，张宇军采；1♂，洋县两河口，500m，2010.Ⅹ.17，房丽君采；1♂，宁陕旬阳坝，1440m，2010.Ⅶ.29，房丽君采；1♂，镇安结子乡，680m，2010.Ⅸ.04，房丽君采；2♂，山阳苏峪沟，920m，2013.Ⅸ.21，房丽君采；1♂1♀，丹凤土门，850m，2010.Ⅷ.16，房丽君采。

分布：陕西（长安、太白、留坝、佛坪、洋县、宁陕、镇安、山阳、丹凤）、黑龙江、吉林、辽宁、北京、河北、山西、河南、宁夏、甘肃、青海、新疆、山东、上海、江苏、安徽、浙江、湖北、江西、湖南、福建、台湾、广东、海南、香港、广西、四川、贵州、云南、西藏；朝鲜，日本，泰国，缅甸，印度，尼泊尔，斯里兰卡，孟加拉国，阿富汗，巴基斯坦，菲律宾，印度尼西亚。

寄主：箭叶堇菜 *Viola betonicifolia*（Violaceae）、光瓣堇菜 *V. yedoensis*、紫花地丁 *V. philippica*、三色堇 *V. tricolor*、堇菜 *V. verecunda*。

39. 老豹蛱蝶属 *Argyronome* Hübner，[1819]

Argyronome Hübner，[1819]：32. **Type species**：*Papilio laodice* Pallas，1771.

Eudaphne Reuss，1922：221. **Type species**：*Papilio laodice* Pallas，1771.

属征：翅形较圆。后翅反面基半部色淡，端半部色深。前翅前缘弧形；R_1 脉从中室端部分出；R_2 脉从中室上端角附近或 R_5 脉分出；Cu_1 脉与 Cu_2 脉起点远离；中室长度约为前翅长度的2/5。雄蝶前翅有2或3条性标。后翅梨形；中室长度约为后翅长的 2/5。雄性外生殖器：中等骨化；背兜小，背面中部膜质；柄突钩形；钩突细长；颚突宽短；囊突短或中等长；抱器结构复杂，抱器背指形突起，内突多叉状，顶角有长毛簇；阳茎端部分叉，角状器黑色，盲囊较长。

分布：古北区，东洋区。全世界记载 3 种，中国均有记录，秦岭地区记录 2 种。

分种检索表

前翅顶角突出，雄蝶性标 3 条 ………………………………… 红老豹蛱蝶 *A. ruslana*

前翅顶角不突出，雄蝶性标 2 条 ………………………………… 老豹蛱蝶 *A. laodice*

（114）老豹蛱蝶 *Argyronome laodice*（**Pallas，1771**）（图版 29：1-2）

Papilio laodice Pallas，1771：470.

Papilio cethosia Fabricius，1793：143.

Argynnis japonica Butler，1882：16.

Argynnis laodice Fixsen，1887：308.

Argynnis laodice japonica：Nire，1918：5.

Argynnis laodice producta Matsumura，1929：154.

Argyronome laodice：D'Abrera，1985：275.

鉴别特征：翅正面橙黄色，反面色稍淡。两翅正面端部有 3 排黑色斑列。前翅中域斑列近"Z"形；反面中域各有 1 条白色斑列；前翅顶角及后翅基半部赭绿色；斑纹豹纹形，中室有 4 条曲波横纹。后翅波浪形，外缘波形；基横带细，红褐色。雄蝶性标 2 条，分别位于 Cu_2 和 2A 脉上。

采集记录：1♂，长安鸭池口，660m，2008. Ⅷ. 23，房丽君采；1♂，蓝田王顺山，1350m，2010. Ⅶ. 31，房丽君采；1♂，周至厚畛子，1300m，2009. Ⅵ. 26，房丽君采；1♂，户县涝峪，1480m，2010. Ⅶ. 06，房丽君采；1♂，宝鸡陈仓苢耳沟，1000m，2012. Ⅵ. 24，房丽君采；1♂，眉县蒿坪寺，1140m，2011. Ⅵ. 25，房丽君采；1♂1♀，太白黄柏塬，1620m，2011. Ⅷ. 27，程帅、张辰生采；1♂，佛坪立房沟，920m，2010. Ⅸ. 12，房丽君采；2♂，宁陕广货街，1250m，2010. Ⅶ. 07，房丽君采；1♂，镇安结子乡，1150m，2011. Ⅵ. 19，房丽君采；1♂，商州黑龙口，1500m，2013. Ⅵ. 23，房丽君采；1♂，丹凤竹林关，490m，2013. Ⅵ. 12，房丽君采；1♂，商南梁家湾，500m，2013. Ⅶ. 28，房丽君采。

分布：陕西（长安、蓝田、周至、户县、宝鸡、眉县、太白、佛坪、宁陕、镇安、商州、丹凤、商南）、黑龙江、吉林、辽宁、北京、河北、山西、河南、甘肃、青海、新疆、山东、江苏、安徽、浙江、湖北、江西、湖南、福建、台湾、海南、广西、四川、云南、贵州、西藏；朝鲜，日本，印度，欧洲。

寄主：紫花堇菜 *Viola grypoceras*（Violaceae）、合叶子 *Filipendula kamtschatica*（Rosaceae）。

(115) 红老豹蛱蝶 *Argyronome ruslana* (Motschulsky, 1866)

Argynnis ruslana Motschulsky, 1866: 117.

Argynnis ruslana var. *lysippe* Matsumura, 1919: 17.

Argyronome ruslana: Chou, 1994: 466.

鉴别特征: 与老豹蛱蝶 *A. laodice* 相似, 主要区别为: 本种雄蝶性标3条, 分别位于前翅 Cu_1、Cu_2、2A 脉上。前翅反面顶角暗褐色; 中域多无白色斑纹。后翅正面中域斑纹相连成波带状; 反面中横斑列银白色。

采集记录: 1♂, 长安饮马池, 1000m, 2008. Ⅶ. 12, 房丽君采; 1♂, 周至厚畛子, 1440m, 2010. Ⅶ. 13, 房丽君采; 1♂, 太白二郎坝, 1075m, 2011. Ⅷ. 24, 程帅、张辰生采; 1♂, 留坝红岩沟, 1180m, 2012. Ⅵ. 23, 张宇军采; 1♂, 佛坪长角坝, 920m, 2010. Ⅸ. 11, 房丽君采; 1♂1♀, 宁陕旬阳坝, 1480m, 2010. Ⅶ. 29, 房丽君采; 1♂, 柞水营盘, 1520m, 2009. Ⅸ. 5, 房丽君采; 2♂, 山阳银花, 620m, 2010. Ⅵ. 30, 房丽君采; 1♂, 丹凤土门, 880m, 2010. Ⅷ. 16, 房丽君采。

分布: 陕西(长安、周至、太白、留坝、佛坪、宁陕、柞水、山阳、丹凤)、吉林、辽宁、河北、河南、宁夏、湖北、湖南、四川; 日本, 朝鲜。

40. 云豹蛱蝶属 *Nephargynnis* Shirôzu *et* Saigusa, 1973

Nephargynnis Shirôzu *et* Saigusa, 1973: 111. **Type species**: *Argynnis anadyomene* C. & R. Felder, 1862.

属征: 从豹蛱蝶属 *Argynnis* 中分出, 与其近似。雄蝶在 Cu_2 脉上有1条黑色性标。前翅顶角微突; 前缘弧形; 外缘凹入; R_1 及 R_2 脉从中室端部分出; Cu_1 脉与 Cu_2 脉起点远离; 中室长度约为前翅长的 2/5。后翅梨形; 前缘平直; 外缘波状; M_2 从中室端脉中部分出; $Sc + R_1$ 脉伸达顶角下方的外缘; 中室长度约为后翅长的 1/2; 反面枯草色。雄性外生殖器: 中等骨化; 背兜基半部胯形, 端半部脖颈形, 背面中部膜质; 柄突钩形; 钩突细长, 上弯; 颚突极小; 囊突粗短, 端部尖; 抱器结构复杂, 内突臂状; 阳茎短于抱器, 角状器红褐色。雌性外生殖器: 囊导管细, 膜质, 纹脊纵向; 交配囊短小。

分布: 古北区, 东洋区。全世界仅记载1种, 秦岭地区有记录。

(116) 云豹蛱蝶 *Nephargynnis anadyomene* (C. & R. Felder, 1862) (图版29: 3-6)

Argynnis anadyomene C. & R. Felder, 1862: 25.

Argynnis anadiomene parasoides Matsumura, 1927: 161.

Nephargynnis anadyomene: Chou, 1994: 467.

鉴别特征：翅橙黄色，翅面密布黑色豹纹。两翅端半部有3列斑纹；中横斑列近"V"形。前翅中室有4条曲波横纹。后翅正面中室端斑黑色；反面灰绿色；斑纹为正面斑纹的透射，模糊；外中斑列斑纹有白色眼点；中域有白色弯曲条带。雄蝶前翅Cu_2脉上有1条性标。雌蝶前翅正面顶角区黑色，有1个白色斑纹。

采集记录：1♂，长安饮马池，900m，2008.Ⅶ.12，房丽君采；1♂，周至望长沟，800m，2011.Ⅴ.15，房丽君采；1♂1♀，太白黄柏塬，1320m，2010.Ⅵ.15，房丽君采；1♂，留坝紫柏山，1860m，2008.Ⅸ.04，房丽君采；1♂，洋县华阳，1040m，2011.Ⅵ.04，房丽君采；2♂1♀，宁陕广货街，1200m，2010.Ⅺ.18，房丽君采；3♂1♀，石泉云雾山，1080m，2011.Ⅴ.06，房丽君采；1♂，镇安木元村，1100m，2011.Ⅳ.30，房丽君采；2♂，山阳银花，2200m，2009.Ⅸ.04，房丽君采；1♂，丹凤土门，670m，2010.Ⅵ.01，房丽君采。

分布：陕西（长安、周至、太白、留坝、洋县、宁陕、石泉、镇安、山阳、丹凤）、黑龙江、吉林、辽宁、河北、山西、山东、河南、宁夏、甘肃、浙江、湖北、江西、湖南、福建、四川、云南；俄罗斯，日本，朝鲜。

寄主：堇菜科 Violaceae 植物。

41. 小豹蛱蝶属 *Brenthis* Hübner，1819

Brenthis Hübner，1819：30. **Type species**：*Papilio hecate* Denis *et* Schiffermüller，1775.

属征：多为中小型种类；雄蝶无性标。前翅前缘弧形；R_1 及 R_2 脉从中室端部分出；Cu_1 脉与 Cu_2 脉起点远离；中室长约为前翅长的2/5。后翅梨形；外缘波状；$Sc + R_1$ 脉伸达顶角下方的外缘；中室长约为后翅长的2/5。雄性外生殖器：骨化弱；背兜鞍形，背面中部膜质；柄突钩形；钩突弯指形，端部分叉；颚突小，片状；囊突粗短，开式；抱器结构复杂，后端指状突起，有内突铗片；阳茎短，两端斜截。雌性外生殖器：囊导管较粗，交配囊约等长于囊导管。

分布：古北区。全世界记载3种，中国均有分布，秦岭地区记录2种。

分种检索表

前翅中域圆斑分离 ·· 小豹蛱蝶 *B. daphne*
前翅中域圆斑有细线相连 ······································ 伊诺小豹蛱蝶 *B. ino*

(117) 小豹蛱蝶 *Brenthis daphne*（Denis *et* Schiffermüller，1775）（图版30：1-4）

Papilio daphne Denis *et* Schiffermüller，1775：177.
Argynnis rabdia Butler，1882：16.

Argynnis daphne Fixsen, 1887：304-305.

Argynnis daphne mediofusca Matsumura, 1929：154.

Brenthis daphne：Chou, 1994：468.

鉴别特征：翅橙黄色；斑纹黑色；两翅端部各有 3 列斑纹。前翅中横斑列"Z"形排列；中室有 4 条波状细纹。后翅正面基部有黑色花瓣状网纹；反面花瓣纹赭绿色，缘线褐色；中域分布有黑褐色带纹。

采集记录：1♂，户县朱雀森林公园，1620m，2012. Ⅶ.12，房丽君采；1♂，眉县蒿坪寺，1160m，2011. Ⅵ.25，房丽君采；1♂1♀，太白桃川，1430m，2011. Ⅶ.16，程帅采。

分布：陕西(户县、眉县、太白)、黑龙江、吉林、辽宁、北京、河北、山西、河南、宁夏、甘肃、新疆、山东、浙江、福建、云南；朝鲜，日本，欧洲。

寄主：堇菜属 *Viola* spp. (Violaceae)、欧洲木莓 *Rubus caesius*(Rosaceae)、库页悬钩子 *R. sachalinensis*、地榆 *Sanguisorba officinalis* 等植物。

(118) 伊诺小豹蛱蝶 *Brenthis ino* (**Rottemburg, 1775**)

Papilio ino Rottemburg, 1775：19.

Argynnis ino：Leech, 1887：423.

Brenthis ino：Chou, 1994：469.

鉴别特征：与小豹蛱蝶 *B. daphne* 近似，主要区别为：本种前翅中横斑列斑纹之间有黑线相连，反面前缘区端部有 2 个白色圆斑。后翅反面亚缘区有 1 列黑色眼斑，眼点白色；翅端部晕染粉紫色，中域晕染棕褐色；基半部赭绿色。

采集记录：2♂，蓝田九间房，1200m，2013. Ⅵ.23，房丽君采；2♂1♀，太白七里川，1760m，2012. Ⅵ.24，房丽君采。

分布：陕西(蓝田、太白)、黑龙江、吉林、辽宁、北京、内蒙古、山西、新疆、山东、浙江；俄罗斯，朝鲜，日本，欧洲。

寄主：地榆 *Sanguisorba officinalis*(Rosaceae)。

42. 青豹蛱蝶属 *Damora* Nordmann, 1851

Damora Nordmann, 1851：439. **Type species**：*Damora paulina* Nordman, 1851.

属征：大型种类；雌雄异型。雄蝶翅橙黄色；豹纹黑色；性标 3 条，雌蝶青灰色。前翅 R_1 及 R_2 脉从中室端部分出；Cu_1 脉与 Cu_2 脉起点远离；中室长度约为前翅长的 1/3 弱。后翅 $Sc + R_1$ 脉伸达顶角下方的外缘；中室长度约为后翅长的 1/3 强。雄性外生殖器：骨化强；背兜发达；柄突钩形；钩突及囊突粗短；颚突宽短；抱器结构复杂，具铗片和内突；阳茎前端钩状，角状器刺形。雌性外生殖器：囊导管短，膜质；交配囊长袋形。

分布：古北区，东洋区。全世界仅记载1种，秦岭地区有记录。

(119) 青豹蛱蝶 *Damora sagana* (Doubleday, 1847)（图版30：5-6）

Argynnis sagana Doubleday, 1847：pl. 24, fig. 1.

Damora sagana：Chou, 1994：470.

鉴别特征：雌雄异型。雄蝶翅橙黄色，豹纹黑色；翅端部黑色斑列3排；中横斑列"Z"形；中室条斑2个。前翅 Cu_1、Cu_2、2A 脉上各有1条性标。后翅正面中横带飞燕形；反面翅端部灰褐色；亚缘区红褐色，镶有1列灰褐色眼斑，眼点灰白色；中横带白色，弯曲；基斜带赭绿色，仅达中室端部。雌蝶正面绿褐色，反面青灰色；斑纹黑色和白色。前翅"C"形斑列从前缘中部经外缘达后缘端部，斑纹白色和黑色；顶角区有1~3个白色斑纹；翅中央2个白色条斑与后缘近平行排列。后翅外缘斑列、亚缘斑列及外横斑列黑褐色；亚外缘斑列及中横带白色；反面赭绿色；基斜带灰绿色，下部与中横带重合。

采集记录：1♂，长安鸭池口，660m，2008.Ⅷ.23，房丽君采；1♂，户县朱雀森林公园，1900m，2009.Ⅷ.07，高可、杨伟采；1♂，宝鸡陈仓苴耳沟，1000m，2012.Ⅵ.24，房丽君采；1♂，佛坪长角坝，950m，2011.Ⅴ.06，房丽君采；1♂，石泉土门垭，880m，2011.Ⅴ.25，房丽君采；1♂，镇安结子乡，1120m，2011.Ⅵ.19，房丽君采；2♂，山阳银花，780m，2010.Ⅷ.09，房丽君采。

分布：陕西（长安、户县、宝鸡、佛坪、石泉、镇安、山阳）、黑龙江、吉林、辽宁、河北、内蒙古、河南、江苏、安徽、浙江、湖北、江西、湖南、福建、广东、广西、四川、贵州；俄罗斯，蒙古，朝鲜，日本。

寄主：紫花堇菜 *V. grypoceras*（Violaceae）、堇菜 *V. verecunda* 等。

43. 银豹蛱蝶属 *Childrena* Hemming, 1943

Childrena Hemming, 1943：30. **Type species**：*Argynnis childreni* Gray, 1831.

属征：大型种类。翅正面有典型的豹纹；雄蝶有3条性标。后翅反面赭绿色，密布银白色网状纹。前翅 R_1 及 R_2 脉从中室端部分出；Cu_1 脉与 Cu_2 脉起点远离；中室长度约为前翅长的2/5；中室端脉 M_1-M_2 段向中室凹入，M_2-M_3 段直。后翅梨形；外缘波状；M_1 和 R_S 脉分出点近而远离 M_2 和 $Sc+R_1$ 脉；$Sc+R_1$ 脉伸达外缘；中室长度约为后翅长的1/2弱。雄性外生殖器：中等骨化；背兜发达，背面有膜质区；柄突钩形；钩突长指形，端部下弯；颚突短；囊突宽短，端部尖；抱器结构复杂，有铗片和内突，抱器端突起；阳茎粗短或中等长短，角状器发达。雌性外生殖器：囊导管与交配囊管状，近等粗，膜质。

分布：古北区，东洋区。全世界记载 2 种，秦岭地区均有记录。

分种检索表

后翅端缘中下部青蓝色；反面白色外横带直 ·· **银豹蛱蝶 C. childreni**

后翅端缘无青蓝色；反面白色外横带弯曲 ······························ **曲纹银豹蛱蝶 C. zenobia**

(120) 银豹蛱蝶 *Childrena childreni* (**Gray, 1831**) (图版 30: 7-8)

Argynnis childreni Gray, 1831: 33.

Childrena childreni: D′Abrera, 1985: 274.

鉴别特征：翅正面橙黄色，密布黑色豹纹；外缘带黑色；亚外缘及亚缘各有 1 列近圆形斑纹。前翅亚顶区前缘有 1 个三角形斑纹；中横斑列"Z"形；中室有 4 条黑色波状斑；雄蝶 Cu_1、Cu_2、2A 脉各有 1 条黑色性标；反面顶角区赭绿色，椭圆形白环两端断开；亚顶区淡黄色。后翅正面翅端缘的中下部蓝灰色（雌蝶较宽），中横斑列"V"形，反面赭绿色；密布银白色网状纹，缘线黑色；银白色外横带直；臀角内侧凹入。

采集记录：1♂，宁陕火地塘，1620m，2008.Ⅷ.31，房丽君采。

分布：陕西（宁陕）、辽宁、北京、河北、河南、浙江、湖北、江西、湖南、福建、广东、广西、四川、贵州、云南、西藏；缅甸，印度。

寄主：紫花地丁 *Viola philippinca* (Violaceae)、箭叶堇菜 *V. betomicifolia*、柔毛堇菜 *V. principis*、匍匐堇菜 *V. serpens*。

(121) 曲纹银豹蛱蝶 *Childrena zenobia* (**Leech, 1890**)

Argynnis zenobia Leech, 1890: 188.

Childrena zenobia: D′Abrera, 1985: 274.

鉴别特征：与银豹蛱蝶 *C. childreni* 近似，主要区别为：本种后翅正面端部无蓝灰色区域；反面外横带曲波状。

采集记录：1♂，长安饮马池，1900m，2008.Ⅶ.12，房丽君采；1♂，蓝田王顺山，1780m，2010.Ⅶ.31，房丽君采；1♂，周至楼观台，930m，2011.Ⅷ.10，张宇军采；1♂1♀，太白青峰峡，2000m，2012.Ⅵ.22，房丽君采；1♂，宁陕火地塘，1520m，2010.Ⅶ.27，房丽君采；2♂，山阳银花，850m，2013.Ⅸ.20，房丽君采。

分布：陕西（长安、蓝田、周至、太白、宁陕、山阳）、吉林、辽宁、北京、河北、山西、河南、甘肃、广东、四川、贵州、云南、西藏；印度。

寄主：斑叶堇菜 *Viola variegate*（Violaceae）。

44. 斑豹蛱蝶属 *Speyeria* Scudder，1872

Speyeria Scudder，1872：44. **Type species**：*Papilio idalia* Drury，1773.

Semnopsyche Scudder，1875：238，258. **Type species**：*Papilio diana* Cramer，1777.

Mesoacidalia Reuss，1926：69. **Type species**：*Papilio aglaja* Linnaeus，1758.

属征：翅正面有典型豹纹；前翅有 3 条较细的性标。后翅反面绿色，有圆或方形银色斑。前翅顶角钝圆；R_1 及 R_2 脉从中室端部分出；R_3、R_4、R_5 脉分叉于翅端部；Cu_1、Cu_2 脉分出点相距远；中室端脉 M_1-M_2 段向中室微凹，M_2-M_3 段直，较长。后翅外缘弧形；顶角及臀角圆。雄性外生殖器：中等骨化；背兜后半部胯形，两侧下延宽，背面有膜质区，端半部颈状缢缩；有柄突；钩突长；颚突小，基部与背兜愈合；囊突粗短，开式；抱器结构复杂，抱器背外突，有铗片和内突；阳茎粗，有角状器。雌性外生殖器：囊导管粗，交配囊体小。

分布：古北区，新北区。全世界记载 20 种，中国已知 2 种，秦岭地区记录 1 种。

（122）银斑豹蛱蝶 *Speyeria aglaja*（**Linnaeus，1758**）（图版 31：1-2）

Papilio aglaja Linnaeus，1758：481.

Papilio pasilhoe Linnaeus，1767：755.

Papilio charlotta Haworth，1802：3.

Speyeria aglaja：Chou，1994：473.

鉴别特征：翅橙黄色；斑纹黑色或银灰色；外缘斑列斑纹间有细线相连；亚外缘斑列及外横斑列近平行。前翅中横斑列近"Z"形；中室有 4 个黑色条纹；反面顶角区、外缘区多绿色，斑纹较模糊；顶角区有 1 列与亚外缘斑并列的银白色小斑。后翅正面基部及后缘棕褐色，密被长毛；中横带"V"形；反面除亚缘区外其他区域覆有斑驳绿色；亚外缘斑及中横斑列银白色；翅基部 5 个银白色斑纹围成 1 圈；中室中部圆斑银白色。

采集记录：1♂，长安东坪沟，1880m，2011.Ⅷ.30，房丽君采；3♂1♀，周至厚畛子，1280m，2009.Ⅶ.14，高可、杨伟采；1♂，太白青峰峡，1680m，2012.Ⅵ.22，房丽君采。

分布：陕西（长安、周至、太白）、黑龙江、吉林、辽宁、北京、河北、内蒙古、山西、河南、宁夏、甘肃、青海、新疆、山东、四川、云南、西藏；俄罗斯，朝鲜，日本，尼泊尔，欧洲，非洲北部。

寄主：堇菜 *Viola verecunda*（Violaceae）、硬毛堇菜 *V. hirta*、支柱蓼 *Polygonum suffultum*（Polygonaceae）。

45. 福蛱蝶属 *Fabriciana* Reuss, 1920

Fabriciana Reuss, 1920：192. **Type species**：*Papilio niobe* Linnaeus, 1758.
Prodryas Reuss, 1926：66. **Type species**：*Argynnis kamala* Moore, 1857.

属征：翅正面有典型的豹纹。雄蝶前翅正面有 1～2 条性标。后翅反面有赭绿色晕染和银白色斑。前翅 R_1 及 R_2 脉从中室端部分出；中室端脉 M_1-M_2 段向中室凹入，短于 M_2-M_3 段。后翅外缘波状；反面覆有赭绿色晕染。雄性外生殖器：中等骨化；背兜鞍形，背面有膜质区；柄突刺钩形；钩突较长；颚突宽短；囊突粗；抱器结构复杂，有铗片和内突；阳茎短于抱器，有角状器。雌性外生殖器：囊导管、囊颈膜质，交配囊长。

分布：古北区，东洋区。全世界记载 8 种，中国已知 3 种，秦岭地区记录 2 种。

分种检索表

雄蝶前翅性标 1 条，位于 Cu_2 脉上 ················· 蟾福蛱蝶 *F. aerippe*
雄蝶前翅性标 2 条，位于 Cu_1 和 Cu_2 脉上 ················· 灿福蛱蝶 *F. adippe*

(123) 蟾福蛱蝶 *Fabriciana nerippe*（C. & R. Felder, 1862）

Argynnis nerippe C. & R. Felder, 1862：24.
Argynnis coreana：Butler, 1882：15-16.
Argynnis nerippe coreana：Seitz, 1909：239.
Argynnis nerippe nerippe：Nire, 1920：49.
Argynnis nerippe acuta：Matsumura, 1929：154；
Fabriciana nerippe：Chou, 1994：475.

鉴别特征：翅橙黄色；斑纹黑色；外缘及亚缘斑纹间有细线纹相连。前翅中横斑列"Z"形；中室有 4 条黑色横纹；Cu_1 脉上有性标；反面顶角区黄绿色，雌蝶此区域有 1 个白色"O"形圈纹。后翅正面中横带曲波状；外横斑列近圆形；m_1 及 m_3 室斑纹多缺失；中室端部有 1 个条斑；反面覆有绿色晕染；外横眼斑列墨绿色，瞳点灰白色；中横斑列及基半部散布的斑纹银白色，有珍珠光泽。

采集记录：1♂，长安东佛沟，2350m，2009.Ⅶ.18，房丽君采；1♂，蓝田王顺山，2100m，2010.Ⅶ.31，房丽君采；1♂，周至厚畛子，1400m，2010.Ⅶ.11，房丽君采；1♂，户县朱雀森林公园，2360m，2012.Ⅶ.12，房丽君采；1♂1♀，太白桃川，1360m，2011.Ⅷ.29，程帅、张辰生采；1♂，佛坪桃园村，880m，2011.Ⅴ.05，房丽君采；2♂1♀，商州贾庄村，960m，2013.Ⅶ.23，房丽君采；2♂，山阳中村，500m，2010.Ⅵ.01，房丽君采；1♂，丹凤界岭，1420m，2013.Ⅷ.13，张宇军采。

分布：陕西（长安、蓝田、周至、户县、太白、佛坪、商州、山阳、丹凤）、黑龙江、河南、宁夏、甘肃、浙江、湖北；朝鲜，日本。

寄主：东北堇菜 *Viola mandshurica*（Violaceae）。

（124）灿福蛱蝶 *Fabriciana adippe*（Denis *et* Schiffermüller，1776）（图版31：3-6）

Papilio adippe Denis *et* Schiffermüller，1775：176.

Papilio cydippe Linnaeus，1761：281.

Argynnis adippe coredippe Seitz，1909：239.

Argynnis adippe numerica Matsumura，1929：153.

Argynnis locuples Seok，1936：62.

Fabriciana adippe：Chou，1994：475.

鉴别特征：与蟾福蛱蝶 *F. nerippe* 近似，主要区别为：本种前翅 Cu_1 和 Cu_2 脉上各有 1 条性标；外横斑列 m_1 及 m_3 室各有 1 个小圆斑。后翅反面银白色斑纹较蟾福蛱蝶稀疏。

采集记录：2♂，长安饮马池，1900m，2008.Ⅷ.17，房丽君采；1♂，蓝田王顺山，2080m，2010.Ⅶ.31，房丽君采；1♂，周至厚畛子，1300m，2010.Ⅶ.11，房丽君采；1♂，户县涝峪，1500m，2010.Ⅶ.06，房丽君采；2♂，宝鸡大水川，2000m，2013.Ⅵ.01，房丽君采；1♂，眉县蒿坪寺，1140m，2011.Ⅵ.25，张辰生采；1♂，太白七里川，1750m，2012.Ⅵ.24，房丽君采；1♂，华阴石堤峪，920m，2011.Ⅶ.11，房丽君采；1♂，留坝紫柏山，1500m，2012.Ⅵ.22，张宇军采；1♂1♀，佛坪长角坝，950m，2011.Ⅴ.06，房丽君采；1♂，洋县茅坪，780m，2011.Ⅵ.04，房丽君采；2♂，宁陕旬阳坝，1510m，2010.Ⅶ.29，房丽君采；1♂1♀，石泉云雾山，1500m，2011.Ⅴ.26，房丽君采；1♂2♀，商州贾庄村，960m，2013.Ⅶ.23，房丽君采；2♂，商南金丝峡，950m，2013.Ⅶ.26，房丽君采。

分布：陕西（长安、蓝田、周至、户县、宝鸡、眉县、太白、华阴、留坝、佛坪、洋县、宁陕、石泉、商州、商南）、黑龙江、吉林、辽宁、北京、河北、山西、河南、甘肃、新疆、山东、江苏、浙江、湖北、江西、四川、贵州、云南、西藏；俄罗斯，朝鲜，日本。

寄主：三色堇 *Viola tricolor*（Violaceae）、香堇菜 *V. odorata*、白花堇菜 *V. patrini*。

46. 珠蛱蝶属 *Issoria* Hübner，[1819]

Issoria Hübner，[1819]：31. **Type species**：*Papilio lathonia* Linnaeus，1758.
Rathora Moore，[1900]：241. **Type species**：*Papilio lathonia* Linnaeus，1758.
Yramea Reuss，1920：192. **Type species**：*Papilio cytheris* Drury，1773.
Chilargynnis Bryk，1944：8. **Type species**：*Papilio cytheris* Drury，1773.

属征：小型种类。翅正面有豹纹；雄蝶无性标，后翅反面有大块银白或珠白色斑。前翅 R_1 及 R_2 脉从中室端部分出；Cu_1 与 Cu_2 脉分出点相距远；中室端脉 M_1-M_2 段向中室凹入，短于 M_2-M_3 段。后翅外缘中部钝角形外突；顶角及臀角明显。雄性外生殖器：中等骨化；背兜鞍形，背部有膜质区；柄突钩形；钩突弯指形；颚突宽；囊突粗短；抱器结构较复杂，有铗片和内突，抱器小；阳茎约为抱器长度的1/2，两端斜截，有角状器。雌性外生殖器：囊导管粗，交配囊长袋形。

分布：古北区。全世界记载12种，中国已知2种，秦岭地区记录1种。

(125) 曲斑珠蛱蝶 *Issoria eugenia*（Eversmann，1847）（图版31：7-8）

Argynnis eugenia Eversmann，1847：68.
Issoria eugenia：Chou，1994：479.

鉴别特征：翅正面橙黄色；斑纹黑色或银白色。前翅外缘与亚外缘斑列之间有1列白色斑纹；亚缘斑列下部内移；中横斑列"Z"形；中室条斑4条。后翅正面亚缘及中横斑列近"V"形；中室端部有1个斑纹；基部及后缘密布棕黑色长毛；反面覆有暗绿色晕染；外缘及亚缘斑列银白色；其余翅面散布数个银白或黄色斑纹；m_2 室基部有1个银白色大斑，近三角形；翅面银白色斑纹均有珍珠光泽。

采集记录：2♂，户县朱雀森林公园，1900m，2009.Ⅷ.07，房丽君采；3♂1♀，太白鳌山，2700m，2013.Ⅷ.10，房丽君采。

分布：陕西(户县、太白)、甘肃、新疆、四川、云南、西藏。

寄主：杜鹃花科 Ericaceae 植物。

47. 宝蛱蝶属 *Boloria* Moore，1900

Boloria Moore，1900：243. **Type species**：*Papilio pales* Denis et Schiffermüller，1775.

属征：小型种类。翅正面有豹纹，后翅反面密布不规则排列的褐色和银白色斑。前翅狭长；外缘弧形；顶角明显；R_1 脉从中室端部分出；R_2 从 R_5 脉分出；Cu_1 与 Cu_2

脉分出点相距较 2A 脉近；中室端脉 M_1-M_2 段向中室凹入，短于 M_2-M_3 段。后翅外缘弧形，外缘在 $Sc + R_1$ 脉末端角度明显。雄性外生殖器：中等骨化；背兜鞍形；背面有膜质区；柄突钩形；钩突前端二分叉；颚突及囊突小；抱器结构较复杂，抱器背外突，有铗片和内突；阳茎短，中部粗，无角状器。雌性外生殖器：囊导管粗，骨化弱；交配囊近球形。

分布：古北区，东洋区。全世界记载 12 种，中国已知 6 种，秦岭地区记录 2 种。

分种检索表

前翅端部 3 列黑色斑点平行，第 2 和 3 列整齐 ……………………………… 洛神宝蛱蝶 **B. napaea**

前翅端部 3 列黑色斑点不平行，第 2 和 3 列不整齐 ………………………… 龙女宝蛱蝶 **B. Pales**

(126) 洛神宝蛱蝶 *Boloria napaea* Hoffmannsegg，1804

Boloria napaea Hoffmannsegg，1804.

鉴别特征：翅黄色；斑纹多黑色；端部有 3 列近平行的斑纹；基部黑色；中横斑列斑纹淡。前翅中室有 4 条波状线纹；反面斑纹较模糊。后翅中横带曲波形；反面橙红色；外缘斑列及外横斑列白色；中横斑列近"V"形；m_3 室有 1 条黄色梭形长斑；翅基半部散布有不规则白色斑纹。

分布：陕西(秦岭)、山西、新疆；俄罗斯，欧洲。

寄主：珠芽蓼 *Polygonum viviparum*（Polygonaceae）。

(127) 龙女宝蛱蝶 *Boloria pales*（Denis *et* Schiffermüller，1775）

Papilio pales Denis *et* Schiffermüller，1775：177.

Brenthis pales：Dyar，1903：16.

Boloria pales：Chou，1994：478.

鉴别特征：与洛神宝蛱蝶 *B. napaea* 近似，主要区别为：本种前翅亚缘斑列错位，分成两段，下半段内移。后翅反面 m_3 室黄色斑纹有缺口。

分布：陕西(秦岭)、黑龙江、吉林、青海、新疆、台湾、四川、云南、西藏；俄罗斯，阿富汗，亚洲中部，欧洲，非洲。

寄主：瑞士堇菜 *Viola calcarata*（Violaceae）。

48. 珍蛱蝶属 *Clossiana* Reuss，1920

Clossiana Reuss，1920：192. **Type species**：*Papilio selene* Denis *et* Schiffermüller，1775.

属征：从宝蛱蝶属 *Boloria* 分出。小型种类；翅橙黄色；正面有黑褐色豹纹。后翅反面中室外围有 1 列放射状排列的斑纹，珍珠白色。前翅狭长；外缘弧形；R_1 脉从中室端部分出；R_2 脉从 R_5 脉分出；中室端脉 M_1-M_2 段向中室微凹，M_2-M_3 段直。后翅外缘弧形；顶角及臀角较圆。雄性外生殖器：骨化强；背兜鞍形，背面有膜质区，端部颈状缢缩；柄突钩形；钩突弯指形，前端分叉；颚突宽短，基部与背兜愈合；囊突较短；抱器结构复杂，密布毛丛；阳茎前端斜截，有角状器，盲囊指形。

分布：古北区，新北区。全世界记载 35 种，中国已知约 20 种，秦岭地区记录 2 种。

分种检索表

两翅反面外缘斑楔形 ·· 珍蛱蝶 *C. gong*
两翅反面外缘斑非楔形 ·· 女神珍蛱蝶 *C. dia*

(128) 珍蛱蝶 *Clossiana gong*（Oberthür，1884）（图版 31：9-10）

Argynnis gong Oberthür，1884：15.

Argynnis charis：Oberthür，1891：8.

Argynnis era：Grum-Grshimailo，1891：456.

Clossiana gong：Chou，1994：477.

鉴别特征：翅橙黄色；斑纹黑色或银白色；正面外缘、亚外缘及亚缘斑列近平行排列；基部黑褐色，密被鳞毛；反面翅端部白色楔形纹和橙黄或橙红色指状纹镶嵌套叠排列。前翅中横斑列近"Z"形；中室有 4 个斑纹。后翅正面中横带齿状，中室有 1 个点状斑；反面亚缘斑列多有白色眼点；中室斑点黑色；周缘放射状排列 1 圈大小及形状不一的银白色斑纹。

采集记录：1♂，周至厚畛子，1430m，2009. Ⅴ. 20，杨伟采；2♂1♀，太白咀头，1790m，2012. Ⅴ. 20，房丽君采；2♂，凤县嘉陵江源头，1450m，2012. Ⅴ. 25，房丽君采。

分布：陕西（周至、太白、凤县）、河北、山西、河南、青海、四川、云南、西藏。

寄主：太白杜鹃 *Rhododendron purdomii*（Ericaceae）。

(129) 女神珍蛱蝶 *Clossiana dia* (**Linnaeus, 1767**)

Papilio dia Linnaeus, 1767：785.

Clossiana dia：Chou, 1994：477.

　　鉴别特征：与珍蛱蝶 *C. gong* 近似, 主要区别为: 本种个体较小; 翅反面外缘区白色斑纹短; 前翅亚缘斑列上半段斑纹相连, 并外倾与外缘斑列相接; 中横斑列斑纹间有细线相接。
　　分布: 陕西(秦岭)、甘肃、新疆; 俄罗斯, 小亚细亚, 欧洲。
　　寄主: 覆盆子 *Rubus idaeus* (Rosaceae)、夏枯草 *Prunella vulgaris* (Lamiaceae)。

四、 线蛱蝶亚科 Limenitinae

　　大型或中型的蝴蝶; 两性多同型。翅缘波状或平滑; 正面常有黑色或黄色的斑或带; 雄蝶无发香鳞。前翅近三角形; R_2 脉多从中室分出; R_3、R_4 与 R_5 脉共柄; 中室开式或由较退化的横脉闭合。后翅多无尾突; 肩脉与 $Sc + R_1$ 脉在同一点或从 $Sc + R_1$ 脉基部分出; 中室常开式。雄性外生殖器: 背兜多围巾形; 钩突发达; 颚突臂状; 抱器长宽比大于1, 多有发达的内突; 阳茎常较短。雌性外生殖器: 交配囊膜质; 交配囊片及囊尾有或无。

分族检索表

1. 后翅肩脉与 $Sc + R_1$ 脉从同一点分出; 或前翅外缘长于后缘 ·············· 2
   后翅肩脉从 $Sc + R_1$ 脉基部分出; 前翅外缘短于后缘 ············· **翠蛱蝶族 Euthaliini**
2. 中室前翅闭式, 后翅开式 ············· **线蛱蝶族 Limenitini**
   不如上述 ············· 3
3. 两翅中室均开式············· **环蛱蝶族 Neptini**
   两翅中室均闭式············· **姹蛱蝶族 Chalingini**

(一) 翠蛱蝶族 Euthaliini

　　大中型种类。翅宽阔; 后翅中室开式或由极细的线纹封闭; 肩脉从 $Sc + R_1$ 脉近基部分出。

49. 翠蛱蝶属 *Euthalia* Hübner, [1819]

Euthalia Hübner, [1819]：41. **Type species**：*Papilio lubentina* Cramer, 1777.

Symphaedra Hübner, 1818: 7. **Type species**: *Symphaedra alcandra* Hübner, 1818.

Nora de Nicéville, 1893: 54. **Type species**: *Adolias kesava* Moore, 1859.

Kirontisa Moore, [1897]: 49, 100. **Type species**: *Adolias telchinia* Ménétriès, 1857.

Sonepisa Moore, [1897]: 49. **Type species**: *Adolias kanda* Moore, 1859.

属征: 雌雄异型或多型。雄蝶多绿褐色, 后翅端部色较淡; 雌蝶棕绿色, 有宽的淡色外带及白色斑带。两翅反面中室及其附近有 3~5 个黑色环形纹。前翅中室闭式或开式; 有的种类雄蝶 Sc 脉与 R_1 脉分离, 雌蝶交叉; R_4 脉到达外缘。后翅外缘光滑或锯齿形, 无齿突或尾突; 中室开式或被细线纹封闭; Sc + R_1 脉到达外缘; 肩脉从 Sc + R_1 脉基部生出。雄性外生殖器: 钩突爪状, 末端弯曲而尖; 囊突长或短; 抱器狭长, 末端圆、尖或有锯齿; 阳茎中等长。

分布: 东洋区。全世界记载 70 种, 中国已知 50 余种, 秦岭地区记录 5 种。

分种检索表

1. 雌雄异型显著; 前翅顶角尖锐 ………………………………………… 黄铜翠蛱蝶 *E. nara*

　　雌雄基本同型; 前翅顶角顿圆……………………………………………………………… 2

2. 前翅白色斑带从 cu_2 室起 "V" 形折向后缘 …………………………………………… 3

　　前翅白色斑带从 m_3 室起弧形折向后缘 ……………………………………………… 4

3. 前翅带纹从前缘到 cu_1 室特别宽; 亚顶区有 3 个白色斑 ………… 孔子翠蛱蝶 *E. confucius*

　　前翅带纹不特别宽; 亚顶区有 2 个斑纹 ………………………………… 嘉翠蛱蝶 *E. kardama*

4. 前翅外缘及后翅前缘直 …………………………………………… 陕西翠蛱蝶 *E. kameii*

　　前翅外缘及后翅前缘呈弧形……………………………………… 西藏翠蛱蝶 *E. thibetana*

(130) 西藏翠蛱蝶 *Euthalia thibetana* (Poujade, 1885)

Adolias thibetana Poujade, 1885: 215.

Bassarona thibetana: D'Abrera, 1993: 350.

Euthalia thibetana: Chou, 1994: 499.

鉴别特征: 翅正面绿褐色; 反面色稍淡; 斑纹白色或淡黄色; 两翅亚外缘带及亚缘带宽; 中横斑带白色。前翅亚顶区有 2 个白色斑纹; 中室端部及中部各有 1 个圈纹。后翅反面基部圈纹组成花瓣样图案。

采集记录: 2♂, 户县涝峪, 1400m, 2010. Ⅶ.06, 房丽君采; 1♂, 太白二郎坝, 1060m, 2011. Ⅷ.24, 程帅、张辰生采; 1♂, 宁陕火地塘, 1680m, 2008. Ⅷ.31, 房丽君采; 1♂, 柞水营盘, 1420m, 2009. Ⅸ.05, 房丽君采。

分布: 陕西(户县、太白、宁陕、柞水)、河南、江西、台湾、四川、云南、贵州。

寄主: 毛棉杜鹃 *Rhododendron moulmainense*、长蕊杜鹃 *R. stamineum* (Ericaceae),

多脉青冈 *Cyclobalanopsis multinervis*（Fagaceae）、曼青冈 *C. oxyodon*。

(131) 陕西翠蛱蝶 *Euthalia kameii* Koiwava, 1996

Euthalia kameii Koiwava, 1996：242.

鉴别特征：与西藏翠蛱蝶 *E. thibetana* 近似，主要区别为：本种正面黑褐色，偏黄；反面土黄色；正反面均不泛蓝色光泽。前翅外缘及后翅前缘较直。后翅反面亚外缘带宽，色较淡。

采集记录：1♂，周至，1200~1500m，1994. Ⅵ-Ⅶ；1♂，佛坪，1990. Ⅷ. 04。

分布：陕西（周至、佛坪）、福建、四川、云南。

(132) 孔子翠蛱蝶 *Euthalia confucius*（Westwood, 1850）

Adolias confucius Westwood, 1850：291.
Euthalia confucius：Grose-Smith & Kirby, 1891：7.

鉴别特征：雌雄异型。雄蝶个体较小；翅正面棕色，略泛绿色；反面棕黄色；外缘带宽。前翅端部淡棕色；顶角区有 3 个白斑；白色中斜带宽，至 cu_2 室 "V" 形折向后缘；中室内有 2 个黑色环状纹及 1 个白斑。后翅亚缘带黑色；中横带近 "V" 形，上宽下窄；反面基部黑色圈纹枝叶状。

分布：陕西（秦岭）、浙江、四川、西藏。

(133) 嘉翠蛱蝶 *Euthalia kardama*（Moore, 1859）（图版 32：1-2）

Adolias kardama Moore, 1859：80.
Adolias armandiana Poujade, 1885：216.
Euthalia kardama：Grose-Smith & Kirby, 1891：5.

鉴别特征：翅正面绿褐色；反面灰绿色。前翅顶角区有 2 个白斑；亚外缘及亚缘区淡黄色，中间镶有 1 列灰黑色斑纹；白色中横斑列近 "V" 形；中室有 2 个黑色圈纹；反面 cu_2 室基部圈纹圆形。后翅正面外横带灰绿色，外侧镶有灰黑色斑列，内侧镶有白色斑列；中室端斑灰褐色；反面外横带棕黄色；基部圈纹组成枝叶样图案。

采集记录：1♂，宁陕蒿沟，780m，2010. Ⅶ. 26，房丽君采；1♂，镇安结子乡，720m，2010. Ⅸ. 04，房丽君采；2♂，山阳苍龙山，700m，2013. Ⅶ. 22，张宇军采。

分布：陕西（宁陕、镇安、山阳）、浙江、江西、福建、四川、云南。

寄主：棕榈 *Trachycarpus fortunei*（Arecaceae）。

(134) 黄铜翠蛱蝶 *Euthalia nara* (Moore, 1859)

Adolias nara Moore, 1859：78.

Adolias anyte Hewitson, 1862：[65].

Euthalia nara：Chou, 1994：488.

鉴别特征：雌雄异型。雄蝶个体较小；翅正面棕褐色，略泛绿色；反面棕黄色；外缘带赭绿色或棕褐色；亚外缘带黑褐色；中横带模糊；中室内有 2 个圈纹。后翅正面上半部黄色，下半部黑褐色；外缘带黑色。雌蝶翅正面棕绿色，反面赭绿色。前翅亚顶区有 2 个白色斑纹；中斜带白色。后翅正面外中区上端有白色斑纹，并被翅脉分割；反面外横斑列未达后缘。基部黑色圈纹枝叶状。

采集记录：1♂，周至楼观台，940m，2011.Ⅷ.10，张宇军采。

分布：陕西(周至)、浙江、广西、四川、云南；缅甸，印度，不丹，尼泊尔。

寄主：栎属 *Quercus* spp. (Fagaceae)植物。

(二)线蛱蝶族 Limenitini

大中型种类。翅三角形，黑色、褐色或黄色，有白色、黄色、黑色、橙红色、绿色或绿褐色条带或斑纹；中室前翅闭式，后翅开式；后翅肩脉与 $Sc + R_1$ 脉从同点分出。

分属检索表

1. 腹基部有 1 条灰白色横带 ···················· **带蛱蝶属 *Athyma***
   腹基部无灰白色横带 ······································· 2
2. 后翅正面中室有 1 个黄色大圆斑 ············· **蔼蛱蝶属 *Patsuia***
   后翅正面中室无上述斑纹 ································· 3
3. 后翅反面基部至中横带灰绿色 ············· **俳蛱蝶属 *Parasarpa***
   后翅反面基半部色彩不如上述 ······························ 4
4. 雌雄异型。雄蝶翅黄色；斑纹黑褐色 ············· **婀蛱蝶属 *Abrota***
   雌雄同型。雄蝶翅黑褐色；斑纹白色 ·························· 5
5. 后翅正面中室基部黑色 ···················· **线蛱蝶属 *Limenitis***
   后翅正面中室基部白色 ···················· **缕蛱蝶属 *Litinga***

50. 线蛱蝶属 *Limenitis* Fabricius, 1807

Limenitis Fabricius, 1807：281. **Type species**：*Papilio populi* Linnaeus, 1758.

Nymphalus Boitard, 1828：300. **Type species**：*Papilio populi* Linnaeus, 1758.

Ladoga Moore, 1898：146. **Type species**：*Papilio camilla* Linnaeus, 1764.

Sinimia Moore, 1898：146. **Type species**：*Limenitis ciocolatina* Poujade, 1885.

Chalinga Moore, 1898：146. **Type species**：*Limenitis elwesi* Oberthür, 1884.

Nympha Krause, 1939：86. **Type species**：*Papilio populi* Linnaeus, 1758.

Eolimenitis Kurentzov, 1950：37. **Type species**：*Limenitis eximia* Moltrecht, 1909.

属征：翅褐色或黑褐色；两翅多有白色中横带。前翅中室闭式，长度约为翅长的 2/5；中室端脉 M_1-M_2 向中室内凹入，M_2-M_3 段直；R_2 脉从中室上缘端部分出。后翅无尾突；中横带未达后翅后缘；反面基部密布黑色小点或线纹；$Sc+R_1$ 脉伸达翅顶角或外缘，Rs 脉接近 M_1 脉而远离 $Sc+R_1$ 脉。雄性外生殖器：骨化较强；背兜围巾形；钩突指形；颚突臂形；囊突短；抱器长三角形，顶部齿突有或无；阳茎较短。雌性外生殖器：囊导管细；交配囊袋形；交配囊片及囊尾有或无。

分布：古北区，新北区，东洋区。全世界记载 18 种，中国已知 13 种，秦岭地区记录 10 种。

分种检索表

1. 翅反面橙色···**红线蛱蝶 *L. populi***
   翅反面非橙色 ·· 2
2. 前翅中室仅端部有 1 个白色短横斑 ····································· 3
   前翅中室有 1 个端部断开的长带纹 ····································· 7
3. 后翅外缘线及亚外缘线为蓝色；雄蝶正面中横带消失 ·············**巧克力线蛱蝶 *L. ciocolatina***
   不如上述 ···**横眉线蛱蝶 *L. moltrechti***
4. 前翅正面中室带纹基段弯曲 ·· 5
   前翅正面中室带纹基段直 ·· 7
5. 后翅反面基半部有 1 个灰白色"C"形纹 ·······················**折线蛱蝶 *L. sydyi***
   后翅反面基半部无"C"形纹·· 6
6. 后翅反面肩区棕黄色 ···**重眉线蛱蝶 *L. amphyssa***
   后翅反面肩区黑褐色 ···**愁眉线蛱蝶 *L. disjuncta***
7. 前翅中室斑纹棒状，端部上缘残缺，未完全中断··············**残锷线蛱蝶 *L. sulpitia***
   前翅中室斑纹端部断开 ·· 8
8. 后翅中横带外缘平直 ···**戟眉线蛱蝶 *L. homeyeri***
   后翅中横带外缘扭曲 ··· 9
9. 前翅中横带 m_3 室斑较小，亚缘斑较大 ·····················**断眉线蛱蝶 *L. doerriesi***
   前翅中横带 m_3 室斑及亚缘斑不如上述 ····················**扬眉线蛱蝶 *L. helmanni***

(135) 红线蛱蝶 *Limenitis populi* (**Linnaeus, 1758**) (图版 32：3-4)

Papilio populi Linnaeus, 1758：476.

Limenitis populi：Chou, 1994：506.

鉴别特征：翅正面黑褐色；反面橙色。前翅亚外缘线白色；亚缘斑列斑纹条形；顶角区有3个白色斑纹；外横斑列白色；中室端斑条形；反面后缘黑色；中室基部斑纹灰蓝色；cu₂室基部有斑纹。后翅外缘锯齿形；正面外缘线及亚外缘线蓝灰色；亚缘斑列橙黄色，两侧伴有黑色模糊斑纹；中横带白色；反面翅端部及后缘灰蓝色；外缘及亚外缘线黑色；亚缘斑列及外横斑列黑色；基半部有数个灰蓝色斑纹。雌蝶斑纹较粗大。

采集记录：1♂，长安石砭峪，1150m，2011.Ⅴ.25，张宇军采；1♂，周至厚畛子，1780m，2009.Ⅵ.27，房丽君采；1♂，户县涝峪，1450m，2009.Ⅵ.6，房丽君采；1♂1♀，太白黄柏塬，1300m，2010.Ⅵ.15，房丽君采；1♂，留坝紫柏山，1640m，2012.Ⅵ.22，张宇军采；2♂，宁陕火地塘，1820m，2009.Ⅵ.22，房丽君采。

分布：陕西（长安、周至、户县、太白、留坝、宁陕）、黑龙江、辽宁、吉林、河北、内蒙古、山西、河南、甘肃、青海、新疆、浙江、台湾、四川、西藏；日本，新加坡，欧洲。

寄主：山杨 *Populus davidiana*（Salicaceae）、欧洲山杨 *P. tremula*、黑杨 *P. nigra*、毛白杨 *P. tomentosa*、小叶杨 *P. simonii*。

(136) 巧克力线蛱蝶 *Limenitis ciocolatina* Poujade，1885（图版32：5-6）

Limenitis ciocolatina Poujade，1885：207.

鉴别特征：翅正面黑褐色；反面棕褐色。翅端部线纹前翅2条，后翅3条。前翅顶角区白斑2~3个；雌蝶中横斑列及中室端斑白色，雄蝶消失或模糊不清。后翅中横带雄蝶模糊；反面基部有数条黑色线纹；臀角橙黄色，镶有2个黑色圆斑。

采集记录：1♂，长安分水岭，2220m，2011.Ⅶ.25，张宇军采；2♂，周至板房子，1500m，2013.Ⅵ.15，房丽君采；1♂，户县朱雀森林公园，1620m，2012.Ⅶ.12，房丽君采；1♂，太白七里川，1750m，2012.Ⅵ.24，房丽君采；1♂，凤县通天河，1780m，2012.Ⅵ.16，房丽君采；1♂，宁陕火地塘，1720m，2008.Ⅷ.31，房丽君采。

分布：陕西（长安、周至、户县、太白、凤县、宁陕）、吉林、河北、山西、河南、新疆、江西、四川、西藏。

寄主：杨 *Populus* sp.（Salicaceae）及柳属 *Salix* spp. 植物。

(137) 折线蛱蝶 *Limenitis sydyi* Kindermann，1853（图版33：1-4）

Limenitis sydyi Kindermann，1853：357.

鉴别特征：翅正面黑褐色；反面土黄色；外缘及亚外缘斑列白色。前翅顶角区小白斑2~3个；正面中室端部有1个与后缘平行的白色条纹，基部斑纹蝌蚪形；中横带近"V"形；反面覆有黑色晕染。后翅白色中横带端部内弯；反面翅端部灰白色，有2条黑色波状纹；黑色外横斑列2排；肩区、后缘及基部灰白色；翅基部有数条黑线纹。

采集记录： 1♂，长安大峪，800m，2010.Ⅸ.16，张宇军采；1♂，周至厚畛子，1300m，2009.Ⅸ.26，房丽君采；1♂，眉县蒿坪寺，1240m，2011.Ⅷ.11，张辰生、程帅采；1♂，洋县茅坪，780m，2011.Ⅵ.04，房丽君采；1♂，汉阴龙垭，600m，2011.Ⅴ.27，房丽君采；1♂，柞水牛背梁森林公园，1180m，2012.Ⅵ.13，张宇军采；1♂，商州麻街，850m，2011.Ⅵ.01，房丽君采；2♂，山阳中村，690m，2010.Ⅵ.06，房丽君采；1♂，丹凤土门，550m，2010.Ⅷ.16，房丽君采；2♂1♀，商南梁家湾，500m，2013.Ⅶ.28，房丽君采。

分布： 陕西（长安、周至、眉县、洋县、汉阴、柞水、商州、山阳、丹凤、商南）、黑龙江、吉林、辽宁、河北、山西、山东、河南、宁夏、甘肃、新疆、浙江、湖北、江西、福建、广东、四川、贵州、云南；俄罗斯，蒙古，朝鲜，日本。

寄主： 柳叶绣线菊 *Spiraea salicifolia*（Rosaceae）、三裂绣线菊 *S. trilobata*、土庄绣线菊 *S. pubescens*。

(138) 横眉线蛱蝶 *Limenitis moltrechti* **Kardakoff, 1928**（图版33：5-8）

Limenitis moltrechti Kardakovff, 1928：269.
Limenitis takamukuana Matsumura, 1931：44.

鉴别特征： 翅正面黑褐色；反面土褐色，覆有黑色晕染；斑纹白色。前翅外缘线细；亚外缘斑列斑纹条形，雄蝶较模糊；顶角区白斑3~4个；中室端部有1条与后缘平行的白色条斑；中横带近"V"形；反面中室基部斑纹近三角形。后翅亚缘斑列及中横带清晰；反面翅基部灰绿色，镶有数条黑色细线纹。

采集记录： 1♂，蓝田九间房，1480m，2013.Ⅵ.23，房丽君采；2♂，周至板房子，1120m，2011.Ⅶ.08，程帅、张辰生采；1♂，户县朱雀森林公园，1800m，2009.Ⅷ.07，高可、杨伟采；1♂，太白桃川，1430m，2011.Ⅶ.16，程帅、张辰生采；1♂，略阳五龙洞，1170m，2014.Ⅵ.02，房丽君采；1♂，留坝紫柏山，1640m，2012.Ⅵ.22，张宇军采；1♂，佛坪长角坝，950m，2011.Ⅴ.06，房丽君采；1♂，宁陕旬阳坝，1500m，2010.Ⅶ.29，房丽君采；1♂，柞水牛背梁森林公园，1270m，2012.Ⅵ.13，张宇军采；1♂，镇安结子乡，1210m，2011.Ⅵ.19，房丽君采。

分布： 陕西（蓝田、周至、户县、太白、略阳、留坝、佛坪、宁陕、柞水、镇安）、黑龙江、河北、山西、河南、宁夏、湖北、江西、湖南；朝鲜。

寄主： 金银花 *Lonicera japonica*（Caprifoliaceae）、早花忍冬 *L. praeflorens*、黄花忍冬 *L. chrysantha*。

(139) 重眉线蛱蝶 *Limenitis amphyssa* Ménétriès, 1859(图版 34：1-4)

Limenitis amphyssa Ménétriès, 1859：215.

鉴别特征：与横眉线蛱蝶 *L. moltrechti* 近似，主要区别为：本种前翅中室除端部斑纹外，中室基部另有 1 个蝌蚪形斑纹。后翅亚缘斑列较模糊。

采集记录：1♂，长安饮马池，1000m，2008. Ⅶ. 12，房丽君采；1♂，周至楼观台，850m，2010. Ⅵ. 04，房丽君采；1♂，凤县灵官峡，1000m，2012. Ⅴ. 26，房丽君采；1♂，眉县蒿坪寺，1430m，2011. Ⅵ. 25，房丽君采；1♂1♀，太白七里川，1720m，2012. Ⅵ. 24，房丽君采；1♂，略阳五龙洞田家坝，1020m，2014. Ⅵ. 02，房丽君采；1♂，留坝江口，1020m，2014. Ⅴ. 31，房丽君采；1♂，洋县秧田，950m，2011. Ⅵ. 05，房丽君采；1♂，石泉土门垭，880m，2011. Ⅴ. 25，房丽君采；1♂，汉阴龙垭，600m，2011. Ⅴ. 27，房丽君采；2♂，山阳中村捷峪沟，720m，2010. Ⅷ. 13，房丽君采。

分布：陕西（长安、周至、眉县、太白、凤县、略阳、留坝、洋县、石泉、汉阴、山阳）、黑龙江、吉林、辽宁、河北、山西、河南、甘肃、湖北、江西、四川；俄罗斯，朝鲜。

寄主：双盾木 *Dipelta floribunda*（Caprifoliaceae）。

(140) 扬眉线蛱蝶 *Limenitis helmanni* Lederer, 1853(图版 34：5-8)

Limenitis helmanni Lederer, 1853：356.

鉴别特征：前翅正面黑褐色；反面红褐色；斑纹多白色；外缘及亚外缘斑长条形。前翅顶角区有 3～4 个斑纹；中横斑列近"V"形；中室眉形斑端部断开；反面外缘斑列较正面清晰。后翅中横带白色，端部加宽并外凸；反面外横斑列棕褐色，与亚缘斑列相互套叠；翅基部及后缘银灰色，基部有数条黑色细线纹；臀角有黑色圆斑2 个。

采集记录：3♂2♀，长安白石峪，750m，2008. Ⅶ. 26，房丽君采；1♂，蓝田王顺山，1400m，2010. Ⅶ. 31，房丽君采；1♂，周至楼观台，1120m，2011. Ⅵ. 29，张宇军采；1♂，户县太平峪，890m，2008. Ⅸ. 13，房丽君采；2♂1♀，宝鸡坪头，1130m，2011. Ⅷ. 27，房丽君采；1♂，凤县通天河，1580m，2012. Ⅴ. 25，房丽君采；6♂2♀，眉县蒿坪寺，1100m，2010. Ⅷ. 10，房丽君采；1♂，太白黄柏塬原始森林，1580m，2010. Ⅷ. 08，房丽君采；1♂，华阴华阳川林场，1320m，2011. Ⅴ. 07，房丽君采；2♂，留坝城关，1130m，2012. Ⅵ. 21，张宇军采；1♂，佛坪东岳桃园，900m，2011. Ⅵ. 05，房丽君采；3♂，洋县青石垭，900m，2011. Ⅵ. 04，房丽君采；3♂2♀，宁陕旬阳坝，1250m，2010. Ⅷ. 29，房丽君采；2♂，石泉云雾山，880m，2011. Ⅴ. 25，房丽君采；2♂，汉阴龙垭，680m，2011. Ⅴ. 27，房丽君采；1♂，柞水牛背梁森林公园，1180m，

2012. Ⅵ.13，张宇军采；1♂，镇安锡铜沟，830m，2010. Ⅹ.02，房丽君采；2♂1♀，商州黑龙口，1050m，2011. Ⅵ.01，房丽君采；1♂，山阳洛峪，800m，2010. Ⅵ.26，房丽君采；2♂，丹凤土门，500m，2010. Ⅷ.16，房丽君采；2♂，商南金丝峡，900m，2013. Ⅶ.26，房丽君采。

分布：陕西（长安、蓝田、周至、户县、宝鸡、凤县、眉县、太白、华阴、留坝、佛坪、洋县、宁陕、石泉、汉阴、柞水、镇安、商州、山阳、丹凤、商南）、黑龙江、吉林、河北、山西、河南、甘肃、青海、新疆、浙江、湖北、江西、福建、四川；俄罗斯，朝鲜。

寄主：半边月 *Weigela japonica* var. *sinica*（Caprifoliaceae）、水马桑 *Coriaria sinica*、金银木 *Lonicera maackii*、苦糖果 *L. fragrantissima*、唐古特忍冬 *L. tangutica*。

(141) 戟眉线蛱蝶 *Limenitis homeyeri* Tancré, 1881（图版 35：1-4）

Limenitis homeyeri Tancré, 1881：120.
Limenitis homeyeri homeyeri：Mori, 1934：27.

鉴别特征：与扬眉线蛱蝶 *L. helmanni* 近似，主要区别为：本种前翅中横斑列 m_3 室斑纹小。后翅中横带外缘平直，雄蝶亚缘斑清晰。

采集记录：2♂1♀，长安白石峪，600m，2008. Ⅶ.26，房丽君采；2♂，蓝田汤峪，950m，2008. Ⅶ.20，房丽君采；1♂，周至厚畛子，1350m，2010. Ⅶ.11，房丽君采；1♂，户县涝峪，1500m，2010. Ⅶ.06，房丽君采；2♂，眉县蒿坪寺，1280m，2011. Ⅷ.11，程帅、张辰生采；1♂，太白二郎坝，1050m，2011. Ⅷ.24，程帅、张辰生采；1♂，佛坪凉风垭，1700m，2013. Ⅶ.30，张宇军采；1♂，宁陕火地塘，1750m，2010. Ⅶ.27，房丽君采；1♂，柞水营盘大甘沟，1420m，2009. Ⅸ.05，房丽君采；1♂，镇安黑窑沟，570m，2010. Ⅴ.21，房丽君采；2♂，山阳银花，950m，2010. Ⅵ.01，房丽君采。

分布：陕西（长安、蓝田、周至、户县、眉县、太白、佛坪、宁陕、柞水、镇安、山阳）、黑龙江、吉林、辽宁、山西、河南、浙江、江西、四川、云南；俄罗斯，朝鲜。

寄主：半边月 *Weigela japonica* var. *sinica*（Caprifoliaceae）、水马桑 *coriaria sinica*。

(142) 残锷线蛱蝶 *Limenitis sulpitia*（Cramer, 1779）（图版 35：5-8）

Papilio sulpitia Cramer, 1779：37.
Athyma sulpitia：D'Abrera, 1985：328.
Limenitis sulpitia：Chou, 1994：510.

鉴别特征：翅正面黑褐色；反面红褐色。前翅外缘及亚外缘斑列模糊或不完整，斑纹条形；顶角区白斑 3 个；中横斑列"V"形，m_3 室斑缩小；中室眉形斑端部 1/3 处有豁口；反面翅中后部有黑色晕染。后翅外缘和亚缘斑列及中横斑列白色；外横斑列黑褐色；反面 sc + r_1 室基半部及 rs 室基半部银灰色，并与中横带相连，其上密布黑色斑点。雌蝶斑带较雄蝶宽大。

采集记录：1♂，略阳硖口驿，920m，2014. Ⅵ. 02，房丽君采；1♂，留坝江口，1020m，2014. Ⅴ. 31，房丽君采；2♂，洋县龙亭，900m，2011. Ⅵ. 04，房丽君采；1♂，汉阴凤凰山，1230m，2011. Ⅴ. 28，房丽君采；1♂，镇安结子乡，1080m，2010. Ⅹ. 07，房丽君采；1♂1♀，商州夜村，950m，2013. Ⅶ. 23，房丽君采；3♂，山阳银花，780m，2010. Ⅷ. 09，房丽君采；1♂，丹凤土门，520m，2010. Ⅷ. 16，房丽君采；2♂，商南过凤楼，620m，2014. Ⅶ. 19，房丽君采。

分布：陕西（略阳、留坝、洋县、汉阴、镇安、商州、山阳、丹凤、商南）、黑龙江、河南、浙江、湖北、江西、湖南、福建、台湾、广东、海南、香港、广西、四川、云南；越南，缅甸，印度。

寄主：金银花 Lonicera japonica（Caprifoliaceae）、华南忍冬 L. confusa、长花忍冬 L. Longiflora、大花忍冬 L. macrantha、水马桑 Coriaria sinica 等。

(143) 断眉线蛱蝶 *Limenitis doerriesi* Staudinger，1892（图版36：1-2）

Limenitis doerriesi Staudinger，1892：173.

鉴别特征：与杨眉线蛱蝶 *L. helmanni* 近似，主要区别为：本种前翅中横斑列 m_3 室斑缩小成点状；亚外缘斑列 m_3 室斑大。

采集记录：1♂，长安黄峪沟，700m，2008. Ⅵ. 01，房丽君采；1♂，周至楼观台，910m，2010. Ⅶ. 20，彭涛采；1♂，太白鳌山，2700m，2013. Ⅷ. 10，房丽君采；1♂，宁陕旬阳坝，1430m，2010. Ⅶ. 29，房丽君采；1♂，汉阴龙垭，680m，2011. Ⅴ. 27，房丽君采；1♂，镇安锡铜沟，830m，2010. Ⅹ. 02，房丽君采；3♂2♀，商州黑龙口，1050m，2011. Ⅵ. 01，房丽君采；1♂，山阳中村捷峪沟，690m，2010. Ⅸ. 13，房丽君采。

分布：陕西（长安、周至、太白、宁陕、汉阴、镇安、商州、山阳）、黑龙江、吉林、内蒙古、河南、湖北、江西、福建、四川、云南；俄罗斯，朝鲜。

寄主：早花忍冬 Lonicera praeflorens（Caprifoliaceae）、水马桑 Coriaria sinica、半边月 Weigela japonica var. sinica。

(144) 愁眉线蛱蝶 *Limenitis disjuncta*（Leech，1890）

Athyma disjuncta Leech，1890：33.

Limenitis disjuncta：Chou，1994：511.

鉴别特征：与重眉线蛱蝶 *L. amphyssa* 相似，主要区别为：本种前翅中室端斑近三角形。后翅亚缘斑列清晰；反面翅基部有长的柳叶状斑纹。

采集记录：1♂，周至厚畛子，1260m，2010. Ⅶ. 12，房丽君采；1♂，宁陕火地塘，1700m，2010. Ⅶ. 27，房丽君采。

分布：陕西（周至、宁陕）、河南、湖北、江西、四川。

寄主：半边月 *Weigela japonica* var. *sinica* （Caprifoliaceae）。

51. 带蛱蝶属 *Athyma* Westwood，[1850]

Athyma Westwood，[1850]：272. **Type species**：*Papilio leucothoe* Linnaeus，1758.

Parathyma Moore，[1898]：146. **Type species**：*Papilio sulpitia* Cramer，1779.

Tatisia Moore，[1898]：146. **Type species**：*Athyma kanwa* Moore，1858.

Balanga Moore，[1898]：146. **Type species**：*Athyma kasa* Moore，1858.

Zamboanga Moore，[1898]：146. **Type species**：*Athyma gutama* Moore，1858.

Chendrana Moore，[1898]：146. **Type species**：*Athyma pravara* Moore，[1858].

属征：近似线蛱蝶属 *Limenitis* 和环蛱蝶属 *Neptis*，但多数种类腹基部有灰白色带纹。翅褐或黑褐色。前翅中室多闭式，长度约为翅长的 2/5，多有白色条带；中室端脉直或 M_1-M_2 向中室内凹入，M_2-M_3 段直或弯曲；R_2 脉从中室上缘端部分出。后翅无尾突或突出；多有基横带；反面基部至肩区有灰白色斜带，无黑色点斑；肩脉发达；$Sc + R_1$ 脉伸达翅外缘；Rs 脉接近 M_1 脉而离 $Sc + R_1$ 脉较远。雄性外生殖器：骨化较强；背兜围巾形；钩突指形，与背兜愈合；颚突臂形；囊突短；抱器长三角形，顶部齿突有或无，中部内突大，后缘锯齿形；阳茎短于抱器，盲囊细短。雌性外生殖器：囊导管细；交配囊袋形；交配囊片及囊尾有或无。

分布：古北区，东洋区。全世界记载 39 种，中国已知 15 种，秦岭地区记录 5 种。

分种检索表

1. 前翅反面中室内棒纹完整，端部膨大变粗 ·· 2
   前翅反面中室内棒纹断成 2 段以上，端部尖或呈倒钩形 ···························· 3
2. 前翅顶角有 3 个白色小斑纹；后翅反面基部白色弧形长斑在 $Sc + R_1$ 脉上方 ·············
   ··· **玉杵带蛱蝶 A. jina**
   前翅顶角有 2 个白色小斑纹；后翅反面基部白色弧形长斑在 $Sc + R_1$ 脉下方 ·············
   ·· **幸福带蛱蝶 A. fortuna**
3. 前翅中室长斑端部呈倒钩状 ·· **倒钩带蛱蝶 A. recurva**
   前翅中室内斑纹不如上述 ·· 4
4. 雌雄同型；前翅反面中室长斑端部念珠状 ························· **虬眉带蛱蝶 A. opalina**

雌雄异型；前翅反面中室长斑端部非念珠状 ………………………… **六点带蛱蝶 A. punctata**

(145) 虬眉带蛱蝶 *Athyma opalina* (Kollar, 1848) (图版 36：3-4)

Limenitis opalina Kollar, 1844：427.

Athyma opalina：D′Abrera, 1985：322.

鉴别特征：翅正面黑褐色；反面红褐色；斑纹白色。前翅外缘及亚外缘各有 1 列条形斑纹；中横斑列近"V"形，m_2 室斑小；中室斑纹端部串珠状。后翅亚外缘带、外横斑列及中横带白色；反面基部有 1 个柳叶状斑纹；后缘区银灰色。

采集记录：1♂，周至楼观台，920m，2010. Ⅸ.14，房丽君采；1♂，略阳硖口驿，930m，2014. Ⅵ.02，房丽君采；1♂，佛坪立房沟，920m，2010. Ⅸ.12，房丽君采；1♂，宁陕火地塘，1650m，2009. Ⅸ.26，房丽君采；2♂，石泉云雾山，1080m，2011. Ⅴ.26，房丽君采；1♂，柞水营盘大甘沟，1420m，2009. Ⅸ.05，房丽君采；1♂，镇安锡铜沟，880m，2010. Ⅹ.02，房丽君采；3♂2♀，商州黑龙口，1050m，2011. Ⅵ.01，房丽君采；1♂1♀，山阳银花，850m，2013. Ⅸ.20，房丽君采；1♂，丹凤峦庄，890m，2014. Ⅸ.05，房丽君采。

分布：陕西(周至、略阳、佛坪、宁陕、石泉、柞水、镇安、商州、山阳、丹凤)、河南、浙江、湖北、江西、福建、台湾、广东、海南、广西、四川、云南、西藏。

寄主：多花小檗 *Berberis aristata* (Berberidaceae)、天仙藤 *Fibraurea recisa* (Menispermaceae)、洋玉叶金花 *Mussaenda frondosa* (Rubiaceae)。

(146) 玉杵带蛱蝶 *Athyma jina* Moore, 1857 (图版 36：5-8)

Athyma jina Moore, 1857：172.

鉴别特征：翅正面黑褐色；反面红褐色；斑纹白色。前翅顶角区有 3 个白色斑纹；外缘斑列时有模糊；中横斑列近"V"形，m_2 室斑小；中室斑纹棒状。后翅外缘斑列条形；外横斑列上窄下宽；中横带宽；反面基部柳叶状斑纹宽，占据整个肩区。

采集记录：1♂，长安东佛沟，1820m，2010. Ⅶ.26，房丽君采；1♂，周至楼观台，860m，2011. Ⅵ.28，张宇军采；1♂，户县甘峪，2012. Ⅵ.14，房丽君采；1♂，略阳硖口驿，930m，2014. Ⅵ.02，房丽君采；1♂，留坝八里关，930m，2014. Ⅵ.01，房丽君采；3♂1♀，勉县茶店，660m，2013. Ⅹ.05，房丽君采；1♂，佛坪岳坝，1100m，2012. Ⅶ.01，张宇军采；1♂，洋县两河口，500m，2010. Ⅹ.17，房丽君采；1♂，石泉红卫乡，530m，2011. Ⅴ.26，房丽君采；1♂，柞水牛背梁森林公园，1160m，2012. Ⅵ.13，张宇军采；1♂，镇安木王，1700m，2009. Ⅹ.17，房丽君采。

分布：陕西(长安、周至、户县、略阳、留坝、勉县、佛坪、洋县、石泉、柞水、镇安)、辽宁、新疆、浙江、湖北、江西、福建、台湾、广东、四川、云南；缅甸，印度。

寄主：忍冬属 *Lonicera* spp.（Caprifoliaceae）植物。

(147) 幸福带蛱蝶 *Athyma fortuna* Leech，1889（图版 37：1-2）

Athyma fortuna Leech，1889：107.

鉴别特征：与玉杵带蛱蝶 *A. jina* 相似，主要区别为：本种前翅顶角区有 2 个白色斑纹。后翅反面基部柳叶纹较窄，在 $Sc + R_1$ 脉下方，未达前缘基部；中横带与外横带在翅顶角附近相连。

采集记录：1♂，蓝田九间房，1480m，2013.Ⅵ.23，房丽君采；1♂，周至楼观台，800m，2012.Ⅶ.06，张宇军采；1♂，眉县蒿坪寺，1140m，2011.Ⅵ.25，房丽君采；1♂1♀，太白桃川，1050m，2011.Ⅵ.11，房丽君采；1♂，略阳城关，890m，2014.Ⅵ.01，房丽君采；1♂，佛坪长角坝，950m，2011.Ⅴ.06，房丽君采；3♂，洋县石塔河，1040m，2011.Ⅵ.04，房丽君采；1♂，石泉土门垭，880m，2011.Ⅴ.25，房丽君采；1♂，镇安结子乡，1100m，2011.Ⅵ.19，房丽君采；1♂，商南过凤楼，500m，2014.Ⅶ.19，房丽君采。

分布：陕西(蓝田、周至、眉县、太白、略阳、佛坪、洋县、石泉、镇安、商南)、河南、浙江、湖北、江西、福建、台湾、广东、广西、四川；日本。

寄主：莢蒾 *Viburnum dilatatum*（Caprifoliaceae）、吕宋莢蒾 *V. luzonicum*。

(148) 六点带蛱蝶 *Athyma punctata* Leech，1890

Athyma punctata Leech，1890：33.

鉴别特征：雌雄异型。翅正面黑褐色；反面红褐色；两翅反面端部土黄色，两侧镶有灰黑两色缘线。雄蝶前翅正面端部 2 条线纹较模糊；白色大斑前翅 2 个、后翅 1 个；反面中室眉形纹端部断开。后翅反面中横带弯曲，基部有柳叶纹。雌蝶斑纹正面黄色；反面白色或黄色。前翅中横斑列近"V"形，底部断开。后翅中横带直；外横带弯曲。

分布：陕西(南郑)、浙江、湖北、江西、福建、广东、广西、四川。

寄主：马齿苋 *Portulaca oleracea*（Portulacaceae）、刺莓 *Rubus taiwanianus*（Rosaceae）。

(149) 倒钩带蛱蝶 *Athyma recurva* Leech，1893（图版 37：3-4）

Athyma recurva Leech，1893：176.

　　鉴别特征：翅正面黑褐色；反面红褐色；斑纹多白色。前翅正面亚外缘斑列端部模糊或消失；顶角区有 3 个白斑；中横斑列近"V"形；中室斑纹倒钩形；反面外缘斑列端部模糊。后翅正面亚缘斑列斑纹排列整齐；中横带上窄下宽；反面外缘及亚缘各有 1 列条斑；外中域有 2 列黑色斑纹，时有模糊；基部柳叶斑与中横带在前缘相交。

　　采集记录：1♂，洋县华阳，1040m，2011.Ⅵ.04，房丽君采；2♂1♀，宁强青木川，2009.Ⅵ.08，许家珠采。

　　分布：陕西（洋县、宁强）、河南、湖北、四川。

　　寄主：茜草科 Rubiaceae、大戟科 Euphorbiaceae 植物。

52. 缕蛱蝶属 *Litinga* Moore，1898

Litinga Moore，1898：146. **Type species**：*Limenitis cottini* Oberthür，1876.

　　属征：翅黑褐色；斑纹白色或淡黄色。前翅中室闭式，长度约为翅长的 2/5；中室端脉 M_1-M_2 段向中室内浅凹，M_2-M_3 段直；R_2 脉从中室上缘端部分出。后翅无尾突或突出；反面基部有 3 个白色斑纹；肩脉与 $Sc + R_1$ 脉同点分出；$Sc + R_1$ 脉伸达翅顶角或外缘；Rs 脉接近 M_1 脉，远离 $Sc + R_1$ 脉。雄性外生殖器：中等骨化；背兜围巾形；柄突钩形；钩突指形；颚突臂形；囊突长匙形；抱器端部尖，上弯，有 1 排齿突，内突帆形；阳茎短于抱器，两端开式，盲囊端粗。雌性外生殖器：囊导管细；交配囊椭圆形。

　　分布：古北区，东洋区。全世界记载 3 种，中国均有记录，秦岭地区记录 1 种。

(150) 拟缕蛱蝶 *Litinga mimica*（**Poujade，1885**）（图版37：5-8）

Limenitis mimica Poujade，1885：200.
Litinga mimica：Chou，1994：522.

　　鉴别特征：翅黑褐色；斑纹淡黄色或白色。翅端部前翅 2 列、后翅 3 列斑纹，时有模糊；两翅中域条斑围绕中室放射状排列。前翅 cu_2 室条斑前端开叉；中室棒纹粗；前翅亚顶区及后翅反面肩区有 3 个斑纹。

　　采集记录：1♂，长安石砭峪，1180m，2011.Ⅵ.08，张宇军采；1♂，蓝田汤峪，1080m，2008.Ⅶ.20，房丽君采；1♂，周至板房子，1100m，2013.Ⅵ.02，房丽君采；1♂，户县涝峪，1190m，2010.Ⅶ.06，房丽君采；1♂，眉县蒿坪寺，1200m，2011.Ⅵ.25，房丽君采；1♂，太白七里川，1720m，2012.Ⅵ.24，房丽君采；1♂，佛坪长角坝，950m，2011.Ⅴ.06，房丽君采；1♂，商南过凤楼，620m，2014.Ⅵ.22，房丽君采。

分布: 陕西(长安、蓝田、周至、户县、眉县、太白、佛坪、商南)、吉林、辽宁、河南、湖北、广西、四川、云南。

寄主: 朴树 *Celtis sinensis* (Ulmaceae)。

53. 葩蛱蝶属 *Patsuia* Moore, 1898

Patsuia Moore, 1898: 146, 172. **Type species**: *Limenitis sinensium* Oberthür, 1876.

属征: 翅黑褐色。前翅顶角圆; 外缘端半部外突, 中部略凹入; R_2 脉在基部与 R_5 脉共柄; 中室闭式, 长度约为前翅长的 2/5。后翅外缘波状; Rs 脉接近 M_1 脉; 中室开式。雄性外生殖器: 骨化强; 背兜头盔形; 柄突钩形; 钩突弯指形, 顶端尖; 颚突臂形; 囊突舌形, 上翘; 抱器长三角形, 端部有刺突; 阳茎约与抱器等长。雌性外生殖器: 囊导管细短, 膜质; 交配囊梭形; 无交配囊片及囊尾。

分布: 中国特有种。全世界记载 1 种, 秦岭地区有记录。

(151) 中华黄葩蛱蝶 *Patsuia sinensium* (Oberthür, 1876)(图版 38: 1-2)

Limenitis sinensium Oberthür, 1876: 25.
Patsuia sinensis: Chou, 1994: 527.

鉴别特征: 翅正面黑褐色; 反面前翅黑褐色, 后翅黄色; 斑纹黄色; 两翅外缘及亚外缘带模糊不清。前翅顶角区有 4 个斑纹; 外横斑列分成 3 段; 中室端部和中部各有 1 个条斑; 反面顶角区黄色。后翅外横斑列弧形; 基部有 1 个黄色大圆斑; 反面中横带红褐色, 近"V"形, 边界模糊。

采集记录: 1♂, 长安分水岭, 1960m, 2010. Ⅶ. 01, 张宇军采; 3♂1♀, 周至厚畛子, 1280m, 2009. Ⅵ. 11, 高可采; 1♂, 户县涝峪, 1380m, 2009. Ⅵ. 06, 房丽君采; 1♂, 太白高山草甸, 2120m, 2012. Ⅵ. 23, 房丽君采; 1♂, 佛坪龙草坪, 1420m, 2011. Ⅴ. 06, 房丽君采; 2♂, 宁陕火地塘, 1820m, 2009. Ⅵ. 22, 房丽君采。

分布: 陕西(长安、周至、户县、太白、佛坪、宁陕)、辽宁、河北、内蒙古、山西、河南、甘肃、四川、云南。

寄主: 杨树 *Populus* spp. (Salicaceae)。

54. 俳蛱蝶属 *Parasarpa* Moore, [1898]

Parasarpa Moore, [1898]: 146-147. **Type species**: *Limenitis zayla* Doubleday, 1848.
Hypolimnesthes Moore, [1898]: 146, 154. **Type species**: *Limenitis albomaculata* Leech, 1891.

属征：大中型种类。前翅顶角较尖；外缘略凹入；中室闭式，端脉上段短，向中室凹入，下段长；R_1 与 R_2 脉独立；R_3 脉长，从 R_5 脉分出。后翅外缘波状；臀角尖；中室开式；$Sc + R_1$ 脉伸达外缘；Rs 脉基部接近 M_1 脉而远离 $Sc + R_1$ 脉。雄性外生殖器：骨化强；背兜鞍形；柄突钩形；钩突指形，顶端尖；颚突臂形；囊突舌形，上翘；抱器端部钝尖，突起结构及锯齿有或无；阳茎短于抱器。雌性外生殖器：囊导管长，膜质；交配囊球形。

分布：古北区，东洋区。全世界记载 9 种，中国记录 4 种，秦岭地区记录 1 种。

(152) 白斑俳蛱蝶 *Parasarpa albomaculata* (Leech, 1891)

Limenitis albomaculata Leech, 1891：28.

Parasarpa albomaculata：Chou, 1994：528.

鉴别特征：雌雄异型。翅正面黑褐色；反面红褐色；雄蝶翅面斑纹白色和黑褐色；两翅反面外缘及亚外缘线白色。前翅正面顶角斑近圆形；中央斑纹近梭形；反面覆有大片的黑褐色晕染；顶角区有 2 个白斑；中室白斑 2~3 个。后翅中央块斑近椭圆形；反面亚缘斑列斑纹近"V"形；外横斑列黑褐色；中横带银白色；翅基至中横带之间区域前缘红褐色，其余区域蓝灰色，基部密布黑色细线纹。雌蝶翅面斑纹黄色；前翅外缘及亚外缘带未达顶角；顶角区斑纹 3 个；中横斑列近"C"形；中室棒纹长；反面斑纹多灰白色；中室中部有 2 个条斑。后翅正面外缘斑列斑纹近"V"形；亚缘斑列黄色，镶有黑色斑纹；中横带黄色；反面中横带灰白色。

采集记录：1♂，太白咀头，1900m，2010. Ⅷ. 09，房丽君采；1♂，留坝紫柏山，1680m，2012. Ⅵ. 22，张宇军采；1♂，佛坪观音山自然保护区，1580m，2013. Ⅶ. 30，张宇军采。

分布：陕西(太白、留坝、佛坪)、河南、湖北、湖南、四川、云南、西藏。

寄主：板栗 *Castanea mollissima* (Fagaceae)、茅栗 *C. seguinii*，荚蒾属 *Viburnum* spp. (Caprifoliaceae)。

55. 婀蛱蝶属 *Abrota* Moore, 1857

Abrota Moore, 1857：176. **Type species**：*Abrota ganga* Moore, 1857.

属征：雌雄异型。前翅前缘强弧形；中室长度不及前翅长的 1/2；中室端脉上段微小，有 1 条短回脉，下段极细，内弯；R_1 与 R_2 脉从中室前缘端部分出；M_3 与 Cu_1 脉从中室下端角生出。后翅顶角圆，臀角明显；中室开式；Rs 在 $Sc + R_1$ 与 M_1 脉之间；M_1 与 M_2 脉起点接近。雄性外生殖器：骨化强；背兜围巾形；柄突长指形；钩突指形，顶端尖；颚突短；囊突舌形，上翘；抱器长条形，端部有1排锯齿形突起；阳茎较短。雌性外生殖器：囊导管粗，短于交配囊，膜质；交配囊长圆形；交配囊片长。

分布：东洋区。全世界仅记载1种，秦岭地区有记录。

(153) 婀蛱蝶 *Abrota ganga* Moore，1857（图版38：3-4）

Abrota ganga Moore，1857：178.

Abrota jumna Moore，[1866]：764.

鉴别特征：雌雄异型。雄蝶翅正面橙黄色；反面淡黄色；翅面有紫灰色晕染；正面斑纹及翅脉黑褐色。前翅前缘、外缘及顶角有黑色细带纹；亚外缘斑新月形；中横带曲波状，时有模糊；中室端斑近"W"形，中部斑纹1~2个；反面顶角有模糊黑斑；外中域斑纹模糊不清；中斜带斜向顶角。后翅从外缘至基部共有4条横带纹；中室基部斑纹圆形。雌蝶翅正面黑褐色，反面棕褐色；斑纹黄色。前翅亚外缘斑列模糊；顶角区白斑2个；中域斑列近"V"形排列，m_3室斑消失；中室剑纹上缘有锯齿形缺刻；反面有紫褐色和淡黄色晕染。后翅亚缘带及中横带宽，被黑色翅脉分割；反面晕染灰紫色；基部有圈纹。

采集记录：1♂，长安石砭峪，1260m，2010.Ⅷ.09，张宇军采；1♂，周至板房子，1140m，2011.Ⅶ.08，程帅、张辰生采；1♂，户县涝峪，1280m，2010.Ⅶ.06，房丽君采；1♂，宁陕火地塘，1600m，2010.Ⅶ.27，房丽君采。

分布：陕西（长安、周至、户县、宁陕）、浙江、江西、福建、台湾、广东、海南、四川、云南；越南，缅甸，印度，不丹。

寄主：秀柱花 *Eustigma oblongifolium*（Hamamelidaceae）、水丝梨 *Sycopsis sinensis*、青冈栎 *Quercus glauca*（Fagaceae）、曼青冈 *Cyclobalanopsis oxyodon*。

(三) 姹蛱蝶族 Chalingini

大中型种类。两翅中室闭式；后翅肩脉多与 $Sc + R_1$ 脉同点分出。

56. 瑟蛱蝶属 *Seokia* Sibatani，1943

Seokia Sibatani，1943：12. **Type species**：*Limenitis pratti* Leech，1890.

属征：翅黑色，有数列白色、黄色、橙色或红色的斑列。前翅外缘中部浅凹；中室闭式，长度约为翅长的1/2，端脉上段凹入中室，下段直，连到 M_3 脉上；R_1 脉从中室分出，R_2 与 R_5 脉共柄。后翅外缘微波状，中室闭式，端脉连到 M_3 脉的分出点附近。雄性外生殖器：骨化强；背兜筒形；柄突长棒形；钩突长；颚突短；基腹弧宽；囊突长，上翘；抱器阔，斜方形，端半部窄，端缘平截，有细齿，基半部宽，上缘中部凹进；阳茎粗大，有角状器。

分布： 古北区，东洋区。全世界记载 1 种，秦岭地区有记录。

(154) 锦瑟蛱蝶 *Seokia Pratti* (Leech, 1890) (图版 38：5-8)

Limenitis pratti Leech，1890：34.
Seokia pratti：Chou，1994：529.

鉴别特征： 雌雄异型。翅正面褐色或赭绿色；反面赭绿色；斑纹白色、橙黄色和红色；外缘及亚缘斑列白色；外横斑列橙黄色；中横斑列白色。前翅中横斑列分 3 段阶梯式排列，向内倾斜；中室条斑 3 条，时有模糊；反面基部有白色斑纹。后翅反面基部密布斑纹，呈红色、橙黄色和黑色。雌蝶斑纹较雄蝶清晰而宽大。

采集记录： 1♂，长安大峪，850m，2011. Ⅵ. 24，张宇军采；1♂，周至楼观台，680m，2011. Ⅵ. 29，房丽君采；1♂，户县朱雀森林公园，1620m，2012. Ⅶ. 12，房丽君采；1♂，太白桃川，1370m，2011. Ⅶ. 16，程帅、张辰生采；1♂，留坝城关，1050m，2012. Ⅵ. 21，张宇军采；2♂1♀，佛坪长角坝，950m，2011. Ⅴ. 06，房丽君采；1♂，洋县龙亭，900m，2011. Ⅵ. 04，房丽君采；1♂，宁陕火地塘，1700m，2009. Ⅵ. 22，房丽君采；2♂1♀，d 商州大商塬，900m，2011. Ⅵ. 01，房丽君采；2♂，山阳中村青岭沟，800m，2014. Ⅵ. 24，房丽君采。

分布： 陕西（长安、周至、户县、太白、留坝、佛坪、洋县、宁陕、商州、山阳）、黑龙江、吉林、河南、甘肃、浙江、湖北、江西、福建、四川、贵州。

寄主： 杨树 *Populus* spp. (Salicaceae)、柳树 *Salix babylonica*。

(四) 环蛱蝶族 Neptini

本族种类间翅斑纹较为相似；翅多黑色或黑褐色；斑纹多白色或黄色。前翅亚顶区有斑纹。后翅有数条横带；中室开式。

分属检索表

1. 前翅 R_2 脉从 R_5 脉分出 ……………………………………………… **伞蛱蝶属 *Aldania***
   前翅 R_2 脉从中室分出 …………………………………………………………………… 2
2. 雄蝶后翅 $Sc + R_1$ 终止于前缘近顶角处（少数例外），镜纹不明显 …………… **环蛱蝶属 *Neptis***
   雄蝶后翅 $Sc + R_1$ 终止于顶角附近，镜纹显著 …………………………… **菲蛱蝶属 *Phaedyma***

57. 环蛱蝶属 *Neptis* Fabricius, 1807

Neptis Fabricius, 1807: 282. **Type species**: *Papilio aceris* Esper, 1783.

Philonoma Billberg, 1820: 78. **Type species**: *Papilio aceris* Esper, 1783.

Hamadryodes Moore, 1898: 146, 215. **Type species**: *Athyma lactaria* Butler, 1866.

Neptidomima Holland, 1920: 116, 164. **Type species**: *Neptis exaleuca* Karsch, 1894.

属征: 两翅中室均开式; R_2 脉从中室分出, 长度不超过 R_3 脉的起点。后翅正面前缘区有灰色的镜区, 相对应的前翅后缘反面有珠光区; $Sc + R_1$ 脉仅达前缘。外生殖器: 钩突及囊突短, 锷突长, 抱器狭长。

分布: 古北区, 东洋区, 非洲区, 澳洲区。中国记载 53 种, 秦岭地区记录 28 种。

分种检索表

（155）小环蛱蝶 *Neptis sappho*（**Pallas, 1771**）（图版 39：1-4）

Papilio sappho Pallas, 1771：471.
Papilio aceris Esper, 1783：142.
Papilio lucilla Schrank, 1801：191.
Neptis sappho：Chou, 1994：532.

　　鉴别特征：翅正面黑色；反面黑褐色至棕褐色；斑纹白色。前翅亚外缘斑列时有断续；中室条端部断开；外横斑列近"V"形。后翅正面亚缘斑列清晰；中横带宽；反面外缘斑列、亚外缘斑列、外横斑列细；基条及亚基条近平行。

采集记录：1♂，长安翠华山，1700m，2006.Ⅴ.03，房丽君采；1♂，蓝田汤峪，950m，2008.Ⅶ.20，房丽君采；1♂，周至厚畛子，1320m，2013.Ⅵ.16，房丽君采；1♂，户县太平峪，1100m，2008.Ⅸ.13，房丽君采；1♂，宝鸡香泉灵宝峡，900m，2013.Ⅵ.01，房丽君采；1♂，凤县灵官峡，1000m，2012.Ⅴ.26，房丽君采；3♂，眉县蒿坪寺，1150m，2010.Ⅷ.10，房丽君采；1♂，太白黄柏塬，1480m，2010.Ⅷ.08，房丽君采；1♂，华阴华阳川林场，1350m，2011.Ⅴ.07，房丽君采；1♂，留坝红岩沟，1060m，2012.Ⅵ.23，房丽君采；1♂，佛坪长角坝，950m，2010.Ⅸ.11，房丽君采；1♂，安康香溪洞，380m，2008.Ⅴ.11，房丽君采；1♂，宁陕火地塘，1850m，2009.Ⅷ.30，房丽君采；1♂，石泉饶峰，700m，2011.Ⅴ.25，房丽君采；2♂，柞水营盘，1550m，2009.Ⅸ.05，房丽君采；1♂，丹凤竹林关，490m，2013.Ⅵ.12，房丽君采。

分布：陕西（长安、蓝田、周至、户县、宝鸡、凤县、眉县、太白、华阴、留坝、佛坪、安康、宁陕、石泉、柞水、丹凤）、吉林、辽宁、河南、台湾、四川、云南；朝鲜，日本，印度，巴基斯坦，欧洲。

寄主：矮山黧豆 *Lathyrus humilis*（Fabaceae）、胡枝子 *Lespedeza bicolor*、紫藤 *Wisteria sinensis*、珊瑚朴 *Celtis julianae*（Ulmaceae）。

（156）珂环蛱蝶 *Neptis clinia* Moore，1872

Neptis clinia Moore，1872：563.

Neptis acalina Fruhstorfer，1908：325.

鉴别特征：与小环蛱蝶 *N. sappho* 近似，主要区别为：本种斑纹为乳白色；外横斑列斑纹较大；前翅 r_4 和 r_5 室缘毛深褐色。

分布：陕西（南郑）、浙江、江西、福建、海南、四川、云南、西藏；越南，缅甸，印度，马来西亚。

寄主：黑弹朴 *Celtis biondii*（Ulmaceae）、翻白叶树 *Pterospermum heterophyllum*（Sterculiaceae）、假苹婆 *Sterculia lanceolata*。

（157）中环蛱蝶 *Neptis hylas*（Linnaeus，1758）

Papilio hylas Linnaeus，1758：486.

Neptis hylas：Chou，1994：533.

鉴别特征：与小环蛱蝶 *N. sappho* 近似，主要区别为：本种个体相对较大；翅反面橙黄色或黄褐色。后翅白色斑带有黑褐色缘线。

采集记录：1♂，长安子午峪，840m，2008.Ⅴ.02，房丽君采；1♂，周至厚畛子，1420m，2010.Ⅴ.29，房丽君采；1♂，户县紫阁峪，730m，2010.Ⅴ.26，房丽君采；1♂，宝鸡鸡峰山，1420m，2012.Ⅷ.25，房丽君采；1♂，眉县蒿坪寺，1280m，2011.Ⅵ.25，张辰生、程帅采；2♂1♀，太白桃川，1190m，2011.Ⅶ.16，张辰生、程帅采；1♂，留坝红岩沟，1020m，2012.Ⅵ.23，张宇军采；1♂，佛坪麻家湾，1160m，2013.Ⅶ.28，张宇军采；1♂，宁陕火地塘，1900m，2009.Ⅷ.30，房丽君采；1♂，商州秦王山，1380m，2013.Ⅷ.10，张宇军采；1♂，商南梁家湾，500m，2013.Ⅶ.28，房丽君采。

分布：陕西(长安、周至、户县、宝鸡、眉县、太白、留坝、佛坪、宁陕、商州、商南)、河南、江西、台湾、广东、海南、广西、四川、云南；越南，缅甸，印度，马来西亚，印度尼西亚。

寄主：洋刀豆 *Canavalia ensiformis*（Fabaceae）、眉豆 *Lablab purpureus*、假地豆 *Desmodium heterocarpon*、葫芦茶 *Tadehagi triquetrum*。

(158) 耶环蛱蝶 *Neptis yerburii* **Butler，1886**（图版 39：5-6）

Neptis yerburii Butler，1886：360.
Neptis adipala Leech，1892：205.

鉴别特征：与小环蛱蝶 *N. sappho* 近似，主要区别为：本种前翅中室条端部无裂痕。后翅中横带宽度一致。

采集记录：1♂，宁陕火地塘，1630m，2010.Ⅷ.28，房丽君采；1♂，镇安结子乡，1100m，2011.Ⅳ.30，房丽君采。

分布：陕西(宁陕、镇安)、四川。

寄主：南洋朴 *Celtis australis*（Ulmaceae）。

(159) 断环蛱蝶 *Neptis sankara*（**Kollar，[1844]**）（图版 39：7-10）

Limenitis sankara Kollar，[1844]：428.
Neptis amboides Moore，1882：241.
Bimbisara sinica Moore，1899：10.
Neptis sankara：Chou，1994：537.

鉴别特征：本种有黄白两种型，斑纹差异不大。翅正面黑褐色；反面棕红色或红褐色，有黑褐色斑驳纹；斑纹黄色或白色；翅正面亚外缘斑列时有断续。前翅外横斑列近"Ⅴ"形；中室条毛笔形。后翅外横斑列端部斑纹错位；反面基条、亚基条显著。

采集记录：1♂，长安饮马池，940m，2008.Ⅶ.12，房丽君采；1♂，周至厚畛子，1400m，2010.Ⅶ.11，房丽君采；1♂，户县太平峪，1040m，2009.Ⅶ.25，房丽君采；

2♂，宝鸡潘溪，1250m，2013. Ⅷ.03，房丽君采；1♂1♀，眉县蒿坪寺，1160m，2011.
Ⅵ.25，房丽君采；1♂，太白药王谷，1120m，2013. Ⅷ.09，房丽君采；1♂，商南上苍
坊，840m，2014. Ⅸ.06，房丽君采。

分布：陕西（长安、周至、户县、宝鸡、眉县、太白、商南）、河南、浙江、江西、
福建、广西、四川、云南；缅甸，印度，巴基斯坦，马来西亚。

寄主：枇杷 *Eriobotrya japonica*（Rosaceae）。

（160）娑环蛱蝶 *Neptis soma* Moore，1858（图版40：1-2）

Neptis soma Moore，1858：9.

鉴别特征：与小环蛱蝶 *N. sappho* 近似，主要区别为：本种斑纹为乳白色。后翅
中横带由后缘至前缘逐渐加宽。

采集记录：1♂，长安石砭峪，1450m，2010. Ⅶ.01，房丽君采；1♂，周至厚畛
子，1240m，2010. Ⅶ.12，房丽君采；1♂，宝鸡鸡峰山，1410m，2012. Ⅷ.25，房丽君
采；1♂，太白黄柏塬，1550m，2010. Ⅷ.08，房丽君采；1♂，佛坪观音山，1700m，
2014. Ⅵ.07，房丽君采；1♂，宁陕火地塘，1700m，2010. Ⅷ.28，房丽君采；2♂，山
阳银花，930m，2009. Ⅹ.03，房丽君采。

分布：陕西（长安、周至、宝鸡、太白、佛坪、宁陕、山阳）、台湾、四川、云南；
缅甸，印度，马来西亚。

寄主：多花紫藤 *Wistaria floribunda*（Fabaceae）、野葛 *Pueraria lobata*、三叶崖豆藤
Millettia unijuga、异色山黄麻 *Trema orientalis*（Ulmaceae）、四蕊朴 *Celtis tetrandra*。

（161）宽环蛱蝶 *Neptis mahendra* Moore，1872

Neptis mahendra Moore，1872：560.

鉴别特征：与小环蛱蝶 *N. sappho* 近似，主要区别为：本种翅斑纹宽大。后翅中
横带宽，由后缘向前缘逐渐加宽。

分布：陕西（秦岭）、四川、云南；巴基斯坦。

（162）周氏环蛱蝶 *Neptis choui* Yuan *et* Wang，1994

Neptis choui Yuan *et* Wang，1994：115.

鉴别特征：与宽环蛱蝶 *N. mahendra* 相似，主要区别为：本种斑纹较小。后翅中
横带窄。

分布：陕西（秦岭）、河南。

（163）弥环蛱蝶 *Neptis miah* Moore，1857

Neptis miah Moore，1857：164.

Neptis（*Bimbisara*）*miah*：Fruhstorfer，1908：396.

鉴别特征：翅正面黑色；反面棕红色，有黑褐色晕染；斑纹黄色或淡黄色。前翅中室剑状带纹端部愈合不完整，前缘有缺刻；外横斑列近"V"形，"V"底斑纹缺失；反面亚外缘带时有断续。后翅中横带稍宽于亚缘带；反面基条宽短；中线、亚外缘线银灰色，有金属闪光；中线与中横带接近。

分布：陕西（西乡）、浙江、江西、福建、海南、广西、四川；印度，不丹，马来西亚，印度尼西亚。

寄主：龙须藤 *Bauhinia championi*（Fabaceae）。

（164）卡环蛱蝶 *Neptis cartica* Moore，1872

Neptis cartica Moore，1872：562.

Neptis carticoides Moore，1881：309.

鉴别特征：与小环蛱蝶 *N. sappho* 近似，主要区别为：本种中室剑状带纹端部愈合，但留有缺刻。后翅反面无亚基条。

分布：陕西（南郑）、浙江、江西；老挝，印度，不丹，尼泊尔。

（165）阿环蛱蝶 *Neptis ananta* Moore，1858

Neptis ananta Moore，1858：5.

鉴别特征：与弥环蛱蝶 *N. miah* 近似，主要区别为：本种前翅正面外横斑列斑纹排列较稀疏，尤其是下半部斑纹间相距较远。后翅反面基条灰色，较宽。

分布：陕西（南郑）、浙江、江西、四川、云南；泰国，印度。

寄主：樟科 Lauraceae 植物。

（166）羚环蛱蝶 *Neptis antilope* Leech，1890（图版40：3-4）

Neptis antilope Leech，1890：35.

鉴别特征：翅正面黑褐色；反面淡黄色；中域有黑褐色晕染；亚外缘带模糊。前翅中室条长矛状;外横斑列分成3段。后翅中横带未达前缘;反面中横带至外缘间有4条不同颜色的带纹。本种显著特征为后翅反面基部无斑纹;亚外缘线退化。

采集记录: 1♂,周至楼观台,9600m,2011. V. 17,彭涛采;1♂,户县涝峪,1380m,2010. Ⅶ.06,房丽君采;1♂,凤县嘉陵江源头,1450m,2012. V.25,房丽君采;1♂,眉县蒿坪寺,1140m,2011. Ⅵ.25,房丽君采;1♂,太白黄柏塬,1350m,2010. Ⅵ.15,房丽君采;1♂,华阴华阳川林场,1400m,2011. V.07,房丽君采;1♂,宁陕旬阳坝,1250m,2010. Ⅷ.29,房丽君采。

分布: 陕西(周至、户县、凤县、眉县、太白、华阴、宁陕)、河南、浙江、湖北、四川。

(167) 矛环蛱蝶 *Neptis armandia* (Oberthür, 1876) (图版40:5-6)

Limenitis armandia Oberthür, 1876:23.
Neptis armandia:Chou, 1994:543.

鉴别特征: 与羚环蛱蝶 *N. antilope* 近似,主要区别为:本种前翅外横斑列近"V"形排列。后翅反面基部有2个橙黄色斑纹;端部带纹波浪形,雌蝶尤其明显。

采集记录: 1♂,周至小王涧林场,930m,2014.Ⅷ.25,房丽君采;1♂,户县朱雀森林公园,1620m,2012.Ⅶ.12,房丽君采;2♂,眉县蒿坪寺,1200m,2011.Ⅵ.25,房丽君采;1♂,太白黄柏塬,1620m,2010.Ⅷ.07,房丽君采;1♂,留坝庙台子,2004.Ⅷ.03,房丽君采;1♂,佛坪长角坝,1020m,2010.Ⅸ.11,房丽君采;1♂,宁陕火地塘,1760m,2010.Ⅶ.27,房丽君采。

分布: 陕西(周至、户县、眉县、太白、留坝、佛坪、宁陕)、浙江、江西、广西、四川、云南;印度。

寄主: 湖北鹅耳枥 *Carpinus hupeana*(Betulaceae)。

(168) 黄重环蛱蝶 *Neptis cydippe* Leech, 1890

Neptis cydippe Leech, 1890:36.

鉴别特征: 翅正面黑褐色;反面淡黄色,有黑褐色晕染;亚外缘带模糊;斑纹黄色或乳白色。前翅有亚前缘斑;中室条长矛状;外横斑列分成3段。后翅亚缘斑列及中横带未达前缘;反面前缘区散布有灰白色不规则形斑纹;中横带与亚缘斑列间有波状带纹。

采集记录: 1♂1♀,太白二郎坝,1060m,2011.Ⅷ.24,程帅、张辰生采;1♂,宁陕旬阳坝,1430m,2010.Ⅶ.29,房丽君采。

分布: 陕西(太白、宁陕)、河南、湖北、江西、四川;印度。

(169)莲花环蛱蝶 *Neptis hesione* Leech, 1890（图版 40：7-8）

Neptis hesione Leech, 1890：34.

鉴别特征：与矛环蛱蝶 *N. armandia* 相似，主要区别为：本种前翅亚顶区斑纹连接紧密，大小相近。后翅反面有宽的亚基条。

采集记录：1♂，佛坪岳坝，1200m，2012. Ⅶ. 01，房丽君采。

分布：陕西(佛坪)、浙江、湖北、台湾、四川。

(170)茂环蛱蝶 *Neptis nemorosa* Oberthür, 1906（图版 40：9-10）

Neptis nemorosa Oberthür, 1906：16.

鉴别特征：翅正面黑褐色；反面土黄色；有黑褐色晕染；斑纹正面黄色，反面乳白色；亚外缘带时有断续。前翅亚顶区有 3 个斑纹；亚前缘斑小；翅后半部斑纹曲棍球杆状；反面后缘有镜纹。后翅亚缘斑列及中横带端部向内弯曲；反面中横带外侧有波状纹；基部密布白色斑驳纹。

采集记录：1♂，长安大峪，950m，2011. Ⅵ. 24，张宇军采；1♂，周至厚畛子，1340m，2010. Ⅶ. 12，房丽君采；1♂1♀，太白黄柏塬，1400m，2010. Ⅷ. 08，房丽君采；1♂，宁陕广货街，1200m，2010. Ⅸ. 18，房丽君采。

分布：陕西(长安、周至、太白、宁陕)、四川、云南。

(171)蛛环蛱蝶 *Neptis arachne* Leech, 1890（图版 41：1-2）

Neptis arachne Leech, 1890：38.

鉴别特征：与茂环蛱蝶 *N. nemorosa* 近似，主要区别为：本种前翅反面前缘基部散布有灰白色碎斑纹。后翅亚缘斑列较窄；中横带被翅脉分割；反面前缘区有大片黑褐色鳞片覆盖；基部斑纹模糊。

采集记录：1♂，长安石砭峪，1270m，2010. Ⅷ. 09，房丽君采；1♂，周至厚畛子，1480m，2010. Ⅶ. 13，房丽君采；1♂，户县涝峪，1520m，2010. Ⅶ. 06，房丽君采；1♂，眉县蒿坪寺，1240m，2011. Ⅵ. 25，房丽君采；1♀，太白黄柏塬，1300m，2010. Ⅵ. 15，房丽君采；1♂，略阳硖口驿，920m，2014. Ⅵ. 02，房丽君采；1♂，佛坪凉风垭，1580m，2013. Ⅶ. 30，张宇军采；1♂，洋县华阳卡房，960m，2011. Ⅵ. 04，房丽君采；1♂，宁陕广货街，1250m，2010. Ⅶ. 07，房丽君采；2♂，石泉云雾山，1380m，2011. Ⅴ. 26，房丽君采。

分布：陕西(长安、周至、户县、眉县、太白、略阳、佛坪、洋县、宁陕、石泉)、湖北、湖南、江西、四川、云南。

(172) 黄环蛱蝶 *Neptis themis* Leech, 1890（图版 41：3-6）

Neptis thisbe var. *themis* Leech, 1890：35.

Neptis themis：Chou, 1994：548.

鉴别特征：翅面黑褐色；反面土黄色，有大片黑褐色晕染；斑纹黄色或白色。前翅亚顶区斑纹 3 个；后半部斑纹曲棍球杆状；反面亚前缘斑清晰；前缘区基部有 1 列灰白色点状斑纹。后翅亚缘带窄；中横带较宽；反面亚基条长而完整。

采集记录：1♂，长安饮马池，1100m，2008.Ⅶ.12，房丽君采；1♂，蓝田九间房，1510m，2013.Ⅵ.23，房丽君采；2♂1♀，周至板房子，1500m，2013.Ⅵ.15，房丽君采；3♂，户县朱雀森林公园，1620m，2012.Ⅶ.12，房丽君采；1♂，宝鸡鸡峰山，1380m，2012.Ⅷ.25，房丽君采；1♂，凤县通天河，1800m，2012.Ⅶ.22，房丽君采；1♂，眉县蒿坪寺，1230m，2011.Ⅷ.10，张辰生、程帅采；1♂，太白二郎坝，1080m，2010.Ⅵ.15，张辰生、程帅采；1♂，佛坪长角坝，950m，2011.Ⅴ.06，房丽君采；1♂，洋县龙亭，900m，2011.Ⅵ.04，房丽君采；2♂，宁陕广货街，1270m，2010.Ⅸ.18，房丽君采；2♂，石泉云雾山，1080m，2011.Ⅴ.26，房丽君采；2♂，商南梁家湾，500m，2014.Ⅶ.20，房丽君采。

分布：陕西（长安、蓝田、周至、户县、宝鸡、凤县、眉县、太白、佛坪、洋县、宁陕、石泉、商南）、河北、河南、甘肃、湖北、江西、四川、云南。

寄主：湖北鹅耳枥 *Carpinus hupeana*（Betulaceae）。

(173) 海环蛱蝶 *Neptis thetis* Leech, 1890（图版 42：1-2）

Neptis thisbe var. *thetis* Leech, 1890：35.

Neptis thetis：Chou, 1994：548.

鉴别特征：与黄环蛱蝶 *N. themis* 近似，主要区别为：本种后翅反面亚基条不完整，仅端段较清晰。

采集记录：1♂，长安饮马池，900m，2008.Ⅶ.12，房丽君采；2♂1♀，周至厚畛子，1280m，2009.Ⅵ.12，高可、杨伟采；1♂，户县涝峪，1350m，2010.Ⅶ.06，房丽君采；1♂，眉县蒿坪寺，1150m，2010.Ⅷ.10，房丽君采；1♂1♀，太白高山草甸，2130m，2012.Ⅵ.23，房丽君采；1♂，宁陕广货街，1250m，2010.Ⅸ.18，房丽君采；1♂，汉阴凤凰山，1120m，2011.Ⅴ.28，房丽君采；1♂，镇安结子乡，1280m，2011.Ⅵ.19，房丽君采；1♂，商南金丝峡，800m，2006.Ⅴ.14，房丽君采。

分布：陕西（长安、周至、户县、眉县、太白、宁陕、汉阴、镇安、商南）、江西、福建、四川、云南。

(174) 提环蛱蝶 *Neptis thisbe* Ménétriès，1859（图版 42：3-6）

Neptis thisbe Ménétriès，1859：214.

鉴别特征：与黄环蛱蝶 *N. themis* 极相似，主要区别为：本种后翅反面 rs 室的中带斑短；亚基条模糊，中部时有断续。

采集记录：1♂，长安分水岭，1950m，2010. Ⅶ.01，张宇军采；1♂，周至楼观台，730m，2010. Ⅶ.21，彭涛采；1♂，户县涝峪，1380m，2009. Ⅵ.06，房丽君采；2♂1♀，眉县蒿坪寺，1280m，2010. Ⅷ.10，房丽君采；1♂，太白黄柏塬原始森林，1580m，2010. Ⅷ.08，房丽君采；1♂，佛坪龙草坪，1420m，2011. Ⅴ.06，房丽君采；1♂，宁陕火地塘，1700m，2009. Ⅵ.22，房丽君采；1♂，石泉云雾山，1530m，2011. Ⅴ.26，房丽君采；1♂，汉阴凤凰山，1120m，2011. Ⅴ.28，房丽君采；1♂，柞水营盘，1390m，2010. Ⅵ.13，彭涛采；2♂，山阳中村，760m，2010. Ⅵ.06，房丽君采；1♂，丹凤土门，700m，2010. Ⅵ.01，房丽君采。

分布：陕西（长安、周至、户县、眉县、太白、佛坪、宁陕、石泉、汉阴、柞水、山阳、丹凤）、黑龙江、辽宁、河南、四川、云南；俄罗斯，朝鲜。

寄主：蒙古栎 *Quercus mongolica*、土耳其栎 *Q. cerris*（Fagaceae）。

(175) 伊洛环蛱蝶 *Neptis ilos* Fruhstorfer，1909

Neptis themis ilos Fruhstorfer，1909：42.
Neptis ilos：Chou，1994：548.

鉴别特征：与黄环蛱蝶 *N. themis* 极相似，主要区别为：本种前翅 R_2 脉分出于中室端部，不与 R_5 脉共柄；雄蝶前翅反面镜纹内有边界清晰的淡色斑。

采集记录：1♂，周至厚畛子，1280m，2010. Ⅶ.12，房丽君采；1♂，太白黄柏塬，1580m，2011. Ⅷ.27，张辰生、程帅采；1♂，汉阴龙垭，680m，2011. Ⅴ.27，房丽君采；1♂，商南金丝峡，800m，2013. Ⅶ.26，房丽君采。

分布：陕西（周至、太白、汉阴、商南）、辽宁、河南、台湾、四川。

(176) 啡环蛱蝶 *Neptis philyra* Ménétriès，1859

Neptis philyra Ménétriès，1859：214.

鉴别特征：翅正面黑褐色；反面棕红色；斑纹白色；两翅亚外缘斑列时有模糊。前翅亚顶区斑纹 4 个；翅下半部斑纹曲棍球杆状；反面外缘斑列及亚外缘斑列时有断续。后翅亚缘斑列及中横带宽，端部向内弯曲；反面亚基条较短。

采集记录：1♂，户县涝峪，1450m，2010. Ⅶ.06，房丽君采；1♂，凤县红花铺，1650m，2014. Ⅵ.05，房丽君采；1♂，眉县蒿坪寺，1430m，2011. Ⅵ.25，张辰生采；1♂，太白黄柏塬，1350m，2010. Ⅵ.15，房丽君采；1♂，柞水营盘小甘沟，1360m，2010. Ⅵ.14，彭涛采。

分布：陕西（户县、凤县、眉县、太白、柞水）、黑龙江、吉林、河南、浙江、江西、台湾、云南；俄罗斯，朝鲜，日本等。

寄主：五裂槭 *Acer oliverzanum*（Aceraceae）、鸡爪槭 *A. palmatum*、青枫 *A. serrulatum*、千金榆 *Carpinus cordata*（Betulaceae）、春榆 *Ulmus japonica*（Ulmaceae）、马桑 *Coriaria sinica*（Caprifoliaceae）、玉山绣线菊 *Spiraea morrisonicola*（Rosaceae）、日本绣线菊 *S. japonica*。

(177) 司环蛱蝶 *Neptis speyeri* Staudinger, 1887（图版 42：7-8）

Neptis speyeri Staudinger, 1887：145.

鉴别特征：与啡环蛱蝶 *N. philyra* 相似，主要区别为：本种前翅正面中室条端部上缘有缺刻；后翅有黑褐色的外横斑列。

采集记录：1♂，周至厚畛子，1240m，2010. Ⅶ.12，房丽君采；1♂，户县涝峪，1500m，2010. Ⅶ.06，房丽君采；1♂，佛坪长角坝，950m，2011. Ⅴ.06，房丽君采；1♂，洋县秧田，1040m，2011. Ⅵ.04，房丽君采。

分布：陕西（周至、户县、佛坪、洋县）、黑龙江、浙江、云南；俄罗斯。

寄主：榛 *Corylus heterophylla*（Betulaceae）、湖北鹅耳枥 *Carpinus hupeana*。

(178) 折环蛱蝶 *Neptis beroe* Leech, 1890（图版 43：1-2）

Neptis beroe Leech, 1890：36.

鉴别特征：与啡环蛱蝶 *N. philyra* 近似，主要区别为：本种雄蝶斑纹黄色。前翅亚顶区斑纹3个；反面曲棍球杆状纹内侧有镜纹。后翅前缘中部高度拱起；反面基部无斑纹。

采集记录：1♂1♀，长安饮马池，900m，2008. Ⅶ.12，房丽君采；1♂，周至楼观台，800m，2010. Ⅶ.20，彭涛采；1♂，户县涝峪，1500m，2010. Ⅶ.06，房丽君采；1♂，眉县蒿坪寺，1200m，2011. Ⅵ.25，程帅采；1♂，佛坪长角坝，950m，2011. Ⅴ.06，房丽君采；2♂，洋县茅坪，780m，2011. Ⅵ.04，房丽君采；2♂，宁陕火地塘，1600m，2010. Ⅷ.28，房丽君采；1♂，镇安结子乡，1200m，2011. Ⅵ.19，房丽君采；1♂，山阳银花，850m，2010. Ⅷ.09，房丽君采。

分布：陕西（长安、周至、户县、眉县、佛坪、洋县、宁陕、镇安、山阳）、河南、浙江、湖北、江西、四川、云南。

寄主：湖北鹅耳枥 *Carpinus hupeana*（Betulaceae）。

（179）朝鲜环蛱蝶 *Neptis philyroides* Staudinger，1887（图版43：3-6）

Neptis philyroides Staudinger，1887：146.

鉴别特征：与啡环蛱蝶 *N. philyra* 近似，主要区别为：本种前翅有显著的亚前缘斑；亚顶区有斑纹3~4个，第4个如有则退化成小点状。

采集记录：1♂，长安石砭峪，1200m，2010.Ⅶ.25，房丽君采；3♂1♀，周至厚畛子，1300m，2009.Ⅶ.15，高可、杨伟采；1♂，户县朱雀森林公园，1620m，2012.Ⅶ.12，房丽君采；1♂，凤县唐藏，1280m，2012.Ⅴ.25，房丽君采；1♂，眉县蒿坪寺，1180m，2011.Ⅵ.06，张辰生、程帅采；1♂，太白桃川石头河，1100m，2012.Ⅵ.21，房丽君采；1♂，华县少华山，1200m，2013.Ⅶ.19，房丽君采；1♂，佛坪观音山自然保护区，1620m，2014.Ⅵ.07，房丽君采；2♂，洋县华阳，1220m，2012.Ⅵ.27，张宇军采；1♂，宁陕旬阳坝，1480m，2011.Ⅶ.29，房丽君采；1♂，石泉云雾山，1530m，2011.Ⅴ.26，房丽君采；1♂，汉阴凤凰山，1000m，2011.Ⅴ.28，房丽君采；1♂，镇安黑窑沟，570m，2010.Ⅴ.21，房丽君采；2♂，山阳银花岬峪沟，1030m，2010.Ⅵ.01，房丽君采；1♂，商南金丝峡，800m，2006.Ⅴ.14，房丽君采。

分布：陕西（长安、周至、户县、凤县、眉县、太白、华县、佛坪、洋县、宁陕、石泉、汉阴、镇安、山阳、商南）、黑龙江、吉林、河南、浙江、江西、台湾、四川；俄罗斯，朝鲜。

寄主：榛 *Corylus heterophylla*（Betulaceae）、毛榛 *C. mandshurica*、细齿鹅耳枥*C. minutiserrata*。

（180）单环蛱蝶 *Neptis rivularis*（Scopoli，1763）（图版43：7-8）

Papilio rivularis Scopoli，1763：165.

Neptis fridolini Fruhstorfer，1907：51.

Neptis lucilla insularum Fruhstorfer，1907：51.

Limenitis rivularis herculeana Seitz，1908：183.

Limenitis aino Shirôzu，1953：26.

Neptis rivularis：Chou，1994：550.

鉴别特征：本种显著特征为中室条串珠形。翅正面黑褐色；反面红褐色；斑纹白色。前翅有亚顶斑和亚前缘斑；后半部斑纹曲棍球杆状；外缘及亚外缘斑列时有断续。后翅正面仅有较宽的中横斑列；反面外缘及亚外缘斑列清晰；亚基条碎片化。

采集记录：1♂，长安东佛沟，1800m，2009.Ⅶ.18，房丽君采；1♂，蓝田王顺山，1300m，2010. Ⅶ.31，房丽君采；1♂，周至厚畛子，1280m，2009. Ⅵ.26，房丽君采；1♂，户县太平峪，1200m，2009. Ⅶ.25，房丽君采；1♂，宝鸡陈仓苜耳沟，1000m，2012. Ⅵ.24，房丽君采；1♂，凤县灵官峡，1000m，2012. Ⅴ.26，房丽君采；1♂，眉县蒿坪寺，1120m，2011. Ⅵ.25，程帅采；1♂，太白高山草甸，2100m，2012. Ⅵ.23，房丽君采；1♂，华阴华阳川林场，1320m，2011. Ⅴ.07，房丽君采；1♂，留坝紫柏山，1660m，2012. Ⅵ.22，张宇军采；3♂1♀，宁陕火地塘，1820m，2009. Ⅵ.22，房丽君采；1♂，石泉云雾山，1530m，2011. Ⅴ.26，房丽君采；2♂，柞水营盘，1330m，2010. Ⅵ.15，彭涛采。

分布：陕西（长安、蓝田、周至、户县、宝鸡、凤县、眉县、太白、华阴、留坝、宁陕、石泉、柞水）、黑龙江、吉林、辽宁、河北、河南、台湾、四川；蒙古，俄罗斯，朝鲜，日本，欧洲。

寄主：绣线菊 *Spiraea salicifolia*（Rosaceae）、金丝桃叶绣线菊 *S. hypericifolia*、绣球绣线菊 *S. blumei*、旋果蚊子草 *Filipendula ulmaria*、胡枝子 *Lespedeza bicolor*（Fabaceae）。

（181）链环蛱蝶 *Neptis pryeri* **Butler，1871**（图版 44：1-4）

Neptis pryeri Butler, 1871：403.

鉴别特征：与单环蛱蝶 *N. rivularis* 近似，主要区别为：本种个体较大；前翅有外斜斑列。后翅有宽的外横斑列；反面基区灰色，无亚基条，但密布黑色斑点。

采集记录：1♂，长安白石峪，1150m，2010. Ⅶ.01，房丽君采；1♂，蓝田九间房，1200m，2013. Ⅵ.23，房丽君采；1♂，周至厚畛子，1320m，2013. Ⅵ.16，房丽君采；1♂，户县涝峪，1100m，2009. Ⅵ.06，房丽君采；2♂，宝鸡安坪沟，1120m，2011. Ⅷ.27，房丽君采；3♂，凤县灵官峡，1000m，2012. Ⅴ.26，房丽君采；1♂，眉县蒿坪寺，1430m，2011. Ⅵ.25，程帅采；2♂1♀，太白鹦鸽，960m，2013. Ⅷ.03，房丽君采；1♂，华阴华阳川林场，1320m，2011. Ⅴ.07，房丽君采；2♂，略阳硖口驿，900m，2014. Ⅵ.02，房丽君采；1♂，留坝红岩沟，1140m，2012. Ⅵ.23，张宇军采；1♂，洋县华阳，1040m，2011. Ⅵ.04，房丽君采；1♂，宁陕旬阳坝，1500m，2010. Ⅶ.29，房丽君采；2♂，汉阴龙垭，680m，2011. Ⅴ.27，房丽君采；1♂，柞水营盘大甘沟，1420m，2009. Ⅸ.06，房丽君采；1♂1♀，商州黑龙口，1050m，2011. Ⅵ.01，房丽君采；1♂，山阳洛峪，700m，2010. Ⅵ.26，房丽君采。

分布：陕西（长安、蓝田、周至、户县、宝鸡、凤县、眉县、太白、华阴、略阳、留坝、洋县、宁陕、汉阴、柞水、商州、山阳）、吉林、辽宁、河南、江苏、江西、福建、台湾、四川；朝鲜，日本。

寄主：玉山绣线菊 *Spiraea morrisonicola*（Rosaceae）、日本绣线菊 *S. japonica*、单瓣李叶绣线菊 *S. prunifolia*。

(182) 重环蛱蝶 *Neptis alwina* **Bremer *et* Grey, 1852**(图版 44: 5-8)

Neptis alwina Bremer *et* Grey, 1852: 59.

鉴别特征: 与朝鲜环蛱蝶 *N. philyroides* 较近似,主要区别为: 本种前翅亚顶区斑列"V"形; 中室条前缘锯齿状。后翅反面亚基条完整。

采集记录: 1♂,长安白石峪,700m,2008. Ⅶ. 26,房丽君采;1♂,蓝田汤峪,880m,2010. Ⅶ. 31,房丽君采;2♂1♀,周至黑河森林公园,1100m,2013. Ⅵ. 16,房丽君采;1♂,户县紫阁峪,720m,2010. Ⅴ. 27,房丽君采;2♂,宝鸡陈仓首耳沟,1000m,2012. Ⅵ. 24,房丽君采;2♂,眉县蒿坪寺,1430m,2011. Ⅵ. 25,房丽君采;1♂1♀,太白桃川,1250m,2011. Ⅵ. 11,房丽君采;1♂,略阳硖口驿,920m,2014. Ⅵ. 02,房丽君采;1♂,留坝紫柏山,1640m,2012. Ⅵ. 22,张宇军采;1♂,佛坪长角坝,950m,2011. Ⅴ. 06,房丽君采;1♂,洋县华阳,1120m,2011. Ⅵ. 04,房丽君采;1♂,宁陕旬阳坝,1500m,2010. Ⅶ. 29,房丽君采;1♂,柞水营盘花门楼,1280m,2010. Ⅵ. 16,彭涛采;1♂,丹凤土门,700m,2010. Ⅵ. 01,房丽君采。

分布: 陕西(长安、蓝田、周至、户县、宝鸡、眉县、太白、略阳、留坝、佛坪、洋县、宁陕、柞水、丹凤)、辽宁、北京、河北、河南、江西、四川;俄罗斯,朝鲜,日本。

寄主: 梅花 *Prunus mume* (Rosaceae)、李 *P. salicina*、桃 *Amygdalus persica*、山杏 *Armeniaca sibirica*、枇杷 *Eriobotrya japonica* 等。

58. 菲蛱蝶属 *Phaedyma* C. Felder, 1861

Phaedyma C. Felder, 1861: 31. **Type species:** *Papilio heliodora* Cramer, 1779.

Andrapana Moore, [1898]: 146. **Type species:** *Papilio columella* Cramer, 1780.

属征: 雄蝶前翅 R_2 脉长,达 R_4 脉的起点; R_3 脉从 R_5 脉的 1/3 处分出,与 R_1 脉的终点相对应。后翅 Sc + R_1 脉和前翅 A 脉一样长; Rs 脉离 Sc + R_1 脉比离 M_1 脉近; 镜区明显。雄性外生殖器: 背兜隆起; 钩突发达; 有颚突; 囊突细小; 抱器阔长,末端圆,上端角有小突起; 阳茎粗短。

分布: 东洋区,古北区。全世界记载 11 种,中国已知 3 种,秦岭地区记录 2 种。

分种检索表

后翅反面基部有斑纹; 肩脉向外方斜弯…………………………………………… 秦菲蛱蝶 *P. chinga*

后翅反面基部无斑纹; 肩脉直,不弯曲 …………………………………………… 蔼菲蛱蝶 *P. aspasia*

(183) 蔼菲蛱蝶 *Phaedyma aspasia* (Leech, 1890)

Neptis aspasia Leech, 1890：37.

Phaedyma aspasia：Eliot, 1969：118.

鉴别特征：翅正面黑褐色；反面褐色或黄褐色；斑纹黄色或白色。前翅后半部具曲棍球杆状纹；亚顶区斑纹4个；亚前缘斑显著；亚外缘斑列模糊。后翅正面前缘镜纹宽大；中横带宽于外横带，端部未达前缘；反面基域土黄色，无斑纹；中线银灰色。

采集记录：2♂，宁强青木川，2009.Ⅵ.08，许家珠采。

分布：陕西(宁强)、浙江、江西、四川、云南；缅甸，不丹。

(184) 秦菲蛱蝶 *Phaedyma chinga* Eliot, 1969

Phaedyma chinga Eliot, 1969：117.

鉴别特征：与蔼菲蛱蝶 *P. aspasia* 近似，主要区别为：本种前翅亚顶区 r_5 室斑纹向外方延伸；外缘与 m_1 室斑的外缘在1条直线上，但 r_5 室斑延伸部分在翅反面有时不显著。后翅反面基部有黄褐色斑驳纹；中线波状弯曲。

采集记录：1♂，长安饮马池，1100m，2008.Ⅶ.12，房丽君采；1♂1♀，周至厚畛子，1300m，2009.Ⅵ.26，房丽君采；1♂，户县涝峪，1360m，2010.Ⅶ.06，房丽君采；2♂，宝鸡潘溪，1250m，2013.Ⅷ.03，房丽君采；1♂，眉县蒿坪寺，1300m，2011.Ⅷ.11，张辰生、程帅采；1♂，太白黄柏塬，1700m，2010.Ⅷ.07，房丽君采；1♂，宁陕火地塘，1580m，2009.Ⅷ.30，房丽君采。

分布：陕西(长安、周至、户县、宝鸡、眉县、太白、宁陕)、河南、湖北。

59. 伞蛱蝶属 *Aldania* Moore, 1896

Aldania Moore, 1896：46. **Type species**：*Diadema raddei* Bremer, 1861.

属征：翅面无典型的中室条纹及中横带；翅暗灰色或灰白色；脉纹黑色；中室开式。前翅顶角圆；外缘端部外倾；R_2 脉从 R_5 脉分出。后翅 $Sc + R_1$ 脉较短，仅达前缘。雄性外生殖器：背兜隆起；钩突及颚突发达；囊突粗短；抱器很长，末端上角指形凸起；阳茎极短。

分布：中国西部；俄罗斯西伯利亚。全世界记载2种，中国均有记录，秦岭地区记录1种。

(185) 黑条伞蛱蝶 *Aldania raddei*（Bremer, 1861）（图版 45：1-2）

Diadema raddei Bremer, 1861: 467.

Neptis raddei: Stichel, 1909: 180.

Aldania raddei: Chou, 1994: 554.

鉴别特征：翅银灰色，散布有黑色鳞片；沿翅脉有黑色条斑；亚外缘线黑色，波状。前翅中室黑色纵纹长"V"形。后翅中室有 1 条短条纹。

采集记录：1♂，长安石砭峪，1180m，2011. Ⅴ. 25，张宇军采；1♂，华县石堤峪，950m，2011. Ⅴ. 08，房丽君采；1♂，留坝城关，1050m，2012. Ⅵ. 21，张宇军采；1♂，商南金丝峡，1000m，2006. Ⅴ. 14，房丽君采。

分布：陕西（长安、华县、留坝、商南）、黑龙江、吉林、辽宁、河南；俄罗斯。

寄主：春榆 *Ulmus propinqua*（Ulmaceae）。

五、 蛱蝶亚科 Nymphalinae

前翅 R_3 脉从 R_5 脉分出；Cu_1 脉从中室下缘近下端角处分出。后翅肩脉从 Sc + R_1 脉分出，中室多开式或被细线纹封闭。

分族检索表

1. 小型种类；翅外缘平滑，黄褐色；有黑色豹纹 ·················· 网蛱蝶族 Melitaeini
   大中型种类；前翅顶角尖出或截形；后翅多在 2A 脉及 M_3 脉处外突 ······················ 2
2. 中型种类；眼有毛（眼蛱蝶属 *Junonia* 例外） ·················· 蛱蝶族 Nymphalini
   大型种类；眼无毛 ······························· 枯叶蛱蝶族 Kallimini

（一）枯叶蛱蝶族 Kallimini

大型种类；眼无毛。前翅顶角尖出或截形；后翅臀角或尾突明显。

分属检索表

前翅顶端微呈镰刀状突出；后翅无尾突 ···················· 斑蛱蝶属 *Hypolimnas*

前翅显著镰刀状突出；后翅有尾突 ························· 枯叶蛱蝶属 *Kallima*

60. 枯叶蛱蝶属 *Kallima* Doubleday，1849

Kallima Doubleday，1849：pl. 52，f. 2-3. **Type species**：*Paphia paralekta* Horsfield，1829.

属征：体大型，翅似枯叶。前翅顶角尖出；前缘强弧形弯曲；外缘在 Cu_2 脉处凸出；R_2 脉从中室上缘近上端角处分出；R_5 脉与 M_1 脉同时从中室上端角分出；M_3 与 Cu_1 脉从中室下端角分出。后翅臀角延伸成指状尾突；肩脉端部分叉；Rs 脉与 M_1 脉远离；M_3 脉末端无尾突；M_3 脉与 Cu_1 脉同柄。两翅中室均为闭式。雄性外生殖器：背兜与钩突较发达；囊突粗长；抱器阔；阳茎巨大。

分布：东洋区。全世界记载 9 种，中国记录 1 种，秦岭地区有记录。

(186) 枯叶蛱蝶 *Kallima inachus* (Boisduval，1846)

Paphia inachus Boisduval，1846：pl. 139.
Kallima inachus：Chou，1994：563.

鉴别特征：翅褐色或紫褐色，有藏青色光泽；两翅亚外缘区各有 1 条深色波状线；反面从前翅顶角到后翅臀角有 1 条深褐色细带，其上常有多条细带生出，相互交织，形似叶脉，是蝴蝶中典型的拟态。前翅顶角尖锐；顶角区和 cu_2 室中部各有 1 个圆形白斑；正面中斜带宽阔，橙黄色。后翅臀角延伸成指状；反面枯叶色，密布黑褐色点状斑。

采集记录：2♀，安康，2005. Ⅶ. 01，许家珠采。

分布：陕西(安康、宁陕、石泉)、浙江、江西、湖南、福建、台湾、广东、海南、广西、四川、云南、西藏；日本，越南，泰国，缅甸，印度。

寄主：马蓝 *Strobilanthes cusia*(Acanthaceae)、曲茎马蓝 *S. flexicautis*、球花马蓝 *S. pentstemonoides*、大叶马蓝 *Pteracanthus grandissimus*、爵床 *Rostellularia procumbens*、狗肝菜 *Dicliptera chinensis*、黄猄草 *Championella tetrasperma*。

61. 斑蛱蝶属 *Hypolimnas* Hübner，[1819]

Hypolimnas Hübner，[1819]：45. **Type species**：*Papilio pipleis* Linnaeus，1758.
Esoptria Hübner，[1819]：45. **Type species**：*Papilio bolina* Linnaeus，1758.
Diadema Boisduval，1832：135. **Type species**：*Papilio bolina* Linnaeus，1758.
Euralia Westwood，[1850]：281. **Type species**：*Papilio dubius* Palisot de Beauvois，1805.
Eucalia Felder，1861：25. **Type species**：*Diadema anthedon* Doubleday，1845.

属征：中型。雌雄异型，雌蝶呈多型性。翅橙红色或紫褐色；有蓝色或白色斑纹；雌蝶似斑蝶，是典型的拟态型种类。前翅外缘端部弧形外突，中部凹入；中室短，闭式。前翅 R_5 脉与 M_1 脉同点从中室上端角分出，M_3 和 Cu_1 脉均从中室下端角前分出。后翅阔卵形；外缘齿状；无尾突；中室被细线纹封闭。雄性外生殖器：背兜宽阔；钩突狭小；颚突发达；骨环较大；囊突中等长；抱器端部二分裂，上部近盔形，下部钩状；阳茎中长，端部尖。

分布：亚洲，非洲，北美洲。全世界记载 24 种，中国记录 3 种，秦岭地区记录 1 种。

(187) 金斑蛱蝶 *Hypolimnas misippus*（Linnaeus, 1764）

Papilio misippus Linnaeus, 1764: 264.

Hypolimnas alcippoides Butler, 1883: 102.

Apatura misippus: Moore, 1881: 59.

Hypolimnas misippus: Chou, 1997: 566.

鉴别特征：雌雄异型，雌蝶模拟金斑蝶 *D. chrysippus*。雄蝶翅正面黑褐色；反面棕褐色；两翅反面外缘及亚外缘区黑褐色，镶有白色花边形斑纹；亚缘斑列白色，斑纹点状。前翅顶角区白斑近长方形；中央白色斜斑长椭圆形；反面中室上缘 1 排斑纹白色。后翅正面中央大圆斑白色；反面中横带宽阔；前缘中部黑色斑纹近"V"形。两翅白斑边缘多有蓝紫色光泽。雌蝶翅正面橙黄色；反面色稍淡；两翅外缘及亚外缘区黑褐色，斑列同雄蝶。前翅前缘区、顶角区、亚顶区及外缘区黑色；顶角区及亚顶区各有 1 列白斑；反面前缘基半部黑色，镶有白色斑纹；亚顶区黑褐色，镶有白色斜斑列。后翅正面前缘中部黑色块斑边界模糊；反面前缘中部及中室端脉外侧各有 1 个黑斑。

分布：陕西（留坝、洋县、西乡）、浙江、江西、福建、台湾、广东、海南、云南；日本，缅甸，印度，澳大利亚。

寄主：马齿苋 *Portulaca oleracea*（Portulacaceae）、车前 *Plantago asiatica*（Plantaginaceae）、大车前 *P. major*。

（二）蛱蝶族 Nymphalini

中型种类；眼有毛。翅斑纹红色、黄色、白色、蓝色或黑色。前翅外缘在 M_3 脉尖出。后翅外缘在 M_3 脉或 2A 脉处有齿突或尾突。

分属检索表

1. 眼光滑；前后翅亚缘有眼斑 ·· **眼蛱蝶属 *Junonia***

62. 麻蛱蝶属 *Aglais* Dalman, 1816

Aglais Dalman, 1816: 56. **Type species**: *Papilio urticae* Linnaeus, 1758.

　　属征：翅正面橙红色，端部黑色；反面密布黑色波状细纹。前翅外缘在 M₁ 脉处尖出；后缘平直。后翅外缘 M₃ 脉处尖出；基半部与端半部底色不同。前翅 R₁、R₂ 脉从中室端角之前分出；R₅ 脉与 M₁ 脉从中室上端角分出；两翅中室均闭式。雄性外生殖器：钩突小；颚突长，能转动；抱器背裂开，铗细长；囊突细长；阳茎长于抱器，"S"形弯曲。

　　分布：古北区。全世界记载 6 种，中国记录 1 种，秦岭地区有记录。

(188) 荨麻蛱蝶 *Aglais urticae*（Linnaeus, 1758）

Papilio urticae Linnaeus, 1758: 477.

Vanessa urticae: Godart, 1819: 306.

Vanessa conexa Butler, 1881: 851.

Aglais urticae: D'Abrera, 1992: 322.

　　鉴别特征：翅正面橙红色；反面赭褐色。两翅正面端部黑色，镶有蓝色亚外缘斑列。前翅有 3 个黑色块状前缘斑，斑外侧时有白色晕染；亚顶区近前缘有 1 个白色斑纹；m₃、cu₁、cu₂ 室的黑斑依次变大；前翅 M₁ 脉及后翅 M₃ 脉端部角状外突。后翅正面基半部黑褐色，覆有棕褐色长毛。

　　采集记录：1♂，长安东佛沟，1780m，2011. Ⅶ. 24，张宇军采；1♂，太白黄柏塬, 1420m, 2012. Ⅵ.22, 张宇军采; 2♂, 留坝紫柏山, 1640m, 2012. Ⅵ.22, 张宇军采。

分布: 陕西(长安、太白、留坝)、黑龙江、吉林、辽宁、山西、甘肃、青海、新疆、四川、西藏; 蒙古, 韩国, 日本。

寄主: 荨麻 *Urtica fissa* (Urticaceae)、狭叶荨麻 *U. angustifolia*、苎麻 *Boehmeria nivea*、啤酒花 *Humulus lupulus*(Moraceae)、大麻 *Cannabis sativa*。

63. 红蛱蝶属 *Vanessa* Fabricius, 1807

Vanessa Fabricius, 1807: 281. **Type species**: *Papilio atalanta* Linnaeus, 1758.

Nymphalis Latreille, 1804: 184, 199. **Type species**: *Papilio atalanta* Linnaeus, 1758.

Cynthia Fabricius, 1807: 281. **Type species**: *Papilio cardui* Linnaeus, 1758.

Pyrameis Hübner, [1819]: 33. **Type species**: *Papilio atalanta* Linnaeus, 1758.

Ammiralis Rennie, 1832: 10. **Type species**: *Papilio atalanta* Linnaeus, 1758.

Neopyrameis Scudder, 1889: 434. **Type species**: *Papilio cardui* Linnaeus, 1758.

Fieldia Niculescu, 1979: 3. **Type species**: *Vanessa carye* Hübner, 1812.

属征: 翅橙色; 外缘波状。前翅后缘平直; 外缘 M_1 脉处略突出; R_5 脉与 M_1 从中室上端角分出。后翅反面斑纹斑驳云状; 外缘无尖出或尾突。两翅中室闭式。雄性外生殖器: 背兜及颚突大; 钩突长; 抱器阔, 背中部深裂, 抱器铗细长; 阳茎端部尖细。

分布: 广泛分布于世界各地。全世界记载 14 种, 中国记录 2 种, 秦岭地区有记录。

分种检索表

后翅正面棕褐色, 端部橙红色 ……………………………………………… 大红蛱蝶 *V. indica*
后翅正面橙色 ………………………………………………………………… 小红蛱蝶 *V. cardui*

(189) 大红蛱蝶 *Vanessa indica* (Herbst, 1794) (图版 45: 3-4)

Papilio indica Herbst, 1794: pl. 180.

Pyrameis calliroë Hübner, 1816: 33.

Pyrameis indica: Moore, 1881: 50.

Vanessa indica: Chou, 1994: 569.

鉴别特征: 翅橙黄色; 外缘锯齿形。前翅正面上半部及外缘黑色; 顶角区及亚顶区各有 1 列白色斑纹; 基斜斑列黑色; M_1 脉端部角状外突; 反面黑色外斜带宽, 有时伸至顶角区；前缘中部有蓝色细横线，基部密布黑色斑纹。后翅正面棕色，端部橙红色；外缘区、亚外缘区及亚缘区各有 1 列黑色斑纹；臀角区有小块的紫色鳞片；反面密布黑褐色和橙红色斑驳纹；基半部有银灰色网状纹；亚缘中部有 4 个模糊的眼斑。

采集记录： 1♂1♀，长安大峪，1780m，2009. Ⅵ. 14，房丽君采；1♂，周至厚畛子，1500m，2010. Ⅴ. 29，房丽君采；1♂，户县涝峪，1350m，2012. Ⅴ. 05，房丽君采；2♂，宝鸡尖山，1150m，2013. Ⅴ. 29，房丽君采；2♂，凤县通天河，1600m，2012. Ⅴ. 25，房丽君采；1♂，眉县红河谷，1740m，2013. Ⅴ. 26，房丽君采；1♂，太白青峰峡，1950m，2012. Ⅵ. 22，房丽君采；1♂，留坝红岩沟，1080m，2012. Ⅵ. 23，房丽君采；1♂，勉县茶店，660m，2013. Ⅹ. 05，房丽君采；1♂，佛坪熊猫谷，1450m，2013. Ⅵ. 15，房丽君采；1♂，洋县铁河，760m，2010. Ⅹ. 16，房丽君采；2♂2♀，镇安锡铜沟，830m，2010. Ⅹ. 02，房丽君采；1♂，丹凤土门，860m，2010. Ⅷ. 16，房丽君采；1♂，商南清油河，550m，2014. Ⅸ. 06，房丽君采。

分布： 陕西(长安、周至、户县、宝鸡、凤县、眉县、太白、留坝、勉县、佛坪、洋县、镇安、丹凤、商南)，中国广泛分布；亚洲东部，欧洲，非洲西北部。

寄主： 咬人荨麻 *Urtica thunbergiana* (Urticaceae)、苎麻 *Boehmeria nivea*、密花苎麻 *B. densiflora*、异叶蝎子草 *Girardinia heterophylla*。

(190) 小红蛱蝶 *Vanessa cardui* (Linnaeus, 1758)

Papilio cardui Linnaeus, 1758: 475.

Pyrameis cardui: Horsfield & Moore, 1857: 138.

Vanessa indica: Chou, 1994: 570.

鉴别特征： 与大红蛱蝶 *V. indica* 相似，主要区别为：本种体形较小；翅基部黑灰色。前翅基斜斑列黑斑多相连。后翅仅基部黑褐色；亚缘斑小，圆形；反面斑纹间被灰白色细线分割；前缘中部、中室端外侧及臀角有白色大斑纹。

采集记录： 1♂，长安丰峪口，1260m，2008. Ⅹ. 31，房丽君采；1♂，周至板房子，1500m，2014. Ⅶ. 14，房丽君采；1♂，宝鸡大水川，1960m，2013. Ⅵ. 01，房丽君采；1♂，眉县太白山，3500m，2012. Ⅶ. 28，房丽君采；1♂，太白二郎坝，1060m，2011. Ⅷ. 24，程帅、张辰生采；1♂，佛坪观音山自然保护区，1710m，2014. Ⅵ. 07，房丽君采；1♂，宁陕火地塘，2000m，2009. Ⅷ. 30，房丽君采；2♂1♀，石泉土门垭，880m，2011. Ⅴ. 25，房丽君采；1♂，汉阴龙垭，600m，2011. Ⅴ. 27，房丽君采；1♂，镇安木王，1700m，2009. Ⅹ. 17，房丽君采；1♂，商州流岭槽，1010m，2013. Ⅶ. 23，房丽君采；2♂，山阳银花岬峪沟，780m，2010. Ⅷ. 09，房丽君采；1♂，丹凤土门，880m，2010. Ⅷ. 16，房丽君采。

分布： 陕西(长安、周至、宝鸡、眉县、太白、佛坪、宁陕、石泉、汉阴、镇安、商州、山阳、丹凤)。世界广泛分布，仅南美洲尚未发现。

　　寄主: 柳叶水麻 *Debregeasia saeneb* (Urticaceae)、异株荨麻 *Urtica dioica*、苎麻 *Boehmeria nivea*、丝毛飞廉 *Carduus crispus* (Asteraceae)、小牛蒡 *Arctium minus*、菜豆 *Phaseolus vulgaris* (Fabaceae)、紫花苜蓿 *Medicago sativa*、葡萄 *Vitis vinifera* (Vitaceae)。

64. 蛱蝶属 *Nymphalis* Kluk, 1780

Nymphalis Kluk, 1780: 86. **Type species:** *Papilio polychloros* Linnaeus, 1758.

Aglais Dalman, 1816, [1]: 56. **Type species:** *Papilio urticae* Linnaeus, 1758.

Polygonia Hübner, [1819]: 36. **Type species:** *Papilio c-aureum* Linnaeus, 1758.

Eugonia Hübner, [1819]: 36. **Type species:** *Papilio angelica* Stoll, [1872].

Grapta Kirby, 1837: 292. **Type species:** *Vanessa c-argenteum* Kirby, 1837.

Scudderia Grote, 1873: 144. **Type species:** *Papilio antiopa* Linnaeus, 1758.

Euvanessa Scudder, 1889: 387. **Type species:** *Papilio antiopa* Linnaeus, 1758.

Kaniska Moore, [1899]: 91. **Type species:** *Papilio canace* Linnaeus, 1763.

Ichnusa Reuss, 1939: 3. **Type species:** *Papilio* (*Vanessa*) *ichnusa* Bonelli, 1826.

Roddia Korshunov, 1995: 81. **Type species:** *Papilio l-album* Esper, 1781.

　　属征: 翅紫褐色、黑褐色或黄褐色;有黄色、白色、蓝色或黑色的斑带;外缘锯齿状,前翅在 M_1 脉和 Cu_2 脉处、后翅在 M_3 脉处尖角状突出;翅反面密布细波纹;中室均闭式。前翅 R_5 脉与 M_1 脉从中室上端角分出。雄性外生殖器:背兜小;钩突细长;颚突左右愈合;基腹弧长,下部宽;囊突短小;抱器近长方形,端部下弯;阳茎基部粗,端部尖。

　　分布: 古北区,新北区。全世界记载 6 种,中国记录 3 种,秦岭地区有记录。

分种检索表

1. 翅浓紫褐色;端部有黄色宽带 …………………………………………… 黄缘蛱蝶 *N. antiopa*
   翅黄褐色或红褐色;端部有黑色带 …………………………………………………………… 2
2. 前翅 cu_1 室有 1 个黑斑;后翅反面中室端斑点状 ………………… 朱蛱蝶 *N. xanthomelas*
   前翅 cu_1 室有 2 个黑斑;后翅反面中室端斑"L"形 ………………… 白矩朱蛱蝶 *N. vau-album*

(191) 黄缘蛱蝶 *Nymphalis antiopa* (Linnaeus, 1758)

Papilio antiopa Linnaeus, 1758: 476.

Vanessa hygiaea Heydenreich, 1851: 7.

Nymphalis antiopa: D'Abrera, 1992: 320.

　　鉴别特征: 翅紫褐色;端部黄色缘带宽,带上密布深色斑驳麻点纹;亚缘斑列蓝紫色。前翅前缘上半部有 2 个淡黄色前缘斑；反面有极密的黑色波状细纹；外横带黑褐色，波状；两翅中室下端各有 1 个白色小斑。

分布：陕西（宁陕）、黑龙江、吉林、辽宁、河南、新疆、四川；朝鲜，日本。

寄主：五蕊柳 *Salix pentandra*（Salicaceae）、黄花柳 *S. caprea*、耳柳 *S. aurita*、灰柳 *S. cinerea*、欧洲山杨 *Populus tremula*、坚桦 *Betula chinensis*（Betulaceae）、全缘黄连木 *Pistacia integerrima*（Anacardiaceae）。

（192）朱蛱蝶 *Nymphalis xanthomelas*（Esper，1781）（图版 45：5-8）

Papilio xanthomelas Esper，1781：77.

Nymphalis xanthomelas：D'Abrera，1992：321.

鉴别特征：翅正面黄褐色；反面密布麻点纹，基半部褐色，端半部黄褐色，斑纹为正面斑纹的透射。两翅外缘带黄褐色与青蓝色斑纹相互交织；亚外缘斑列青白色，斑纹条形；亚缘带宽，黑褐色；顶角近前缘有白色斑纹；中室中部 2 个黑斑相连或分开；亚顶区及中室端部各有 1 个黑色大块斑；m_3 室及 cu_1 室各有 1 个黑斑，cu_2 室有 1~2 个黑斑。后翅正面密布麻点纹；前缘中部有 1 个黑色大块斑；基部及后缘覆有棕色长毛。

采集记录：1♂，长安石砭峪，1190m，2011.Ⅵ.08，张宇军采；1♂，蓝田九间房，1480m，2013.Ⅵ.23，房丽君采；1♂，周至厚畛子，1360m，2009.Ⅵ.26，房丽君采；2♂，户县太平峪，1500m，2010.Ⅳ.05，房丽君采；2♂，宝鸡陈仓苴耳沟，1000m，2012.Ⅵ.24，房丽君采；1♂，凤县通天河，2250m，2012.Ⅵ.16，房丽君采；1♂，眉县蒿坪寺，1200m，2011.Ⅵ.25，张辰生采；1♂，太白高山草甸，2120m，2012.Ⅵ.23，房丽君采；1♂，宁陕火地塘，1670m，2010.Ⅳ.23，房丽君采。

分布：陕西（长安、蓝田、周至、户县、宝鸡、凤县、眉县、太白、宁陕）、黑龙江、辽宁、河北、山西、河南、宁夏、甘肃、青海、新疆、台湾；朝鲜，日本。

寄主：齿叶柳 *Salix elegans*（Salicaceae）、柳果 *S. excelsa*、全缘黄连木 *Pistacia integerrima*（Anacardiaceae）、南洋朴树 *Cettis austratis*（Ulmaceae）、白榆 *Ulmus pumila* 等。

（193）白矩朱蛱蝶 *Nymphalis l-album*（Esper，1781）

Papilio l-album Esper，1781：69.

Papilio vau-album Denis et Schiffermüller，1775：176.

Papilio v-album Fabricius，1787：50.

Vanessa vau-album：Leech，1892：261.

Polygonia l-album f. *mureisana* Matsumura，1939：356.

Nymphalis vau-album：D'Abrera，1992：322.

Nymphalis l-album：Kudrna & Belicek，2005：28.

鉴别特征：与朱蛱蝶 *N. xanthomelas* 近似，主要区别为：本种前翅 cu_1 室有 2 个黑斑。后翅正面前缘中部黑斑外侧具白斑；亚缘黑带窄，外侧无蓝色斑纹；反面中室白色端斑"L"形。

采集记录：3♂1♀，长安五道梁，1250m，2009.Ⅲ.29，房丽君采。

分布：陕西（长安）、吉林、辽宁、山西、新疆、云南；俄罗斯，朝鲜，日本。

寄主：桦树 *Betula* spp.（Betulaceae）、榆树 *Ulmus* spp.（Ulmaceae）、荨麻 *Urtica fissa*（Urticaceae）、杨属 *Populus* spp.（Salicaceae）、柳属 *Salix* spp.。

65. 琉璃蛱蝶属 *Kaniska* Moore，1899

Kaniska Moore，1899：91. **Type species**：*Papilio canace* Linnaeus，1763.

属征：前翅顶角斜截，外缘中部凹入深。脉纹与蛱蝶属 *Nymphalis* 近似，M_2 脉离 M_1 脉较远。后翅外缘在 Rs 脉前凹入；$Sc + R_1$ 脉强度弯曲；M_3 脉处突出成短尾。中室闭式。雄性外生殖器与蛱蝶属相似，但抱器阔，抱器端、抱器铗及阳茎强度弯曲。

分布：古北区，东洋区。全世界仅记载 1 种，秦岭地区有记录。

(194) 琉璃蛱蝶 *Kaniska canace*（Linnaeus, 1763）（图版 46：1-2）

Papilio canace Linnaeus，1763：406.

Vanessa canace siphnos Fruhstorfer，1912：527.

Vanessa canace f. *mandarina* Matsumura，1939：356.

Kaniska canace：D'Abrera，1984：276.

鉴别特征：翅黑褐色；正面蓝色外横带贯穿两翅；反面翅面布满白色细线纹；端部内弯，外侧镶有黑色点斑列。前翅顶角区黄褐色；外缘波状；中部凹入较深；M_1 及 Cu_2 脉端部角状突出；顶角近前缘有白色斑纹；反面端半部"X"形斑纹黄褐色，时有模糊；基横带黄褐色。后翅外缘齿状；M_3 脉端部突出；反面基横带和外横带斑驳；中室白斑小。

采集记录：1♂，长安小峪，900m，2010.Ⅳ.03，房丽君采；1♂，蓝田九间房，1480m，2013.Ⅵ.23，房丽君采；1♂，周至厚畛子，1280m，2009.Ⅴ.20，高可采；1♂，户县涝峪，1420m，2010.Ⅴ.22，房丽君采；2♂2♀，宝鸡陈仓苜耳沟，850m，2013.Ⅷ.03，房丽君采；1♂，眉县蒿坪寺，1150m，2010.Ⅷ.10，房丽君采；1♂1♀，太白青峰峡，1650m，2012.Ⅴ.19，房丽君采；1♂，佛坪长角坝，920m，2010.Ⅸ.11，

房丽君采；1♂，洋县两河口，500m，2010.Ⅹ.17，房丽君采；2♂2♀，宁陕火地塘，1650m，2009.Ⅺ.01，房丽君采；1♂，柞水牛背梁自然保护区，1350m，2013.Ⅶ.15，张宇军采；1♂，镇安锡铜沟，830m，2010.Ⅹ.02，房丽君采；1♂，丹凤竹林关，550m，2012.Ⅹ.05，房丽君采；1♂，商南金丝峡，800m，2013.Ⅶ.24，张宇军采。

分布：陕西（长安、蓝田、周至、户县、宝鸡、眉县、太白、佛坪、洋县、宁陕、柞水、镇安、丹凤、商南），中国广泛分布；从喜马拉雅山脉到西伯利亚的东南部均有分布。

寄主：菝葜 *Smilax china*（Smilacaceae）、卷丹 *Lilium lancifolum*。

66. 钩蛱蝶属 *Polygonia* Hübner，[1819]

Polygonia Hübner，[1819]：36. **Type species**：*Papilio c-aureum* Linnaeus，1758.

Comma Rennie，1832：8. **Type species**：*Papilio c-album* Linnaeus，1758.

Grapta Kirby，1837：292. **Type species**：*Vanessa c-argenteum* Kirby，1837.

Kaniska Moore，1899：91. **Type species**：*Papilio canace* Linnaeus，1763.

属征：翅黄褐色；斑纹多黑色。两翅外缘锯齿状。前翅顶角斜截；后缘端半部凹入；M_1 脉和 Cu_2 脉端部角状突出；R_5 脉与 R_2 及 M_1 脉共同从中室端部伸出。后翅 M_3 脉角状突出；臀角尖；反面中室端部有银白色"L"形或"C"形斑纹；中室前翅闭式，后翅开式，长度约为翅长度的1/2弱。雄性外生殖器：钩突细长；颚突较发达，愈合成"U"形；囊突小；抱器短，背端有突起，抱器铗发达；阳茎短，端部尖锐，微弯。

分布：古北区，新北区，东洋区，非洲区。全世界记载16种，中国记录3种，秦岭地区记录3种。

分种检索表

1. 翅面斑纹多愈合成横带；前翅反面有银白色斑纹 ·························· 巨型钩蛱蝶 *P. gigantea*
   翅面斑纹不愈合；前翅反面无银白色斑纹 ··························· 2
2. 前翅中室基部无黑色斑纹 ·························· 白钩蛱蝶 *P. c-album*
   前翅中室基部有黑色斑纹 ·························· 黄钩蛱蝶 *P. c-aureum*

(195) 白钩蛱蝶 *Polygonia c-album*（**Linnaeus，1758**）（图版46：3-4）

Papilio c-album Linnaeus，1758：477.

Papilio f-album Esper，1783：168.

Polygonia marsyas Edwards，1870：16.

Vanessa lunigera Butler，1881：850.

Polygonia c-album: D'Abrera, 1992: 326.

鉴别特征: 翅橙色; 翅面密布大小不一的黑色斑纹; 外缘带及翅基部黑褐色; 反面黑褐色斑驳纹模糊。前翅中室有2个黑色斑纹。后翅中央"L"形斑纹银白色。本种有春型和秋型之分, 翅正面春型黄褐色, 秋型红褐色, 秋型反面黑褐色斑驳纹密集。

采集记录: 1♂, 长安石砭峪, 1230m, 2010. Ⅷ. 09, 张宇军采; 1♂, 周至楼观台, 630m, 2010. Ⅸ. 14, 彭涛采; 1♂, 户县涝峪, 1200m, 2009. Ⅵ. 06, 房丽君采; 1♂, 眉县蒿坪寺, 1310m, 2011. Ⅷ. 11, 程帅、张辰生采; 1♂, 太白药王谷, 1000m, 2013. Ⅷ. 04, 房丽君采; 1♂, 佛坪长角坝, 950m, 2011. Ⅴ. 06, 房丽君采; 1♂, 宁陕旬阳坝, 1380m, 2010. Ⅶ. 29, 房丽君采。

分布: 陕西(长安、周至、户县、眉县、太白、佛坪、宁陕)、黑龙江、吉林、辽宁、河北、河南、浙江、江西、四川、西藏; 朝鲜, 日本, 不丹, 尼泊尔。

寄主: 榉木 *Zelkova serrata*. (Ulmaceae)、白榆 *U. pumila*、大叶榆 *U. laevis*、异株荨麻 *Urtica dioeca* (Urticaceae)、黄花柳 *Salix caprea* (Salicaceae)、灰柳 *S. cinerea*、深山柳 *S. phylicifolia*、葎草 *Humulus scandens* (Moraceae)、啤酒花 *H. lupulus*、覆盆子 *Rubus idaeus* (Rosaceae)、欧洲榛子 *Corylus avellana* (Betulaceae)、白桦 *Betula platyphylla*。

(196) 黄钩蛱蝶 *Polygonia c-aureum* (**Linnaeus, 1758**)

Papilio c-aureum Linnaeus, 1758: 477.
Papilio angelica Cramer, 1782: 388.
Vanessa pryeri Janson, 1878: 269.
Grapta c-aureum: Leech, 1892: 266.
Polygonia c-aureum: D'Abrera, 1992: 326.

鉴别特征: 与白钩蛱蝶 *P. c-album* 相似, 且混合发生, 主要区别为: 本种前翅中室有3个黑斑。后翅外缘中部凹入浅, 角状外突不明显。

采集记录: 2♂1♀, 长安子午峪, 840m, 2008. Ⅴ. 02, 房丽君采; 1♂, 蓝田城关, 450m, 2008. Ⅹ. 31, 房丽君采; 1♂, 周至小王涧林场, 930m, 2014. Ⅷ. 25, 房丽君采; 1♂, 户县太平峪, 890m, 2008. Ⅸ. 13, 房丽君采; 1♂, 宝鸡鸡峰山, 1200m, 2012. Ⅷ. 25, 房丽君采; 1♂, 凤县通天河, 1400m, 2012. Ⅴ. 25, 房丽君采; 3♂, 眉县蒿坪寺, 1180m, 2011. Ⅵ. 25, 房丽君采; 1♂1♀, 太白青峰峡, 1680m, 2012. Ⅵ. 22, 房丽君采; 2♂, 华县少华山, 820m, 2013. Ⅶ. 19, 张宇军采; 1♂, 华阴华阳川林场, 1400m, 2011. Ⅴ. 07, 房丽君采; 1♂, 潼关西潼峪, 1100m, 2012. Ⅹ. 02, 房丽君采; 2♂, 略阳五龙洞田家坝, 1020m, 2014. Ⅵ. 02, 房丽君采; 1♂, 留坝红岩沟, 1150m, 2012. Ⅵ. 23, 张宇军采; 1♂, 勉县茶店, 700m, 2013. Ⅹ. 05, 房丽君采; 1♂,

佛坪岳坝保护站，1140m，2013.Ⅶ.26，张宇军采；1♂，洋县四郎乡，720m，2011.
Ⅳ.09，房丽君采；1♂，宁陕火地塘，1750m，2011.Ⅳ.23，房丽君采；1♂，汉阴凤凰
山，1000m，2011.Ⅴ.28，房丽君采；2♂，柞水牛背梁森林公园，1170m，2012.Ⅵ.
13，张宇军采；2♂，镇安结子乡，660m，2010.Ⅸ.04，房丽君采；1♂1♀，洛南巡检，
1200m，2012.Ⅹ.02，房丽君采；1♂，商州夜村，680m，2014.Ⅷ.9，房丽君采；2♂，
山阳中村青岭沟，800m，2014.Ⅷ.14，房丽君采；1♂，丹凤庚岭，980m，2014.Ⅸ.
05，房丽君采；5♂2♀，商南过风楼，420m，2014.Ⅷ.10，房丽君采。

分布：陕西（长安、蓝田、周至、户县、宝鸡、凤县、眉县、太白、华县、华阴、潼
关、略阳、留坝、勉县、佛坪、洋县、宁陕、汉阴、柞水、镇安、洛南、商州、山阳、丹
凤、商南），中国广泛分布；蒙古，俄罗斯，朝鲜，日本，越南。

寄主：葎草 *Humulus scandens*（Moraceae）、大麻 *Cannabis sativa*、亚麻 *Linum us-
itiaissimum*（Linaceae）。

(197) 巨型钩蛺蝶 *Polygonia gigantea*（Leech, 1890）

Grapta gigantea Leech, 1890: 189.
Grapta bocki Rothschild, 1894: 535.
Polygonia gigantea: D'Abrera, 1992: 328.

鉴别特征：翅正面黑色；曲波状横带前翅3条、后翅2条，反面黑褐色，密布深
棕色至浅黄色树皮状斑纹；两翅中央各有1个银白色近"L"形斑纹。前翅外缘中部凹
入深，两端斜截；后缘端半部弧形凹入；中室中部有1个横斑；反面 M_2 脉中部有1
个银白色斑纹。后翅 M_3 脉末端鹰咀状外突；正面基部及后缘密布棕褐色长毛。

采集记录：1♂，长安嘉午台，1600m，2008.Ⅸ.20，房丽君采。

分布：陕西（长安）、四川、西藏。

67. 孔雀蛺蝶属 *Inachis* Hübner, [1819]

Inachis Hübner, [1819]: 37. **Type species**: *Papilio io* Linnaeus, 1758.

属征：翅正面朱红色。两翅前缘近顶角处有1个大的孔雀翎状眼斑；反面密布细
波纹。前翅 M_1 脉及后翅 M_3 脉端部尖出。中室前翅闭式，后翅开式。雄性外生殖器：
背兜很宽；钩突狭小，末端分叉；囊突细，向上弯曲；抱器粗短，端部尖；阳茎细，波
状弯曲。

分布：整个欧洲及亚洲的温带地区。全世界仅记载1种，秦岭地区有记录。

(198) 孔雀蛱蝶 *Inachis io* (Linnaeus, 1758) (图版 46：5-6)

Papilio io Linnaeus, 1758：472.

Vanessa io Gordart, 1819：309.

Inachis io：D'Abrera, 1992：323.

鉴别特征：翅正面朱红色；反面黑褐色，密布黑色和灰白色波状细线。两翅外缘灰褐色；上半部黑色；顶角区有孔雀翎形眼斑，中间或环外侧散布有青蓝色鳞片。前翅前缘基半部有密集的白色横线纹；中部有 1 个淡黄色斑纹；白色外横点斑列止于 Cu_2 脉。后翅正面基部棕褐色；反面隐约可见正面的孔雀翎形眼斑。

采集记录：1♂，周至楼观台，880m，2011. Ⅵ. 28，房丽君采；2♂，宝鸡鸡峰山，1290m，2012. Ⅷ. 25，房丽君采；1♂，凤县通天河，1600m，2012. Ⅵ. 16，房丽君采；2♂，太白山小文公庙，3480m，2012. Ⅶ. 28，房丽君采；2♂1♀，太白山大文公庙，3500m，2012. Ⅶ. 28，房丽君采。

分布：陕西(周至、宝鸡、凤县、太白)、黑龙江、辽宁、山西、宁夏、甘肃、青海、新疆、云南；朝鲜，日本，欧洲。

寄主：异株荨麻 *Urtica dioeca* (Urticaceae)、狭叶荨麻 *U. angustifolia*，白榆 *Ulmus pumila* (Ulmaceae)、啤酒花 *Humulus lupulus* (Moraceae)、葎草 *H. scandens*。

68. 眼蛱蝶属 *Junonia* Hübner，[1819]

Junonia Hübner，[1819]：34. **Type species**：*Papilio lavinia* Cramer, 1775.

Aresta Billberg, 1820：79. **Type species**：*Papilio laomedia* Linnaeus, 1767.

Kamilla Collins *et* Larsen, 1991：444. **Type species**：*Papilio cymodoce* Cramer, 1777.

属征：翅正面颜色多鲜艳，有的褐色；两翅有眼状斑；有些种类有季节型，旱季型的种类，翅的边缘角度突出明显，反面色暗，呈枯叶状；雨季型的种类，翅正反面的眼状纹明显。前翅前缘弧形；R_2 脉从中室前缘端部分出；R_5 脉和 M_1 同时从中室的上端角分出；外缘 M_1 脉和 Cu_2 脉微突出。后翅无尾突；臀角瓣状突出。雄性外生殖器：钩突和背兜等长；颚突大，下部构造复杂；囊突中等长；抱器末端分裂；阳茎细长。

分布：东洋区。全世界记载 24 种，中国记录 6 种，秦岭地区记录 2 种。

分种检索表

前翅有白色斜带；后翅蓝色···翠蓝眼蛱蝶 *J. orithya*

前翅无白色斜带；后翅非蓝色 ···美眼蛱蝶 *J. almana*

(199) 美眼蛱蝶 *Junonia almana* (Linnaeus, 1758)

Papilio almana Linnaeus, 1758: 472.

Papilio asterie Linnaeus, 1758: 472.

Alcyoneis almane Hübner, [1819]: 35.

Vanessa almana: Godart, 1819: 313.

Junonia almana: Chou, 1994: 577.

鉴别特征: 翅正面橙黄色；反面色稍淡。两翅端部有 3 条黑褐色波状线纹。前翅正面亚顶区有 2 个眼斑，cu_1 室中部眼斑瞳点白色；前缘斑有 4 个；M_1 脉和 Cu_2 脉末端角状突出；反面基横带较中横带细。后翅正面顶角附近眼斑大，两色，有 2 个白色瞳点；cu_1 室中部圈纹小；反面 cu_1 室中部眼斑小（雌蝶多退化成圈纹）；基横带和中横带淡黄色。本种有季节型，秋型前翅外缘和后翅臀角角状突起明显；反面斑纹模糊；后翅中线清晰，色泽似枯叶。

采集记录: 2♂，洋县两河口，500m，2010. X. 17，房丽君采；1♂，汉阴龙垭，580m，2011. V. 27，房丽君采。

分布: 陕西(洋县、汉阴)、河北、河南、江苏、浙江、湖北、江西、湖南、福建、台湾、广东、海南、香港、广西、四川、云南、西藏；日本，越南，老挝，泰国，柬埔寨，缅甸，印度，不丹，尼泊尔，斯里兰卡，孟加拉国，巴基斯坦，新加坡，印度尼西亚。

寄主: 长叶爵床 *Asteracantha longifolia* (Acanthaceae)、水丁黄 *Vandellia ciliate* (Scrophulariaceae)、旱田草 *V. antipoda*、金鱼草 *Antirrhinum majus*、车前 *Plantago asiatica* (Plantaginaceae)、大车前 *P. major*、空心莲子草 *Alternanthera philoxeroides* (Amaranthaceae)。

(200) 翠蓝眼蛱蝶 *Junonia orithya* (Linnaeus, 1758)

Papilio orithya Linnaeus, 1758: 473.

Junonia orithya f. *isocratia* Hübner, [1819]: 34.

Precis orithya ab. *flava* Wichgraf, 1918: 26.

Precis adamauana Schultze, 1920: 823.

Junonia orithya: Chou, 1994: 578.

鉴别特征: 翅正面青黑色至青蓝色；反面枯黄色。前翅顶角区及外缘带棕褐色；亚外缘带乳白色；m_1 和 cu_1 室中部各有 1 个橙红色眼斑，瞳点黑色；顶角区有 1 个白色斑纹；外斜带白色；反面中斜带黑色，曲波形，多有断续或模糊；中室有白色条斑 2 个，缘线黑褐色。后翅外缘有 3 条褐色波状线纹；m_1 室和 cu_1 室各有 1 个橙红色眼斑；反面翅面布满灰褐色斑驳纹；外斜带棕黄色。雌蝶个体大，颜色较淡；前翅正面中室有 2 个橙红色条斑；眼状斑比雄蝶大且醒目。秋型前翅 M_1 脉端部外突较明显；反面色深。

采集记录：1♂，周至厚畛子，1300m，2010. V. 29，房丽君采；1♂，丹凤土门，800m，2010. Ⅷ. 16，房丽君采。

分布：陕西（周至、丹凤）、河南、浙江、湖北、江西、湖南、台湾、广东、香港、广西、云南；日本，越南，老挝，泰国，柬埔寨，缅甸，印度，不丹，尼泊尔，斯里兰卡，菲律宾，马来西亚，印度尼西亚，澳大利亚。

寄主：密毛爵床 *Justicia procumbent*（Acanthaceaes）、番薯（山芋）*Ipomoea batatas*（Convolvulaceae）、金鱼草 *Antirrhinum majus*（Scrophulariaceae）、独脚金 *Striga asatica*、泡桐 *Paulownia sieb*、甘薯 *Dioscorea esculenta* 等。

69. 盛蛱蝶属 *Symbrenthia* Hübner，[1819]

Symbrenthia Hübner，[1819]：43. **Type species**：*Symbrenthia hippocle* Hübner，1779.

属征：翅正面黑色或黑褐色，有橙黄色带纹；反面斑纹多有鱼鳞纹或斑驳纹。前翅正三角形；R_5 脉与 M_1 脉从中室上端角分出；中室闭式。后翅外缘 M_3 脉处有 1 个尖的小尾突；中室开式。雄性外生殖器：种间差异较大。钩突狭长，端部裂开；颚突细长；囊突长；抱器阔；阳茎基部较粗，端部尖。

分布：古北区，东洋区，巴布亚新几内亚。全世界记载 11 种，中国已知 5 种，秦岭地区记录 1 种。

（201）散纹盛蛱蝶 *Symbrenthia lilaea*（Hewitson，1864）（图版 46：7-8）

Laogona lilaea Hewitson，1864：246.

Symbrenthia lilaea：D'Abrera，1985：281.

鉴别特征：翅正面黑褐色；反面橙黄色，密布淡黄色斑驳纹；其余带纹多橙红色。前翅顶角有橙红色条斑；中横斑列近"V"形，断开；中室棒纹粗大；反面前缘有 1 列黑褐色条纹；褐色中斜带直或弯曲，伸向外缘中部或顶角区。后翅正面亚外缘带细；亚缘带与基横带近平行；M_3 脉端部有角状尾突；反面基半部有 1 个倒"V"形斑纹，"V"底位于前缘中部；尾突内侧斑纹蓝灰色。

采集记录：1♂，勉县茶店，720m，2013. X. 05，房丽君采；1♂，洋县两河口，500m，2010. X. 17，房丽君采；1♂，宁陕旬阳坝，1260m，2010. Ⅷ. 29，房丽君采；1♂，丹凤土门，520m，2010. Ⅷ. 16，房丽君采。

分布：陕西（勉县、洋县、宁陕、丹凤）、江西、湖南、福建、台湾、广西、四川、云南；越南，印度，菲律宾，印度尼西亚。

寄主：密花苎麻 *Boehmeria densiflora*（Urticaceae）、苎麻 *B. nivea*、异叶蝎子草 *Girardinia heterophylla*。

70. 蜘蛱蝶属 *Araschnia* Hübner，［1819］

Araschnia Hübner，［1819］：37. **Type species**：*Papilio levana* Linnaeus，1758.

属征：翅黑褐色或橙色；斑纹和横带不规则。翅反面基半部有蜘网状细纹。前翅 Sc 脉端部与 R₁ 脉中下部相接；R₂ 与 R₅ 脉共柄并与 M₁ 脉一起从中室顶角分出。后翅 Rs、M₁ 与 M₂ 脉在同点分出。中室前翅闭式，后翅开式。雄性外生殖器：背兜短；钩突细长；颚突半环形；囊突大小和粗细因种而异；抱器近椭圆形，端部有突起，突起的形状和大小是分种的重要特征；阳茎细长，直或弯曲，有的种类基部粗壮。

分布：古北区，东洋区。全世界记载 8 种，中国均有分布，秦岭地区记录 4 种。

分种检索表

1. 后翅外缘弧形；M₃ 脉处不突出 ……………………………… 曲纹蜘蛱蝶 *A. doris*
   后翅外缘 M₃ 脉处突出 ……………………………………………………………… 2
2. 前翅中横斑列与后翅中横带连成直线 …………… 直纹蜘蛱蝶 *A. prorsoides*
   前后翅的中横带不连成直线 ……………………………………………………… 3
3. 翅反面白色斑带窄 ……………………………………… 布网蜘蛱蝶 *A. burejana*
   翅反面白色斑带宽 ……………………………………………… 黎氏蜘蛱蝶 *A. leechi*

(202) 直纹蜘蛱蝶 *Araschnia prorsoides*（Blanchard，1871）

Vanessa prorsoides Blanchard，1871：810.
Araschnia prorsoides：Chou，1994：583.

鉴别特征：翅正面黑褐色；反面橙黄色。前翅中横斑列与后翅中横带连成直线。前翅正面外缘斑列不完整；亚外缘斑列橙黄色；中横斑列近"V"形，淡黄色；翅基部有数条细纹。后翅正面亚外缘及亚缘各有 1 列橙黄色斑列；中横带直，淡黄色。两翅反面密布红褐色、白色和淡黄色斑纹及网纹。

采集记录：1♂1♀，勉县茶店，740m，2013.Ⅹ.05，房丽君采；3♂，汉中天台山，2005.Ⅵ.12，许家珠采；1♂，商南金丝峡，500m，2014.Ⅵ.23，房丽君采。

分布：陕西（勉县、汉中、商南）、黑龙江、内蒙古、江西、广西、四川、云南；蒙古，日本，印度，尼泊尔。

寄主：荨麻 *Urtica fissa*（Urticaceae）。

（203）曲纹蜘蛱蝶 *Araschnia doris* Leech，[**1892**]（图版47：1-2）

Araschnia doris Leech，[1892]：272.

鉴别特征：与直纹蜘蛱蝶 *A. prorsoides* 近似，主要区别为：本种后翅中横带端部内弯，不与前翅中横斑列连成直线；两翅端部橙黄色网纹将翅端部划分成网眼状；翅正面中横带白色。

采集记录：1♂，长安乌桑峪，1000m，2008.Ⅶ.17，房丽君采；4♂1♀，周至楼观台，720m，2010.Ⅷ.15，房丽君采；1♂1♀，太白二郎坝，1050m，2011.Ⅷ.24，程帅、张辰生采；1♂，留坝红岩沟，1080m，2012.Ⅵ.23，张宇军采；1♂，佛坪立房沟，920m，2010.Ⅸ.12，房丽君采；2♂，宁陕旬阳坝，1250m，2010.Ⅷ.29，房丽君采；1♂，石泉七里沟，550m，2009.Ⅳ.04，房丽君采；1♂，汉阴凤凰山，1000m，2011.Ⅴ.28，房丽君采；2♂1♀，镇安结子乡，760m，2010.Ⅸ.04，房丽君采；1♂，山阳中村周庄，740m，2010.Ⅵ.06，房丽君采；1♂，丹凤土门，900m，2010.Ⅷ.16，房丽君采；1♂，商南金丝峡，800m，2013.Ⅶ.26，房丽君采。

分布：陕西（长安、周至、太白、留坝、佛坪、宁陕、石泉、汉阴、镇安、山阳、丹凤、商南）、河南、浙江、湖北、江西、福建、四川。

寄主：荨麻 *Urtica fissa*（Urticaceae）。

（204）布网蜘蛱蝶 *Araschnia burejana* Bremer，**1861**（图版47：3-4）

Araschnia burejana Bremer，1861：466.

Araschnia strigos：Bulter，1866：54.

Vanessa burejana：Pryer，1888：25.

鉴别特征：翅正面黑褐色；反面粉褐色。前翅正面密布粗细不一的橙黄色网纹；顶角区2个斑纹淡黄色；亚顶区有白色斑点2个；反面顶角圆形大斑粉橙色，镶有1列上部黄色下部白色的斑纹；其余翅面密布大理石纹状斑纹，多由黑褐色斑块和白色及淡黄色网纹组成。后翅正面外缘带细；亚缘带宽，镶有1列黑色圆斑；中域细带纹"K"形；基部有细纹；反面外中域肾形大斑粉橙色，镶有白色斑点，覆有蓝紫色鳞片；其余翅面斑纹大理石纹状。

采集记录：1♂，周至楼观台，1060m，2011.Ⅴ.18，彭涛采；1♂，太白青峰峡，1700m，2012.Ⅴ.19，房丽君采；1♂，佛坪观音山自然保护区，1620m，2014.Ⅵ.07，房丽君采；1♂，宁陕城关森林公园，820m，2010.Ⅳ.30，房丽君采；1♂，石泉七里沟，560m，2009.Ⅳ.05，房丽君采；2♂，山阳中村捷峪沟，700m，2010.Ⅳ.28，房丽君采。

分布：陕西（周至、太白、佛坪、宁陕、石泉、山阳）、黑龙江、吉林、辽宁、河南、四川、西藏；日本。

寄主：荨麻 *Urtica fissa*（Urticaceae）。

(205) 黎氏蜘蛱蝶 *Araschnia leechi* Oberthür, 1909

Araschnia burejana leechi Oberthür, 1909：203.

鉴别特征：与布网蜘蛱蝶 *A. burejana* 相似，主要区别为：本种前翅正面顶角区具大小2个斑；反面顶角区斑纹大而密集。后翅中横带宽；反面外中域中部覆有粉红色鳞片。两翅反面白色斑带宽。

分布：陕西（秦岭）、湖北、四川。

（三）网蛱蝶族 Melitaeini

小型种类。翅外缘完整；多黄褐色；有黑色斑纹。后翅中室开式。

71. 网蛱蝶属 *Melitaea* Fabricius, 1807

Melitaea Fabricius, 1807：284. **Type species**：*Papilio cinxia* Linnaeus, 1758.

Schoenis Hübner, [1819]：28. **Type species**：*Papilio delia* Denis *et* Schiffermüller, 1775.

Cinclidia Hübner, [1819]：29. **Type species**：*Papilio phoebe* Denis *et* Schiffermüller, 1775.

Melinaea Sodoffsky：1837：80. **Type species**：*Papilio cinxia* Linnaeus, 1758.

Didymaeformia Verity：1950：89, 90. **Type species**：*Papilio didyma* Esper, 1778.

属征：小型蛱蝶，体较细。前翅狭长；翅正面橙色或黑褐色；斑纹黑色或橙色。后翅反面中室上方基部有3个黑色小点。前翅 R_2 与 R_5 脉共柄；R_5 脉与 M_1 从中室上端角分出；中室前翅闭式，后翅开式。雌蝶个体较雄蝶大，斑纹较清晰。雄性外生殖器：无钩突；囊突短，端部尖；抱器近卵形；阳茎直或弯；该属外生殖器独特，其第9腹节形成骨环壁，壁侧面向内凹陷并与抱器相抵。

分布：古北区，新北区。全世界记载70种，中国已知11种，秦岭地区记录5种。

分种检索表

1. 后翅反面端缘白色斑列中部镶有黑色圆斑列 ·················· **斑网蛱蝶 *M. didymoides***
   后翅反面端缘白色斑列中部无黑色圆斑列 ·················· 2
2. 后翅反面 r_s 室端部有2个白色斑纹 ·················· **帝网蛱蝶 *M. diamina***
   后翅反面 r_s 室端部有1个白色斑纹 ·················· 3

3. 后翅反面中横带宽，中间镶有 1 列黑色斑纹 ························· **大网蛱蝶 M. scotosia**
   后翅反面中横带窄，中间无黑色斑列 ··· 4
4. 前翅反面外横斑列及中横斑列清晰 ····························· **兰网蛱蝶 M. bellona**
   前翅反面外横斑列及中横斑列模糊或消失 ··················· **黑网蛱蝶 M . jezabel**

(206) 斑网蛱蝶 *Melitaea didymoides* Eversmann, 1847（图版 47：5-6）

Melitaea didymoides Eversmann, 1847：67.

Didymaeformia didymoides：Higgins, 1981：166.

鉴别特征：翅正面橙黄色，反面色稍淡；斑纹黑色或白色。两翅端缘正面黑色，反面白色，镶有黑色斑列。前翅中横斑列近"Z"形；中室斑纹多环状；反面顶角区多白色。后翅正面中横斑列由 3 列"V"形斑列组成，但只有中间 1 列较清晰；反面白色中横带宽，"V"形，镶有 3 排黑色斑列；基部白色，密布黑色斑点及新月纹。雌蝶个体及斑纹较大，清晰。

采集记录：2♂1♀，商州大商塬，900m，2011.Ⅵ.01，房丽君采。

分布：陕西（长安、西乡、宁陕、商州）、黑龙江、吉林、北京、河北、山西、河南、宁夏、甘肃、青海、新疆、山东；蒙古，俄罗斯，朝鲜，日本，哈萨克斯坦。

寄主：地黄 *Rehmannia glutinosa*（Scrophulariaceae）、紫草 *Lithospermum erythrorhizon*（Boraginaceae）等。

(207) 帝网蛱蝶 *Melitaea diamina*（Lang, 1789）（图版 47：7-8）

Papilio diamina Lang, 1789：44.

Melitaea diamina：Chou, 1994：588.

鉴别特征：翅黑褐色；斑纹橙黄色、白色或黑色。两翅密布横斑列；基部斑纹时有模糊。后翅反面外缘斑列、中横斑列及基横斑列白色；中室中部圆斑环绕有 2 个圈纹，内圈色稍深，外圈色淡。

采集记录：1♂，长安天子峪，1050m，2010.Ⅴ.29，房丽君采；1♂，蓝田九间房，1200m，2013.Ⅵ.23，房丽君采；1♂，周至厚畛子，1440m，2010.Ⅶ.13，房丽君采；2♂，户县甘峪，2012.Ⅵ.14，房丽君采；1♂，华阴华阳川林场，1320m，2011.Ⅴ.07，房丽君采；1♂，宁陕旬阳坝，1300m，2010.Ⅶ.07，房丽君采；2♂，石泉两河，880m，2011.Ⅴ.25，房丽君采；1♂，镇安结子乡，850m，2011.Ⅵ.19，房丽君采；3♂2♀，商州大商塬，900m，2011.Ⅵ.01，房丽君采；1♂，丹凤留岭，790m，2013.Ⅵ.11，房丽君采。

分布：陕西（长安、蓝田、周至、户县、华阴、宁陕、石泉、镇安、商州、丹凤）、黑龙江、吉林、辽宁、河北、山西、河南、宁夏、甘肃、海南、云南；俄罗斯，朝鲜，日本，欧洲。

　　寄主：缬草 *Valeriana officinalis*（Valerianaceae）、蓼 *Polygonum* spp.（Polygonaceae）。

(208) 大网蛱蝶 *Melitaea scotosia* Butler，1878（图版 47：9-10）

Melitaea scotosia Butler，1878：282.
Cinclidia scotosia：Higgins，1981：166.

　　鉴别特征：翅黑褐色；斑纹橙黄色、白色或黑色。两翅正面密布橙黄色斑列；反面白色斑列分布于前翅顶角区和后翅端缘、中域基部及中室中部，并镶有黑色缘线和斑纹。前翅中横斑列近"Z"形，时有模糊；中室有数条黑色细带纹。

　　采集记录：1♂，长安大峪，960m，2011. VI. 24，张宇军采；2♂1♀，周至板房子，1100m，2013. VI. 02，房丽君采；1♂，户县涝峪，1450m，2009. VI. 06，房丽君采；1♂，宁陕广货街，1240m，2010. VII. 07，房丽君采；1♂，镇安结子乡，1150m，2011. VI. 15，房丽君采；1♂，山阳洛峪，800m，2010. VI. 26，房丽君采；1♂，丹凤土门，680m，2010. VI. 01，房丽君采。

　　分布：陕西（长安、周至、户县、宁陕、镇安、山阳、丹凤）、黑龙江、吉林、辽宁、河北、山西、河南、甘肃、新疆、山东；蒙古，朝鲜，日本。

　　寄主：伪泥胡菜 *Serratula coronata*（Asteraceae）、大蓟 *Cirsium japonicum*、美花凤毛菊 *Saussurea pulchella*、优美山牛蒡 *Synurus ercelsus*、漏芦 *Stemmacantha uniflora*。

(209) 兰网蛱蝶 *Melitaea bellona* Leech，1892

Melitaea bellona Leech，1892：219.

　　鉴别特征：翅正面红褐色，反面橙黄色。两翅正面从基部至端部排满横斑列，斑纹淡黄色和黑褐色；中室2个条斑淡黄色。前翅反面顶角区斑纹白色；黑色外横斑列及中横斑列清晰。后翅反面亚外缘斑列、中横斑列、基横斑列白色，缘线黑色；中室端斑新月形，白色。

　　采集记录：1♂1♀，太白山高山草甸，2120m，2012. VI. 23，房丽君采。

　　分布：陕西（太白）、四川、云南、西藏。

(210) 黑网蛱蝶 *Melitaea jezabel* Oberthür，1886

Melitaea jezabel Oberthür，1886：17.
Melitaea leechi Alphéraky，1895：182.

　　鉴别特征：与兰网蛱蝶 *M. bellona* 相似，主要区别为：本种个体较小；翅正面黑褐色；反面前翅外横斑列及中横斑列斑纹多退化、模糊不清或消失。

　　分布：陕西(秦岭)、甘肃、四川、云南、西藏。

　　寄主：败酱科 Valerianaceae 植物。

六、 秀蛱蝶亚科 Pseudergolinae

　　中型种类。翅红褐色或黑褐色；翅面多密布线纹或斑纹。前翅近三角形；中室闭或半开式；R_2 脉从中室前缘端部分出；R_3、R_4 与 R_5 脉共柄；R_5 与 M_1 脉均从中室上端角分出；Cu_1 脉从中室下端角分出。后翅中室闭式，外缘波状或平直。

分属检索表

1. 前翅外缘 M_1-M_2 脉之间外突；翅面有 3 条近平行波状纹 ·················· **秀蛱蝶属 Pseudergolis**
   前翅外缘 M_1-M_2 脉之间不外突；翅面无平行波状纹 ························· 2
2. 两翅正面亚外缘斑纹"口"字形·························· **饰蛱蝶属 Stibochiona**
   两翅正面亚外缘斑纹"V"形 ···························· **电蛱蝶属 Dichorragia**

72. 秀蛱蝶属 *Pseudergolis* C. & R. Felder，[1867]

Pseudergolis C. & R. Felder，[1867]：404. **Type species**：*Pseudergolis avesta* C. & R. Felder, 1867.

　　属征：翅正面红褐色；反面黑棕色；有黑色波状横线。两翅中室闭式；外缘在 M_1-M_2 脉处外突明显；中室端脉 M_1-M_2 段凹入。后翅外缘波状。雄性外生殖器：中等骨化；背兜马鞍形；钩突锥形，与背兜愈合，端部分叉；颚突臂状；基腹弧窄；囊突长；抱器近菱形；阳茎较粗。雌性外生殖器：囊导管长，膜质；交配囊袋形；交配囊片成对。

　　分布：古北区，东洋区。全世界记载 3 种，中国已知 1 种，秦岭地区有记录。

(211) 秀蛱蝶 *Pseudergolis wedah*（**Kollar，1848**）(图版 48：1-2)

Ariadne wedah Kollar, 1848：437.

Pseudergolis wedah：Moore, 1882：240.

　　鉴别特征：翅正面红褐色，反面黑棕色，斑纹黑褐色。两翅端半部有 3 条波状细带纹；亚缘斑列斑纹点状；中室端部及中部各有 2 条细线纹。前翅外缘在 M_1-M_2 脉处外突。后翅 $sc + r_1$ 室基部有 1 个条斑。

采集记录：1♂，太白咀头，1600m，2014.Ⅵ.14，房丽君采；1♂1♀，周至厚畛子，1280m，2014.Ⅶ.12，房丽君采；1♂，略阳硖口驿，920m，2014.Ⅵ.02，房丽君采；1♂，勉县茶店，700m，2013.Ⅹ.05，房丽君采；1♂，佛坪袁家庄，920m，2013.Ⅶ.29，张宇军采；1♂，商州夜村，680m，2014.Ⅷ.09，房丽君采；1♂，商南金丝峡，500m，2014.Ⅵ.23，房丽君采。

分布：陕西（太白、周至、略阳、勉县、佛坪、商州、商南）、湖北、湖南、四川、贵州、云南、西藏；缅甸，印度，克什米尔（地区），喜马拉雅山脉。

寄主：柳叶水麻 *Debregeasia salicifolia*（Urticaceae）、水苏麻 *D. orientalis*、长叶水麻 *D. longifolia*。

73. 电蛱蝶属 *Dichorragia* Butler，1869

Dichorragia Butler，1869：614. **Type species**：*Adolias nesimachus* Boisduval，1846.

属征：两翅端缘有"V"形斑纹。前翅中室半开式（M_1-M_2 脉间横脉呈凹弧形，M_2-M_3 脉间横脉消失）。后翅外缘波状，中室闭式。雄性外生殖器：强骨化；背兜头盔形；钩突端部弯钩形；颚突基部与钩突愈合，臂状；基腹弧窄；囊突粗指形；抱器近椭圆形；阳茎长锥形，中部有角状器。雌性外生殖器：囊导管骨化；交配囊近圆球形；有成对交配囊片。

分布：古北区，东洋区。全世界记载2种，中国已知2种，秦岭地区记录2种。

分种检索表

两翅反面端部"V"形斑纹长，与亚顶区斜斑列相接 ……………… **长波电蛱蝶** *D. nesseus*
两翅反面端部"V"形斑纹短，未与亚顶区斜斑列相接 ……………… **电蛱蝶** *D. nesimachus*

(212) 电蛱蝶 *Dichorragia nesimachus*（Doyère，［1840］）

Adolias nesimachus Doyère，［1840］：pl. 139bis.
Dichorragia nesimachus：D'Abrera，1985：293.

鉴别特征：翅正面黑绿色；反面黑褐色；斑纹白色或蓝色。前翅外缘斑列斑纹点状；亚外缘及亚缘区有2列白色"V"形斑纹，相互套叠，内侧"V"形斑时有断续；亚顶区近前缘有4个条斑；翅基半部散布大小不一的点斑，白色或蓝色；反面中室条斑2条。后翅外缘斑列时有模糊；亚外缘斑列白色，斑纹"V"形；外横斑列斑纹近圆形，蓝色和白色，时有消失；中室端部3个点斑蓝色；反面 sc + r_1 室基部有1个蓝色斑纹。

采集记录：1♀，长安东佛沟，1900m，2011.Ⅶ.24，张宇军采；1♂，周至板房子，1180m，2013.Ⅷ.17，房丽君采；1♂，太白青峰峡，1680m，2012.Ⅵ.22，房丽君采；1♂，勉县茶店，750m，2013.Ⅹ.05，房丽君采；1♂，宁陕火地塘，1820m，2009.Ⅵ.22，房丽君采；1♂，柞水牛背梁自然保护区，1400m，2013.Ⅶ.15，张宇军采。

分布：陕西(长安、周至、太白、勉县、宁陕、柞水)、浙江、江西、湖南、福建、台湾、广东、海南、香港、四川、贵州、云南；朝鲜，日本，越南，缅甸，印度，不丹，马来西亚。

寄主：泡花树 *Meliosma cuneifolia* (Sabiaceae)、薄叶泡花树 *M. callicarpaefoli*、漆叶泡花树 *M. rhoifolia*、香皮树 *M. fordii*、笔罗子 *M. rigida*、绿樟 *M. squamulata*。

(213) 长波电蛱蝶 *Dichorragia nesseus* Grosc-Smith, 1893

Dichorragia nesseus Grosc-Smith, 1893：217.

鉴别特征：与电蛱蝶 *D. nesimachus* 近似，主要区别为：本种两翅反面端部"V"形斑纹较长，与亚顶区斜斑列相接；中域斑纹退化。后翅正面基部各室有白绿色条斑。

采集记录：1♂，周至。

分布：陕西(周至)、河南、浙江、广东、四川、云南。

74. 饰蛱蝶属 *Stibochiona* Butler, 1869

Stibochiona Butler, 1869：614. **Type species**：*Hypolimnas coresia* Hübner, 1826.

属征：后翅正面端缘有口字形花边纹。前翅中室半开式。后翅外缘波状；中室闭式。雄性外生殖器：中等骨化；背兜短，与钩突愈合；钩突锥形，尖端分叉；颚突臂状；囊突长；抱器宽，内突骨化强，阳茎粗，端部斜截。雌性外生殖器：囊导管短，膜质；交配囊长袋形；有交配囊片。

分布：东洋区。全世界记载3种，中国已知1种，秦岭地区有记录。

(214) 素饰蛱蝶 *Stibochiona nicea* (Gray, 1846)(图版48：3-4)

Adolias nicea Gray, 1846：13.

Stibochiona nicea：D'Abrera, 1985：292.

鉴别特征：翅正面黑绿色；反面黑褐色。前翅外缘及亚缘斑列白色或青蓝色；中横斑列近"Z"形，斑纹青蓝色，时有消失，中室有3排青蓝色横点列，反面较正面清晰。后翅正面端缘有 1 列口字形斑纹，蓝白色；反面亚缘及外横斑列时有消失。

采集记录：1♂，汉阴龙垭石家沟，600m，2011. Ⅴ. 27，房丽君采。

分布：陕西(汉阴)、浙江、江西、湖南、福建、广东、海南、广西、四川、云南、西藏；越南，缅甸，印度，马来西亚，孟加拉国，克什米尔(地区)。

寄主：灯台树 *Cornus controversa* (Cornaceae)、粗齿冷水花 *Pilea sinofasciata* (Urticaceae)。

七、 绢蛱蝶亚科 Calinaginae

翅薄，灰色；黑灰色或棕灰色；斑纹白色或淡黄色。两翅中室闭式。前翅 R_2 脉从中室上缘端部分出；R_3 从 R_5 脉近 1/2 处分出。后翅 Rs 脉从近中室末端分出；肩脉从 $Sc + R_1$ 脉上伸出。

75. 绢蛱蝶属 *Calinaga* Moore，1857

Calinaga Moore，1857：162. **Type species**：*Calinaga buddha* Moore，1857.

属征：中型种类。两翅中室长，闭式。前翅 R_5 与 M_1 脉从中室上端角分出。后翅梨形；外缘光滑；有肩室。雄性外生殖器：背兜与钩突愈合；钩突长，弯钩形；颚突基部与钩突愈合；囊突短小；抱器椭圆形，抱器铗尖指形或片状；阳茎短。雌性外生殖器：囊导管细；交配囊近椭圆形；有 2 个交配囊片。

分布：古北区，东洋区。全世界记载 10 种，中国已知 7 种，秦岭地区记录 3 种。

分种检索表

1. 后翅正面臀角区淡黄或黄色 ·· 黑绢蛱蝶 *C. lhatso*
   后翅正面臀角区灰色、棕褐色或灰黑色 ··· 2
2. 后翅端部有 2 列完整斑列 ·· 大卫绢蛱蝶 *C. davidis*
   后翅端部有 1 列完整斑列 ··· 绢蛱蝶 *C. buddha*

(215) 大卫绢蛱蝶 *Calinaga davidis* Oberthür，1879(图版 48：5-6)

Calinaga davidis Oberthür，1879：107.

鉴别特征：翅灰色，反面色较淡；脉纹黑色；斑纹多白色。两翅外缘及亚缘各有

1列斑纹；中室白色，外侧放射状排列1圈长短不一的条斑；前翅中室端部有2个灰黑色斑纹。

采集记录：1♂1♀，太白咀头，1400m，2014.V.31，房丽君采；1♂，长安小峪，1160m，2010.V.18，房丽君采；1♂，周至厚畛子，1520m，2010.V.29，房丽君采；1♂，户县涝峪，1400m，2010.V.22，房丽君采；1♂，华阴华阳川林场，1400m，2011.V.07，房丽君采；1♂，佛坪观音山自然保护区，1620m，2014.Ⅵ.07，房丽君采；3♂1♀，宁陕旬阳坝，1450m，2010.V.23，房丽君采；1♂，石泉云雾山，1080m，2011.V.26，房丽君采；1♂，镇安黑窑沟，560m，2010.V.21，房丽君采；2♂，山阳中村青岭沟，800m，2014.Ⅶ.21，房丽君采。

分布：陕西（太白、长安、周至、户县、华阴、佛坪、宁陕、石泉、镇安、山阳）、辽宁、河南、甘肃、浙江、湖北、广东、四川、西藏。

寄主：小叶桑 *Morus australis*（Moraceae）、桑叶树 *M. alba* 等。

（216）绢蛱蝶 *Calinaga buddha* Moore, 1857

Calinaga buddha Moore, 1857: 163.

鉴别特征：与大卫绢蛱蝶 *C. davidis* 相似，主要区别为：本种翅色较深，灰褐色或黑褐色；外缘区无斑或最多只有2个斑纹。

采集记录：1♀，长安石砭峪，1400m，2012.V.06，房丽君采；1♂1♀，户县涝峪，1300m，2012.V.05，房丽君采；1♂，太白黄柏塬，1630m，2012.Ⅵ.19，张宇军采；2♂1♀，宁陕旬阳坝，1450m，2010.V.23，房丽君采；1♂，镇安黄石板沟，2010.V.24，房丽君采。

分布：陕西（长安、户县、太白、宁陕、镇安）、台湾、四川、云南。

寄主：小叶桑 *Morus australis*（Moraceae）。

（217）黑绢蛱蝶 *Calinaga lhatso* Oberthür, 1893（图版48：7-8）

Calinaga lhatso Oberthür, 1893: 13.

鉴别特征：翅正面灰黑色，反面色稍淡；斑纹多白色或黄色；两翅正面外缘、亚缘和中域各有1列斑纹，由外到内斑纹逐渐变大；中室端部斑纹白色或淡黄色；反面中室白色；其外周放射状排列1圈串珠状或条形斑纹。后翅后缘区及臀角区黄色或淡黄色。

采集记录：1♂，长安大峪，900m，2011.Ⅳ.24，彭涛采；1♂，周至楼观台，920m，2010.Ⅳ.29，房丽君采；2♂，宁陕旬阳坝，1080m，2009.Ⅳ.11，房丽君采。

分布：陕西（长安、周至、宁陕）、浙江、福建、四川、云南、西藏。

寄主: 桑科 Moraceae 植物。

八、斑蝶亚科 Danainae

大型或中型种类。色彩艳丽,主要为黄色、红褐色、黑褐色或白色,有的种类有闪光。体翅强健有力,生命力顽强。翅外缘平或中部凹入;中室长,闭式。前翅 R 脉 5 条,R_3-R_5 脉共柄;R_5 及 M_1 脉从中室上端角伸出;A 脉 2 条,2A 脉发达,3A 脉仅留基部一小段,其余部分并入 2A 脉。后翅肩脉发达,直立、弯曲或分叉;无尾突。雄蝶前翅 Cu 脉上或后翅臀区有发香鳞。

喜在日光下活动,飞翔缓慢,形态优美。幼虫因食物有毒,有特殊的臭味,可避鸟类和肉食昆虫的袭击,以警戒色著称,常被其他蝴蝶模拟。有群栖性,有的种类具有远距离迁飞习性。

(一)斑蝶族 Danaini

中型种类。翅多褐色、青白色或橙黄色;脉纹黑色;端缘多有白色或青灰色斑列。

分属检索表

后翅肩脉直立;雄蝶袋状性标多在后翅 Cu_2 脉上 ···················· **斑蝶属 Danaus**

后翅肩脉弯曲;雄蝶后翅 Cu_2 脉上无袋状性标 ···················· **绢斑蝶属 Parantica**

76. 斑蝶属 *Danaus* Kluk, 1780

Danaus Kluk, 1780:84. **Type species:** *Papilio plexippus* Linnaeus, 1758.

Danaida Latreille, 1804:185, 199. **Type species:** *Papilio plexippus* Linnaeus, 1758.

Danais Latreille, 1807:291. **Type species:** *Papilio plexippus* Linnaeus, 1758.

Anosia Hübner, 1816:16. **Type species:** *Papilio gilippus* Cramer, 1775.

Festivus Crotch, 1872:62. **Type species:** *Papilio plexippus* Linnaeus, 1758.

Salatura Moore, [1880]:5. **Type species:** *Papilio genutia* Cramer, 1779.

Nasuma Moore, 1883:233. **Type species:** *Papilio ismare* Cramer, [1780].

Tasitia Moore, 1883:235. **Type species:** *Papilio gilippus* Cramer, 1775.

Danaomorpha Kremky, 1925:164, 167. **Type species:** *Papilio gilippus* Cramer, 1775.

Panlymnas Bryk, 1937:56. **Type species:** *Papilio chrysippus* Linnaeus, 1758.

属征: 翅黑色、黄色或橙黄色。两翅端缘黑色带中有 1~2 列白色点斑,排列整齐而密集。前翅顶角圆;中室端脉钝角形内凹;R_2、R_5 及 M_1 脉从中室上端角生出;

中室长约为翅长的 1/2。后翅肩脉发达，与 Sc + R$_1$ 脉同点分出；有肩室。袋状性斑通常位于后翅的 Cu$_2$ 脉中部，或在 2A 脉和 3A 脉上。雄性外生殖器：背兜、钩突、囊突、基腹弧、抱器等多紧密相连，成为一体，呈长筒靴形；背兜骨化弱；钩突部分骨化；囊突长；阳茎粗长，前端有角状器。雌性外生殖器：囊颈粗，局部骨化；交配囊体长袋状；交配囊片椭圆形，表面有刺突。

分布：亚洲，南美洲，北美洲，大洋洲，欧洲南部，非洲。全世界记载 13 种，中国已知 5 种，秦岭地区记录 2 种。

分种检索表

后翅反面外缘黑色带狭窄，镶有 1 列白色点斑 ··································· 金斑蝶 *D. chrysippus*
后翅外缘黑色带较宽，镶有 2 列白色点斑 ····································· 虎斑蝶 *D. genutia*

(218) 金斑蝶 *Danaus chrysippus*（Linnaeus, 1758）（图版 49：1-2）

Papilio chrysippus Linnaeus, 1758：471.
Limnas bowringi Moore, 1883：239.
Danais clarippus Weymer, 1884：257.
Limnas klugii Butler, [1886]：758.
Danaida (*Limnas*) *chrysippus*：Fruhstorfer, 1910：193.
Danaida chrysippus bataviana：Rothschild, 1915：116.
Danais chrysippus ab. *axantha* Hayward, 1922：178.
Anosia chrysippus：Kawazoé & Wakabayashi, 1977：185.

鉴别特征：翅橙黄色。前翅正面端半部、前缘及外缘黑褐色；外缘斑列白色，斑纹点状；顶角区前缘有 3 个小白斑；亚顶区斑列白色；反面前缘、外缘及亚顶区黑褐色；斑纹同正面。后翅外缘带及前缘带黑色，镶有 1 列白色圆斑，内侧齿状；中室有两个黑色端斑；m$_1$ 室基部斑纹黑色。

采集记录：1♂，周至金盆水库，650m，2013.Ⅷ.11，房丽君采；1♂，周至板房子，1550m，2014.Ⅶ.14，房丽君采。

分布：陕西（周至）、上海、湖北、江西、湖南、福建、台湾、广东、海南、香港、广西、四川、贵州、云南、西藏；日本，印度，印度尼西亚，澳大利亚，新西兰，亚洲（西部），欧洲，非洲，中东地区。

寄主：马利筋 *Asclepias curassavica*（Asclepiadaceae）、月光花 *Ipomoea bona-nox*（Convolvulaceae）、细叶杠柳 *Periploca linariflia*（Periplocaceae）、金鱼草 *Antirrhinum* spp.（Scrophulariaceae）、赤才 *Erioglossum rubiginosum*（Sapindaceae）。

(219) 虎斑蝶 *Danaus genutia*（Cramer，[1779]）

Papilio genutia Cramer, [1779]：23.

Danaus nipalensis Moore, 1877：43.

Salatura intermedia Moore, 1883：241.

Danaida plexippus plexippus f. *grynion* Fruhstorfer, 1907：173.

Danais genutia：Seitz, 1908：76.

Danaus genutia：Forbes, 1939：131.

Salatura genutia：Kawazoé & Wakabayashi, 1977：185.

Anosia genutia：Morishita, 1981：449.

鉴别特征：翅橙黄色，翅面被黑色翅脉分割成条带状。两翅端缘黑褐色；镶有2列断续或完整的白色斑纹，斑纹碎点状。前翅端半部黑褐色；亚顶区斑列白色；反面斑纹较正面大而清晰。后翅雄蝶在 cu_1 室中部有 1 个黑色性斑，其中心在翅反面为白色。

采集记录：1♂，周至厚畛子，2009.Ⅸ.21，高可、杨伟采；1♂，汉中天台山。

分布：陕西(周至、汉中)、北京、河南、浙江、江西、湖南、福建、台湾、广东、海南、香港、广西、四川、贵州、云南、西藏；日本，越南，柬埔寨，缅甸，克什米尔(地区)，菲律宾，马来西亚，印度尼西亚，巴布亚新几内亚，澳大利亚，中东地区，欧洲，非洲。

寄主：萝藦 *Metaplexis japonica*（Asclepiadaceae）、马利筋 *Asclepias curassavica*、薄叶牛皮消 *Cynanchum taiwanianum*、天星藤 *Graphistemma pictum*、蓝叶藤 *Marsdenia tinctoria*、假防己 *M. tomentosa*、夜来香 *Pergularia odoratissima*、大花藤 *Raphistemma pulchellum*、吊钟花 *Enkianthus quinqueflorus*（Moraceae）、垂叶榕 *Ficus benjamina*。

77. 绢斑蝶属 *Parantica* Moore，[1880]

Parantica Moore, [1880]：7. **Type species**：*Papilio aglea* Stoll, [1782].

Chittira Moore, [1880]：8. **Type species**：*Danais fumata* Butler, 1866.

Caduga Moore, 1882：235. **Type species**：*Danais tytia* Gray, 1846.

Lintorata Moore, 1883：229. **Type species**：*Lintorata menadensis* Moore, 1883.

Phirdana Moore, 1883：245. **Type species**：*Danais pumila* Boisduval, 1859.

Asthipa Moore, 1883：246. **Type species**：*Danais vitrina* C. & R. Felder, 1861.

Mangalisa Moore, 1883：248. **Type species**：*Euploea albata* Zinken, 1831.

Badacara Moore, [1890]：65. **Type species**：*Danais nilgiriensis* Moore, 1877.

Chlorochropsis Rothschild, 1892：430. **Type species**：*Chlorochropsis dohertyi* Rothschild, 1892.

Miriamica（*Amaurina*）Vane-Wright, Boppré *et* Ackery, 2002：256. **Type species**：*Danaus weiskei* Rothschild, 1901.

属征：翅黑色、黑褐色或红褐色；斑纹青白色或白色，半透明。前翅顶角圆；中室端脉呈钝角内凹；Sc 与 R_1 脉分离(绢斑蝶汇合)；R_2、R_5 及 M_1 脉从中室上端角生出；中室长约为翅长的 1/2。后翅梨形；中室长约为后翅长的 2/3；M_2-M_3 与 M_3-Cu_1

两横脉组成钝角；肩脉弯曲，与 Sc + R$_1$ 脉同点分出；有小肩室；Cu 脉附近无袋状性标。雄性外生殖器：背兜窄；钩突二分叉；囊突小；基腹弧窄；抱器近三角形，骨化强；阳茎粗。雌性外生殖器：囊导管短；交配囊袋状；交配囊片大；囊尾长。

分布：东洋区，巴布亚新几内亚。全世界记载 39 种，中国已知 4 种，秦岭地区记录 1 种。

(220) 大绢斑蝶 *Parantica sita*（Kollar，[1844]）（图版 49：3-4）

Danais sita Kollar，[1844]：424.
Danaida（Chittira）sita：Fruhstorfer, 1910：210.
Parantica sita：Chou, 1994：227.

鉴别特征：前翅黑色；后翅红褐色；斑纹青白色，半透明。前翅外缘及亚外缘各有 1 列斑纹，外缘斑小，顶角区消失，亚外缘斑大；亚顶区斑纹放射状排列；中室及 cu$_2$ 室各有 1 条基生条纹，两条纹端部间有 4 个不规则大斑；反面顶角区红褐色。后翅正面亚外缘及亚缘斑列模糊，反面较清晰；基生条纹及中室端部外侧斑纹呈放射状排列；雄蝶 cu$_2$ 室和 2a 室有红褐色至黑色的块状香鳞斑；外中域基半部色较深。

采集记录：1♂，太白黄柏塬，1550m，2010.Ⅷ.07，房丽君采。

分布：陕西（太白）、辽宁、河南、江苏、浙江、江西、湖南、福建、台湾、广东、海南、香港、广西、四川、云南、贵州、西藏；朝鲜，日本，越南，老挝，泰国，柬埔寨，缅甸，印度，不丹，尼泊尔，孟加拉国，阿富汗，巴基斯坦，克什米尔（地区），马来西亚，印度尼西亚。

寄主：马利筋 *Asclepias curassavica*（Asclepiadaceae）、牛皮消 *Cynanchum auriculatum*、大花牛皮消 *C. grandifolium*、球兰 *Hoya carnosa*、牛奶菜 *Marsdenia sinensis*、蓝叶藤 *M. tinctoria*、假防己 *M. tomentosa*、马兜铃状娃儿藤 *Tylophora aristolochioides*、七层楼 *T. floribunda*、娃儿藤 *T. ovata*。

九、环蝶亚科 Amathusiinae

大中型种类。翅阔；颜色多为黄色、灰色、棕色、褐色或蓝色；翅面有的种类有蓝色金属斑和大型的环状纹，具瞳点。前翅前缘弧形弯曲；中室短阔，闭式，下角突出；R 脉 4 条或 5 条；R$_2$ 脉常从 R$_5$ 脉分出。后翅中室开式或半闭式；臀区大，可翻折并容纳腹部；A 脉 2 条；无尾突；反面在 r$_5$ 室与 cu$_1$ 室常有眼斑。雄蝶后翅臀褶上有发香鳞。

分属检索表

翅棕褐色；反面无环形眼状斑 ………………………………………… **串珠环蝶属 Faunis**

翅黄褐色；反面有环形眼状斑……………………………………………… **箭环蝶属** *Stichophthalma*

78. 串珠环蝶属 *Faunis* Hübner，[1819]

Faunis Hübner，[1819]：55. **Type species**：*Papilio eumeus* Drury，1773.
Clerome Westwood，1850：333. **Type species**：*Papilio arcesilaus* Fabricius，1787.

属征：翅圆阔，灰褐色至灰棕色；正面多数无斑纹；反面外中域有淡色串珠状点斑。前翅 Sc 脉与 R_1 脉长，近平行；R_2、R_3、R_4 脉从 R_5 脉梳状分出；M_1 脉与 M_2 脉分出处靠近；中室端脉近"Z"形弯曲。后翅 Sc + R_1 脉很长；中室在 M_2 与 M_3 脉间完全敞开。雄蝶前翅后缘近基部瓣状突出，中部凹入。后翅反面有发香鳞斑，在 Cu 脉下及 1a 室基部有毛刷。雄性外生殖器：背兜长；钩突粗短，弯曲；颚突弯曲，末端钝；囊突细小；抱器长，中部缢缩，末端多齿状突起；阳茎两端尖细。

分布：古北区，东洋区。全世界记载 13 种，中国已知 2 种，秦岭地区记录 1 种。

(221) 灰翅串珠环蝶 *Faunis aerope*（Leech，1890）

Clerome aerope Leech，1890：31.
Faunis aerope：D'Abrera，1986：494.

鉴别特征：翅正面浅灰色；顶角、前缘及外缘色深；反面棕褐色或褐色；波状端线、中线及基线贯穿前后翅；外横斑列淡黄色，斑纹圆形。前翅反面后缘基部有 1 个闪光斑，与后翅正面前缘一毛丛相对。雌蝶反面圆斑较大，显著。

分布：陕西（略阳、宁陕）、湖南、广西、四川、贵州、云南；越南。

寄主：菝葜 *Smilax china*（Smilacaceae）、暗色菝葜 *S. Lanceaefolia*、苏铁 *Cycas revoluta*（Cycadaceae）。

79. 箭环蝶属 *Stichophthalma* C. & R. Felder，1862

Stichophthalma C. & R. Felder，1862：27. **Type species**：*Thaumantis howqua* Westwood，1851.

属征：环蝶中最大的种类。翅阔圆；黄褐色或橙黄色；端缘有成列的黑色箭状纹；反面有黑色和淡色的波状横带；外中域有成列的眼纹。前翅 Sc 脉及 R_1 脉长，近平行；R_2 脉与 R_5 脉共柄；R_4 脉与 R_5 脉分叉短；M_1 脉与 M_2 脉基部接近。后翅 Sc + R_1 短，只到前缘的中部。雄蝶后翅正面 Rs 脉基部有性标，中室基部有毛束。雄性外生殖器：背兜隆起；钩突、颚突、阳茎及囊突长；抱器极狭长，端部尖。

分布：古北区，东洋区。全世界记载 9 种，中国已知 6 种，秦岭地区记录 2 种。

分种检索表

两翅端部的箭状纹相互分离 ··· 双星箭环蝶 *S. neumogeni*

两翅端部的箭状纹相互连接 ··· 箭环蝶 *S. howqua*

（222）双星箭环蝶 *Stichophthalma neumogeni* Leech，［1892］（图版 50）

Stichophthalma neumogeni Leech，［1892］：114.

鉴别特征：翅面橙黄色，基部色浓。前翅顶角黑褐色，有 1～2 个白色斑点；翅端缘斑纹箭形（后翅臀角区箭纹多消失）；反面黄色或棕黄色；翅端部有 2 列波状线纹；基横线黑褐色；中横宽带多浅灰黑色，内侧缘线黑白两色，外侧边界模糊，带内镶有 1 列圆形眼斑，圈纹黑褐色，瞳点白色；中室端斑前翅"S"形，后翅条形。

采集记录：1♂，户县朱雀森林公园，1900m，2009.Ⅷ.07，高可、杨伟采；3♂2♀，宝鸡陈仓苜耳沟，1000m，2012.Ⅵ.24，房丽君采；1♂1♀，太白太白河，1490m，2011.Ⅷ.27，程帅、张辰生采；1♂，留坝庙台子，2004.Ⅷ.03，房丽君采；1♂，佛坪岳坝保护站，1150m，2013.Ⅶ.27，张宇军采；2♂，洋县华阳，1200m，2012.Ⅵ.27，张宇军采；1♂，宁陕旬阳坝，1350m，2010.Ⅶ.29，房丽君采；1♂，镇安结子乡，680m，2010.Ⅸ.04，房丽君采；1♂，山阳中村，750m，2010.Ⅶ.25，房丽君采。

分布：陕西（户县、宝鸡、太白、留坝、佛坪、洋县、宁陕、镇安、山阳）、浙江、福建、海南、四川、云南；越南。

寄主：棕榈 *Trachycarpus fortunei*（Arecaceae）、箬竹属 *Isachne* spp.（Gramineae）、刚竹类 *Phyllostachys* spp. 等植物。

（223）箭环蝶 *Stichophthalma howqua*（Westwood，1851）

Thaumantis howqua Westwood，1851：174.

Stichophthalma howqua：D'Abrera，1986：498.

鉴别特征：与双星箭环蝶 *S. neumogeni* 相似，主要区别为：本种前翅顶角无白色斑点；两翅端缘的箭状纹相连。后翅臀角区箭纹未消失，但模糊不清；雌蝶有宽的白色中斜带。

采集记录：1♂，留坝红岩沟，990m，2012.Ⅵ.23，张宇军采；1♂，佛坪岳坝，1120m，2012.Ⅵ.01，张宇军采；3♂2♀，商州黑龙口，1050m，2011.Ⅵ.01，房丽君采；1♂，山阳银花，620m，2010.Ⅶ.29，房丽君采；1♂，商南金丝峡，500m，2014.

Ⅶ.20，房丽君采。

分布：陕西（留坝、佛坪、商州、山阳、商南）、浙江、湖北、江西、湖南、福建、台湾、广东、广西、四川、贵州、云南；越南，老挝，泰国，缅甸，印度。

寄主：油芒 *Spodiopogon cotulifer*（Gramineae）、芒 *Miscanthus sinensis*、桂竹 *Phyllostachys reticulata*、毛竹 *P. heterocycla*、淡竹 *P. glauca*、青皮竹 *Bambusa textilis*、粉单竹 *B. chungii*、山棕 *Arenga engleri*（Arecaceae）、黄藤 *Daemonorops margaritae*、棕榈 *Trachycarpus fortunei*（Arecaceae）。

十、喙蝶亚科 Libytheinae

　　是蛱蝶科中最为原始的一个分支，有的学者将其作为一个独立的科。中小型蝶类。黑褐或棕褐色，有白色和橙黄色斑纹。前足雌蝶正常，雄蝶退化。前翅顶角钩状突出，端部斜截；R 脉 5 条；A 脉 2 条，2A 脉完整，3A 脉仅留基部 1 小段，其余部分并入 2A 脉。后翅 A 脉 2 条；有肩脉；两翅中室多开式或被细线纹闭合。

80. 喙蝶属 *Libythea* Fabricius, 1807

Libythea Fabricius, 1807: 284. **Type species**: *Papilio celtis* Laicharting, 1782.

Hecaerge Ochsenheimer, 1816: 32. **Type species**: *Papilio celtis* Laicharting, 1782.

Hypatus Hübner, 1822: 3. **Type species**: *Papilio celtis* Laicharting, 1782.

Dichora Scudder, 1889: 470. **Type species**: *Libythea labdaca* Westwood, 1851.

　　属征：中小型蝶类。前翅顶角钩状突出，端部斜截；R_2 脉从中室上缘分出。后翅方阔；外缘齿形；A 脉 2 条；有肩脉；两翅中室被极退化的端脉闭合。雄性外生殖器：背兜窄；钩突长；基腹弧窄；囊突舌形；抱器长形，端部尖。雌性外生殖器：囊导管膜质；交配囊近椭圆形；交配囊片有或无。

　　分布：古北区，东洋区，澳洲区，非洲区。全世界记载 8 种，中国已知 3 种，秦岭地区记录 1 种。

(224) 朴喙蝶 *Libythea celtis*（**Laicharting**, [**1782**]）（图版 49: 5-6）

Papilio celtis Laicharting, [1782]: 1.

Libythea celtis: D'Abrera, 1982: 404.

　　鉴别特征：前翅正面黑褐色；斑纹黄色；反面色稍淡。前翅顶角钩状外突，斜截；亚顶区白斑 2 个；中室眉纹上缘有缺刻；翅中央斑纹近圆形。后翅外缘有 1 列小齿突；前缘中部斑纹白色；外横带短，与外缘近平行；反面翅面布满粉红及黑褐色晕染，呈斑驳树皮状。

采集记录：1♂，长安滦镇大坪，1750m，2010．Ⅴ．22，彭涛采；1♂，蓝田九间房，1480m，2013．Ⅵ．23，房丽君采；1♂，周至厚畛子，1280m，2009．Ⅸ．21，高可、杨伟采；1♂，户县十寨沟，1250m，2012．Ⅹ．06，房丽君采；2♂，宝鸡吴山，1500m，2013．Ⅴ．27，房丽君采；1♂1♀，太白黄柏塬，1420m，2012．Ⅵ．18，张宇军采；3♂1♀，凤县通天河，1600m，2012．Ⅵ．16，房丽君采；4♂2♀，略阳五龙洞镇，1020m，2014．Ⅵ．02，房丽君采；1♂，留坝紫柏山，1500m，2012．Ⅵ．22，房丽君采；1♂，佛坪长角坝，950m，2011．Ⅴ．06，房丽君采；2♂，洋县青石垭，900m，2011．Ⅵ．04，房丽君采；2♂，宁强汉源，1060m，2013．Ⅸ．04，房丽君采；1♂，宁陕火地塘，1550m，2011．Ⅳ．23，房丽君采；1♂，石泉云雾山，1050m，2011．Ⅴ．26，房丽君采；1♂，柞水牛背梁森林公园，1160m，2010．Ⅵ．13，张宇军采；1♂，丹凤土门，680m，2010．Ⅵ．01，房丽君采。

分布：陕西（长安、蓝田、周至、户县、宝鸡、太白、凤县、略阳、留坝、佛坪、洋县、宁强、宁陕、石泉、柞水、丹凤）、辽宁、北京、河北、山西、河南、甘肃、浙江、湖北、福建、台湾、广西、四川；朝鲜，日本，泰国，缅甸，印度，斯里兰卡，欧洲。

寄主：朴树 *Celtis sinensis*（Ulmaceae）、石朴 *C. formosana*、南洋朴 *C. australis*、西川朴 *C. vandervoetiana*、珊瑚朴 *C. julianae*、黑弹朴 *C. biondii*。

十一、眼蝶亚科 Satyrinae

多为中小型种类，少数大型。通常颜色暗，多为黑褐色、褐色、灰褐色或黄褐色，少数橙黄色、黄色或白色；多数种类有较醒目的外横眼斑列或圆形斑纹，少数种类无斑。翅短阔；外缘多齿突或后翅有尾突。前翅脉纹12条，通常 Sc 脉、中室后缘脉、2A 脉中 1~3 条基部加粗膨大；R 脉 5 条；A 脉 1 条。后翅脉纹 9 条；A 脉 2 条，多数种类有短的肩脉。两翅中室闭式，偶尔端脉中部弱或中断。雄蝶常有第二性征，主要表现在前翅正面近 A 脉基部有腹褶及后翅正面亚前缘区有特殊鳞斑，斑上有倒逆的毛撮等。

分族检索表

1. 前翅顶角斜截；外缘 M₂ 脉端部钩状突出 ⋯⋯⋯⋯⋯⋯⋯⋯⋯⋯⋯ **暮眼蝶族 Melanitini**
   前翅顶角不斜截；外缘 M₂ 脉端部不呈钩状突出 ⋯⋯⋯⋯⋯⋯⋯⋯⋯⋯⋯⋯⋯ 2
2. 复眼有毛；如无毛则前翅脉纹基部不膨大 ⋯⋯⋯⋯⋯⋯⋯⋯⋯⋯ **锯眼蝶族 Elymniini**
   复眼无毛；前翅有 1~3 条脉纹基部膨大 ⋯⋯⋯⋯⋯⋯⋯⋯⋯⋯⋯ **眼蝶族 Satyrini**

（一）暮眼蝶族 Melanitini

大型种类。复眼光滑无毛。前翅外缘 M_2 脉处角状突出。后翅外缘 M_3 脉处有角状尾突。

81. 暮眼蝶属 *Melanitis* Fabricius, 1807

Melanitis Fabricius, 1807: 282. **Type species**: *Papilio leda* Linnaeus, 1758.

Hipio Hübner, [1819]: 56. **Type species**: *Papilio constantia* Cramer, 1777.

Cyllo Boisduval, 1832: 151. **Type species**: *Papilio leda* Linnaeus, 1758.

属征：大型种类。前翅外缘 M_2 脉端部钩状突出；脉纹基部不膨大；中室闭式，约为翅长的 1/2；Sc 脉长于中室；R_1 与 R_2 脉由中室前缘分出。后翅外缘 M_3 脉处有角状尾突，Cu_2 脉处多突出，雌蝶比雄蝶尤为显著；$Sc + R_1$ 脉长于中室，接近顶角；中室闭式，约为翅长的 1/2 强；肩脉短直，伸向前缘。有湿季型与旱季型之分，旱季型个体较大，翅外缘的突出及后翅的枯叶斑较明显。雄性外生殖器：钩突与抱器狭长，弯曲；无颚突；阳茎细长。

分布：古北区，东洋区，非洲区，澳洲区。全世界已知 12 种，中国记录 3 种，秦岭地区记录 1 种。

（225）（稻）暮眼蝶 *Melanitis leda*（Linnaeus, 1758）

Papilio leda Linnaeus, 1758: 474.

Melanitis leda: Moore, [1880]: 15.

鉴别特征：翅棕褐色或黑褐色；反面色稍淡，密布褐色细纹。前翅 M_2 脉处钩状外凸；正面亚顶区黑色眼斑大，双瞳，瞳点白色，内侧伴有橙黄色带纹；反面顶角区 2 个小眼斑清晰；亚缘眼斑列时有断续或消失；外斜带、中斜带及基斜带有或消失。后翅外缘 M_3 脉及 Cu_2 脉处各有 1 个小尾突；亚缘区眼斑列正面多有消失，反面清晰，斑纹大小不一；中横带弧形。有明显的季节型，翅反面的颜色和斑纹因季节不同变化极大。

采集记录：1♂，南郑。

分布：陕西（南郑）、河南、山东、浙江、湖北、江西、湖南、福建、台湾、广东、海南、广西、四川、贵州、云南；日本，越南，老挝，泰国，柬埔寨，缅甸，菲律宾，马来西亚，新加坡，印度尼西亚，澳大利亚，非洲。

寄主：水蔗 *Apluda mutica*（Gramineae）、水稻 *Oryza sativa*、甘蔗 *Saccnarum officina-*

rum、偏序钝叶草 *Stenotaphrum secundatum*、大黍 *Panicum maximum*、毛花雀稗 *Paspal-
um dilatatum* 等。

（二）锯眼蝶族 Elymniini

中型或大型的种类。复眼通常有毛。前翅脉纹基部加粗或膨大；如复眼无毛，
则脉纹基部不加粗或膨大。

分亚族检索表

1. 前翅脉纹基部不加粗或膨大；眼光滑 ·· **帻眼蝶亚族 Zetherina**
   前翅脉纹基部加粗或膨大；眼常有毛 ··· 2
2. 前翅 3 条主脉基部均膨大 ··· **眉眼蝶亚族 Mycalesina**
   前翅只 Sc 脉基部加粗或膨大 ··· **黛眼蝶亚族 Lethina**

Ⅰ . 黛眼蝶亚族 Lethina

眼常有毛。前翅有 1 条脉纹基部加粗或膨大；Cu_1 脉与 M_3 脉分出点远离。后翅
M_3 脉与 Cu_1 脉同点从中室下端角分出。

分属检索表

1. 前翅 Sc 脉基部加粗，但不膨大；后翅 M_3 脉较直（宁眼蝶属 *Ninguta* 例外）·················· 2
   前翅 Sc 脉基部明显膨大；后翅 M_3 脉弯曲 ·· 5
2. 前翅有宽的蓝色斜带；R_2 脉与其余 R 脉同柄 ·············· **丽眼蝶属 Mandarinia**
   前翅无蓝色斜带；R_2 脉从中室前缘分出 ·· 3
3. 前翅中室端脉上段凹陷；后翅 M_3 脉近基部强度弯曲 ·········· **宁眼蝶属 Ninguta**
   前翅中室端脉不凹入；后翅 M_3 脉近基部稍有弯曲 ······································· 4
4. 后翅 $Sc + R_1$ 脉和 Rs 脉很长，到达翅顶角；后翅反面 $sc + r_1$ 室有眼斑 ······ **荫眼蝶属 Neope**
   后翅 $Sc + R_1$ 脉和 Rs 脉短，未达翅顶角；后翅反面 $sc + r_1$ 室无眼斑············ **黛眼蝶属 Lethe**
5. 前翅 M_2 脉从中室上端角分出；后翅反面有平行的斜线 ·········· **网眼蝶属 Rhaphicera**
   前翅 M_2 脉从中室端脉分出；后翅反面无平行的斜线 ································· 6
6. 前翅只顶角附近有 1 个眼斑 ·· 7
   前翅亚缘有多个眼斑 ··· **链眼蝶属 Lopinga**
7. 两翅反面有网状纹 ·· **多眼蝶属 Kirinia**
   两翅反面斑纹不如上述 ·· 8
8. 前翅 Cu 脉基部加粗；中室端脉前段凹入 ·········· **毛眼蝶属 Lasiommata**
   不如上所述 ··· 9
9. 后翅反面褐色；后缘中部无条形斑纹 ······················ **带眼蝶属 Chonala**

后翅反面白色；后缘中部有条形斑纹 ……………………………………… 藏眼蝶属 *Tatinga*

82. 黛眼蝶属 *Lethe* Hübner，[1819]

Lethe Hübner，[1819]：56. **Type species**：*Papilio europa* Fabricius，1775.

Tanaoptera Billberg，1820：79. **Type species**：*Papilio europa* Fabricius，1775.

Charma Doherty，1886：117. **Type species**：*Zophoessa baladeva* Moore，1866.

Rangbia Moore，1891：232. **Type species**：*Debis scanda* Moore，1857.

Nemetis Moore，1891：237. **Type species**：*Papilio minerva* Fabricius，1775.

Placilla Moore，1891：253. **Type species**：*Lethe christophi* Leech，1891.

Archondesa Moore，1891：270. **Type species**：*Lethe lanaris* Butler，1877.

Sinchula Moore，1891：275. **Type species**：*Debis sidonis* Hewitson，1863.

Kerrata Moore，1892：285. **Type species**：*Lethe tristigmata* Elwes，1887.

Hermias Fruhstorfer，1911：324. **Type species**：*Satyrus verma* Kollar，1844.

属征：翅多褐色或红褐色；后翅反面多有亚缘眼斑列；雄蝶前翅反面后缘与后翅正面前缘有镜区；A 脉中部有发香鳞。前翅脉纹基部较粗，除有些种类 Sc 脉基部略膨大外，一般不膨大；R_1、R_2 脉与 M_1 脉均自中室上端角附近分出；R_3、R_4 与 R_5 脉共长柄，从中室上端角生出。后翅 M_3 脉与 Cu_1 脉从中室下端角同点分出；M_3 脉端缘基部弧形弯曲，角状突出；肩脉短；$Sc + R_1$ 脉长于中室，末端远离顶角；Cu_1 脉分支点十分接近中室下端角顶点。雄性外生殖器：钩突发达，细长，弯曲；多有颚突；抱器狭长，末端尖或截形；囊突短或长；阳茎粗壮，末端斜截，膨大。

分布：古北区，东洋区。全世界记载 114 种，中国已知 56 种，秦岭地区记录 26 种。

分种检索表

1. 后翅外缘 M_3 脉末端形成尾突 ……………………………………………………… 2
   后翅外缘圆形或波状，M_3 脉末端不形成尾突 ………………………………… 15
2. 前翅反面无淡色斜带 ……………………………………………………………… 3
   前翅反面有淡色斜带 ……………………………………………………………… 5
3. 后翅 cu_1 室有 1 块大的黑色性标 ………………………… 棕褐黛眼蝶 *L. christophi*
   后翅 cu_1 室无黑色性标 …………………………………………………………… 4
4. 后翅反面中域 2 条细横线在臀角附近相连 ………………… 连纹黛眼蝶 *L. syrcis*
   后翅反面中域 2 条细横线不相连 …………………………… 华山黛眼蝶 *L. serbonis*
5. 前翅反面有 2 条以上白色长带 …………………………………………………… 6
   不如上述 …………………………………………………………………………… 8
6. 后翅反面中斜带不与其他白色带纹交叉 ………………………………………… 7
   后翅反面中斜带与其他白色带纹交叉 ……………………… 云南黛眼蝶 *L. yunnana*
7. 前翅亚缘眼斑列消失 ……………………………………… 安徒生黛眼蝶 *L. andersoni*

(226) 黛眼蝶 *Lethe dura*（**Marshall, 1882**）（图版 51：1-2）

Zophoessa dura Marshall, 1882：38.

Lethe dura：D'Abrera, 1985：412.

鉴别特征：翅正面黑褐色；反面色稍淡；眼斑黑色，瞳点白色。前翅顶角区前缘斑白色，有时消失；反面亚缘眼斑2~3个；外缘带、中斜带及中室中部横带紫灰色。后翅外缘锯齿形，M_3脉端部形成尾突；亚缘眼斑列斑纹紧密相连；反面中横带宽，曲波状。

采集记录：2♂，长安分水岭，1910m，2010.Ⅶ.01，房丽君采；1♂，周至楼观台，930m，2010.Ⅶ.21，彭涛采；1♂，太白青峰峡，1820m，2012.Ⅵ.22，房丽君采；1♂，洋县青石垭，900m，2011.Ⅵ.04，房丽君采；1♂，宁陕旬阳坝，1350m，2010.Ⅶ.30，房丽君采；1♂1♀，石泉云雾山，1480m，2011.Ⅴ.26，房丽君采；2♂，汉阴凤凰山，1000m，2011.Ⅴ.28，房丽君采；1♂，山阳中村，660m，2010.Ⅹ.05，房丽君采。

分布：陕西（长安、周至、太白、洋县、宁陕、石泉、汉阴、山阳）、甘肃、浙江、湖北、江西、台湾、四川、云南；越南，老挝，泰国，柬埔寨，缅甸，印度，不丹。

寄主：芒 *Miscanthus sinensis*（Gramineae）、玉山箭竹 *Yushania niitakayamensis*、刚竹类 *Phyllostachys* spp.。

(227) 华山黛眼蝶 *Lethe serbonis*（Hewitson，1876）（图版51：3-4）

Debis serbonis Hewitson，1876：151.
Debis davidi Oberthür，1881：15.
Lethe serbonis naganum Tytler，1914：219.
Lethe serbonis：Chou，1994：330.

鉴别特征：翅棕红色。前翅中斜带波形弯曲；反面仅亚顶区有1个小眼斑；中室有2条横线纹。后翅外缘 M_3 脉端部形成尾突；亚缘眼斑列 cu_1 室眼斑大，有宽的黑环；反面外横线弧形弯曲；内中线较直，未达后缘。

采集记录：1♂，佛坪。

分布：陕西（佛坪）、四川；印度，不丹。

(228) 深山黛眼蝶 *Lethe insana*（Kollar，1844）

Satyrus insana Kollar，1844：448.
Lethe insane：D'Abrera，1985：420.

鉴别特征：翅棕褐色。两翅外缘有2条白色细线纹。前翅顶角区紫灰色，白斑小而模糊；中斜带白色，雌蝶清晰，雄蝶模糊；反面亚缘区有3个眼斑；中室中部横条斑紫灰色。后翅外缘锯齿形，M_3脉端部角状突出；亚缘眼斑列黑色，瞳点白色。反面中横带紫灰色；中室端脉褐色。

采集记录：1♂，长安大峪，1210m，2010.Ⅷ.06，彭涛采；1♂1♀，太白黄柏塬，

1620m, 2010. Ⅷ.07, 房丽君采；1♂, 留坝庙台子, 2004. Ⅷ.07, 房丽君采；1♂, 宁陕旬阳坝, 1450m, 2010. Ⅶ.29, 房丽君采；2♂, 山阳中村捷峪沟, 680m, 2010. X. 05, 房丽君采；1♂, 商南梁家湾, 500m, 2014. Ⅷ.11, 房丽君采。

分布： 陕西（长安、太白、留坝、宁陕、山阳、商南）、浙江、湖南、江西、福建、台湾、广东、海南、广西、四川、贵州、云南；越南，老挝，泰国，缅甸，印度，不丹，马来西亚。

寄主： 青篱竹 *Arundinaria falcate*（Gramineae）、茶秆竹 *Pseudosasa amabilis*、玉山箭竹 *Yushania niitakayamensis*。

（229）八目黛眼蝶 *Lethe oculatissima*（Poujade，1885）

Mycalesis oculatissima Poujade, 1885：24.

Lethe oculatissima：Chou, 1994：332.

鉴别特征： 翅黄褐色，亚缘眼斑紧密相连。前翅正面亚缘区 m_1、cu_1 室有黑褐色眼斑；反面亚缘区眼斑5个。后翅外缘较平滑，M_3 脉端部无尾突；反面亚缘眼斑列中 rs 与 cu_1 室的眼斑大，rs 室之后的眼斑近直线排列。

采集记录： 1♂1♀, 长安分水岭, 2020m, 2010. Ⅶ.07, 彭涛采；1♂, 周至厚畛子, 1300m, 2009. Ⅵ.26, 房丽君采；1♂, 户县朱雀森林公园, 1800m, 2012. Ⅶ.12, 房丽君采；1♂, 太白黄柏塬, 1380m, 2012. Ⅵ.18, 房丽君采；1♂, 佛坪观音山, 1560m, 2013. Ⅶ.30, 张宇军采。

分布： 陕西（长安、周至、户县、太白、佛坪）、甘肃、浙江、湖北、江西、福建、四川。

寄主： 茶秆竹属 *Pseudosasa* spp.（Gramineae）植物。

（230）紫线黛眼蝶 *Lethe violaceopicta*（Poujade，1884）

Debis violaceopicta Poujade, 1884：158.

Lethe calisto Leech, 1891：23.

Lethe violaceopicta：Seitz, 1908：85.

鉴别特征： 翅棕褐色；雄蝶翅正面无斑纹；反面顶角区斜斑列及中斜斑列灰白色，亚缘区中上部有2个紫色小圆斑。后翅外缘微波形；M_3 脉端部不外突或稍有角状外突（雌蝶），未形成尾突；反面外缘线紫白色；亚缘眼斑列围有紫色圈纹；基半部密布淡紫色曲波状细线纹。雌蝶前翅正面顶角区斜斑列及中斜斑列白色或乳白色。后翅反面外横斑列淡黄色。

采集记录： 1♂, 宁陕火地塘, 1900m, 2009. Ⅷ.30, 房丽君采。

分布： 陕西（宁陕）、浙江、江西、福建、四川；缅甸，印度。

寄主： 冷箭竹 *Sinobambusa fangiana*（Gramineae）、刚竹类 *Phyllostachys* spp.。

(231) 黑带黛眼蝶 *Lethe nigrifascia* Leech, 1890

Lethe nigrifascia Leech, 1890: 28.

Lethe nigrifascia fasciata: Seitz, 1909: 86.

鉴别特征: 翅褐色; 两翅亚缘带黑褐色。雄蝶前翅有 1 条黑色中横带, 外缘锯齿状, 此为本种主要特征; 反面顶角区有灰白色小斑; 外斜带灰白色, 端部与黑色中横带相连; 中室端部有 1 个灰白色条斑。后翅外缘波状, M_3 脉端部角状外突; 亚缘眼斑列黑色; 反面中横带覆有紫灰色晕染; 基部有深褐色云纹斑, 缘线紫灰色。雌蝶个体及斑纹均较大。前翅无黑色中横带; 外斜带宽, 深浅两色, 边界模糊。后翅反面基部云纹斑大而清晰。

采集记录: 1♂, 长安东佛沟, 2020m, 2011. Ⅶ. 25, 张宇军采; 1♂, 太白青峰峡, 1750m, 2012. Ⅵ. 22, 房丽君采; 1♂, 凤县通天河, 2350m, 2012. Ⅵ. 16, 房丽君采。

分布: 陕西(长安、太白、凤县)、河南、宁夏、甘肃、湖北、江西、四川。

寄主: 刚竹类 *Phyllostachys* spp. (Gramineae)。

(232) 明带黛眼蝶 *Lethe helle* (Leech, 1891) (图版 51: 5-6)

Zophoessa helle Leech, 1891: 1.

Lethe helle: Chou, 1994: 334.

Zophoessa helle: Huang, Wu & Yuan, 2003: 151.

鉴别特征: 翅正面棕褐色; 反面黄褐色; 亚外缘带黑褐色。前翅顶角区有前缘斑; 外斜带两色, 边界模糊; 中室端部条斑白色或淡黄色。后翅外缘波状; M_3 脉端部角状外突; 亚缘眼斑列黑色, 圈纹橙色; 反面外横带褐色, 曲波形, 缘线白色; 基部有褐色云纹斑, 缘线白色。

采集记录: 2♂1♀, 长安滦镇分水岭, 2250m, 2010. Ⅶ. 27, 房丽君采; 1♂, 户县朱雀森林公园, 2240m, 2011. Ⅶ. 23, 房丽君采; 1♂, 太白鳌山, 2500m, 2013. Ⅷ. 10, 房丽君采。

分布: 陕西(长安、户县、太白)、四川。

寄主: 刚竹类 *Phyllostachys* spp. (Gramineae)。

(233) 彩斑黛眼蝶 *Lethe procne* (Leech, 1891)

Zophoessa procne Leech, 1891: 2.

鉴别特征：与明带黛眼蝶 *L. helle* 近似，主要区别为：本种翅面略带金属光泽。前翅中室无条斑；外斜带不连续。后翅反面外横带近前缘处颜色较深。

采集记录：1♂，太白。

分布：陕西（太白）、四川、云南。

(234) 白条黛眼蝶 *Lethe albolineata* (Poujade, 1884)

Debis albolineata Poujade, 1884：154.

Lethe albolineata：chou, 1994：335.

鉴别特征：翅棕褐色；反面颜色稍淡。前翅亚缘眼斑列未达前后缘，反面亚外缘带、亚缘带、中斜带及中室横斑白色。后翅外缘微波状；M_3 脉端部角状外突；正面外缘、亚外缘线、亚缘斑列黑褐色，斑纹圆形；反面外缘线、亚外缘线及中横带白色；亚缘眼斑列黑色，瞳点白色，内侧有白色横带相连；前缘中部眼斑大，外侧圈纹白色。

采集记录：1♂，长安滦镇分水岭，2020m，2011.Ⅶ.25，张宇军采；1♂，宁陕火地塘，1700m，2009.Ⅷ.30，房丽君采。

分布：陕西（长安、宁陕）、河南、江西、四川。

寄主：竹类 Bambusaceae(Gramineae)。

(235) 云南黛眼蝶 *Lethe yunnana* D'Abrera, 1990

Lethe yunnana D'Abrera, 1990.

鉴别特征：翅正面黑褐色；反面赭褐色。两翅外缘线、亚外缘线和2条亚缘带白色。前翅端部有亚缘带和外斜带组成的"V"形带纹，正面模糊，反面清晰。后翅外缘锯齿形，M_3 及 Cu_2 脉端部形成小尾突；亚缘眼斑列位于两条亚缘带之间；反面翅基部至亚缘带间数条纵线纹与中斜带交织成网状。

采集记录：1♂，长安大峪，1780m，2009.Ⅵ.14，房丽君采；1♂，户县朱雀森林公园，1800m，2012.Ⅶ.12，房丽君采；1♂，太白小华山，1860m，2012.Ⅵ.23，房丽君采；1♂，凤县通天河，2350m，2012.Ⅵ.16，房丽君采；1♂，宁陕火地塘，1820m，2009.Ⅵ.22，房丽君采。

分布：陕西（长安、户县、太白、凤县、宁陕）、云南。

(236) 棕褐黛眼蝶 *Lethe christophi* (Leech, 1891)（图版51：7-10）

Zophoessa christophi Leech, 1891：67.

Lethe christophi：D′Abrera，1985：426.

鉴别特征：翅棕褐色，反面色稍淡。两翅反面中横带两侧锈红色。前翅正面无斑；反面亚缘区淡黄色，上半部镶有小眼斑，外侧缘线波状，锈红色；中室中部线纹锈红色。后翅锯齿形，M_3 脉端部角状突出；亚外缘区黑褐色；亚缘眼斑列正面后部消失，反面完整。雄蝶后翅正面 cu_1 室基部有黑褐色性标。

采集记录：1♂，长安鸭池口，1020m，2008. Ⅷ. 23，房丽君采；1♂，周至秦岭国家植物园，940m，2013. Ⅷ. 14，房丽君采；1♂，佛坪东岳，880m，2011. Ⅵ. 05，房丽君采；1♂，丹凤土门，500m，2010. Ⅷ. 16，房丽君采。

分布：陕西（长安、周至、佛坪、丹凤）、浙江、湖北、江西、湖南、福建、台湾。

寄主：刚竹类 *Phyllostachys* spp.（Gramineae）。

（237）奇纹黛眼蝶 *Lethe cyrene* Leech，1890

Lethe cyrene Leech，1890：27.

鉴别特征：翅正面棕褐色，反面淡棕色。前翅正面亚缘区斑纹模糊不清；反面亚外缘中部有 4 个眼斑；亚缘带与外斜带组成 1 个大"V"形带纹，粉色；外斜带及基斜带宽；中域有褐色斑驳带。后翅外缘波形，M_3 脉端部角状突出；亚缘眼斑列黑色；反面亚缘眼斑列两侧伴有粉色带纹；中斜带粉色，上宽下窄，两侧缘带黑褐色，外侧缘带中部外凸。

采集记录：1♂，周至厚畛子，1380m，2010. Ⅶ. 12，房丽君采；1♂，佛坪凉风垭，1750m，2013. Ⅶ. 30，张宇军采；1♂，宁陕旬阳坝，1360m，2010. Ⅶ. 30，房丽君采。

分布：陕西（周至、佛坪、宁陕）、河南、湖北。

（238）连纹黛眼蝶 *Lethe syrcis*（**Hewitson**，［**1863**］）（图版 52：1-4）

Debis syrcis Hewitson，［1863］：77.

Lethe syrcis：D′Abrera，1985：427.

鉴别特征：翅面淡黄褐色。两翅亚外缘带宽，黑褐色；中横带宽，两侧缘线黄褐色；中室端脉褐色。后翅外缘微波形，M_3 脉端部角状突出；亚缘眼斑列较清晰，rs、cu_1 室眼斑大；中横带两侧缘线在近臀角处相连，外侧缘线中部角状外突。

采集记录：1♂，洋县两河口，500m，2010. Ⅹ. 17，房丽君采；1♂，镇安锡铜沟，880m，2010. Ⅹ. 21，房丽君采；1♂，山阳银花，920m，2009. Ⅹ. 03，房丽君采；1♂，

丹凤龙驹寨，1010m，2014.Ⅸ.05，房丽君采。

分布：陕西(洋县、镇安、山阳、丹凤)、黑龙江、河南、浙江、江西、福建、广西、四川。

寄主：刚莠竹 *Microstegium ciliatum*(Gramineae)，刚竹类 *Phyllostachys* spp.。

(239) 边纹黛眼蝶 *Lethe marginalis* Motschulsky，1860

Lethe marginalis Motschulsky，1860：29.

Satyrus (*Pararge*) *davidianus* Poujade，1885：94.

鉴别特征：翅面棕褐色。两翅外缘区有 2 条白色细线纹。前翅反面亚缘区中上部有 3 个眼斑；外斜带未达后缘；中室中部线纹黑褐色。后翅外缘平滑；亚缘眼斑列反面较正面清晰，近直线排列；反面前缘中部 1 个眼斑大而清晰，离亚缘斑列斑纹较远；中横带两侧缘线黑褐色，外侧缘线中部"V"形外凸。

采集记录：1♂，周至板房子庙沟，1200m，2011.Ⅶ.09，张辰生、程帅采；1♂，户县涝峪，1300m，2010.Ⅶ.06，房丽君采；1♂，眉县蒿坪寺，1520m，2011.Ⅷ.11，张辰生、程帅采；1♂，太白药王谷，1120m，2013.Ⅷ.04，房丽君采；2♂，佛坪立房沟，1360m，2010.Ⅸ.12，房丽君采；1♂，宁陕旬阳坝，1300m，2010.Ⅶ.07，房丽君采。

分布：陕西(周至、户县、眉县、太白、佛坪、宁陕)、黑龙江、吉林、辽宁、河南、甘肃、浙江、湖北、江西、四川；朝鲜，日本。

寄主：芒 *M. sinensis*(Gramineae)、大油芒 *Spodiopogon sibiricus*。

(240) 苔娜黛眼蝶 *Lethe diana* (Butler，1866) (图版 52：5-8)

Debis diana Butler，1866：55.

Lethe whitelyi Butler，1867：403.

Lethe diana：Tuzov，1997：183.

鉴别特征：与边纹黛眼蝶 *L. marginalis* 近似，主要区别为：本种前翅反面中室条斑 2 条；雄蝶前翅后缘中段有 1 列黑色长毛；亚缘眼斑列眼斑 4 个。后翅正面亚缘眼斑列模糊不清；反面亚缘眼斑列弧形排列，与前缘中部的眼斑较接近。

采集记录：1♂，长安滦镇分水岭，1930m，2010.Ⅶ.27，彭涛采；1♂，蓝田王顺山，2120m，2010.Ⅶ.31，房丽君采；1♂，户县太平峪，900m，2009.Ⅶ.25，房丽君采；1♂，宝鸡鸡峰山，1420m，2012.Ⅷ.25，房丽君采；1♂，凤县通天河，2300m，2012.Ⅶ.22，房丽君采；1♂，太白黄柏塬，1350m，2010.Ⅵ.15，房丽君采；1♂，留

坝红岩沟, 1060m, 2012. Ⅵ. 23, 房丽君采; 1♂, 佛坪岳坝, 1150m, 2012. Ⅴ. 30, 张宇军采; 1♂, 洋县华阳, 1120m, 2011. Ⅵ. 04, 房丽君采; 3♂1♀, 宁陕广货街, 1250m, 2010. Ⅸ. 18, 房丽君采; 2♂, 汉阴凤凰山, 1000m, 2011. Ⅴ. 28, 房丽君采; 1♂, 柞水营盘花门楼, 1400m, 2010. Ⅵ. 16, 张宇军采; 1♂, 镇安结子乡, 1070m, 2010. Ⅹ. 07, 房丽君采; 1♂, 丹凤土门, 900m, 2010. Ⅷ. 16, 房丽君采; 1♂, 商南上苍坊森林公园, 840m, 2014. Ⅸ. 06, 房丽君采。

分布: 陕西(长安、蓝田、户县、凤县、太白、留坝、佛坪、洋县、宁陕、汉阴、柞水、镇安、丹凤、商南)、河北、河南、浙江、江西、福建、广西、贵州、云南; 朝鲜, 日本。

寄主: 川竹 *Pleioblastus simonii* (Gramineae)、桂竹 *Phyllostachys makinoi*、紫竹 *P. nigra*、日本苇 *Phragmites japonicus*、青篱竹属 *Arundinaria* spp. 。

(241) 罗丹黛眼蝶 *Lethe laodamia* Leech, 1891

Lethe laodamia Leech, 1891: 67.

鉴别特征: 与苔娜黛眼蝶 *L. diana* 近似, 主要区别为: 本种前翅中斜带直达翅后缘; 雄蝶后缘中段无黑色长毛。后翅 M_3 脉端部角状外突。

采集记录: 1♂, 太白二郎坝, 1030m, 2011. Ⅷ. 24, 张辰生、程帅采; 1♂, 留坝庙台子, 2004. Ⅷ. 03, 房丽君采; 1♂, 佛坪立房沟, 960m, 2010. Ⅸ. 12, 房丽君采。

分布: 陕西(太白、留坝、佛坪)、安徽、湖北、江西、四川、云南。

寄主: 刚竹类 *Phyllostachys* spp. (Gramineae)。

(242) 直带黛眼蝶 *Lethe lanaris* Butler, 1877 (图版 53: 1-4)

Lethe lanaris Butler, 1877: 95.

鉴别特征: 翅黑褐色或棕褐色; 两翅外缘及亚外缘线白色。前翅端部灰棕色; 亚缘眼斑列有 5 个眼斑, 未达后缘; 反面中室端部 2 条褐色条纹时有模糊。后翅外缘微波形, M_3 脉端部无角状外突; 反面前缘中部眼斑大; 中横带时有模糊, 两侧缘线褐色, 外侧缘线中部弧形外凸; 中室端脉褐色。雌蝶个体较大, 斑纹大而清晰; 前翅有灰白色外斜带。

采集记录: 1♂, 蓝田王顺山, 1450m, 2010. Ⅶ. 31, 房丽君采; 1♂, 周至厚畛子, 1280m, 2010. Ⅶ. 12, 房丽君采; 1♂, 户县朱雀森林公园, 1800m, 2009. Ⅷ. 08, 高可、杨伟采; 1♂, 太白黄柏塬, 1240m, 2011. Ⅷ. 26, 程帅、张辰生采; 1♂, 凤县

通天河，1800m，2012.Ⅶ.22，房丽君采；1♂，佛坪观音山，1600m，2013.Ⅶ.30，张宇军采；1♂，洋县华阳，1160m，2012.Ⅵ.27，张宇军采；1♂，宁陕火地塘，1630m，2009.Ⅸ.26，房丽君采。

　　分布：陕西（蓝田、周至、户县、太白、凤县、佛坪、洋县、宁陕）、河南、甘肃、浙江、江西、福建、海南、四川。

　　寄主：竹类 Bambusaceae(Gramineae)。

(243) 比目黛眼蝶 *Lethe proxima* Leech，[1892]

　　Lethe proxima Leech，[1892]：32．

　　鉴别特征：翅棕黄色。前翅亚顶区中部黑色眼斑大，瞳点白色；外斜带弧形，淡黄色；反面翅尖半部色淡；亚顶区眼斑套入白色"V"形斑；中室中部有条斑。后翅外缘平滑，M_3脉端部不外凸；正面亚缘眼斑列上半部模糊或消失；反面翅端部有多条细线纹；亚缘眼斑列由5个眼斑组成，前缘中部2个眼斑相连，上大下小；翅基半部有云状纹。

　　采集记录：1♂，宁陕火地塘，1600m，2010.Ⅶ.27，房丽君采；1♂，宁陕县旬阳坝，1500m，2010.Ⅶ.29，房丽君采。

　　分布：陕西（宁陕）、四川。

(244) 重瞳黛眼蝶 *Lethe trimacula* Leech，1890

　　Lethe trimacula Leech，1890：27．

　　鉴别特征：与比目黛眼蝶 *L. proxima* 近似，主要区别为：本种翅正面黑褐色，反面棕色。后翅反面亚缘眼斑列有4个眼斑，前缘中部2个眼斑连在一起。

　　采集记录：1♂，长安滦镇，1320m，2010.Ⅷ.09，张宇军采。

　　分布：陕西（长安）、浙江、湖北、江西、四川。

　　寄主：莎草 *Cyperus* spp.（Cyperaceae）。

(245) 门左黛眼蝶 *Lethe manzorum*（Poujade，1884）

　　Satyrus manzorum Poujade，1884：134．

　　Lethe manzorum：lewis，1974：pl. 202．

　　Lethe manzora：Chou，1994：342．

鉴别特征：与连纹黛眼蝶 *L. syrcis* 相似，主要区别为：本种前翅外中域带纹向臀角方向倾斜；中室条斑 2 条。后翅外缘微波状，M_3 脉端部不外突；亚缘眼斑列有 6 个眼斑，rs 与 cu_1 室眼斑大而清晰，其余眼斑较模糊；外横带中部浅弧形外突，内横带下半部消失。

采集记录：1♂1♀，太白黄柏塬，1480m，2011.Ⅷ.27，程帅、张辰生采。

分布：陕西（太白）、湖北、江西、广西、四川。

寄主：刚竹类 *Phyllostachys* spp.（Gramineae）。

(246) 蛇神黛眼蝶 *Lethe satyrina* **Butler，1871**（图版 53：5-6）

Lethe satyrina Butler，1871：402.

鉴别特征：翅茶褐色；两翅外缘线及亚外缘线灰白色。前翅前缘及外缘弧形；顶角区、亚顶区至臀角棕灰色；反面顶角区有 1 个条形的前缘斑；亚缘区上部有 2 个相连的眼斑。后翅外缘平滑，M_3 脉端部不外突；亚缘眼斑列正面斑纹较模糊；反面亚缘眼斑列中 rs、cu_1 室眼斑大而清晰；中域横带两侧缘线灰白色，外侧缘线端部弧形凹入，中部角状外突。

采集记录：1♂，略阳硖口驿，900m，2014.Ⅵ.02，房丽君采；1♂，镇安结子乡，1130m，2011.Ⅳ.30，房丽君采。

分布：陕西（略阳、镇安）、河南、甘肃、上海、浙江、湖北、湖南、江西、四川、贵州。

寄主：竹类 Bambusaceae（Gramineae）。

(247) 蟠纹黛眼蝶 *Lethe labyrinthea* **Leech，1890**

Lethe labyrinthea Leech，1890：28.

鉴别特征：与黑带黛眼蝶 *L. nigrifascia* 近似，主要区别为：本种翅面为黄褐色，翅脉及其黑褐色加宽带将前翅正面端半部放射状划分；前翅中室有 2 个条斑。

采集记录：1♂，佛坪岳坝，1550m，2012.Ⅵ.30，房丽君采。

分布：陕西（佛坪）、福建、四川、贵州。

(248) 圣母黛眼蝶 *Lethe cybele* **Leech，1894**

Lethe cybele Leech，1894：643.

鉴别特征：与紫线黛眼蝶 L. violaceopicta 近似，主要区别为：本种后翅正面亚缘区有 1 列黑色斑纹；反面亚缘眼斑列中 rs、m_1 与 cu_1、cu_2 室眼斑黑环明显。

分布：陕西（略阳）、辽宁、四川、西藏。

(249) 舜目黛眼蝶 *Lethe bipupilla* Chou et Zhao，1994

Lethe bipupilla Chou et Zhao，1994：755，341.

鉴别特征：与比目黛眼蝶 L. proxima 近似，主要区别为：本种翅色深，有紫色光泽。前翅反面亚顶区有大小 2 个相连的眼斑。后翅反面前缘中部 2 个眼斑上小下大。

分布：陕西（留坝、汉中）、四川。

(250) 圆翅黛眼蝶 *Lethe butleri* Leech，1889（图版 53：7-8）

Lethe butleri Leech，1889：99.

鉴别特征：翅正面黑褐色；反面棕灰色；两翅外缘区有 2 条浅色线纹。前翅反面翅端部色淡；亚缘区有 4 个眼斑；外斜带曲波形；中室中部条斑时有模糊。后翅外缘平滑，M_3 脉端部不外凸；亚缘眼斑列反面较清晰；前缘中部眼斑大；中横带两侧缘线灰褐色，内侧缘线短，未达翅后缘，外侧缘线中部角状外凸。

采集记录：1♂，洋县。

分布：陕西（洋县）、北京、河南、浙江、台湾、江西、四川。

寄主：竹类 Bambusaceae（Gramineae）、露籽草 Ottochloa nodosa。

(251) 安徒生黛眼蝶 *Lethe andersoni*（Atkinson，1871）

Zophoessa andersoni Atkinson，1871：215.
Lethe andersoni：Chou，1994：336.

鉴别特征：与白条黛眼蝶 L. albolineata 相似，主要区别为：本种反面鲜黄色；前翅亚缘眼斑列消失。

采集记录：1♂，凤县通天河，2300m，2012.Ⅶ.22，房丽君采。

分布：陕西（凤县）、四川、云南。

83. 荫眼蝶属 *Neope* Moore，[1866]

Neope Moore，[1866]：770. **Type species**：*Lasiommata bhadra* Moore，1857.

Blanaida Kirby, 1877: 699. **Type species**: *Lasiommata bhadra* Moore, 1857.

Patala Moore, 1892: 305. **Type species**: *Zophoessa yama* Moore, 1858.

属征: 与黛眼蝶属 *Lethe* 近似。复眼有毛。前翅 Sc 脉基部粗壮, 膨大不明显; 中室约为翅长的 1/2; Sc 脉长于中室; R_1 与 R_2 脉由中室前缘分出; M_1 脉与 R_5 脉分出点接近; M_3 脉直。后翅反面 sc + r_1 室有 1 个眼斑, 但位置偏外, 不与 rs 室至 cu_2 室 6 个眼斑在同一弧线上; 翅正面的眼斑为凤眼型; Sc + R_1 脉及 Rs 脉很长; M_3 脉强弯。雄性外生殖器: 背兜近三角形; 钩突发达, 长于背兜; 颚突尖锥状, 细长, 长于背兜; 阳茎与抱器基本等长, 弯曲; 阳茎轭片近"U"形; 抱器近三角形, 末端尖, 略上弯。

分布: 中国; 印度北部。全世界记载 19 种, 中国已知 13 种, 秦岭地区记录 7 种。

分种检索表

1. 前翅正面 cu_2 室内具清晰或模糊的长条斑 ····················· 阿芒荫眼蝶 *N. armandii*
   前翅正面 cu_2 室内无长条斑 ··· 2
2. 翅面无黄色或暗黄色斑 ·· 3
   翅面具黄色或暗黄色斑 ·· 4
3. 两翅反面外横带白色, 纵贯前、后翅; 前翅中室有 4 个相连的圈纹 ·············
   ··· 蒙链荫眼蝶 *N. muirheadii*
   两翅反面无白色外横带, 中室内无上述圈纹 ··········· 丝链荫眼蝶 *N. yama*
4. 翅反面眼斑无瞳 ······································ 德祥荫眼蝶 *N. dejeani*
   翅反面眼斑具瞳 ··· 5
5. 后翅反面亚缘眼斑列端部 2 个眼斑不错位 ············· 奥荫眼蝶 *N. oberthueri*
   后翅反面亚缘眼斑列端部 2 个眼斑错位内移 ································· 6
6. 前翅反面中室内无相连的小环斑 ······················ 黄斑荫眼蝶 *N. pulaha*
   前翅反面中室内具相连的小环斑 ··················· 布莱荫眼蝶 *N. bremeri*

(252) 阿芒荫眼蝶 *Neope armandii* (Oberthür, 1876)

Satyrus armandii Oberthür, 1876: 26.

Neope armandii: Chou, 1994: 345.

鉴别特征: 翅褐色。前翅亚缘斑列、中室端斑及亚顶区近前缘斑纹均为乳白色或淡黄色; m_1 与 m_3 室的亚缘斑中间镶有黑色圆斑; 反面中室白色与黑色斑纹相间排列; 中室下方至后缘淡黄色。后翅外缘锯齿状, M_3 脉端部角状外突; 亚缘区眼斑列有7个眼斑,端部2个错位内移;正面中室端斑近"V"形,黑色,外侧缘线淡黄色;反面基半部黑色,白色带纹将其划分成不规则形网状纹。雄蝶前翅 cu_2 室内性标黑褐色。

采集记录: 1♂,太白青峰峡,1930m,2012.Ⅵ.22,房丽君采;1♂,洋县长青自然保护区,2001.Ⅵ-Ⅷ,邢连喜、袁朝辉采;1♂,柞水牛背梁森林公园,1350m,2012.Ⅵ.13,张宇军采。

分布: 陕西(太白、洋县、柞水)、浙江、福建、四川、云南;泰国,印度。

寄主: 佛肚竹 *Bambusa ventricosa*(Gramineae)。

(253)奥荫眼蝶 *Neope oberthueri* Leech,1891(图版54:1-2)

Neope oberthueri Leech,1891:24.

鉴别特征: 翅棕褐色;两翅正面亚缘眼斑列黄色,斑纹梭形,瞳点黑色。前翅顶角近前缘有白色斑纹;反面顶角区有灰白色斑驳纹;中横带曲波形,黑色;中室横斑黑黄相间;中室下方至后缘黄色。后翅反面密布灰白色斑驳纹;亚缘斑列眼斑8个,后端2个相连;基半部有多条黑褐色锯齿状横纹;中室端部外侧有边界模糊的黑色块斑。

采集记录: 1♂1♀,太白高山草甸,2040m,2011.Ⅵ.12,房丽君采;1♂,佛坪龙草坪,1420m,2011.Ⅴ.06,房丽君采;1♂,宁陕火地塘,1820m,2009.Ⅵ.22,房丽君采。

分布: 陕西(太白、佛坪、宁陕)、河南、四川、云南。

(254)黄斑荫眼蝶 *Neope pulaha*(Moore,1857)

Lasiommata pulaha Moore,1857:227.
Neope pulaha:D'Abrera,1985:434.

鉴别特征: 与奥荫眼蝶 *N. oberthueri* 近似,主要区别为:本种前翅正面部分翅脉基半部黄色;后翅反面中室端部外侧黑斑边界清晰。

采集记录: 1♂,凤县通天河,2350m,2012.Ⅵ.16,房丽君采;2♂1♀,太白大岭,2460m,2012.Ⅵ.20,张宇军采;1♂,佛坪观音山自然保护区,1620m,2014.Ⅵ.07,房丽君采。

分布: 陕西(凤县、太白、佛坪)、河南、浙江、湖北、江西、福建、台湾、四川、云南、西藏;缅甸,印度,不丹。

寄主: 大明竹 *Pleioblastus gramineus*。

(255) 布莱荫眼蝶 *Neope bremeri* (C. & R. Felder, 1862)

Lasiommata bremeri C. & R. Felder, 1862：28.

Neope romanovi Leech, 1890：29.

Neope bremeri：D'Abrera, 1985：434.

鉴别特征：与黄斑荫眼蝶 *N. pulaha* 近似，主要区别为：本种前翅脉纹色浅，同底色，不清晰；反面亚缘眼状斑近圆形，清晰，有白色瞳点；中室中部有黑色圈纹。

采集记录：1♂，长安滦镇分水岭，1920m，2010.Ⅶ.27，彭涛采；1♂1♀，太白黄柏塬，1260m，2011.Ⅷ.26，张辰生、程帅采。

分布：陕西(长安、太白)、浙江、湖北、台湾、四川。

寄主：玉山箭竹 *Yushania niitakayamensis*(Gramineae)、桂竹 *Phyllostachys makinoi*、芒 *Miscanthus sinensis*、五节芒 *M. floridulus*。

(256) 德祥荫眼蝶 *Neope dejeani* Oberthür, 1894

Neope dejeani Oberthür, 1894：18.

鉴别特征：翅黑褐色，反面色稍淡；亚缘眼斑列斑纹梭形，黑色，瞳点大。前翅亚顶区近前缘有 2 个淡黄色小斑；中室端脉淡黄色；反面中室黑褐色与棕褐色条斑相间排列。后翅反面密布褐色云纹斑，缘线灰白色；亚缘区色较其他区域深。

采集记录：1♂，凤县。

分布：陕西(凤县)、云南、四川、西藏。

(257) 蒙链荫眼蝶 *Neope muirheadii* (C. & R. Felder, 1862)(图版 54：3-6)

Lasiommata muirheadii C. & R. Felder, 1862：28.

Debis segonax Hewitson, 1862：[34].

Debis segonacia Oberthür, 1881：14.

Neope muirheadii：Chou, 1994：349.

鉴别特征：翅正面棕褐色；反面灰褐色。两翅亚缘眼斑列反面清晰，正面时有消失；反面外缘及亚外缘区有 3 条细线纹；白色外横带贯通前后翅，内侧缘线深褐色。前翅反面中室中部有 4 个相连的小圈纹，两侧各有 1 条弯曲的细纹；基横带细，其内侧有 3 个褐色小环斑。

采集记录：2♂，周至楼观台，530m，2010.Ⅷ.15，房丽君采；1♂，太白七里川，

1750m, 2012. Ⅵ. 26, 房丽君采；1♂, 洋县华阳, 1190m, 2012. Ⅵ. 27, 张宇军采；1♂, 商南梁家湾, 500m, 2014. Ⅴ. 18, 房丽君采。

分布: 陕西（周至、太白、洋县、商南）、河南、安徽、浙江、湖北、湖南、江西、福建、台湾、广东、海南、四川、云南。

寄主: 水稻 *Oryza sativa*（Gramineae）、竹类 Bambusaceae。

(258) 丝链荫眼蝶 *Neope yama*（Moore，[1858]）（图版54：7-8）

Zophoessa yama Moore, [1858]: 221.

Neope yama: D'Abrera, 1985: 434.

鉴别特征: 翅棕褐色；亚缘眼斑列正面模糊或消失，反面较清晰，眼斑分布区域翅色较淡。前翅反面外中带黑褐色；中室黑褐色条带宽于灰白色条带。后翅外缘锯齿状；反面密布灰白色和黑褐色的斑驳纹，并有白色细线纹交织其间；翅基半部有3～4条由斑驳纹组成的长带纹，多从前缘伸向臀角附近。

采集记录: 1♂, 长安滦镇分水岭, 2290m, 2011. Ⅶ. 29, 张宇军采；1♂, 周至板房子, 1500m, 2013. Ⅵ. 15, 房丽君采；1♂, 眉县蒿坪寺, 1240m, 2011. Ⅵ. 25, 房丽君采；1♂, 太白小华山, 1860m, 2012. Ⅵ. 23, 房丽君采；1♂, 留坝紫柏山, 1630m, 2012. Ⅵ. 22, 张宇军采；1♂, 佛坪观音山自然保护区, 1620m, 2014. Ⅵ. 07, 房丽君采；1♂, 洋县华阳, 1190m, 2012. Ⅵ. 27, 张宇军采。

分布: 陕西（长安、周至、眉县、太白、留坝、佛坪、洋县）、河南、甘肃、浙江、湖北、福建、四川、云南；缅甸，印度。

寄主: 水稻 *Oryza sativa*（Gramineae）、刚竹类 *Phyllostachys* spp. 。

84. 宁眼蝶属 *Ninguta* Moore，1892

Ninguta Moore, 1892: 310. **Type species**: *Pronophila schrenkii* Ménétriès, 1859.

Aranda Fruhstorfer, 1909: 134. **Type species**: *Pronophila schrenkii* Ménétriès, 1859.

属征: 翅正面有黑色圆斑；反面眼斑清晰；雄蝶后翅内缘性标有丝状光泽。前翅 Sc 脉基部膨大成囊状；R_1 与 R_2 脉由中室前缘分出；M_3 脉弯曲缓和；中室阔，端脉凹入；中室下缘脉及 A 脉基部较粗，但不膨大。后翅肩脉短，弯向外侧；Sc + R_1 脉长于中室，末端不达顶角；M_3 脉近基部强弯。雄性外生殖器：背兜近三角形；钩突发达，约为背兜长度的 2 倍；颚突与背兜基本等长，尖锥状；囊突及阳茎粗短，短于抱器；抱器狭，剑状，末端钝，端部背缘有细齿突。

分布：中国；朝鲜，日本。全世界记载 1 种，秦岭地区有记录。

(259) 宁眼蝶 *Ninguta schrenkii*（Ménétriès, 1859）（图版 55：1-2）

Pronophila schrenkii Ménétriès, 1859：215.

Ninguta schrenkii：Tuzov, 1997：183.

鉴别特征：翅圆阔，棕褐色；两翅外缘线及亚外缘线褐色。前翅亚顶区中部有 1~2 个眼斑；翅端半部灰棕色；反面中室端脉及中部细横纹褐色。后翅亚缘眼斑近"V"形排列，但最后 1 个眼斑下移到臀角附近；中横线中部近"U"形外凸；基横线直；中室有 1 条近"V"形细纹。

采集记录：1♂，长安石砭峪，1320m，2010. Ⅷ. 09，张宇军采；1♂，蓝田王顺山，1420m，2010. Ⅶ. 31，房丽君采；1♂，户县朱雀森林公园，2009. Ⅷ. 08，高可采；1♂，太白县黄柏塬，1420m，2010. Ⅷ. 08，房丽君采；1♂，凤县通天河，1800m，2012. Ⅶ. 22，房丽君采；1♂，华县少华山，840m，2013. Ⅶ. 19，张宇军采；1♂，留坝红岩沟，990m，2012. Ⅵ. 23，张宇军采；1♂1♀，宁陕旬阳坝，1450m，2010. Ⅶ. 29，房丽君采；2♂，石泉红卫乡，1080m，2011. Ⅴ. 26，房丽君采；1♂，镇安结子乡，830m，2011. Ⅵ. 19，房丽君采；1♂，山阳中村，650m，2010. Ⅶ. 25，房丽君采；1♂，丹凤土门，880m，2010. Ⅷ. 16，房丽君采。

分布：陕西（长安、蓝田、户县、太白、凤县、华县、留坝、宁陕、石泉、镇安、山阳、丹凤）、黑龙江、甘肃、新疆、安徽、江西、福建、四川；朝鲜。

寄主：苔草 *Carex tristachya*（Cyperaceae）、日本苔草 *C. japonica*、竹类 Bambusaceae（Gramineae）。

85. 丽眼蝶属 *Mandarinia* Leech, 1892

Mandarinia Leech, 1892：9. **Type species**：*Mycalesis regalis* Leech, 1889.

属征：翅黑褐色；有蓝紫色斜带，雄蝶斜带宽，雌蝶斜带较窄，略呈弧形；翅反面亚缘有成列的眼斑；中室长度约为翅长的 1/2 弱。前翅 Sc 脉约为翅长的 2/3，基部粗壮，无明显膨大；R_1 脉由中室前缘近顶角处分出；R_2-R_5 脉共柄。后翅 Sc + R_1 脉长，但未达顶角；Rs、M_1 及 M_2 脉三叉状排列；肩脉短，向外侧弯曲；中室及 m_2、m_3 室被有黑色毛撮；中室闭式；M_3 脉微弧。雄性外生殖器：背兜近三角形，钩突剑状；囊突短，抱器狭长；阳茎细长。雌性外生殖器：囊导管中部具 1 个宽的骨化环；交配囊大；交配囊片对生，长条状，密生齿状突。

分布：中国；缅甸，越南。全世界记载 2 种，秦岭地区记录 1 种。

(260) 蓝斑丽眼蝶 *Mandarinia regalis*（Leech，1889）（图版 55：3-6）

Mycalesis regalis Leech，1889：102.

Mandarinia regalis：D'Abrera，1985：436.

鉴别特征：翅正面黑褐色，具蓝紫色金属光泽；反面栗黑色。前翅中室外侧至臀角有 1 条蓝色中斜带；雄蝶后缘基半部耳叶状外凸；反面亚外缘线 2 条，曲波形；两翅亚缘区色淡，眼斑黑色。后翅中室有黑褐色长毛状性标。雌蝶前翅有蓝色外斜带，但较窄，微弧形，且无蓝紫色闪光。

采集记录：2♂，镇安结子乡，880m，2011. Ⅵ.19，房丽君采。

分布：陕西（镇安）、河南、江苏、安徽、浙江、湖北、江西、湖南、福建、广东、四川；越南，缅甸。

寄主：菖蒲 *Acorus calamus*（Araceae）、金钱蒲 *A. gramineus*。

86. 网眼蝶属 *Rhaphicera* Butler，1867

Rhaphicera Butler，1867：164. **Type species**：*Lasiommata satricus* Doubleday，[1849].

属征：中型种类。翅面密布网状排列的黄色斑纹；中室长度约为翅长的 1/2。前翅 Sc 脉基部囊状膨大；中室后缘脉基部有小突起；R_1 和 R_2 脉由中室前缘分出；M_3 脉微弧形。后翅肩脉短，向外缘弯曲；$Sc+R_1$ 脉约与中室等长；M_3 脉基部强弯。雄性外生殖器：背兜近三角形；钩突长于背兜，末端尖；颚突细，尖锥状，短于背兜；囊突与阳茎细长；抱器狭，剑状，末端尖。

分布：古北区，东洋区。全世界记载 4 种，中国已知 2 种，秦岭地区记录 1 种。

(261) 网眼蝶 *Rhaphicera dumicola*（Oberthür，1876）（图版 55：7-10）

Satyrus dumicola Oberthür，1876：29.

Rhaphicera dumicola：Chou，1994：354.

鉴别特征：翅面深褐色；两翅密布大小和形状不一的斑纹，翅正面斑纹黄色，反面白色；亚外缘带白色。前翅斑纹多水平排列；cu_2 室基部具 1 条近三角形斑纹，中间镶有深褐色条斑。后翅斑纹多斜向排列；外缘波曲；外缘斑列后半部斑纹橙红色；亚缘眼斑列黑褐色；中室下方基部有 1 个倒"V"形斑纹。

采集记录：1♂，周至厚畛子，2009. Ⅷ.26，杨伟采；1♂，留坝庙台子，2004. Ⅷ.03，房丽君采；1♂，宁陕火地塘，1600m，2008. Ⅷ.31，房丽君采；1♂，镇安结子乡，1180m，2011. Ⅳ.30，房丽君采。

分布：陕西（周至、留坝、宁陕、镇安）、河南、浙江、湖北、江西、四川。

寄主：苔草属 *Carex* spp.（Cyperaceae）。

87. 带眼蝶属 *Chonala* Moore，1893

Chonala Moore，1893：14. **Type species**：*Debis masoni* Elwes，1882.

属征：黑褐色种类。前翅有斜带；后翅有亚缘眼斑列。前翅中室闭式，约为翅长的 1/2；Sc 脉基部囊状膨大，稍长于中室；R₁ 和 R₂ 脉由中室前缘分出；M₃ 脉微弯曲。后翅肩脉短；Sc + R₁ 脉约与中室等长；中室闭式，约为翅长的 1/2；M₃ 脉基部强弯。雄性外生殖器：背兜近三角形；钩突锥状，与背兜基本等长；颚突短，楔形；囊突粗短；抱器斜方形，末端上弯，有成簇的齿突；阳茎细。

分布：东洋区。全世界记载 3 种，中国均有分布，秦岭地区记录 1 种。

（262）带眼蝶 *Chonala episcopalis*（Oberthür，1885）

Pararge episcopalis Oberthür，1885：227.

Chonala episcopalis：Chou，1994：356.

鉴别特征：翅黑褐色。前翅亚顶区 r₄ 和 r₅ 室内白斑极小或消失；外斜带白色，波状弯曲。后翅有亚缘眼斑列；外横线及中横线粗，连贯，不规则弯曲；亚基线不完整，在亚基区前缘形成"V"形纹。

采集记录：1♂，留坝。

分布：陕西（留坝）、福建、四川、云南。

寄主：禾本科 Gramineae 植物。

88. 藏眼蝶属 *Tatinga* Moore，1893

Tatinga Moore，1893：5. **Type species**：*Satyrus thibetanus* Oberthür，1876.

属征：外形和翅脉特征均与带眼蝶属 *Chonala* 很相似。但翅反面白色；有明显的黑色眼斑与条形斑。前翅中室较阔，长度约为前翅长度的 1/2。后翅反面 cu₂ 室内具 1 条游离伪脉。雄性外生殖器：背兜近三角形；钩突狭长，弯曲；颚突极短；囊突粗短；抱器狭长，末端钝，背缘密生齿突；阳茎短于抱器。雌性外生殖器：囊导管膜质；交配囊片短小，条带状，密生细齿突。

分布：古北区。全世界记载1种，为中国特有种，秦岭地区有记录。

（263）藏眼蝶 *Tatinga thibetana*（Oberthür，1876）（图版56：1-2）

Satyrus thibetanus Oberthür，1876：28.
Tatinga thibetana：Chou，1994：357.

鉴别特征：翅深褐色。前翅亚顶区有4个斑纹；外斜斑列斑纹大小、形状不一；反面顶角区有2个圆形眼斑；亚顶区有3个淡黄色斑纹，中间镶有1个黑色眼斑；中室基部及端部各有1个斑纹；后缘区有1条宽带，中部镶有1个黑色斑纹。后翅正面无斑纹，但隐约可见反面的斑纹；反面灰白色；外缘带黑色；亚外缘及亚缘区各有1列眼斑，瞳点时有消失；翅基至亚缘斑列之间，上半部密布圆形黑斑，下半部有1排4个斑纹组成的斑列，顶端1个呈三角形，其余斑纹长方形。

采集记录：1♂，长安滦镇分水岭，2210m，2010.Ⅶ.27，张宇军采；1♂，蓝田王顺山，1880m，2010.Ⅶ.31，房丽君采；1♂，周至厚畛子，1280m，2009.Ⅵ.12，杨伟采；1♂，户县朱雀森林公园，2100m，2012.Ⅶ.12，房丽君采；1♂，太白黄柏塬，1780m，2010.Ⅷ.07，房丽君采；2♂1♀，凤县通天河，2300m，2012.Ⅶ.22，房丽君采；1♂，留坝庙台子，2004.Ⅷ.03，房丽君采；1♂，宁陕火地塘，1700m，2010.Ⅷ.28，房丽君采。

分布：陕西（长安、蓝田、周至、户县、太白、凤县、留坝、宁陕）、河南、宁夏、甘肃、湖北、四川、西藏。

89. 链眼蝶属 *Lopinga* Moore，1893

Lopinga Moore，1893：11. **Type species**：*Pararge dumetorum* Oberthür，1886.
Crebeta Moore，1893：11. **Type species**：*Hipparchia deidamia* Eversmann，1851.
Polyargia Verity，1957：436. **Type species**：*Papilio achine* Scopoli，1763.

属征：翅脉特征与带眼蝶属 *Chonala* 相似。中室长度超过前翅长度的1/2；中室端脉中段内凹，有短回脉。雄性外生殖器：背兜近三角形；钩突短于背兜，基部鹅冠状突起，末端尖；颚突剑状；阳茎中部微向上弯，有刺突；抱器狭长，近三角形。

分布：古北区。全世界记载6种，中国已知3种，秦岭地区记录1种。

（264）黄环链眼蝶 *Lopinga achine*（Scopoli，1763）

Papilio achine Scopoli，1763：156.

Lopinga achine：Tuzov, 1997：186.

鉴别特征：翅棕褐色。两翅外缘线 2 条；亚缘区色浅；亚缘眼斑列黑色；眼斑前翅有 5 个，后翅 6 个；中横带近"V"形，灰白色。前翅中室条斑灰白色。后翅基横带时有消失。

采集记录：1♂，长安大峪，1470m，2010.Ⅷ.07，彭涛采；1♂，周至厚畛子，1330m，2010.Ⅶ.12，房丽君采；1♂，户县涝峪，1380m，2010.Ⅶ.06，房丽君采；2♂，宝鸡大水川，1960m，2012.Ⅵ.24，房丽君采；7♂2♀，太白咀头，1650m，2014.Ⅵ.16，房丽君采；2♂，宁陕火地塘，1620m，2009.Ⅵ.21，房丽君采；1♂，柞水牛背梁森林公园，1820m，2012.Ⅵ.13，张宇军采。

分布：陕西（长安、周至、户县、宝鸡、太白、宁陕、柞水）、黑龙江、吉林、辽宁、河南、青海、宁夏、甘肃、湖北；朝鲜，日本。

寄主：黑麦草属 *Lolium* spp.（Gramineae）、小麦属 *Triticum* spp.、冰草属 *Agropyron* spp.、苔草属 *Carex* spp.（Cyperaceae）。

90. 毛眼蝶属 *Lasiommata* Westwood, 1841

Lasiommata Westwood, 1841：65. **Type species**：*Papilio megera* Linnaeus, 1767.

Amecera Butler, 1867：162. **Type species**：*Papilio megera* Linnaeus, 1767.

属征：和链眼蝶属 *Lopinga* 翅脉近似。前翅 Sc 脉基部囊状膨大；中室后缘脉基部略膨大，不明显；2A 脉基部粗壮；中室约为翅长的 1/2；Sc 脉长于中室；R_1 和 R_2 脉由中室前缘分出；M_3 脉基部微弧形弯曲。后翅肩脉短，向外侧伸出，与 $Sc + R_1$ 脉间夹角极小；M_3 脉弱弧形弯曲。雄性外生殖器：背兜近三角形；钩突短于背兜；颚突短于钩突；囊突直，与颚突等长；抱器近三角形，末端尖；阳茎细长。

分布：古北区，非洲区。全世界记载 13 种，中国已知 5 种，秦岭地区记录 1 种。

(265) 斗毛眼蝶 *Lasiommata deidamia*（Eversmann, 1851）（图版 56：3-4）

Hipparchia deidamia Eversmann, 1851：617.

Lasiommata deidamia：Chou, 1994：360.

Lopinga deidamia：Tuzov, 1997：187.

鉴别特征：翅正面棕褐色；反面灰棕色；外缘及亚外缘线灰白色。前翅亚顶区有 1 个黑褐色圆形眼斑，瞳点白色，外眶淡黄色；外中区有 2 条短斜带，淡黄色；臀区有 1 个白色小斑纹；雄蝶中室后侧具 1 个黑灰色性标，模糊。后翅亚缘眼斑列眼斑圆形，外侧有灰白色线纹相伴；外中带灰白色，近"V"形。

采集记录： 1♂，长安鸭池口，650m，2008.Ⅷ.23，房丽君采；1♂，蓝田蓝桥，1000m，2011.Ⅵ.01，房丽君采；1♂，周至黑河水库，730m，2011.Ⅴ.15，房丽君采；1♂，华县少华山，1250m，2013.Ⅶ.18，张宇军采；4♂2♀，商州二龙山，800m，2013.Ⅷ.22，房丽君采；2♂，山阳银花，860m，2010.Ⅷ.09，房丽君采；1♂，丹凤庾岭，1150m，2014.Ⅸ.05，房丽君采。

分布： 陕西（长安、蓝田、周至、华县、商州、山阳、丹凤）、黑龙江、吉林、辽宁、北京、河北、山西、河南、青海、宁夏、甘肃、山东、湖北、福建、四川；朝鲜、日本。

寄主： 鹅冠草 *Roegneria kamoji*（Gramineae）、野青茅 *Deyeuxia arundinacea*、拂子茅属 *Calamagrostis* spp.、偃麦草属 *Elytrigia* spp.。

91. 多眼蝶属 *Kirinia* Moore, 1893

Kirinia Moore, 1893：14. **Type species**：*Lasiommata epimenides* Ménétriès, 1859.

属征： 前翅基半部散布有黑色发香鳞；Sc 脉基部极膨大，中室后缘脉、2A 脉基部略膨大；R_1 和 R_2 脉由中室前缘分出；中室端脉一段凹入，中室内具 1 条短回脉。后翅肩脉短，弯向外侧；$Sc+R_1$ 脉末端远离顶角；M_3 脉基部强度弯曲；内缘无性标，cu_2 室内具 1 条游离伪脉。雄性外生殖器：背兜发达，与钩突连接处有凹陷；钩突粗直；颚突小；囊突长；抱器狭长，有小齿；阳茎短，末端尖。

分布： 古北区，东洋区。全世界记载 6 种，中国已知 1 种，秦岭地区有记录。

(266) 多眼蝶 *Kirinia epaminondas*（Staudinger, 1887）

Pararge epimenides epaminondas Staudinger, 1887：150.
Kirinia epaminondas：Chou, 1994：360.

鉴别特征： 翅棕褐色；外缘及亚外缘线细；两翅翅面布满黑褐色网纹，并与翅脉交错排列。前翅亚顶区有 3~4 个斑纹，中间镶有 1 个黑色眼斑。后翅亚缘眼斑列黑色，眼斑有黑色和黄色 2 个圈纹；rs 室眼斑大。

采集记录： 1♂，长安白石峪，1000m，2008.Ⅷ.24，房丽君采；1♂，周至楼观台，810m，2010.Ⅸ.13，彭涛采；1♂，户县涝峪，1200m，2009.Ⅵ.06，房丽君采；2♂，宝鸡尖山，1120m，2013.Ⅴ.29，房丽君采；1♂，太白黄柏塬，1350m，2011.Ⅷ.26，程帅采；1♂，丹凤北赵川，990m，2014.Ⅸ.05，房丽君采。

分布： 陕西（长安、周至、户县、宝鸡、太白、丹凤）、黑龙江、辽宁、北京、河北、山西、河南、甘肃、山东、湖北、浙江、江西、福建、四川；朝鲜。

寄主： 早熟禾 *Poa annua*（Gramineae）、细叶早熟禾 *P. angustifolia*、马唐 *Digitaria sanguinalis*、冰草 *Agropyron cristatum*、莎草 *Cyperus rotundus*（Cyperaceae）。

Ⅱ. 眉眼蝶亚族 Mycalesina

中型偏小的种类。黑色、黑褐色或黄褐色。两翅反面有淡色的外横线及亚缘眼斑列。前翅 1~3 条脉基部囊状膨大。后翅 M_1 脉与 Rs 脉分支点接近；M_3 脉弱弧形弯曲。雄蝶前翅后缘基部略弧形突出。

92. 眉眼蝶属 *Mycalesis* Hübner，1818

Mycalesis Hübner，1818：17. **Type species**：*Papilio francisca* Stoll，1780.

Dasyomma C. & R. Felder，1860：401. **Type species**：*Dasyomma fuscum* C. & R. Felder，1860.

Culapa Moore，1878：825. **Type species**：*Mycalesis mnasicles* Hewitson，1864.

Calysisme Moore，[1880]：20. **Type species**：*Papilio drusia* Cramer，1775.

Dalapa Moore，1880：158. **Type species**：*Mycalesis sudra* C. & R. Felder，1867.

Gareris Moore，1880：156. **Type species**：*Mycalesis sanatana* Moore，1858.

Pachama Moore，1880：165. **Type species**：*Mycalesis mestra* Hewitson，1862.

Sadarga Moore，1880：157. **Type species**：*Mycalesis gotama* Moore，1857.

Myrtilus de Nicéville，1891：341. **Type species**：*Mycalesis mystes* de Nicéville，1891.

Samundra Moore，1891：162. **Type species**：*Mycalesis anaxioides* Marshall *et* de Nicéville，1883.

Hamadryopsis Oberthür，1894：17. **Type species**：*Hamadryopsis drusillodes* Oberthür，1894.

Bigaena van Eecke，1915：66. **Type species**：*Bigaena pumilio* van Eecke，1915.

属征：两翅中室闭式，约为翅长的 1/2。前翅 Sc 脉、中室后缘脉及 2A 脉基部囊状膨大；R_1 和 R_2 脉由中室前缘分出；Sc 脉长于中室；中室端脉下段凹入。后翅肩脉较长；Sc + R_1 脉短，略长于中室；M_3 与 Cu_1 脉共柄，柄极短；M_3 脉强弯。雄蝶后翅正面中室上方有毛撮，与前翅反面后缘的毛撮区相贴合。有明显的季节型，旱季型前翅正面眼斑较大，反面颜色变淡。雄性外生殖器：背兜近四边形；钩突狭，末端尖；颚突细长且弯曲，长于钩突，末端尖；囊突粗壮；抱器牛角状；阳茎细长，末端上弯。

分布：古北区，东洋区，澳洲区。全世界记载 90 种，中国已知 12 种，秦岭地区记录 3 种。

分种检索表

1. 前翅正面只 cu_1 室有 1 个大眼斑，近顶角无眼斑 ·····························小眉眼蝶 *M. mineus*
   前翅正面除 cu_1 室大眼斑外，近顶角有小眼斑 ·· 2
2. 雄蝶前翅后缘有黑色性标；后翅前缘性标为白色 ·····················拟稻眉眼蝶 *M. francisca*
   无上述性标 ··稻眉眼蝶 *M. gotama*

（267）小眉眼蝶 *Mycalesis mineus*（**Linnaeus，1758**）

Papilio mineus Linnaeus，1758：471.

Papilio drusia Cramer，[1775]：132.

Mycalesis mineus：D'Abrera，1985：458.

鉴别特征：翅棕褐色；外缘及亚外缘线灰白色；乳白色外横带贯穿两翅。前翅亚缘区 cu_1 室黑色眼斑圆形；反面亚顶区有 1 个较小的眼斑。后翅亚缘眼斑列有大小不等的 7 个眼斑。雄蝶前翅反面 2A 脉上有性斑，后翅反面中室上部有黄灰色长毛撮。本种有春、夏型之分，春型翅反面斑纹消失，仅留少数小点；夏型黑色眼斑清晰。

分布：陕西（秦岭）、浙江、湖北、江西、福建、台湾、广东、海南、广西、四川、云南；缅甸，印度，尼泊尔，马来西亚，印度尼西亚，伊朗。

寄主：刚莠竹 *Microstegium ciliatum*（Gramineae）、金丝草 *Pogonatherum crinitum*、棕叶芦 *Thysanolaena maxima*、水稻 *Oryza sativa*。

（268）稻眉眼蝶 *Mycalesis gotama* **Moore，1857**（图版 56：5-8）

Mycalesis gotama Moore，1857：232.

鉴别特征：翅棕色；反面色稍淡；外缘线较亚外缘线平滑，褐色；外横带贯穿两翅，灰白色。前翅正面亚缘有 2 个黑色眼斑，上小下大；反面小眼斑上下各有相连的 1 个更小眼斑。后翅反面亚缘眼斑列有 6~7 个黑色眼斑，其中 cu_1 室眼斑最大，正面眼斑多消失或模糊。雄蝶后翅基部近前缘处有 1 簇黄白色长毛。夏型斑纹多而清晰，春型有些斑纹不明显或消失。

采集记录：2♂1♀，长安白石峪，870m，2008.Ⅷ.24，房丽君采；2♂，周至楼观台，730m，2011.Ⅶ.30，房丽君采；1♂，宝鸡尖山，1080m，2013.Ⅴ.29，房丽君采；2♂，佛坪东岳，900m，2011.Ⅵ.05，房丽君采；2♂，洋县青石垭，900m，2011.Ⅵ.04，房丽君采；1♂1♀，宁陕火地塘，1550m，2010.Ⅷ.28，房丽君采；1♂，汉阴铁佛寺，600m，2011.Ⅴ.27，房丽君采；1♂，略阳接官亭，960m，2014.Ⅵ.01，房丽君采；2♂，山阳中村，820m，2010.Ⅸ.13，房丽君采；1♂，丹凤龙驹寨，1010m，2014.Ⅸ.05，房丽君采。

分布：陕西（长安、周至、宝鸡、佛坪、洋县、宁陕、汉阴、略阳、山阳、丹凤）、辽宁、河南、甘肃、江苏、安徽、浙江、湖北、江西、湖南、福建、台湾、广东、海南、广西、四川、贵州、云南、西藏；朝鲜，日本，越南。

寄主：芒 *Miscanthus sinensis*（Gramineae）、五节芒 *M. floridulus*、棕叶狗尾草 *Setaria palmifolia*、柳占箬 *Isachne globosa*、水稻 *Oryza sativa* 及苔草属 *Carex* spp.（Cyperaceae）。

(269)拟稻眉眼蝶 *Mycalesis francisca*（Stoll，[1780]）（图版 56：9-10）

Papilio francisca Stoll，[1780]：75.

Mycalesis sanatana gomia Fruhstorfer, 1908：146.

Mycalesis francisca：D'Abrera, 1985：452.

鉴别特征：与稻眉眼蝶 *M. gotama* 相似，主要区别为：本种雄蝶前翅正面后缘中部有 1 个黑色性标；后翅前缘近基部的性标为白色长毛束。两翅反面外横带紫灰色，外横带至翅外缘多密生紫灰色鳞。

采集记录：1♂，长安翠华山，1750m，2006.Ⅴ.14，房丽君采；2♂1♀，蓝田汤峪，1080m，2008.Ⅶ.20，房丽君采；2♂，周至黑河森林公园，1100m，2013.Ⅵ.16，房丽君采；1♂，户县紫阁峪，900m，2010.Ⅴ.27，房丽君采；1♂，太白县黄柏塬，1350m，2010.Ⅵ.15，房丽君采；1♂，华县杏林乡石堤峪，850m，2011.Ⅴ.08，房丽君采；1♂，留坝红岩沟，970m，2012.Ⅵ.23，张宇军采；1♂，洋县两河口，500m，2010.Ⅹ.17，房丽君采；1♂，宁陕广货街，1350m，2010.Ⅴ.04，房丽君采；1♂，石泉红卫乡，1480m，2011.Ⅴ.26，房丽君采；2♂，汉阴凤凰山，1000m，2011.Ⅴ.28，房丽君采；1♂，略阳硖口驿，950m，2014.Ⅵ.02，房丽君采；1♂，镇安黑窑沟，570m，2010.Ⅴ.21，房丽君采；1♂2♀，商南上苍坊森林公园，840m，2014.Ⅸ.06，房丽君采。

分布：陕西（长安、蓝田、周至、户县、太白、华县、留坝、洋县、宁陕、石泉、汉阴、略阳、镇安、商南）、河南、浙江、江西、福建、海南、广东、台湾、广西、云南、四川；朝鲜，日本等。

寄主：白茅 *Imperata cylindrica*（Gramineae）、芒 *Miscanthus sinensis*、棕叶狗尾草 *Setaria palmifolia*、求米草 *Oplismenus undulatifolius*。

Ⅲ. 帻眼蝶亚族 Zetherina

大型或中型种类。复眼光滑无毛；翅上无明显的眼斑；前翅脉纹基部不膨大。

分属检索表

翅面白色区域面积大；后翅外缘平滑 ·················· **粉眼蝶属 *Callarge***

翅面黑褐色区域面积大；后翅外缘波形 ·················· **斑眼蝶属 *Penthema***

93. 斑眼蝶属 *Penthema* Doubleday，[1848]

Penthema Doubleday，[1848]：pl. 39, f. 3. **Type species**：*Diadema lisarda* Doubleday, 1845.

Paraplesia C. & R. Felder, 1862：26. **Type species**：*Paraplesia adelma* C. & R. Felder, 1862.

Isodema C. & R. Felder, 1863：109. **Type species**：*Paraplesia adelma* C. & R. Felder, 1862.

属征：大型种类，拟似斑蝶科，有的种类有紫色闪光；翅面无眼斑。前翅 Sc 脉基部无明显膨大；中室约为翅长的 2/5；R_1 和 R_2 脉由中室前缘分出。后翅肩脉短；$Sc + R_1$ 脉末端接近顶角；M_3 脉基部强弯；Cu_1 脉由中室下端角接近 M_3 脉基部处分出。雄性外生殖器：背兜近三角形；钩突与背兜约等长；颚突短于钩突，锥状；囊突短；抱器刀片状，背缘中部具角状突起，末端尖；阳茎粗短。

分布：古北区，东洋区。全世界记载 5 种，中国已知 3 种，秦岭地区记录 1 种。

(270) 白斑眼蝶 *Penthema adelma*（C. & R. Felder, 1862）（图版 57：1-2）

Paraplesia adelma C. & R. Felder, 1862：26.

Isodema adelma var. *latifasciata* Lathy, 1903：12.

Penthema adelma：Chou, 1994：368.

鉴别特征：大型眼蝶。翅黑色或黑褐色；斑纹乳白色。前翅亚外缘及亚缘各有 1 列小斑纹；中斜斑列宽，端半部斜斑外移，后半部 1 排 3 个长块斑；中室端斑条形，边缘弯曲。后翅亚外缘斑列斑纹上大下小；反面外缘带棕黄色；外横斑列点状；中横斑列模糊或消失。

采集记录：1♂，华阴华阳川林场，1400m，2011.Ⅴ.07，房丽君采；2♂，留坝红岩沟，1200m，2012.Ⅵ.23，张宇军采；2♂，洋县华阳，1200m，2012.Ⅵ.27，张宇军采；1♂，宁陕旬阳坝，1440m，2010.Ⅶ.30，房丽君采；2♂，山阳中村，780m，2010.Ⅶ.25，房丽君采；1♂，商南过凤楼，420m，2014.Ⅵ.22，房丽君采。

分布：陕西（华阴、留坝、洋县、宁陕、山阳、商南）、甘肃、安徽、浙江、湖北、江西、湖南、福建、台湾、广西、四川。

寄主：绿竹 *Sinocalamus oldhami*（Gramineae）、凤凰竹 *Bambusa multiplex*、毛竹 *Phyllostachys pubescens*。

94. 粉眼蝶属 *Callarge* Leech, 1892

Callarge Leech, 1892：57. **Type species**：*Zethera sagitta* Leech, 1890.

属征：较大型种类。斑纹多白色；后翅亚缘区有箭状纹和"V"形纹。两翅无眼斑；脉纹同斑眼蝶属 *Penthema*。前翅 Sc 脉基部不膨大；Sc 脉明显长于中室；R_1 脉由中室前缘分出；R_2 脉自中室前缘近顶点处分出。后翅肩脉短，末端弯向翅基部；$Sc + R_1$ 脉末端接近顶角；M_3 脉基部强弯；cu_2 和 2a 室内各具 1 条游离伪脉。雄性外生殖器：背兜近四边形；钩突长于背兜；颚突尖锥状；囊突短；阳茎直；抱器刀状，上弯，末端斜截，斜截部分背缘呈不规则锯齿形。

分布：古北区，东洋区。全世界记载 1 种，中国特有种，秦岭地区有记录。

(271) 粉眼蝶 *Callarge sagitta*（Leech，1890）（图版 57：3-4）

Zethera sagitta Leech，1890：26.

Callarge sagitta：Chou，1994：371.

鉴别特征：翅正面黑色；反面淡黄绿色；斑纹乳白色；两翅中室外侧放射状排列数条长短不一的条斑。前翅亚缘斑列斑纹箭头状；中室乳白色，有 2 条长线纹和 1 条黑色横条斑。后翅端部具 2 列相互套叠的斑纹；中室白色。

采集记录：1♂1♀，长安滦镇鸡窝子，1600m，2010.Ⅶ.19，房丽君采；3♂，周至厚畛子，1260m，2010.Ⅴ.30，房丽君采；1♂1♀，太白县黄柏塬，1350m，2010.Ⅵ.15，房丽君采；2♂，凤县通天河，1260m，2012.Ⅴ.25，房丽君采；1♂，佛坪凉风垭，1700m，2014.Ⅵ.07，房丽君采；1♂，宁陕火地塘，1620m，2009.Ⅵ.21，房丽君采；3♂2♀，石泉红卫乡，1530m，2011.Ⅴ.26，房丽君采；1♂，柞水营盘，1800m，2010.Ⅵ.14，彭涛采。

分布：陕西（长安、周至、太白、凤县、佛坪、宁陕、石泉、柞水）、河南、甘肃、湖北、江西、重庆、四川、云南。

（三）眼蝶族 Satyrini

中小型种类。眼无毛；两翅外缘无角突或尾突；中室均闭式。前翅 1～3 条翅脉基部囊状膨大。

分亚族检索表

1. 无色斑和眼斑；前翅脉纹不加粗或膨大 ………………………………… 绢眼蝶亚族 **Davidinina**
   有色斑及眼斑；前翅有 1～3 条脉纹基部加粗或膨大 ……………………………………………… 2
2. 前翅只 Sc 脉基部加粗或膨大 …………………………………………………………………………… 3
   前翅有 2 条以上脉纹基部加粗或膨大 …………………………… 珍眼蝶亚族 **Coenonymphina**
3. 前翅眼斑退化，斑纹黑白相间；后翅有眼斑 ……………………… 白眼蝶亚族 **Melanargiina**
   斑纹不如上述 …………………………………………………………………………………………………… 4
4. 前翅亚顶区眼斑单瞳 ………………………………………………………… 眼蝶亚族 **Satyrina**
   前翅亚顶区眼斑双瞳，或有几个眼斑聚在一起 …………………………………………………… 5
5. 两翅亚缘区有橙红色斑带，斑带内多镶有眼斑列或无眼斑，或翅面红褐色，无斑 …………

･･ 红眼蝶亚族 **Erebiina**

两翅斑纹不如上述･･････････････････････････････････ 古眼蝶亚族 **Palaeonymphina**

Ⅰ. 绢眼蝶亚族 Davidinina

中型种类。白色；脉纹黑色；无眼斑。前翅脉纹不加粗。

95. 绢眼蝶属 *Davidina* Oberthür，1879

Davidina Oberthür，1879：19. **Type species**：*Davidina armandi* Oberthür，1879.

Leechia Röber，[1907]：43. **Type species**：*Davidina alticola* Röber，[1907].

属征：白色中型种类；外形与粉蝶科绢粉蝶属 *Aporia* 的种类相似。两翅中室内有"Y"形纹；cu_2 室中部具 1 条褐色伪脉。前翅脉纹基部不加粗；Sc 脉约为翅长的 2/3；R_1 脉由中室前缘近顶角处分出；R_2-R_5 脉共柄；中室长度超过前翅长度的 1/2。后翅肩脉短；Sc + R_1 脉不达顶角，与中室约等长。雄性外生殖器：背兜发达；钩突短于背兜，末端尖；颚突尖锥状，明显短于钩突；囊突短直；抱器狭，三角形；阳茎细长。

分布：中国。全世界记载 1 种，中国特有种，秦岭地区有记录。

(272)绢眼蝶 *Davidina armandi* Oberthür，1879(图版 57：5-6)

Davidina armandi Oberthür，1879：19，108.

鉴别特征：翅白色；无眼斑；中室内"Y"形纹黑褐色；外缘区浅褐色；各翅室端部有 1 条黑色短线纹。

采集记录：2♂2♀，周至厚畛子，1280m，2014. Ⅵ.08，房丽君采；1♂，户县涝峪，1450m，2013. Ⅴ.12，房丽君采；1♂，华阴华阳杨峪河，1400m，2011. Ⅴ.07，房丽君采；1♂，佛坪长角坝，1000m，2011. Ⅴ.06，房丽君采；1♂，镇安结子乡，1100m，2011. Ⅳ.30，房丽君采；1♂，商南县金丝峡，820m，2006. Ⅴ.14，房丽君采。

分布：陕西(周至、户县、华阴、佛坪、镇安、商南)、辽宁、北京、山西、河南、甘肃、湖北、四川、西藏。

寄主：羊胡子草 *Carex rigescens*(Cyperaceae)。

Ⅱ. 白眼蝶亚族 Melanargiina

翅色黑白相间。前翅 Sc 脉基部膨大。后翅亚缘区有眼斑列。

96. 白眼蝶属 *Melanargia* Meigen, 1828

Melanargia Meigen, 1828: 97. **Type species**: *Papilio galathea* Linnaeus, 1758.

Agapetes Billberg, 1820: 78. **Type species**: *Papilio galathea* Linnaeus, 1758.

Ledargia Houlbert, 1922: 157, 162. **Type species**: *Arge yunnana* Oberthür, 1891.

Epimede Houlbert, 1922: 132, 142, 160. **Type species**: *Halimede menetriesi* Oberthür *et* Houlbert, 1922.

Argeformia Verity, 1953: 47, 49. **Type species**: *Papilio arge* Sulzer, 1776.

属征：白色大中型种类。翅脉及斑纹黑色或褐色，M_3 脉基部微弧形。前翅 Sc 脉基部囊状膨大，长于中室；中室内具短回脉；R_1 和 R_2 脉由中室前缘分出。后翅肩脉向外侧强弯；$Sc + R_1$ 脉与中室约等长，不达顶角。雄性外生殖器：背兜近三角形；钩突短于背兜，端部钩状；颚突象牙状；囊突粗短；抱器近三角形，端部具成簇的齿状突；阳茎很长，端圆。

分布：古北区，非洲区。全世界记载 24 种，中国已知 9 种，秦岭地区记录 7 种。

分种检索表

1. 翅面暗色区域占翅面的 1/2 以上；中室 1/2 以上暗色 ·· 2
   翅面暗色区域占翅面的 1/2 以下；中室大部分白色 ·· 3
2. 后翅反面中室端下方有 1 条细横线 ·························· 黑纱白眼蝶 *M. lugens*
   后翅反面中室端下方无细横线 ························· 曼丽白眼蝶 *M. meridionalis*
3. 大型种类，后翅正面亚缘区无黑色带纹 ··················· 山地白眼蝶 *M. montana*
   中型种类，后翅正面有黑色带纹 ·· 4
4. 前翅中斜带中部未断开 ·· 5
   前翅中斜带中部断开 ··· 6
5. 翅黑色斑纹退化；后翅亚缘带端部断开，并远离 ·············· 甘藏白眼蝶 *M. ganymedes*
   翅黑色斑纹发达；后翅亚缘带端部错位断开，但相邻，未远离 ·········· 白眼蝶 *M. halimede*
6. 前翅前缘区基半部黑色 ································· 华北白眼蝶 *M. epimede*
   前翅前缘区基半部白色 ································· 亚洲白眼蝶 *M. asiatica*

(273) 白眼蝶 *Melanargia halimede* (**Ménétriès, 1859**) (图版 57: 7-8)

Arge halimede Ménétriès, 1859: 216.

Halimede menetriesi Oberthür *et* Houlbert, 1922: 707.

Melanargia halimede: Tuzov, 1997: 191.

鉴别特征：翅白色或乳黄色；翅脉黑色或黑褐色。前翅顶角区、外缘区及后缘区黑色或黑褐色；顶角区有 3~4 个斑纹；中斜斑列曲波形。后翅有 2 条外缘线。亚缘带外缘锯齿状，镶有模糊不清的眼斑列，于 m_1 室错位内移；中室端上角有小圈纹，下部有细线纹。

采集记录：2♂1♀，长安抱龙峪，700m，2008.Ⅵ.21，房丽君采；2♂，蓝田九间房，1200m，2013.Ⅵ.23，房丽君采；1♂，周至楼观台，850m，2010.Ⅶ.21，房丽君采；1♂，太白塘口，2650m，2013.Ⅷ.10，房丽君采；1♂，宁陕火地塘，1680m，2008.Ⅷ.31，房丽君采。

分布：陕西（长安、蓝田、周至、太白、宁陕）、黑龙江、吉林、辽宁、山东、山西、河南、甘肃、宁夏、青海、湖北、四川；蒙古，俄罗斯，韩国。

寄主：拂子茅 *Calamagrostis epigeios*（Gramineae）、亚大苔草 *Carex brownii*（Cyperaceae）。

（274）甘藏白眼蝶 *Melanargia ganymedes* Rühl，1895

Melanargia ganymedes Rühl，1895：804.

鉴别特征：与白眼蝶 *M. halimede* 近似，主要区别为：本种两翅白色区域面积大；外缘线清晰。前翅中斜带位于 cu_1 室的带纹细。后翅亚缘带端部断开，相距远，带内眼斑清晰。

采集记录：1♂，太白黄柏塬，1360m，2010.Ⅵ.18，张宇军采。

分布：陕西（太白）、黑龙江、甘肃、新疆、四川、云南、西藏。

（275）黑纱白眼蝶 *Melanargia lugens* Honrath，1888（图版58：1-4）

Melanargia helimede var. *lugens* Honrath，1888：161.
Melanargia lugens：Chou，1994：379.

鉴别特征：与白眼蝶 *M. halimede* 近似，主要区别为：本种翅面黑色区域面积大。前翅中室及 cu_2 室大部分、2a 室全部为黑褐色。后翅亚缘带与外缘带融合为宽的黑褐色区域；中室及其前侧部分散布有褐色鳞片；反面前缘 2 个黑色眼斑清晰。

采集记录：2♂1♀，长安饮马池，900m，2008.Ⅶ.12，房丽君采；2♂，蓝田九间房，1200m，2013.Ⅵ.23，房丽君采；1♂，周至厚畛子，1380m，2010.Ⅶ.11，房丽君采；1♂，户县朱雀森林公园，1800m，2009.Ⅷ.06，杨伟采；5♂2♀，太白咀头，1650m，2013.Ⅷ.04，房丽君采；1♂，宁陕火地塘，1800m，2010.Ⅶ.07，房丽君采；2♂1♀，商州黑龙口，1550m，2013.Ⅵ.27，房丽君采。

分布：陕西（长安、蓝田、周至、户县、太白、宁陕、商州）、黑龙江、吉林、辽宁、北京、甘肃、宁夏。

寄主：水稻 *Oryza sativa*（Gramineae）。

(276) 亚洲白眼蝶 *Melanargia asiatica* (**Oberthür** *et* **Houlbert, 1922**) (图版58：5-8)

Halimede asiatica Oberthür *et* Houlbert, 1922：192.
Melanargia asiatica：Chou, 1994：379.

鉴别特征：与白眼蝶 *M. halimede* 近似，主要区别为：本种前翅中斜带在 cu_2 室断开。后翅亚缘带端部断开，两段相距远，带内眼斑列清晰。

采集记录：1♂，长安黄峪沟，760m，2008. Ⅵ. 01，房丽君采；1♂，眉县蒿坪寺，1230m，2011. Ⅷ. 10，张辰生采；1♂，太白二郎坝，1050m，2011. Ⅷ. 10，程帅采；1♂，宁陕火地塘，1680m，2008. Ⅷ. 31，房丽君采。

分布：陕西(长安、眉县、太白、宁陕)、吉林、河南、甘肃、四川、云南。

(277) 曼丽白眼蝶 *Melanargia meridionalis* **C. & R. Felder, 1862** (图版58：9-10)

Melanargia halimedes var. *meridionalis* C. &. R. Felder, 1862：29.
Melanargia meridionalis：Chou, 1994：379.

鉴别特征：与黑纱白眼蝶 *M. lugens* 相似，主要区别为：本种翅色偏黄，深色区域面积更大。后翅反面中室端下方有细横线，上方细横线有 2 条。

采集记录：1♂，长安饮马池，1900m，2008. Ⅶ. 12，房丽君采；1♂，周至厚畛子，1480m，2010. Ⅶ. 11，房丽君采；1♂，户县朱雀森林公园，2200m，2012. Ⅶ. 12，房丽君采；1♂，宝鸡潘溪，1220m，2013. Ⅷ. 03，房丽君采；1♂1♀，太白闲云岭森林公园，1750m，2013. Ⅷ. 03，房丽君采；2♂，华阴华阳川林场，1350m，2011. Ⅴ. 07，房丽君采；2♂，留坝红岩沟，970m，2012. Ⅵ. 23，张宇军采；1♂，佛坪凉风垭，1680m，2013. Ⅶ. 30，房丽君采；1♂，洋县华阳，1200m，2012. Ⅵ. 27，张宇军采；1♂，宁陕广货街，1220m，2010. Ⅶ. 07，房丽君采。

分布：陕西(长安、周至、户县、宝鸡、太白、华阴、留坝、佛坪、洋县、宁陕)、河南、甘肃、浙江。

寄主：禾本科 Gramineae 植物。

(278) 山地白眼蝶 *Melanargia montana* **Leech, 1890**

Melanargia halimede var. *montana* Leech, 1890：26.
Melanargia montana：Chou, 1994：380

鉴别特征：翅白色，个体较大。前翅外缘及亚外缘线褐色；中斜带在 cu_2 室断开；后缘区黑褐色。后翅亚外缘线锯齿形；反面亚缘区仅有褐色眼斑列，在 m_2 室断开并内移；中室端部上方有线纹；cu_2 室具 1 条游离伪脉。

采集记录：1♀，留坝青桥铺，2004.Ⅶ.19，许家珠采。

分布：陕西（留坝）、甘肃、湖北、四川。

(279) 华北白眼蝶 *Melanargia epimede* Staudinger，1887

Melanargia epimede Staudinger，1887：147.

Melanargia meridionalis var. *epimede* Staudinger，1892：196.

鉴别特征：与白眼蝶 *M. halimede* 近似，主要区别为：本种前翅前缘基半部黑褐色。后翅反面亚缘有 6 个完整眼斑。

采集记录：1♂，长安抱龙峪，650m，2008.Ⅵ.21，房丽君采；1♂1♀，周至厚畛子，820m，2011.Ⅵ.28，房丽君采；1♂，太白黄柏塬，1560m，2012.Ⅵ.20，房丽君采；1♂，佛坪龙草坪，1250m，2013.Ⅶ.31，张宇军采。

分布：陕西（长安、周至、太白、佛坪）、黑龙江、吉林、辽宁、河北。

寄主：华北翦股颖 *Agrostis clavata*（Gramineae）。

Ⅲ. 眼蝶亚族 Satyrina

大中型种类。翅黄褐色至黑褐色。前翅有 2 个眼斑和 2 条基部膨大或加粗的脉纹（通常 Sc 脉基部膨大，Cu 脉基部加粗）；R_1 脉独立。后翅 $Sc + R_1$ 脉短，多未达顶角；反面密布细波纹。

分属检索表

1. 有贯穿两翅的横斑带 ·· 2
   无贯穿两翅的横斑带 ·· 蛇眼蝶属 *Minois*
2. 前翅正面横斑带"Y"形 ·· 林眼蝶属 *Aulocera*
   前翅正面横斑带非"Y"形 ·· 3
3. 前翅中室内具短回脉 ·· 寿眼蝶属 *Pseudochazara*
   前翅中室内无回脉 ·· 仁眼蝶属 *Hipparchia*

97. 蛇眼蝶属 *Minois* Hübner，[1819]

Minois Hübner，[1819]：57. **Type species**：*Papilio phaedra* Linnaeus，1764.

属征：从眼蝶属 *Satyrus* 中分出，大中型种类。翅褐色，有黑色眼斑，瞳点紫灰色。前翅 Sc 脉基部囊状膨大；中室约为翅长的 1/2，短于 Sc 脉；R_1 和 R_2 脉由中室前缘分出；中室端脉前段深凹，无回脉。后翅肩脉向外强弯；$Sc + R_1$ 脉约与中室等长；Rs 与 M_1 脉分出点接近。雄性外生殖器：背兜发达，近梯形；钩突末端尖；颚突发达；囊突短；抱器狭长，末端具齿状突；阳茎极细长。

分布：古北区，东洋区。全世界记载 4 种，中国已知 4 种，秦岭地区记录 1 种。

(280) 蛇眼蝶 *Minois dryas*（**Scopoli, 1763**）（图版 59：1-4）

Papilio dryas Scopoli, 1763：153.

Papilio phaedra Linnaeus, 1764：280.

Satyrus dryas var. *siberica*：Staudinger, 1871：29.

Minois dryas：Chou, 1994：382.

鉴别特征：翅黑褐色或棕褐色；亚外缘带黑色；外中区 m_1 和 cu_1 室各有 1 个黑色圆形眼斑，瞳点紫灰色，眼斑多前小后大。后翅外缘锯齿形；亚缘区眼斑列时有模糊，cu_1 室小眼斑清晰，瞳点紫灰色；反面密布褐色细波纹；外横带灰白色，曲波形。

采集记录：1♂1♀，长安抱龙峪，650m，2008.Ⅵ.21，房丽君采；2♂，蓝田汤峪，950m，2010.Ⅶ.31，房丽君采；1♂，周至厚畛子，1480m，2010.Ⅶ.13，房丽君采；1♂，户县朱雀森林公园，1800m，2009.Ⅷ.09，高可采；1♂，太白二郎坝，1040m，2011.Ⅷ.24，张辰生采；2♂，华县杏林乡石堤峪，980m，2011.Ⅶ.11，房丽君采；1♂，佛坪岳坝，1200m，2012.Ⅶ.01，房丽君采；3♂1♀，宁陕旬阳坝，1480m，2010.Ⅶ.29，房丽君采；3♂，柞水营盘，1500m，2009.Ⅸ.05，房丽君采；1♂，镇安结子乡，780m，2010.Ⅸ.04，房丽君采；2♂1♀，商州二龙山水库，900m，2013.Ⅶ.06，房丽君采；2♂，山阳青岭沟，800m，2014.Ⅵ.24，房丽君采；2♂，丹凤商山公园，760m，2013.Ⅷ.12，房丽君采。

分布：陕西（长安、蓝田、周至、户县、太白、华县、佛坪、宁陕、柞水、镇安、商州、山阳、丹凤）、黑龙江、吉林、辽宁、河北、北京、山西、河南、甘肃、宁夏、新疆、山东、浙江、江西、福建；俄罗斯，朝鲜，日本，欧洲。

寄主：水稻 *Oryza sativa*（Gramineae）、芒 *Miscanthus sinensis*、早熟禾 *Poa annua*、结缕草 *Zoysia japonica*、燕麦草 *Arrhenatherum elatius*。

98. 林眼蝶属 *Aulocera* Butler, 1867

Aulocera Butler, 1867：121. **Type species**：*Satyrus brahminus* Blanchard, 1853.

属征：大中型种类。翅黑褐色，有贯穿两翅的白色横斑带。前翅 Sc 脉基部囊状膨大；中室后缘脉、2A 脉基部粗壮，无明显膨大；中室端脉前段凹入，具短回脉；中室长于翅长的 1/2；R_1 和 R_2 脉由中室前缘分出；M_3 脉平直。后翅肩脉短，二分叉；中室不及翅长的 1/2；$Sc + R_1$ 脉长于中室，未达顶角；M_3 脉微弧形弯曲。雄性外生殖器：背兜发达；钩突短于背兜；颚突末端平截，有细齿突；囊突粗短；阳茎微弯；抱器刀片状，端部二分裂，背瓣末端背缘有细齿突。

　　分布：古北区，东洋区。全世界记载 14 种，中国已知 7 种，秦岭地区记录 2 种。

分种检索表

前翅反面中室有白色长眉纹 ……………………………………………… **细眉林眼蝶 A. merlina**
前翅反面中室有白色横线纹 ……………………………………………… **小型林眼蝶 A. sybillina**

(281) 小型林眼蝶 *Aulocera sybillina*（Oberthür，1890）

Satyrus sybillina Oberthür, 1890：40.
Aulocera sybillina：Chou, 1994：388.

　　鉴别特征：翅黑褐色；反面色稍淡；斑纹白色。前翅外横斑列"Y"形；反面前缘区、顶角区及中室有白色和褐色细横纹。后翅外缘锯齿形；中横带端部内弯；反面密布棕褐色和白色细纹；前缘亚基区有 1 个白色斑纹。

　　采集记录：1♂，略阳。

　　分布：陕西(略阳)、青海、云南、西藏。

　　寄主：禾本科 Gramineae 植物。

(282) 细眉林眼蝶 *Aulocera merlina*（Oberthür，1890）

Satyrus merlina Oberthür, 1890：40.
Aulocera merlina：Chou, 1994：388.

　　鉴别特征：与小型林眼蝶 A. sybillina 近似，主要区别为：本种前翅外横斑列斑纹大；反面中室有长眉纹。后翅反面中横带"V"形。

　　采集记录：1♂，宁陕。

　　分布：陕西(宁陕)、四川、云南。

　　寄主：禾本科 Gramineae 植物。

99. 寿眼蝶属 *Pseudochazara* de Lesse，1951

Pseudochazara de Lesse, 1951：42. **Type species**：*Hipparchia pelopea* Klug, 1832.

　　属征：中型种类。翅黄褐色。前翅有 2 个大眼斑。后翅反面密布深色细波纹。前翅 Sc 脉、中室后缘脉基部囊状膨大；Sc 脉略长于中室；R_1 和 R_2 脉由中室前缘分出；M_1 脉基部接近 R_5 脉；中室具短回脉。后翅肩脉短，强弯。雄性外生殖器：背兜近三角形；钩突略长于背兜；颚突锥状，短于钩突；囊突粗短；阳茎中部略弯；抱器刀片状，前端具突起，末端钝。

　　分布：古北区，非洲区。全世界记载 33 种，中国已知 2 种，秦岭地区记录 1 种。

（283）寿眼蝶 *Pseudochazara hippolyte*（Esper, 1783）

Papilio hippolyte Esper, 1783：164.

Pseudochazara hippolyte：Tuzov, 1997：253.

　　鉴别特征：翅黄褐色；反面淡褐色。前翅外缘区、基部和中部覆盖黑色鳞片；前缘区密布黑色细线纹；亚外缘区至亚缘区有橙黄色宽带，带内 m_1 和 cu_1 室各有 1 个黑褐色圆形眼斑。后翅亚缘带橙黄色，弧形弯曲；cu_1 室内有 1 个黑褐色圆形小斑；反面密布棕褐色麻点、黑褐色条纹和细波纹；中横带曲波形。

　　分布：陕西（秦岭）、辽宁、河北、内蒙古、宁夏、新疆。

100．仁眼蝶属 *Hipparchia* Fabricius, 1807

Hipparchia Fabricius, 1807：281. **Type species**：*Papilio hermione* Linnaeus, 1764.

Eumenis Hübner，[1819]：58. **Type species**：*Papilio autonoe* Esper, 1783.

Nytha Billberg, 1820：77. **Type species**：*Papilio hermione* Linnaeus, 1764.

Neohipparchia de Lesse, 1951：40. **Type species**：*Papilio statilinus* Hufnagel, 1766.

　　属征：外形及翅脉近似寿眼蝶属 *Pseudochazara*。前翅 Sc 脉膨大不明显，中室后缘脉膨大较明显；R_1 和 R_2 脉由中室前缘分出；Sc 脉稍长于中室；M_3 脉平直。后翅肩脉短，端部略向外弯曲；M_3 脉略弯曲。雄性外生殖器：背兜近梯形，较短；钩突长于背兜；颚突短，末端尖；囊突粗短；阳茎微上弯；抱器狭长，端部斜截。雌性外生殖器：囊导管膜质；交配囊片成对，宽带状。

　　分布：古北区，非洲区。全世界记载 21 种，中国已知 1 种，秦岭地区有记录。

（284）仁眼蝶 *Hipparchia autonoe*（Esper, 1783）

Papilio autonoe Esper, 1783：167.

Hipparchia autonoe：Tuzov, 1997：240.

　　鉴别特征：翅黑褐色至棕褐色；亚外缘线黑色。前翅亚缘带淡黄色，带内 m_1 和

cu_1 室各有 1 个黑色圆形眼斑，瞳点白色或消失；反面中室端部和中部各有 1 个黑色条斑。后翅亚缘 cu_1 室内有 1 个黑色圆形眼斑；中横带白色，外侧边界模糊，内侧波形弯曲；反面密被褐色、白色相间的细纹；脉纹清晰，灰白色；cu_2 室有 1 条灰白色游离伪脉；中横带黑白两色，曲波状；中横带至基部黑褐色。

分布：陕西(秦岭)、黑龙江、山西、河北、甘肃、青海、新疆；俄罗斯。

Ⅳ. 红眼蝶亚族 Erebiina

中小型种类。多黑褐色。两翅亚缘有橙红色斑带，带上有眼斑；亚顶区有 1 个双瞳眼斑，或 2 个眼斑愈合在一起。前翅 Sc 脉基部膨大。

101. 红眼蝶属 *Erebia* Dalman，1816

Erebia Dalman，1816：58. **Type species**：*Papilio ligea* Linnaeus，1758.

Syngea Hübner，[1819]：62. **Type species**：*Papilio pronoe* Esper，1780.

Phorcis Hübner，[1819]：62. **Type species**：*Phorcis epistygne* Hübner，[1819].

Triariia Verity，1953：186. **Type species**：*Papilio triarius* Prunner，1798.

Medusia Verity，1953：179. **Type species**：*Papilio medusa* Denis *et* Schiffermüller，1775.

属征：两翅亚缘斑带橙红色，镶有成列的眼斑；M_3 脉略弯曲。前翅 Sc 脉基部膨大，长于中室；中室约为翅长的 1/2；R_1 和 R_2 脉由中室前缘分出；M_1 脉与 R_3 至 R_5 脉均从中室上端角同点分出。后翅肩脉短，向外弯曲；$Sc + R_1$ 脉与中室等长，不达顶角。雄性外生殖器：背兜近三角形；钩突端部尖；颚突短，尖锥状；囊突粗短；抱器刀片状，前缘斜，抱器端锥状；阳茎中等长。

分布：古北区，新北区。全世界记载 95 种，中国已知 6 种，秦岭地区记录 1 种。

(285) 红眼蝶 *Erebia alcmena* Grum-Grshimailo，1891

Erebia alcmena Grum-Grshimailo，1891：457.

鉴别特征：翅正面黑褐色；反面黄褐色。前翅亚外缘带橙黄色，中间缢缩或断开，带内有 3~4 个眼斑，端部 2 个相连。后翅亚缘带弧形，橙黄色，镶有 4 个黑色眼斑。

采集记录：1♂1♀，长安东佛沟，2400m，2009. Ⅷ. 15，房丽君采；1♂，蓝田汤峪，880m，2010. Ⅶ. 31，房丽君采；2♂，周至厚畛子，1330m，2013. Ⅷ. 30，房丽君采；1♂，户县朱雀森林公园，1800m，2009. Ⅷ. 09，杨伟采；2♂1♀，太白鳌山，2680m，2013. Ⅷ. 10，房丽君采；2♂1♀，宁陕火地塘，1620m，2010. Ⅷ. 28，房丽君采；1♂，镇安锡铜沟，850m，2010. Ⅹ. 02，房丽君采；3♂，商州黑龙口，1050m，

2011. Ⅵ.01, 房丽君采; 2♂, 山阳银花, 850m, 2013. Ⅸ.20, 房丽君采; 1♂, 丹凤界岭, 1360m, 2013. Ⅷ.13, 张宇军采。

分布: 陕西(长安、蓝田、周至、户县、太白、宁陕、镇安、商州、山阳、丹凤)、黑龙江、河南、宁夏、甘肃、浙江、四川、西藏。

寄主: 白颖苔草 *Carex rigescens*(Cyperaceae)等植物。

Ⅴ. 古眼蝶亚族 Palaeonymphina

大中型或小型种类。翅棕褐色、红褐色或黑褐色; 眼斑数目较少, 通常前翅只有1个大的双瞳眼斑(酒眼蝶属 *Oeneis* 例外)。后翅眼斑有或无。前翅 Sc 脉基部膨大。

分属检索表

1. 前翅有2个单瞳眼斑 ·· 酒眼蝶属 *Oeneis*
   前翅有1个双瞳眼斑 ·· 2
2. 后翅反面无褐色或白色细波纹 ·· 古眼蝶属 *Palaeonympha*
   后翅反面密布褐色或白色细波纹 ··· 3
3. 前翅亚顶区眼斑较小, 外环黄色 ··· 矍眼蝶属 *Ypthima*
   前翅亚顶区眼斑较大, 外环橙红色 ··· 4
4. 前翅反面多棕褐色; 后翅 Sc + R$_1$ 脉长于后翅长度的 1/2 ············· 艳眼蝶属 *Callerebia*
   前翅反面多橙红色; 后翅 Sc + R$_1$ 脉等于后翅长度的 1/2 ············· 舜眼蝶属 *Loxerebia*

102. 古眼蝶属 *Palaeonympha* Butler, 1871

Palaeonympha Butler, 1871: 401. **Type species**: *Palaeonympha opalina* Butler, 1871.

属征: 中型棕褐色种类。两翅眼斑少。前翅 Sc 脉基部囊状膨大, 中室后缘脉基部略膨大; R$_1$ 脉由中室前缘分出; R$_2$-R$_5$ 脉共柄; M$_3$ 脉与 M$_2$ 脉基本平行。后翅肩脉短, 外弯; 中室长于翅长的 1/2; Sc + R$_1$ 脉短于中室; 3A 脉短。雄性外生殖器: 背兜发达, 近椭圆形; 钩突剑状; 颚突细长; 囊突细; 抱器狭, 基部阔, 末端斜截, 有小锯齿; 阳茎细, 端半部膨大。雌性外生殖器: 交配囊片不发达, 骨化弱, 密生刺突。

分布: 古北区, 东洋区。全世界记载1种, 为中国特有种, 秦岭地区有记录。

(286) 古眼蝶 *Palaeonympha opalina* Butler, 1871(图版 59: 5-6)

Palaeonympha opalina Butler, 1871: 401.

鉴别特征：翅棕黄色；外缘线及亚外缘线褐色；外横线及基横线贯通两翅；外缘带棕褐色；亚缘带色淡。前翅亚缘带端部有 1 个黑色眼斑。后翅亚缘带镶有眼斑列，但中部眼斑多消失。

采集记录：1♂，周至板房子，1500m，2013. Ⅵ. 15，房丽君采；1♂，户县涝峪，1260m，2009. Ⅵ. 06，房丽君采；1♂，眉县蒿坪寺，1140m，2011. Ⅵ. 25，房丽君采；1♂，太白黄柏塬，1350m，2010. Ⅵ. 15，房丽君采；2♂，佛坪东岳，880m，2011. Ⅵ. 05，房丽君采；1♂，洋县华阳，1040m，2011. Ⅵ. 04，房丽君采；1♂，宁陕广货街，1220m，2010. Ⅶ. 07，房丽君采；1♂，石泉云雾山，1530m，2011. Ⅴ. 26，房丽君采；3♂，汉阴凤凰山，1000m，2011. Ⅴ. 28，房丽君采；1♂1♀，略阳接官亭，960m，2014. Ⅵ. 01，房丽君采；1♂，柞水牛背梁森林公园，1200m，2012. Ⅵ. 13，张宇军采；2♂，山阳银花，900m，2010. Ⅵ. 01，房丽君采。

分布：陕西（周至、户县、眉县、太白、佛坪、洋县、宁陕、石泉、汉阴、略阳、柞水、山阳）、河南、甘肃、浙江、湖北、江西、台湾、四川、云南。

寄主：淡竹叶 *Lophatherum gracile*（Gramineae）、芒 *Miscanthus sinensis*、求米草 *Oplismenus undulatifolius*。

103. 矍眼蝶属 *Ypthima* Hübner，1818

Ypthima Hübner，1818：17. **Type species**：*Ypthima huebneri* Kirby，1871.

Xois Hewitson，1865：282. **Type species**：*Xois sesara* Hewitson，1865.

Thymipa Moore，1893：57，58. **Type species**：*Papilio baldus* Fabricius，1775.

Nadiria Moore，1893：57，85. **Type species**：*Ypthima bolanica* Marshall，1882.

Shania Evans，1912：564. **Type species**：*Ypthima megalia* de Nicéville，1897.

属征：中小型种类。翅棕褐色至黑褐色。前翅亚顶区有 1 个双瞳的大眼斑；Sc 脉、中室后缘脉基部囊状膨大或加粗，2A 脉基部略膨大；中室略长于翅长的 1/2，Sc 脉长于中室；R_2-R_5 脉共柄，柄较长；M_3 脉弧形弯曲。后翅肩脉短；中室约为翅长的 2/3；Sc + R_1 脉长；M_3 脉短，微弯曲。雄性外生殖器：背兜近三角形；钩突狭；无颚突；囊突短；抱器基部阔，端部狭长或二分裂；阳茎直或弯曲。

分布：古北区，东洋区，非洲区，澳洲区。全世界记载 147 种，中国已知 38 种，秦岭地区记录 13 种。

分种检索表

（287）矍眼蝶 *Ypthima baldus*（Fabricius, 1775）（图版 59：7-10）

Papilio baldus Fabricius, 1775：829.

Ypthima argus Butler, 1866：56.

Ypthima baldus：Chou, 1994：390

鉴别特征：翅黑褐色或褐色；反面密布灰白色细纹；外缘带色深。前翅亚顶区中部眼斑大，双瞳。后翅正面亚缘区 m_3 和 cu_1 室各有 1 个眼斑；反面亚缘眼斑列 6 个眼斑两两结合，分成 3 组。

采集记录：2♂1♀，长安抱龙峪，600m，2008. Ⅵ. 21，房丽君采；1♂，蓝田汤峪，880m，2010. Ⅶ.31，房丽君采；2♂，周至厚畛子，1440m，2010. Ⅶ.13，房丽君采；2♂，户县紫阁峪，900m，2010. Ⅴ.27，房丽君采；2♂，宝鸡尖山，1100m，2013. Ⅴ.29，房丽君采；1♂，凤县灵官峡，1000m，2012. Ⅴ.26，房丽君采；3♂，眉县蒿坪寺，1250m，2010. Ⅷ.10，房丽君采；1♂，太白桃川，1050m，2011. Ⅵ.11，房丽君采；2♂，华阴华阳川林场，1350m，2011. Ⅴ.07，房丽君采；1♂，留坝紫柏山，1520m，2012. Ⅵ.22，张宇军采；2♂，佛坪东岳，960m，2011. Ⅴ.06，房丽君采；2♂，洋县华阳石塔河，1040m，2011. Ⅵ.04，房丽君采；1♂，安康香溪洞，380m，2008. Ⅴ.11，房

丽君采；1♂，宁陕火地塘，1620m，2009. Ⅵ. 21，房丽君采；2♂2♀，石泉云雾山，1530m，2011. Ⅴ. 26，房丽君采；2♂，紫阳擂鼓台，1600m，2011. Ⅴ. 28，房丽君采；1♂，汉阴凤凰山，1000m，2011. Ⅴ. 28，房丽君采；4♂2♀，商州麻街镇，850m，2011. Ⅵ. 01，房丽君采；1♂，山阳银花，620m，2010. Ⅵ. 10，房丽君采；1♂，丹凤土门，840m，2010. Ⅷ. 16，房丽君采。

分布：陕西（长安、蓝田、周至、户县、宝鸡、凤县、眉县、太白、华阴、留坝、佛坪、洋县、安康、宁陕、石泉、紫阳、汉阴、商州、山阳、丹凤），中国广布。

寄主：刚莠竹 *Microstegium ciliatum*（Gramineae）、金丝草 *Pogonatherum crinitinum*、早熟禾 *Poa annua*、稗草 *Echinochloa crusgalli*。

（288）卓矍眼蝶 *Ypthima zodia* Butler，1871

Yphthima［sic！］zodia Butler，1871：402.

Ypthima zodia：Chou，1994：391.

鉴别特征：与矍眼蝶 *Y. baldus* 极近似，主要区别：为本种前翅亚顶区双瞳眼斑较大。后翅反面眼斑较退化。

采集记录：2♂2♀，长安白石峪，870m，2008. Ⅷ. 24，房丽君采；1♂，太白咀头，1680m，2012. Ⅵ. 24，房丽君采；1♂1♀，凤县唐藏镇，1120m，2012. Ⅴ. 25，房丽君采；2♂，佛坪东岳，880m，2011. Ⅴ. 06，房丽君采；1♂，洋县华阳，1120m，2011. Ⅵ. 04，房丽君采；1♂，商州板桥，1190m，2013. Ⅶ. 06，张宇军采。

分布：陕西（长安、太白、凤县、佛坪、洋县、商州）、河南、甘肃、浙江、江西、台湾、广西、四川、云南。

寄主：结缕草 *Zoysia japonica*（Gramineae）等。

（289）幽矍眼蝶 *Ypthima conjuncta* Leech，1891（图版60：1-2）

Ypthima conjuncta Leech，1891：66.

鉴别特征：翅棕褐色；反面密布灰白色和褐色细纹；外缘带深褐色；亚缘淡色区近三角形。前翅亚顶区中部眼斑大，双瞳。后翅眼斑列5个眼斑，端部2个错位内移，臀角眼斑双瞳。

采集记录：1♂1♀，周至厚畛子，1300m，2009. Ⅶ. 15，高可采；1♂，太白桃川，1270m，2011. Ⅶ. 16，程帅采；1♂，佛坪观音山保护区，1600m，2013. Ⅶ. 30，张宇军采；1♂，洋县金水石桥，600m，2011. Ⅵ. 05，房丽君采；1♂，柞水营盘牛背梁保护区，1420m，2013. Ⅶ. 15，张宇军采；1♂，镇安结子乡，850m，2011. Ⅵ. 19，房丽君采；1♂，山阳中村，680m，2010. Ⅶ. 25，房丽君采；1♂，丹凤土门，550m，2010. Ⅷ. 16，房丽君采。

分布：陕西（周至、太白、佛坪、洋县、柞水、镇安、山阳、丹凤）、河南、浙江、湖北、江西、湖南、福建、广东、海南、广西、四川、贵州、云南。

寄主：禾本科 Gramineae 植物。

(290) 魔女矍眼蝶 *Ypthima medusa* Leech，[1892]

Ypthima medusa Leech，[1892]：84.

鉴别特征：翅棕褐色；反面密布白色和褐色细波纹。前翅亚顶区中部眼斑大，有2 个青蓝色瞳点；亚缘区色淡。后翅正面外中域端部有 1 个黑色小眼斑；反面亚缘眼斑列端部 2 个眼斑错位内移，后半部 3 个眼斑呈直线排列，在此亚缘眼斑列上部眼斑外侧与下部眼斑内侧间有 1 条灰白色波纹密集带。

采集记录：1♂，眉县蒿坪寺，1360m，2011.Ⅷ.11，张辰生采；2♂，太白二郎坝，1080m，2011.Ⅷ.24，张辰生采。

分布：陕西（眉县、太白）、安徽、湖北、贵州、广西、四川、云南。

(291) 连斑矍眼蝶 *Ypthima sakra* Moore，1857

Yphthima [sic!] *sakra* Moore，1857：236.
Ypthima sakra：Elwes & Edwards，1893：40.

鉴别特征：与幽矍眼蝶 *Y. conjuncta* 近似，主要区别为：本种翅反面波纹较均匀。后翅正面可见眼斑仅 2 个；反面亚缘眼斑列端部 2 个眼斑的黄色眶纹相互愈合。

采集记录：1♂，周至楼观台，700m，2011.Ⅵ.29，房丽君采；1♂，商南清油河，890m，2014.Ⅸ.06，房丽君采。

分布：陕西（周至、商南）、云南；印度，不丹，尼泊尔。

(292) 大波矍眼蝶 *Ypthima tappana* Matsumura，1909

Ypthima tappana Matsumura，1909：92.

鉴别特征：翅褐色；反面密布灰白色细纹。前翅亚顶区中部眼斑黑色，双瞳。后翅亚缘眼斑 4 个，1 个位于亚缘区近前缘处，在翅正面较模糊，其余 3 个位于亚缘区后半部，其中前 2 个大，近臀角 1 个小，双瞳。

分布：陕西（南郑）、河南、湖北、江西、台湾、四川、云南。

寄主：竹叶青 *Oplismenus* spp. 等禾本科植物。

(293) 前雾矍眼蝶 *Ypthima praenubila* Leech, 1891（图版 60：3-4）

Ypthima praenubila Leech, 1891：66.

鉴别特征：与大波矍眼蝶 *Y. tappana* 近似，主要区别为：本种个体较大。后翅反面第 1 个眼斑比第 2 个眼斑大。

采集记录：1♂，周至楼观台，930m，2010. Ⅶ. 21，张宇军采；1♂，太白县黄柏塬，1390m，2012. Ⅵ. 18，张宇军采。

分布：陕西（周至、太白）、浙江、福建、台湾、广东、海南、香港、广西、四川。

(294) 完璧矍眼蝶 *Ypthima perfecta* Leech, 1892

Ypthima motschulskyi var. *perfecta* Leech, 1892：88.
Ypthima perfecta：Elwes & Edwards, 1893：19.

鉴别特征：翅正面黑褐色；反面棕褐色；两翅密布白色和褐色细波纹。前翅亚顶区中部眼斑大，有 2 个青蓝色瞳点；反面眼斑所在处为三角形灰白色波纹密集区。后翅正面前缘区 cu_1 室有 1 个黑色眼斑；臀区有大小 2 个眼斑；反面有 1 条白色宽带，从顶角过第 1 个眼斑外侧，穿过第 1 和第 2 个眼斑之间到达后缘；翅端部有 3 个眼斑，近前缘 1 个眼斑大，臀角区的眼斑小，双瞳。

采集记录：1♂，洋县长青自然保护区，2001. Ⅳ-Ⅷ，邢连喜、袁朝辉采。

分布：陕西（洋县）、湖北、江西、湖南、福建、台湾、云南。

寄主：芒 *Miscanthus sinensis*（Gramineae）、高山芒 *M. transmorrisonensis*、求米草 *Oplismenus undulatifolius*。

(295) 东亚矍眼蝶 *Ypthima motschulskyi* (**Bremer** *et* **Grey**, 1853)（图版 60：5-6）

Satyrus motschulskyi Bremer et Grey, 1853：8.
Ypthima motschulskyi：Elwes & Edwards, 1893：16.
Ypthima akragas var. *takamukuana* Matsumura, 1919：526.
Ypthima motschulskyi ab. *yoshisakai* Murayama, 1961：57.

鉴别特征：翅棕褐色；反面密布灰白色和褐色细纹；外缘带黑褐色。前翅亚顶区中部眼斑大，双瞳。后翅正面 cu_1 室有 1 个眼斑；反面亚缘区有 3 个眼斑，近前缘的眼斑大，臀角区眼斑双瞳。

采集记录：1♂，长安黄峪沟，900m，2008. Ⅶ. 27，房丽君采；1♂2♀，周至楼观台，850m，2010. Ⅶ. 27，彭涛采；2♂，户县甘峪，2012. Ⅵ. 14，房丽君采；1♂，眉县汤峪，800m，2012. Ⅶ. 27，房丽君采；1♂1♀，太白桃川，1400m，2011. Ⅶ. 17，张辰

生采；1♂，留坝庙台子，2004. Ⅷ. 03，房丽君采；2♂，洋县茅坪，780m，2011. Ⅵ. 04，房丽君采；1♂，略阳五龙洞，1020m，2014. Ⅵ. 02，房丽君采；3♂，宁陕广货街，1220m，2010. Ⅶ. 07，房丽君采；2♂，石泉云雾山，900m，2011. Ⅵ. 04，房丽君采；2♂1♀，汉阴凤凰山，1000m，2011. Ⅴ. 28，房丽君采；2♂2♀，镇安结子乡，578m，2010. Ⅸ. 04，房丽君采；1♂，商州夜村，650m，2013. Ⅶ. 12，张宇军采；2♂，山阳中村，700m，2013. Ⅶ. 26，房丽君采；3♂，丹凤马炉村，780m，2013. Ⅷ. 20，房丽君采；2♂，商南清油河，890m，2014. Ⅸ. 06，房丽君采。

分布：陕西（长安、周至、户县、眉县、太白、留坝、洋县、略阳、宁陕、石泉、华阴、镇安、商州、山阳、丹凤、商南）、黑龙江、吉林、辽宁、浙江、湖北、江西、湖南、广东、海南、贵州；朝鲜，澳大利亚等。

寄主：稻 *Oryza sativa*（Gramineae）、马唐 *Digitaria sanguinalis* 等植物。

(296) 中华矍眼蝶 *Ypthima chinensis* Leech，1892

Ypthima newara var. *chinensis* Leech，1892：89.
Ypthima chinensis：Forster，[1948]：477.

鉴别特征：与东亚矍眼蝶 *Y. motschulskyi* 近似，主要区别为：本种两翅反面波纹细而均匀；无黑褐色外缘带。后翅正面近臀角有2个眼斑。

采集记录：2♂，长安白石峪，800m，2008. Ⅶ. 26，房丽君采；1♂，周至楼观台，860m，2010. Ⅵ. 04，房丽君采；1♂，户县太平峪，900m，2009. Ⅶ. 25，房丽君采；1♂，眉县蒿坪寺，1420m，2011. Ⅵ. 25，张辰生采；1♂，佛坪岳坝保护站，1240m，2013. Ⅶ. 27，张宇军采；1♂，洋县华阳，1200m，2012. Ⅵ. 27，张宇军采；1♂，略阳碳口驿，930m，2014. Ⅵ. 02，房丽君采；1♂，宁陕广货街，1230m，2010. Ⅶ. 07，房丽君采；2♂，山阳中村，700m，2010. Ⅹ. 05，房丽君采；4♂2♀，商南梁家湾，500m，2014. Ⅵ. 23，房丽君采。

分布：陕西（长安、周至、户县、眉县、佛坪、洋县、略阳、宁陕、山阳、商南）、河南、山东、浙江、湖北、福建、广西。

(297) 小矍眼蝶 *Ypthima nareda*（Kollar，[1844]）

Satyrus nareda Kollar，[1844]：451.
Ypthima nareda：Elwes & Edwards，1893：20.

鉴别特征：与东亚矍眼蝶 *Y. motschulskyi* 近似，主要区别为：本种体型较小，翅展仅达35mm。

采集记录：1♂，镇安结子乡，680m，2010. Ⅸ. 04，房丽君采。

分布：陕西（周至、太白、镇安）、安徽、江苏、湖南、四川、云南；缅甸，印度，尼泊尔，克什米尔地区。

　　寄主：禾本科 Gramineae 植物。

(298) 密纹矍眼蝶 *Ypthima multistriata* Butler，1883（图版 60：7-8）

　　Ypthima multistriata Butler，1883：50.

　　Ypthima arcuata Matsumura，1919：699.

　　鉴别特征：与完璧矍眼蝶 *Y. perfecta* 近似，主要区别为：后翅反面端部白色波纹密集区近"X"形。

　　采集记录：1♂，太白黄柏塬，1390m，2012. Ⅵ. 18，张宇军采；1♂，佛坪岳坝，1200m，2012. Ⅶ. 01，张宇军采；1♂，镇安结子乡，680m，2010. Ⅸ. 04，房丽君采。

　　分布：陕西（太白、佛坪、镇安）、安徽、江西、台湾。

　　寄主：两耳草 *Paspalum conjugatum*（Gramineae）、柳叶箬 *Isachne globosa*、棕叶狗尾草 *Setaria palmifolia*。

(299) 乱云矍眼蝶 *Ypthima megalomma* Butler，1874（图版 60：9-10）

　　Ypthima megalomma Butler，1874：236.

　　鉴别特征：翅褐色。前翅亚顶区中部有 1 个长圆形大眼斑，双瞳，瞳点蓝色。后翅正面亚缘 cu_1 室有 1 个黑色圆形眼斑；反面亚缘区有灰白色宽横带，带的两侧为不规则的褐色云状斑驳纹。

　　采集记录：1♂，长安大峪，850m，2011. Ⅳ. 24，彭涛采；2♂，周至厚畛子，1300m，2014. Ⅶ. 12，房丽君采；1♂，太白县黄柏塬，1700m，2012. Ⅵ. 29，张宇军采；1♂，华县杏林乡石堤峪，950m，2011. Ⅴ. 08，房丽君采；1♂1♀，柞水营盘花石家沟，1080m，2014. Ⅳ. 29，房丽君采；1♂，商州二龙山，800m，2014. Ⅴ. 16，房丽君采。

　　分布：陕西（长安、周至、太白、华县、柞水、商州）、辽宁、河北、河南、甘肃、浙江、江西、四川。

　　寄主：禾本科 Gramineae 植物。

104. 艳眼蝶属 *Callerebia* Butler，1867

　　Callerebia Butler，1867：217. **Type species：***Erebia scanda* Kollar，1844.

　　属征：大中型种类。前翅亚顶区有 1 个双瞳大眼斑，外眶橙红色。后翅眼斑多退化；反面密布细波纹。两翅 M_3 脉略弯曲。前翅 Sc 脉基部囊状膨大，比中室稍长；中室后缘脉基部粗壮；R_1 和 R_2 脉由中室前缘脉分出。后翅肩脉向外侧弯曲；$Sc + R_1$ 脉长，接近顶角；Cu_1 脉分支点远离 M_3 脉。雄性外生殖器：背兜近三角形；钩突长；颚突与背兜等长；囊突短；抱器背缘中部突起尖锐，密生刺突，抱器端狭；阳茎短。

分布：古北区，东洋区。全世界记载 22 种，中国已知 5 种，秦岭地区记录 2 种。

分种检索表

后翅反面亚缘白色细波纹密集区狭，呈长条形 ························· 大艳眼蝶 *C. suroia*
后翅反面亚缘白色细波纹密集区宽，呈不规则形 ····················· 混同艳眼蝶 *C. confusa*

(300) 大艳眼蝶 *Callerebia suroia* Tytler, 1914

Callerebia suroia Tytler, 1914: 218.

鉴别特征：翅正面黑褐色；反面褐色；外缘区颜色稍浅。前翅顶角有 1 个大型黑色眼斑，双瞳，瞳点紫灰色，外眶宽，橙黄色，多有拖尾；反面眼斑外围多有黑褐色"U"形纹。后翅正面亚缘 cu_1 室有 1 个黑色圆形小眼斑；臀角区眼斑多消失；反面密被灰白色及棕褐色细波纹；亚缘带由灰白色鳞片组成。

分布：陕西（南郑）、甘肃、浙江、湖北、江西、四川、贵州、云南。

(301) 混同艳眼蝶 *Callerebia confusa* Watkins, 1925

Callerebia confusa Watkins, 1925: 235.

鉴别特征：与大艳眼蝶 *C. suroia* 近似，主要区别为：本种体型较小。前翅亚顶区眼斑的橙色外眶窄，近圆形，边缘较清晰。后翅反面白色亚缘带宽。

分布：陕西（太白、留坝）、宁夏、浙江、湖北、江西、湖南、福建、四川。

寄主：稻 *Oryza sativa*（Gramineae）、茭白 *Zizania latifolia*。

105. 舜眼蝶属 *Loxerebia* Watkins, 1925

Loxerebia Watkins, 1925: 237. **Type species**: *Callerebia pratorum* Oberthür, 1886.

Hemadara Moore, 1893: 106. **Type species**: *Yphthima* [sic!] *narasingha* Moore, 1857.

属征：中型种类。近似艳眼蝶属 *Callerebia*。两翅反面橙红色或红褐色。前翅 Sc 脉基部囊状膨大，Sc 脉长于中室；R_1 和 R_2 脉由中室前缘脉分出；M_3 脉微弧形。后翅肩脉短，弯向外侧；$Sc + R_1$ 脉长，接近顶角；M_3 脉短，基部微弯。雄性外生殖器：钩突长；颚突与背兜等长；囊突粗短；阳茎粗壮，强弯；抱器近多边形，末端斜截。

　　分布：古北区，东洋区。全世界记载 18 种，中国已知 16 种，秦岭地区记录 2 种。

分种检索表

个体小；后翅眼斑退化；前翅眼斑橙色圈纹窄，不显著 ………………… **白瞳舜眼蝶 *L. saxicola***

个体大；后翅有大眼斑；前翅眼斑橙色圈纹宽，清晰 ………………… **草原舜眼蝶 *L. pratorum***

（302）草原舜眼蝶 *Loxerebia pratorum*（Oberthür，1886）

Callerebia pratorum Oberthür，1886：25.

Loxerebia pratorum：Chou，1994：400.

　　鉴别特征：翅正面黑褐色；反面橙红色。前翅亚顶区中部大眼斑黑色，双瞳，倾斜，瞳点白色；外眶橙红色，多有拖尾；反面外缘区及顶角区覆有灰白色鳞片。后翅正面亚缘区 cu_1 室有 1 个黑褐色小眼斑，白瞳，橙黄色眶外缘模糊；反面密布灰白色与褐色相间的波状细纹；顶角区密被灰白色鳞片；亚缘区 cu_1 室小斑白色；外横带白色，近"V"形。雄蝶翅中部具灰黑色性标斑。

　　采集记录：1♂2♀，长安石砭峪，1300m，2011.Ⅵ.08，张宇军采。

　　分布：陕西（长安）、甘肃、四川、西藏。

（303）白瞳舜眼蝶 *Loxerebia saxicola*（Oberthür，1876）（图版60：11-12）

Erebia saxicola Oberthür，1876：32.

Loxerebia saxicola：Chou，1994：399.

　　鉴别特征：翅正面黑褐色；反面红褐色。前翅亚顶区中部有 1 个黑色双瞳大眼斑，外眶浅褐色，倾斜。后翅正面无斑；反面密布灰白色细点和褐色细纹；亚缘区多有白色斑驳纹。

　　采集记录：1♂1♀，长安翠华山，1800m，2006.Ⅴ.14，房丽君采；2♂，周至板房子，1500m，2013.Ⅷ.14，房丽君采；1♂，太白县黄柏塬，1590m，2011.Ⅷ.27，张辰生采；1♂，佛坪观音山自然保护区，1620m，2014.Ⅵ.07，房丽君采；2♂，宁陕火地塘，1900m，2009.Ⅷ.30，房丽君采；1♂，柞水营盘，1750m，2009.Ⅸ.05，房丽君采；2♂，山阳银花，950m，2009.Ⅹ.03，房丽君采；1♂，丹凤庚岭，980m，2014.Ⅸ.05，房丽君采。

　　分布：陕西（长安、周至、太白、佛坪、宁陕、柞水、山阳、丹凤）、辽宁、北京、河南、甘肃、湖北、广东、四川、云南、西藏。

106. 酒眼蝶属 *Oeneis* Hübner，[1819]

Oeneis Hübner，[1819]：58. **Type species**：*Papilio norna* Thunberg, 1791.

属征：小型种类。前翅亚缘有 2 个眼斑。后翅反面有云纹斑。两翅 M_3 脉平直。前翅 Sc 脉基部囊壮膨大；中室后缘脉粗壮；中室稍长于翅长的 1/2；Sc 脉长于中室；R_1 脉由中室前缘脉分出；R_2-R_5 脉共柄。后翅肩脉短，粗壮；Sc + R_1 脉与中室等长；Rs 脉与 M_1 脉分出点接近。雄性外生殖器：背兜近三角形；钩突末端钝；颚突短，尖锥状；囊突粗短；阳茎直，细长，明显长于抱器，有齿突；抱器刀片状，抱器端近半圆形。

分布：古北区。全世界记载 44 种，中国已知 12 种，秦岭地区记录 1 种。

(304) 菩萨酒眼蝶 *Oeneis buddha* Grum-Grshimailo，1891

Oeneis buddha Grum-Grshimailo，1891：458.

鉴别特征：翅暗黄色；反面色稍淡。前翅外缘区有褐色和白色细纹；亚顶区中部有 1 个黑褐色小眼斑；反面外横线及中室条纹褐色；亚缘眼斑列斑纹较小。后翅正面亚外缘线和外横线褐色；反面脉纹清晰，密布云纹斑；外缘斑列黄褐色；亚外缘斑列褐色；中横带宽，黄褐色，两侧镶有黑褐色带纹。

分布：陕西(太白)、黑龙江、辽宁、四川、西藏；印度。

VI. 珍眼蝶亚族 Coenonymphina

眼无毛。前翅 Sc 脉和 Cu 脉基部膨大，有的 2A 脉基部亦膨大。

分属检索表

前翅 Sc 脉、Cu 脉及 2A 脉基部膨大 ························· 珍眼蝶属 *Coenonympha*
前翅 Sc 脉及 Cu 脉基部膨大；2A 脉基部只加粗，不膨大 ·········· 阿芬眼蝶属 *Aphantopus*

107. 珍眼蝶属 *Coenonympha* Hübner，[1819]

Coenonympha Hübner，[1819]：65. **Type species**：*Papilio geticus* Esper, 1794.
Chortobius Dunning *et* Pickard，1858：5. **Type species**：*Papilio pamphilus* Linnaeus, 1758.
Sicca Verity，1953：83. **Type species**：*Papilio dorus* Esper, 1782.

属征: 小型种类。翅正面橙黄色至黑褐色；反面多橙黄色。少数红褐色。前翅 Sc 脉、Cu_1 脉及 2A 脉基部囊状膨大；中室端脉凹入，具短回脉；中室约为翅长的 1/2；R_1 脉由中室前缘分出；R_2-R_5 脉共柄，Sc 脉明显长于中室，不达顶角。后翅肩脉极短；中室约为翅长的 1/2；$Sc + R_1$ 脉短于中室。发香鳞通常分布在前翅的正面。雄性外生殖器：侧面观背兜较短；钩突约为背兜长度的 2 倍；颚突长于背兜，短于钩突，末端尖；囊突短；抱器狭长；阳茎短。

分布: 古北区，新北区，非洲区。全世界记载 40 种，中国已知 11 种，秦岭地区记录 2 种。

分种检索表

翅正面橙黄色 ·· 牧女珍眼蝶 *C. amaryllis*

翅正面褐色或黑褐色 ·· 爱珍眼蝶 *C. oedippus*

(305) 牧女珍眼蝶 *Coenonympha amaryllis* (Stoll, [1782]) (图版 60: 13-14)

Papilio amaryllis Stoll, [1782]: 210.

Coenonympha amaryllis: Tuzov, 1997: 194.

鉴别特征: 翅橙黄色；外缘线两色，浅灰褐色和银灰色；亚外缘带黄褐色；亚缘眼斑列黑色，此眼斑列在翅正面时有模糊或消失，反面其两侧伴有灰白色带纹，内侧带纹有叉状突起。后翅反面基半部密布棕灰色鳞片。

采集记录: 2♂，长安天子峪，2010. V. 29，房丽君采；1♂，凤县通天河，1540m，2012. V. 25，房丽君采；1♂1♀，太白桃川，1210m，2011. Ⅷ. 29，房丽君采；2♂，华县杏林乡石堤峪，950m，2011. V. 08，房丽君采；1♂1♀，商州二龙山，820m，2014. Ⅵ. 20，房丽君采；1♂，商南梁家湾，500m，2014. Ⅶ. 20，房丽君采。

分布: 陕西（长安、凤县、太白、华县、商州、商南）、黑龙江、吉林、辽宁、内蒙古、山西、山东、北京、河南、甘肃、青海、新疆、浙江、四川；朝鲜。

寄主: 香附子 *Cyperus rotundus*（Cyperaceae）、油莎豆 *C. esculentus*、大披针苔草 *Carex lanceolata*、稻 *Oryza sativa*（Gramineae）、马唐 *Digitaria sanguinalis*。

(306) 爱珍眼蝶 *Coenonympha oedippus* (Fabricius, 1787)

Papilio oedippus Fabricius, 1787: 31.

Papilio geticus Esper, 1794: 51.

Coenonympha annulifer Butler, 1877: 91.

Coenonympha oedippus: Tuzov, 1997: 196.

鉴别特征： 翅正面褐色或黑褐色；反面黄褐色。前翅亚缘眼斑 1~5 个，时有消失。后翅亚缘眼斑列正面时有模糊或消失，反面清晰，内侧常伴有间断斑带；前缘中部有 1 个大眼斑。

采集记录： 1♂，眉县蒿坪寺，1140m，2011.Ⅵ.25，房丽君采；1♂，华阴华阳川林场，1420m，2011.Ⅴ.07，房丽君采；1♂1♀，宁陕广货街，1250m，2010.Ⅶ.07，房丽君采；4♂2♀，商州二龙山，800m，2014.Ⅵ.20，房丽君采；2♂，山阳洛峪，580m，2011.Ⅵ.26，房丽君采。

分布： 陕西（眉县、华阴、宁陕、商州、山阳）、黑龙江、吉林、辽宁、北京、河北、山西、河南、宁夏、甘肃、山东、江西；朝鲜，日本，欧洲。

寄主： 黄菖蒲 *Iris pseudacorus*（鸢尾科 Iridaceae）、大披针苔草 *Carex lanceolata*（Cyperaceae）、芦苇 *Phragmites australis*（Gramineae）、马唐 *Digitaria sanguinalis*。

108. 阿芬眼蝶属 *Aphantopus* Wallengren, 1853

Aphantopus Wallengren, 1853: 9, 30. **Type species:** *Papilio hyperantus* Linnaeus, 1758.

属征： 小到中型。翅棕褐色至黑褐色。前翅 Sc 和 Cu 脉基部囊状膨大；中室长为翅长的 1/2 弱；Sc 脉略长于中室；R_1 和 R_2 脉由中室前缘脉分出；M_3 脉微弯曲。后翅肩脉短或无肩脉；Sc + R_1 脉短于中室；M_3 脉基部弯曲。雄性外生殖器：背兜背缘弧形；钩突末端尖锐；颚突直，末端尖；囊突短；阳茎直，短于抱器；抱器基部阔，端部狭长。

分布： 古北区。全世界记载 3 种，中国均有记录，秦岭地区记录 2 种。

分种检索表

亚缘斑大；翅反面斑列内侧具白色斜带 ·········· **大斑阿芬眼蝶** *A. arvensis*
亚缘斑较小；翅反面斑列内侧无白色斜带 ·········· **阿芬眼蝶** *A. hyperantus*

(307) 阿芬眼蝶 *Aphantopus hyperantus*（Linnaeus, 1758）

Papilio hyperantus Linnaeus, 1758: 471.
Aphantopus hyperantus: Smart, 1976: 270.

鉴别特征： 翅棕褐色；反面眼斑比正面清晰。前翅亚缘区眼斑 2~3 个。后翅正面亚缘区眼斑时有消失；反面亚缘区有 5 个眼斑，前 2 个眼斑内移；雄蝶比雌蝶色深。

采集记录：1♂，长安东佛沟，1800m，2009.Ⅶ.18，房丽君采；1♂，蓝田王顺山，2100m，2010.Ⅶ.31，房丽君采；1♂，周至厚畛子，1550m，2009.Ⅵ.27，房丽君采；1♂，户县朱雀森林公园，1640m，2011.Ⅶ.23，房丽君采。

分布：陕西（长安、蓝田、周至、户县）、黑龙江、吉林、辽宁、北京、河南、宁夏、甘肃、青海、四川、西藏。

寄主：梯牧草 *Phleum pratense*（Gramineae）。

(308) 大斑阿芬眼蝶 *Aphantopus arvensis*（Oberthür，1876）

Satyrus arvensis Oberthür，1876：30.

Aphantopus arvensis：Lewis，1974：pl. 200.

鉴别特征：与阿芬眼蝶 *A. hyperantus* 近似，主要区别为：本种亚缘眼斑大；亚缘区有灰白色横带，斜穿前 2 个眼斑外侧及后 3 个眼斑内侧，内侧弯曲。

分布：陕西（蓝田、周至、凤县、宁陕）、宁夏、甘肃、青海、浙江、广西、四川。

第十一章 灰蝶科 Lycaenidae

小型至中型种类。翅正面常呈红、橙、蓝、绿、紫、翠、古铜黑等颜色；翅反面多为灰、白、赭、黄、棕、褐等色。雌雄异型，正面不同，反面多相同。复眼间接近，光滑或有毛；其周围有 1 圈白毛；须常细；触角短，锤状，每节有白色环。雌蝶前足正常，雄蝶前足跗节和爪退化（蚬蝶无爪），极少分节。前翅脉纹 10 ~ 11 条；R 脉常 3 ~ 4 条，少数属 5 条；A 脉 1 条，有些种基部有 3A 脉并入。后翅无肩脉（蚬蝶等除外）；A 脉 2 条；有时有 1 ~ 3 个尾突。前后翅中室多闭式。雄蝶发香鳞常存在于前翅表面。

世界广布。全世界记载近 6000 种，中国已知 500 余种，陕西秦岭地区记录 119 种。

分亚科检索表

1. 后翅肩角加厚，通常有肩脉 ………………………………………………… 蚬蝶亚科 **Riodininae**
   后翅肩角不加厚，通常无肩脉 …………………………………………………………………… 2
2. 中、后足胫节无成对的端距 …………………………………………………… 云灰蝶亚科 **Miletinae**
   中、后足胫节有成对的端距 …………………………………………………………………… 3
3. 触角 3 ~ 4 节有毛饰；前翅 R₅ 脉终止于外缘；雄蝶无第二性征 ……… 银灰蝶亚科 **Curetinae**
   触角无毛饰；前翅 R₅ 脉终止于前缘或顶角；雄蝶常有第二性征 …………………………… 4
4. 触角棒状部圆柱形；雄蝶发香鳞形成性标，附有毛簇 ………………………… 线灰蝶亚科 **Theclinae**

触角棒状部略扁；雄蝶发香鳞不形成性标，无毛簇 ·· 5
5. 前翅 R_5 脉与 M_1 脉起点接近或共柄；无第二性征 ····························· **灰蝶亚科 Lycaeninae**
前翅 R_5 脉与 M_1 脉起点分开；雄蝶常有第二性征 ················· **眼灰蝶亚科 Polyommatinae**

一、云灰蝶亚科 Miletinae

翅褐色或黑褐色，多狭长；有些种类前翅有白色斑带。前翅脉纹 11 条；Sc、R_1 与 R_2 脉独立；R_5 脉终止于前缘；无 R_3 脉。后翅圆，无尾突及臀瓣，有的种类外缘锯齿状。雄蝶前翅与腹部有第二性征。

109. 蚜灰蝶属 *Taraka* Doherty，1889

Taraka Doherty，1889：414. **Type species**：*Miletus hamada* Druce，1875.
Taraka de Nicéville，1890：15，57. **Type species**：*Miletus hamada* Druce，1875.

属征：小型种类。翅正面褐色或黑褐色；反面白色。前翅 Sc 脉短于中室；R_1 及 R_2 脉从中室前缘端部分出；M_1 脉与 R_5 脉从中室上端角分出；R_5 脉到达顶角。后翅 Sc + R_1 脉到达顶角附近；Rs 脉从近中室上端角分出。无第二性征。雄性外生殖器：钩突粗壮，长于背兜；无颚突；囊突细短；抱器长椭圆形；阳茎长，基部粗，端部尖细。雌性外生殖器：囊导管细长；交配囊及交配囊片大。

分布：古北区，东洋区。全世界仅记载 2 种，中国已知 1 种，秦岭地区有记录。

(309) 蚜灰蝶 *Taraka hamada*（Druce，1875）（图版 61：1-2）

Miletus hamada Druce，1875：361.
Taraka hamada：Chou，1994：615.

鉴别特征：翅正面褐色至黑褐色，隐约可见反面的斑纹；反面白色，翅面密布黑色斑纹。雌蝶颜色稍浅，体型较大。

采集记录：1♂1♀，周至楼观台，620m，680m，2011. Ⅵ. 29，房丽君采；1♂，户县东涝峪，1300m，2010. Ⅶ. 06，房丽君采；1♂，华县杏林乡石堤峪，1030m，2011. Ⅶ. 11，房丽君采；1♂，佛坪长角坝，880m，2010. Ⅸ. 11，房丽君采；2♂1♀，佛坪袁家庄镇东岳殿村，850m，2013. Ⅶ. 29，张宇军采；1♂，洋县长青自然保护区，2001. Ⅵ-Ⅷ，邢连喜、袁朝辉采；1♂，商南梁家湾，500m，2013. Ⅷ. 24，房丽君采。

分布：陕西（周至、户县、华县、佛坪、洋县、商南）、辽宁、河南、山东、江苏、浙江、江西、福建、台湾、广东、海南、广西、四川；朝鲜，日本，泰国，越南，缅甸，印度，不丹，马来西亚，印度尼西亚。

寄主：肉食性，专以蚜虫为食。

二、银灰蝶亚科 Curetinae

翅反面银白色。前翅 R 脉 4 条；Sc 脉、R_1 脉及 R_2 脉分离；R_5 脉终止于外缘近顶角处，M_1 脉与之分离，从中室上端角生出。后翅无尾突，圆形或多角形（M_3 脉端及臀角突出明显）；$Sc + R_1$ 脉基部强弯。

110. 银灰蝶属 *Curetis* Hübner，[1819]

Curetis Hübner，[1819]：102. **Type species**：*Papilio aesopus* Fabricius，1781.

Phaedra Horsfield，[1829]：123. **Type species**：*Phaedra terricola* Horsfield，[1829].

属征：灰蝶中的较大种类。雄蝶翅正面有橙红色斑纹，雌蝶有青白色斑纹；反面均为银白色。翅脉特征同亚科。雄性外生殖器：钩突宽大；囊突小；抱器长，基半部宽，端半部窄长，有发达的抱器背；阳茎与抱器约等长，端部有角状器。

分布：古北区，东洋区。全世界记载 22 种，中国已知 4 种，秦岭地区记录 1 种。

(310) 尖翅银灰蝶 *Curetis acuta* Moore，1877（图版 61：3-4）

Curetis acuta Moore，1877：50.

鉴别特征：翅正面黑褐色或棕褐色（雌蝶），反面银白色。前翅顶角尖，翅中央有 1 个大斑，橘黄色或青白色（雌蝶）；反面多有斑驳点斑；外缘区有 1 列小斑点；雌蝶在前缘区有 1 列点斑；中域有 1 条细条带，从顶角斜至后缘中部。后翅正面前半部有 1 个"C"形斑，橙红色或青白色（雌蝶）；臀角及 M_3 脉端稍尖出；反面外缘区有 1 列黑色点斑；中域有 2 条灰色斜带，外侧 1 条短；翅面多有灰黑色斑点。

采集记录：1♂，镇安结子乡，1700m，2009.IX.18，房丽君采；2♂，勉县茶店余家湾，680m，2013.X.05，房丽君采。

分布：陕西（镇安、勉县）、河南、上海、浙江、湖北、江西、湖南、福建、台湾、广东、海南、广西、四川、云南、西藏；印度，日本。

寄主：野葛 *Pueraria thunbergiana*（Fabaceae）、鸡血藤 *Millettia reticulata*、紫藤 *Wisteria sinensis*、云实 *Caesalpinia decapetala*。

三、 线灰蝶亚科 Theclinae

前翅脉纹 10~12 条，如脉纹 10 或 11 条，则 R_5 脉终止于前缘或顶角；R_1 脉与 R_2 脉独立。后翅尾突 1~3 条，分别着生于 M_3、Cu_1 或 Cu_2 脉末端；臀角突出。雄蝶前、后翅多有发香鳞及竖立的毛刷（第二性征）。

分族检索表

1. 后翅如有尾突或齿突多在 Cu_2 脉上；或无尾突；前翅 10~11 条脉纹 ·············· 2
   后翅如有尾突或齿突在 2A 脉上；或无尾突；前翅 12 条脉纹·············· **富妮灰蝶族 Aphnaeini**
2. 前翅脉纹 10 条；后翅 2A 脉无尾突 ·············· **美灰蝶族 Eumaeini**
   前翅脉纹 11 条；或 10 条脉纹，后翅 2A 脉有尾突 ·············· 3
3. 前翅 R_4 与 R_5 脉同柄或接触 ·············· **线灰蝶族 Theclini**
   前翅 R_4 与 R_5 脉分开 ·············· 4
4. 眼有毛；雄蝶后翅有发香鳞带 ·············· **玳灰蝶族 Deudorigini**
   眼光滑；雄蝶后翅无发香鳞带 ·············· **娆灰蝶族 Arhopalini**

（一）线灰蝶族 Theclini

前翅脉纹 11 条；R_4 与 R_5 脉接触或共柄，由中室上端角生出。后翅只 Cu_2 脉末端有尾突或缺。无第二性征。

分属检索表

1. 后翅臀角指状延伸 ·············· **丫灰蝶属 Amblopala**
   后翅臀角正常 ·············· 2
2. 后翅有 1 个发达的尾突 ·············· 3
   后翅无尾突 ·············· **精灰蝶属 Artopoetes**
3. 翅反面黄色 ·············· 4
   翅反面非黄色 ·············· 10
4. 雄蝶翅正面暗褐色 ·············· 5
   雄蝶翅正面黄色 ·············· 6
5. 两翅反面缘带相同 ·············· **陕灰蝶属 Shaanxiana**
   两翅反面缘带不同 ·············· **线灰蝶属 Thecla**
6. 两翅反面中室端斑发达 ·············· 7
   两翅反面中室端斑退化 ·············· 8

7.　前翅反面有黑色亚缘带 ·· 黄灰蝶属 *Japonica*
　　前翅反面无黑色亚缘带 ·· 诗灰蝶属 *Shirozua*
8.　前翅正面有橙色大斑 ··· 赭灰蝶属 *Ussuriana*
　　前翅正面无橙色大斑 ··· 9
9.　雄性外生殖器骨环中部内侧有横脊 ·· 工灰蝶属 *Gonerilia*
　　雄性外生殖器骨环中部内侧无横脊 ·· 珂灰蝶属 *Cordelia*
10.　前翅正面无蝴蝶结形斑纹 ··· 11
　　 前翅正面有蝴蝶结形斑纹（或仅雌蝶有） ································· 14
11.　翅正面有金属闪光或珠光 ··· 12
　　 翅正面无上述光泽 ·· 13
12.　翅正面有金属闪光 ··· 华灰蝶属 *Wagimo*
　　 翅正面有珍珠光泽 ··· 珠灰蝶属 *Iratsume*
13.　后翅正面亚外缘斑列白色 ··· 青灰蝶属 *Antigius*
　　 后翅正面亚外缘无明显的白色斑纹 ·· 祖灰蝶属 *Protantigius*
14.　后翅反面中室内或 cu_2 室亚基域有斑纹 ·································· 15
　　 后翅反面中室内及 cu_2 室亚基域无斑纹 ·································· 16
15.　后翅反面中室内有斑纹 ··· 癞灰蝶属 *Araragi*
　　 后翅反面中室内无斑纹，cu_2 室亚基域有斑纹 ····················· 三枝灰蝶属 *Saigusaozephyrus*
16.　雄蝶翅面无金属光泽 ··· 铁灰蝶属 *Teratozephyrus*
　　 雄蝶翅面有金属光泽 ··· 17
17.　囊突短小，端部变细 ··· 艳灰蝶属 *Favonius*
　　 囊突肘状，端部多膨大 ··· 金灰蝶属 *Chrysozephyrus*

111. 青灰蝶属 *Antigius* Sibatani *et* Ito, 1942

Antigius Sibatani *et* Ito, 1942: 318. **Type species**: *Thecla attilia* Bremer, 1861.

　　属征：翅正面色暗。前翅 R_4 与 R_5 脉共柄，并与 M_1 脉同点从中室上端角生出；R_3 脉消失；中室不及翅长的 1/2。后翅臀角明显，有尾突。雄性外生殖器：背兜大；钩突发达，"U"形；颚突发达；囊突粗短；抱器小；阳茎粗长。雌性外生殖器：交配囊导管骨化；交配囊大；无交配囊片。

　　分布：古北区。全世界记载 2 种，秦岭地区记录 2 种。

分种检索表

翅反面白色；后翅中带连续 ··· 青灰蝶 *A. attilia*
翅反面淡褐色；后翅中带间断 ··· 巴青灰蝶 *A. butleri*

(311) 青灰蝶 *Antigius attilia*（Bremer，1861）

Thecla attilia Bremer，1861：469.

Zephyrus neoattilia Sugitani，1919：150.

Zephyrus sayamaensis Watari，1936：189.

Zephyrus sagamiensis Kyuzaki，1937：6.

Antigius attilia：Chou，1994：618.

鉴别特征：翅正面暗褐色；反面青灰白色；斑带多黑褐色。前翅正面无斑纹；反面外缘带窄；亚外缘及亚缘斑列在后缘处合并；中横带与外缘平行；中室端斑长方形。后翅正面亚外缘斑列灰白色；反面翅端部斑带同前翅反面；中斜带斜向臀角，中部与中室端斑重叠；臀角及尾突基部各有 1 个橘黄色眼斑，橙色外环的上半部断开，瞳点黑色；黑色尾突细长，周缘白色。

采集记录：2♂，周至县厚畛子，1320m，2009.Ⅵ.26，房丽君采；1♀，留坝柳树沟，2006.Ⅵ.08，许家珠采；1♂，宁陕火地塘，1680m，2008.Ⅷ.31，房丽君采。

分布：陕西（周至、留坝、宁陕）、辽宁、河南、浙江、台湾、四川、云南；蒙古，俄罗斯，朝鲜，日本。

寄主：麻栎 *Quercus acutissima*（Fagaceae）、栓皮栎 *Q. variabilis*、蒙古栎 *Q. mongolica*、柞栎 *Q. dentata*、槲栎 *Q. aliena* 等。

(312) 巴青灰蝶 *Antigius butleri*（Fenton，1881）

Thecla butleri Fenton，1881：853.

Zephyrus onomichianus Matsumura，1919：735.

Zephyrys melanochloe Watari，1933：236.

Zephyrus daisena Hirose，1934：36.

Antigius butleri：Shirôzu，1962：146.

鉴别特征：与青灰蝶 *A. attilia* 近似，主要区别为：本种前翅反面中室基部有 1 个较大黑斑。后翅反面基部有 4 个黑斑；cu$_1$ 室端部眼斑大而完整，橙色外环上半部闭合。

分布：陕西（秦岭）、黑龙江、吉林、辽宁、四川；俄罗斯，朝鲜，日本。

寄主：蒙古栎 *Quercus mongolica*（Fagaceae）、柞栎 *Q. dentata*。

112. 癞灰蝶属 *Araragi* Sibatani *et* Ito，1942

Araragi Sibatani *et* Ito，1942：318. **Type species**：*Thecla enthea* Janson，1877.

属征：翅正面暗褐色；反面银白色或乳白色，密布黑褐色斑纹。前翅前缘强弧形；中室不及前翅长的 $1/2$；R_1 与 R_2 脉独立；R_3 脉消失；R_4 从 R_5 脉的中部分出；R_5 及 M_1 脉从中室上端角生出。后翅臀角明显；M_1 脉端部突出；Cu_2 脉端部有 1 个细长的尾突。雄性外生殖器：背兜小；钩突长；颚突较细；囊突短小；抱器末端尖；阳茎粗长，无角状突。雌性外生殖器：交配囊导管膜质；交配囊长椭圆形；交配囊片小，成对。

分布：古北区，东洋区。全世界记载 2 种，秦岭地区记录 1 种。

（313）癞灰蝶 *Araragi enthea*（Janson，1877）

Thecla enthea Janson，1877：157.

Araragi enthea：Chou，1994：618.

鉴别特征：翅正面褐色或黑褐色；有斑驳纹，是反面斑纹的透射；反面灰白色或乳白色；斑纹多黑褐色。前翅反面外缘带细，棕褐色；亚外缘斑列斑纹由上到下逐渐变大；中室端斑长条形；其余翅面散布有多个大小及形状不一的斑纹，以中室基部 1 个最大。后翅反面端部有 4 条断续带纹，至臀角处汇合后折向翅后缘，棕黄色；翅上半部散布有多个黑褐色斑纹；cu_1 室末端及臀角各有 1 个橙黄色眼斑，瞳点黑色；尾突细长。雌蝶前翅正面中室端脉外侧至外缘中部有 1 个蝴蝶结形白斑。

采集记录：1♂，周至厚畛子，1260m，2010.Ⅶ.12，房丽君采；1♂，宝鸡潘溪，1220m，2013.Ⅷ.03，房丽君采；2♂1♀，宁陕火地塘，1720m，2008.Ⅷ.31，房丽君采；1♂，宁陕广货街，1600m，2010.Ⅸ.18，房丽君采。

分布：陕西（周至、宝鸡、宁陕）、黑龙江、辽宁、北京、河南、浙江、湖北、台湾、四川；俄罗斯，朝鲜，日本。

寄主：胡桃楸 *Juglans mandshurica*（Juglandaceae）。

113. 精灰蝶属 *Artopoetes* Chapman，1909

Artopoetes Chapman，1909：473. **Type species**：*Lycaena pryeri* Murray，1873.

属征：翅正面黑灰色，中央青蓝色；反面银白色。前翅 M_1 脉与 R_5 脉有短的共柄，从中室上端角生出；R_4 脉从 R_5 脉中部分出；R_3 脉消失；中室不及翅长的 $1/2$。后翅圆，无尾突。雄性外生殖器：背兜与钩突愈合；颚突镰刀形；基腹弧宽；囊突较长；抱器半圆形；阳茎粗长，角状突明显。雌性外生殖器：交配囊导管粗，骨化；交配囊大，卵圆形；有成对的交配囊片。

分布：古北区。全世界记载 2 种，中国均有记录，秦岭地区记录 1 种。

(314) 精灰蝶 *Artopoetes pryeri* (Murray, 1873)

Lycaena pryeri Murray, 1873: 126.

Artopoetes pryeri: Chapman, 1909: 473.

Lycaena nakamurai Kanda *et* Kato, 1931: 375.

鉴别特征: 两翅正面黑灰色; 翅脉黑色; 中央青蓝色区域豆瓣形; 反面青白色; 脉纹棕色; 斑纹黑灰色; 亚外缘及亚缘斑列平行排列, 亚外缘斑列斑纹成对; 中室端斑条形。前翅青蓝色区域端部灰白色。

采集记录: 1♀, 太白县, 1994. Ⅶ. 22, 王敏采。

分布: 陕西(太白)、黑龙江、吉林、辽宁、北京、内蒙古、河南; 俄罗斯, 朝鲜, 日本。

寄主: 山女贞 *Ligustrum tschonoskii* (Oleaceae)、卵叶女贞 *L. ovalifolium*、蜡子树 *L. ibota*、荷花丁香 *Syringa reticulata*、欧丁香 *S. vulgaris*。

114. 三枝灰蝶属 *Saigusaozephyrus* Koiwaya, 1993

Saigusaozephyrus Koiwaya, 1993: 62. **Type species**: *Zephyrus atabyrius* Oberthür, 1914.

Asibatania Fujioka, 1993: 13. **Type species**: *Zephyrus atabyrius* Oberthür, 1914.

属征: 雌雄异型。翅正面黑褐色; 反面银灰色。前翅 M_1 脉与 R_5 脉不共柄。后翅有 1 个长尾突。雄性外生殖器: 钩突二叉形, 极长, 强度下弯; 尾突窄小; 颚突镰刀形; 囊突较长; 抱器近"T"形; 阳茎细长, 无角状突。

分布: 中国。世界记载 1 种, 秦岭地区有记录。

(315) 三枝灰蝶 *Saigusaozephyrus atabyrius* (Oberthür, 1914)

Zephyrus atabyrius Oberthür, 1914: 48.

Teratozephyrus atabyrius: Murayama, 1976: 5.

Chrysozephyrus atabyrius: Bridges, 1988: 25.

Leucantigius atabyrius: D'Abrera, 1993: 406.

Saigusaozephyrus atabyrius: Koiwaya, 1993: 62.

Asibatania atabyrius: Fujioka, 1993: 20.

鉴别特征: 雄蝶翅正面黑褐色, 无斑纹; 反面银灰色。前翅反面中室端斑条形。后翅反面外缘、亚外缘及亚缘各有 1 列棕褐色条形斑纹; 中斜带从前缘中部穿过中室端部, 到达臀角后"V"形弯曲并折向后缘中部; 臀角区有 2 个橙黄色眼斑, 瞳点黑色; 尾突细长。雌蝶棕褐色; 前翅中室端部外侧有白色蝴蝶结形斑纹, 并被翅脉分割。

采集记录：1♂，太白，1994. Ⅶ. 23，王敏采。

分布：陕西（太白）、四川。

115. 金灰蝶属 *Chrysozephyrus* Shirôzu *et* Yamamoto，1956

Chrysozephyrus Shirôzu *et* Yamamoto，1956：381. **Type species**：*Thecla smaragdina* Bremer，1861.

属征：雌雄多异型。翅正面金绿色或金蓝色。前翅中室长为翅长的 1/2；R_5 脉从中室上端角生出，到达顶角；R_4 脉从 R_5 脉分出，并与 M_1 脉在基部共柄。后翅有尾突；M_1 脉、Cu_1 脉端部及臀角突出。雌蝶前翅有橙红色斑纹。后翅有典型的"W"形带纹。雄性外生殖器：背兜短；钩突与之愈合；颚突弯曲，肘状；囊突长；抱器瓢形，末端钩状尖出；阳茎细长，有角状突。雌性外生殖器：交配囊导管长，骨化或膜质；交配囊卵圆形；交配囊片成对。

分布：古北区，东洋区。世界记载 59 种，中国记载 37 种，有许多特有种，秦岭地区记录 11 种。

分种检索表

（316）金灰蝶 *Chrysozephyrus smaragdinus*（Bremer，1861）

Thecla smaragdina Bremer，1861：470.

Thecla diamantina Oberthür，1879：3.

Chrysozephyrus smaragdinus：Yoshino，2001：3.

鉴别特征：雌雄异型。翅脉黑色；雄蝶正面蓝绿色，具金属光泽。前翅外缘黑带窄。后翅周缘黑褐色。雌蝶黑褐色或棕褐色；反面驼色或驼红色。前翅正面中室端部外侧有1个蝴蝶结形斑纹，橙色；反面外缘及亚缘带棕褐色；外斜带斜向后角。后翅反面外缘区及亚缘区覆有雾状白色带纹；中室端斑条形；Sc + r$_1$室近基部有1个褐色条斑；cu$_1$室端部及臀角各有1个眼斑，橙色，黑色瞳点大；尾突细长。

采集记录：1♂，周至厚畛子，1280m，2010.Ⅶ.12，房丽君采；2♂，宁陕火地塘，1580m，2010.Ⅷ.28，房丽君采；1♂，洋县华阳，1050m，2012.Ⅵ.27，张宇军采。

分布：陕西（周至、宁陕、洋县）、黑龙江、吉林、辽宁、河南、四川；朝鲜，日本。

寄主：板栗 *Castanea mollissima*（Fagaceae）、榛 *Corylus heterophylla*、槲树 *Quercus dentata* 等。

（317）裂斑金灰蝶 *Chrysozephyrus disparatus*（Howarth，1957）

Neozephyrus disparatus Howarth，1957：259.

Chrysozephyrus disparatus：Chou，1994：621.

鉴别特征：雌雄异型。雌蝶前翅正面黑褐色，中室端部外侧有1个橙色斜斑，蝴蝶结形；反面棕灰色；亚缘区下部有3个褐色斑纹，外斜带白色，末段断开并内移。后翅正面黑褐色；反面棕色；白色外缘带细；亚缘带曲波形；白色外斜带伸达臀域后"W"形折向后缘中部；cu$_1$室端部眼斑橙红色，黑色，瞳点大；臀角有橙红色眼斑，瞳点外移；黑色尾突细长。雄蝶翅正面蓝绿色，具金属光泽；前翅前缘及外缘黑带窄。后翅周缘黑褐色。反面斑纹同雌蝶。

采集记录：1♂，周至厚畛子，1500m，2010.Ⅶ.14，房丽君采。

分布：陕西（周至）、浙江、江西、福建、台湾、广东、四川、云南；越南，老挝，印度。

寄主：油叶柯 *Lithocarpus konishii*（Fagaceae）。

（318）黑缘金灰蝶 *Chrysozephyrus nigroapicalis*（Howarth，1957）（图版61：5-6）

Neozephyrus nigroapicalis Howarth，1957：242.

Chrysozephyrus nigroapicalis：Shirôzu，1962：147.

鉴别特征：雄蝶翅正面绿色，有金属光泽；黑色外缘带窄。前翅反面棕色；亚缘带下段黑色；外斜带达 Cu_2 脉；中室端斑褐色。后翅正面周缘棕褐色；反面外缘区有黑白2条细带；亚外缘带较宽，白色，亚缘带黑褐色；外斜带细，白色，伸达臀域后"W"形回折至后缘中部，内侧伴有黑褐色缘线；cu_1 室端部和臀角眼斑橙红色，瞳点大，黑色；Cu_1 脉端部尖出，在外缘形成角状突起；尾突细长，白色，中间有黑色细纹；雌蝶翅正面黑褐色；反面棕灰色。

采集记录：2♂，周至厚畛子，1450m，2010.Ⅶ.16，房丽君采。

分布：陕西（周至）、湖北、浙江、四川。

寄主：耳叶柯 *Lithocarpus grandifolius*（Fagaceae）。

(319) 雷氏金灰蝶 *Chrysozephyrus leii* Chou，1994

Chrysozephyrus leii Chou，1994：768.

鉴别特征：与裂斑金灰蝶 *C. disparatus* 较相似，主要区别为：本种翅正反面色较深；$sc + r_1$ 室近基部有1个褐色条斑，内侧缘线白色。

采集记录：1♂，周至厚畛子，1500m，2010.Ⅶ.13，房丽君采；3♂，户县涝峪，1550m，2010.Ⅶ.06，房丽君采；1♂，太白县黄柏塬，1620m，2012.Ⅵ.19，张宇军采；2♂，留坝紫柏山，1700m，2012.Ⅵ.22，张宇军采。

分布：陕西（周至、户县、太白、留坝）。

(320) 耀金灰蝶 *Chrysozephyrus brillantinus*（Staudinger，1887）

Thecla brillantina Staudinger，1887：130.
Chrysozephyrus brillantinus：Tuzov，2000：100.

鉴别特征：与金灰蝶 *C. smaragdinus* 相似，主要区别为：前翅反面外斜带及中室端斑较细。后翅反面 Cu_1 室端部与臀角的橙红色眼斑相连。

采集记录：1♂，周至板房子，1200m，2011.Ⅵ.09，张辰生、程帅采；1♂，宁陕，1995.Ⅵ.13，王敏采。

分布：陕西（周至、宁陕）、辽宁、吉林、河南、湖北；朝鲜，日本。

寄主：蒙古栎 *Quercus mongolica*（Fagaceae）、槲树 *Q. dentate*。

(321) 腰金灰蝶 *Chrysozephyrus yoshikoae* Koiwaya，1993

Chrysozephyrus yoshikoae Koiwaya，1993：64.

鉴别特征：与金灰蝶 *C. smaragdinus* 相似，主要区别为：前翅正面黑灰色外缘带宽。

采集记录：1♂，凤县，1994. Ⅶ. 02。

分布：陕西（凤县）、湖南。

寄主：山荆子 *Malus baccata*（Rosaceae）、河南海棠 *M. honanensis*。

（322）高氏金灰蝶 *Chrysozephyrus gaoi* Koiwaya, 1993

Chrysozephyres gaoi Koiwaya, 1993：68.

鉴别特征：翅正面蓝绿色，有金属光泽；翅脉及缘毛黑色；反面中室端斑褐色，两侧缘线白色；亚缘带宽，褐色，两侧缘线曲波状，白色。雄蝶两翅正面前缘及外缘黑带宽，无斑纹；反面棕褐色。前翅反面外斜带褐色，由前缘近顶角1/4处斜向 Cu_2 脉端部，外侧有白色细缘线。后翅正面后缘区褐色；反面外斜带褐色，伸达臀域后"W"形回折至后缘中部，外侧缘线白色；$sc + r_1$ 室近基部有1个褐色条斑，内侧有白色缘线；cu_1 室端部及臀角眼斑橙红色，黑色瞳点大；尾突细长，黑色。

采集记录：1♂，周至，1994. Ⅵ. 05。

分布：陕西（周至）。

寄主：微毛樱桃 *Cerasus clarofolia*（Rosaceae）、多毛樱桃 *C. polytricha*。

（323）庞金灰蝶 *Chrysozephyrus giganteus* Wang *et* Fan, 2002

Chrysozephyrus giganteus Wang *et* Fan, 2002：104.

鉴别特征：与金灰蝶 *C. smaragdinus* 较相似，主要区别为：雄蝶前翅反面亚缘带灰黑色，下半部明显加宽；外斜带宽，末端窄，灰黑色。后翅反面亚缘区条带较宽，深灰色，两侧缘线弥散状。

采集记录：1♂，凤县，1994. Ⅶ. 03，王敏采。

分布：陕西（凤县）。

（324）林氏金灰蝶 *Chrysozephyrus linae* Koiwaya, 1993

Chrysozephyrus linae Koiwaya, 1993：66.

鉴别特征：本种与庞金灰蝶 *C. giganteus* 近似，主要区别为：本种两翅的黑色外缘带均较宽。前翅正面前缘有黑色的宽带纹；反面外斜带较宽，距中室端斑较近。后翅反面外斜带不直。

分布：陕西（周至）。

寄主：短梗稠李 *Padus brachypoda*（Rosaceae）。

（325）袁氏金灰蝶 *Chrysozephyrus yuani* Wang et Fan，2002

Chrysozephyrus yuani Wang et Fan，2002：111．

鉴别特征：与金灰蝶 *C. smaragdinus* 较相似，主要区别为：本种个体稍小。前翅正面外缘黑带较宽。

采集记录：1 ♂，凤县，1994．Ⅶ．05，王敏采。

分布：陕西（凤县）。

（326）闪光金灰蝶 *Chrysozephyrus scintillans*（Leech，1894）（图版 61：7-8）

Zephyrus scintillans Leech，1894：376．

Chrysozephyrus scintillans：Shirôzu，1962：147．

鉴别特征：与裂斑金灰蝶 *C. disparatus* 相似，主要区别为：本种反面外斜带较宽；中室端斑清晰。

分布：陕西（汉中汉台）、浙江、湖北、江西、台湾、广东、海南、四川、云南。

寄主：板栗 *Castanea mollissima*（Fagaceae）、蒙古栎 *Quercus mongolica*、毛果珍珠花 *Lyonia ovalifolia*（Ericaceae）。

116. 艳灰蝶属 *Favonius* Sibatani et Ito，1942

Favonius Sibatani et Ito，1942：327．**Type species**：*Dipsas orientalis* Murray，1875．

Quercusia Verity，1943：343．**Type species**：*Papilio quercus* Linnaeus，1758．

属征：雌雄异型。雄蝶翅正面金蓝色或金绿色；反面淡褐色。雌蝶正面褐色至黑褐色，有橙红色斑纹；反面色淡。中室长度不及翅长的 1/2；R_5 脉从中室上端角生出；R_4 脉从 R_5 脉中部分出；M_1 脉和 R_5 脉共柄短。后翅 Cu_1 脉端部齿状外突；Cu_2 脉有尾突；反面近臀角有橙黄色斑纹及"W"形斑纹。雄性外生殖器：背兜头巾状；钩突缺；颚突特化，中部球状膨大，末端钩状；囊突极短；抱器近长圆形，端部弯曲，有锯齿；阳茎长，后端有细刺。雌性外生殖器：交配囊导管骨化；交配囊长卵圆形；无交配囊片。

分布：古北区，东洋区。全世界记载 12 种，中国已知 7 种，秦岭地区记录 7 种。

分种检索表

(327) 艳灰蝶 *Favonius orientalis*（Murray，1875）

Dipsas orientalis Murray, 1875：169.

Favonius orientalis：Chou, 1994：625.

鉴别特征：雄蝶翅正面蓝色，有金属光泽。前翅正面前缘及外缘带黑色；反面棕灰或浅驼色；亚外缘带下端宽；外斜带褐色，后端仅达 Cu_2 脉；中室端斑灰褐色。后翅正面周缘棕灰色；反面亚外缘及亚缘带棕褐色；cu_1 室有 1 个橙红色眼斑，瞳点黑色；臀角近圆形斑纹黑色，其上面连有橙红色斑纹；外斜带褐色，此带到达 cu_1 室后"W"形折向后缘中部；尾突黑色。上述带纹多有白色缘线。雌蝶棕褐或黑褐色；前翅正面中室外侧有蝴蝶结形斜斑，棕黄色；其余斑纹同雄蝶。

采集记录：1♂，宁陕火地塘，1700m，2010. Ⅷ. 28，房丽君采。

分布：陕西(宁陕)、黑龙江、辽宁、北京、河北、山西、河南、宁夏、甘肃、湖北、江西、四川、贵州、云南；俄罗斯，朝鲜，日本。

寄主：枹栎 *Quercus serrata*（Fagaceae）、蒙古栎 *Q. mongolica*、柞栎 *Q. dentata*、麻栎 *Q. Acutissima*、栓皮栎 *Q. variabilis*。

(328) 翠艳灰蝶 *Favonius taxila*（Bremer，1861）

Thecla taxila Bremer, 1861：470.

Thecla taxila var. *aurorinus* Oberthür, 1880：l8.

Favonius taxila：Koiwaya, 1996：84.

鉴别特征：与艳灰蝶 *F. orientalis* 近似，主要区别为：本种翅反面中室无端斑；雌蝶正面中室端部外侧斜斑橙黄色，时有模糊；反面色较深。

采集记录：1♂，留坝，2008. Ⅶ.06，许家珠采；1♂，汉中天台山，2006. Ⅵ. 12，许家珠采。

分布：陕西（留坝、汉中）、吉林、辽宁、北京、河北、河南、甘肃、新疆、湖北、四川。

（329）萨艳灰蝶 *Favonius saphirinus*（Staudinger, 1887）

Thecla saphirina Staudinger, 1887：155.

Zephyrus immaculatus Watari, 1935：42.

Favonius saphirinus：Shirôzu, 1962：148.

鉴别特征：雄蝶正面蓝色，有金属光泽；反面银灰色。前翅反面外缘及亚外缘带棕褐色；亚外缘带基段宽，色稍深；外斜带细，棕褐色，外侧缘线白色，末端仅达 Cu_2 脉；中室端斑条带形，棕褐色。后翅正面前缘、外缘及后缘棕褐色；反面外缘带、亚外缘带及亚缘带棕褐色，平行排列，其中亚缘带时有断续或消失；cu_1 室及臀角区各有 1 个橙色眼斑，瞳点黑色；外斜带细，棕褐色，到达 cu_1 室后"W"形弯曲折向后缘中下部；尾突短，黑色。雌蝶正面棕褐色；前翅正面顶角区及翅端部黑褐色；后翅反面 cu_1 室和臀角各有 1 个橙色眼斑，瞳点黑色；其余斑纹同雄蝶。

采集记录：1♀，洋县茅坪，2006，Ⅵ. 18，许家珠采。

分布：陕西（洋县）、黑龙江、辽宁、河南、甘肃、四川、云南；俄罗斯，朝鲜，日本。

寄主：栎属 *Quercus* spp.（Fagaceae）植物。

（330）超艳灰蝶 *Favonius ultramarinus*（Fixsen, 1887）

Thecla taxila var. *ultramarina* Fixsen, 1887：278.

Zephurus jozana Matsumura, 1931：573.

Favonius ultramarinus：Shirôzu, 1962：148.

鉴别特征：与艳灰蝶 *F. orientalis* 近似，主要区别为：本种翅周缘黑色带窄；反面中室无端斑；臀角近直角形，cu_1 室眼斑与臀角斑接近或相连。

分布：陕西（宝鸡）、辽宁、河南、甘肃、四川；俄罗斯，朝鲜，日本。

寄主：柞栎 *Quercus dentata*（Fagaceae）。

（331）考艳灰蝶 *Favonius korshunovi*（Dubatolov *et* Sergeev, 1982）（图版61：9-10）

Neozephyrus korshunovi Dubatolov *et* Sergeev, 1982：375.

Neozephyrus aquamarinus Dubatolov *et* Sergeev, 1987：22.

Favonius korshunovi：Bridges, 1988：41.

鉴别特征：与翠艳灰蝶 *F. taxila* 近似，主要区别为：本种翅正面蓝色泛绿；反面色稍淡，棕褐色。后翅外缘黑带窄。

采集记录：3♂，户县朱雀森林公园，1620m，2012. Ⅶ.12，房丽君采。

分布：陕西（户县）、吉林、辽宁、北京、河北、河南、甘肃、四川；俄罗斯，朝鲜。

寄主：蒙古栎 *Quercus mongolicus*（Fagaceae）、巴东栎 *Q. engleriana*、曼青冈 *Cyclobalanopsis oxyodon*。

（332）亲艳灰蝶 *Favonius cognatus*（Staudinger，1892）

Thecla orientalis var. *cognata* Staudinger, 1892：152.

Favonius cognatus：Shirôzu, 1962：148.

鉴别特征：与考艳灰蝶 *F. korshunovi* 近似，主要区别为：本种翅反面色稍淡，棕色或灰色。雌蝶前翅正面蝴蝶结形斑纹的色偏灰白。

采集记录：1♂，户县东涝峪，1490m，2010. Ⅶ.06，房丽君采；1♂，留坝庙台子，2004. Ⅷ.03，房丽君采。

分布：陕西（户县、留坝）、黑龙江、辽宁、北京、山西、河南、宁夏、甘肃、青海、云南；朝鲜，日本。

（333）里奇艳灰蝶 *Favonius leechi*（Riley，1939）

Thecla orientalis leechi Riley, 1939：355.

Thecla coelestina Riley, 1939：358.

Favonius leechi：Fujioka, 1994：14.

鉴别特征：与艳灰蝶 *F. orientalis* 近似，主要区别为：本种后翅正面外缘黑带窄。

分布：陕西（秦岭）、甘肃、浙江、湖北、四川、云南。

117. 工灰蝶属 *Gonerilia* Shirôzu *et* Yamamoto，1956

Gonerilia Shirôzu *et* Yamamoto, 1956：339, 348, errata 422. **Type species**：*Thecla seraphim* Oberthür, 1886.

属征：橙黄色。前翅中室短于翅长度的1/2；R_4 脉从 R_5 脉中上部分出；R_5 及 M_1 脉从中室上端角生出，M_1 脉不与 R_5 脉共柄。后翅尾突细长；反面臀区有"W"或"V"形斑纹；$Sc + R_1$ 脉短，仅达前缘中部。雄性外生殖器：背兜及钩突发达；颚突肘状或镰状；囊突短；抱器简单；阳茎中部极度上拱，无角状突。雌性外生殖器：交配囊导管长，骨化；交配囊卵圆形；无交配囊片。

　　分布：中国。全世界记载5种，秦岭地区记录4种。

分种检索表

1. 前翅反面无外横线 ·· 天使工灰蝶 *G. seraphim*
　 前翅反面有外横线 ·· 2
2. 前翅正面顶角黑色区域向下方延伸至臀角 ··· 3
　 前翅正面顶角黑色区域未向下方延伸 ························· 银线工灰蝶 *G. thespis*
3. 前翅反面橙红色亚外缘带未达顶角区 ····················· 佩工灰蝶 *G. pesthis*
　 前翅反面橙红色亚外缘带达顶角区 ················· 冈村工灰蝶 *G. okamurai*

(334) 天使工灰蝶 *Gonerilia seraphim* (Oberthür, 1886)

Thecla seraphim Oberthür, 1886: 12.

Gonerilia seraphim: Chou, 1994: 624.

　　鉴别特征：翅橙红色；反面色稍淡。前翅正面顶角区黑色。后翅正面顶角及 cu_1 室端部各有1个黑色圆斑；外缘区有黑白2条细带；两翅反面端部均有1列花边纹，斑纹由黑色斑点和黑白两色线纹交织而成；亚缘带白色，内侧缘线黑色，此带在后翅臀域"W"形弯曲；黑色尾突细长。本种与属内其他种的主要区别为：两翅反面无外横线。

　　采集记录：4♂1♀，周至厚畛子，1320m，2009.Ⅵ.26，房丽君采；1♂，宁陕火地塘，1500m，2010.Ⅶ.27，房丽君采。

　　分布：陕西(周至、宁陕)、甘肃、浙江、湖北、四川、云南。

　　寄主：榛 *Corylus heterophylla* (Fagaceae)、千金榆 *Carpinus cordata*、虎榛子 *Ostryopsis davidiana*。

(335) 银线工灰蝶 *Gonerilia thespis* (Leech, 1890)

Dipsas thespis Leech, 1890: 42.

Gonerilia thespis: Chou, 1994: 623.

　　鉴别特征：翅橙红色。翅正面除顶角区黑色外，无斑纹；反面前翅亚缘区有1列白色条斑，两侧缘线黑色；外横带细，白色，内侧缘线黑色。后翅外缘带黑白两色，内侧锯齿形缘线黑色；亚缘斑列同前翅，但斑列端部及近尾突基部处各有1个黑色圆斑;外斜带末端"V"形弯曲;尾突黑色。

采集记录:1♂1♀,周至厚畛子,1300m,2009.Ⅵ.26,房丽君采;2♂,户县东涝峪,1400m,2010.Ⅶ.06,房丽君采;1♂,太白黄柏塬,1100m,2011.Ⅷ.27,房丽君采。

分布:陕西(周至、户县、太白)、辽宁、河南、湖北、四川。

寄主:鹅耳枥 *Carpinus turczaninowii*(Fagaceae)。

(336)冈村工灰蝶 *Gonerilia okamurai* **Koiwaya,1996**

Gonerilia okamurai Koiwaya,1996:269.

鉴别特征:与银线工灰蝶 *G. thespis* 近似,主要区别为:本种翅正面橙黄色;前翅顶角区黑色带宽,向下延伸至臀角。后翅正面顶角区有1个小黑斑。

采集记录:1♂,太白,1994.Ⅶ.24,王敏采。

分布:陕西(太白)、河南、四川。

(337)佩工灰蝶 *Gonerilia pesthis* **Wang** *et* **Chou,1998**

Gonerilia pesthis Wang *et* Chou,1998:51.

鉴别特征:本种极近似于冈村工灰蝶 *G. okamurai*,主要区别为:本种翅正面棕红色。翅面覆有黑色鳞粉。前翅反面橙红色亚外缘带未达顶角。后翅反面底色赭黄色;外缘区密被蓝色鳞粉。

采集记录:2♂,周至,1994.Ⅵ.13,王敏采。

分布:陕西(周至)。

寄主:铁木 *Ostrya japonica*(Betulaceae)。

118.珂灰蝶属 *Cordelia* **Shirôzu** *et* **Yamamoto,1956**

Cordelia Shirôzu *et* Yamamoto,1956:339,349. **Type species:** *Dipsas comes* Leech,1890.

属征:橙黄或橙红色的种类。前翅正面顶角黑色;中室短于前翅长的1/2;R_4脉从R_5脉中上部分出,R_5和M_1脉不共柄,均从中室上端角生出。后翅近三角形,有细长的尾突,$Sc+R_1$脉短,仅达前缘中部。雄性外生殖器:无钩突;颚突钩状;囊突极短;抱器小,卵形;阳茎粗大,无角状突。雌性外生殖器:交配囊导管膜质;交配囊椭圆形;无交配囊片。

分布:中国。全世界记载3种,秦岭地区记录3种。

分种检索表

1. 后翅正面 cu_1 室有 1 个黑色点斑 ……………………………………… 密妮珂灰蝶 *C. minerva*

后翅正面 cu_1 室无黑色点斑 ……………………………………………………… 2

2. 两翅色较深，偏红；后翅反面端缘橙色带宽而清晰；后翅外缘细齿形 ……… 珂灰蝶 *C. comes*

两翅色较淡，偏黄；后翅反面端缘橙色带窄，边界模糊；后翅外缘较平滑…………………

…………………………………………………………… 北协珂灰蝶 *C. kitawakii*

(338) 珂灰蝶 *Cordelia comes* (Leech, 1890)

Dipsas comes Leech, 1890, 23: 41.

Cordelia comes: Chou, 1994: 624.

鉴别特征：翅正面橙红色；反面色稍淡。前翅正面顶角黑斑沿外缘至 m_3 室止；反面端线有两条近于平行的白色线纹，端半部消失。后翅正面无斑；反面外缘带细，黑白两色；亚外缘斑橙红色，整齐排成 1 列，镶有黑白两色缘线；rs、cu_1 室及臀角各有 1 个黑色斑；外横带细，白色，M_3 脉之后"W"形弯曲；黑色尾突细长。

采集记录：1♂，周至厚畛子，1260m，2010. Ⅵ. 12，房丽君采；1♂，宁陕旬阳坝，1430m，2010. Ⅶ. 29，房丽君采；2♂1♀，柞水牛背梁森林公园，1230m，2012. Ⅵ. 13，张宇军采。

分布：陕西(周至、宁陕、柞水)、河南、浙江、湖北、台湾、四川。

寄主：川上鹅耳枥 *Carpinus kawakamii* (Betulaceae)、云南鹅耳枥 *C. monbeigiana*。

(339) 北协珂灰蝶 *Cordelia kitawakii* Koiwaya, 1993

Cordelia kitawakii Koiwaya, 1993: 51.

鉴别特征：与珂灰蝶 *C. comes* 近似，主要区别为：本种个体较大；正面橙黄色，端部色偏橙红色。前翅反面亚外缘区有白色斑列，中心镶有黑色斑点，并延伸到近顶角处。后翅反面 rs、cu_1 室及臀角的黑色圆斑大；外横带在 M_3 脉之后"V"形弯曲。

采集记录：2♂，户县东涝峪，1300m，2010. Ⅶ. 06，房丽君采；1♂，太白黄柏塬大箭沟，1660m，2010. Ⅷ. 07，房丽君采；1♂，留坝红岩沟，1030m，2012. Ⅵ. 23，张宇军采；1♂，佛坪长角坝，1000m，2011. Ⅵ. 06，房丽君采。

分布：陕西(户县、太白、留坝、佛坪)、河南、湖北、广东。

寄主：千金榆 *Carpinus cordata* (Betulaceae)、鹅耳枥 *C. turczaninowii*、铁木 *Ostrya japonica*。

(340) 密妮珂灰蝶 *Cordelia minerva* (Leech, 1890)

Dipsas minerva Leech, 1890: 40.

Cordelia minerva: Chou, 1994: 624.

鉴别特征：与珂灰蝶 *C. comes* 近似，主要区别为：本种后翅正面 cu_1 室有 1 个黑色斑点。

采集记录：1♂，周至陈河，1000m，2013. Ⅵ. 02，房丽君采；2♀，留坝柳树沟，2010. Ⅵ. 20，许家珠采；1♀，汉中天台山，2003. Ⅵ. 22，许家珠采。

分布：陕西(周至、留坝、汉台)、湖北。

119. 黄灰蝶属 *Japonica* Tutt, [1907]

Japonica Tutt, [1907]: 277. **Type species**: *Dipsas saepestriata* Hewitson, [1865].

属征：中室长度约为翅长的 2/5；R_1 脉与 R_2 脉独立；R_4 脉从 R_5 脉中上部分出，与 M_1 脉有短共柄，同时从中室上端角分出。后翅尾突细长。雄性外生殖器：钩突尖；颚突细，钩状；囊突长；抱器结构简单，端半部窄；阳茎长，端膜上有 1 个角状器；阳茎轭片"V"形。雌性外生殖器：交配囊导管骨化；交配囊大，长卵圆形；交配囊片成对。

分布：古北区，东洋区。全世界记载 6 种，中国记载 2 种，秦岭地区记录 2 种。

分种检索表

翅反面密布规则排列的黑色斑列 ··· **栅黄灰蝶 *J. saepestriata***

翅反面无上述斑纹 ··· **黄灰蝶 *J. lutea***

(341) 黄灰蝶 *Japonica lutea* (Hewitson, 1865) (图版 61: 11-12)

Dipsas lutea Hewitson, 1865: 67.

Japonica lutea: Chou, 1994: 626.

鉴别特征：翅正面橙黄色。前翅正面顶角黑色；反面外缘带橙红色，内侧缘线黑白两色；外斜带宽，赭黄色，至 cu_2 室变窄并错位内移；中室端斑宽，近方形，赭黄色。后翅正面外缘有黑白 2 条细线纹；臀角和 cu_2 室端部各有 1 个黑色圆斑，时有模糊或消失；反面较正面色暗，深黄色；中斜带上宽下窄，赭黄色，从前缘中部斜向臀角；两侧缘线白色；尾突黑色。

采集记录：2♂，周至厚畛子，1320m，2009.Ⅵ.26，房丽君采；1♂1♀，户县东涝峪，1300m，2010.Ⅶ.06，房丽君采；1♂，汉阴龙垭，680m，2011.Ⅴ.27，房丽君采。

分布：陕西(周至、户县、汉阴)、黑龙江、吉林、辽宁、河南、甘肃、四川。

寄主：栎 *Quercus serrata*(Fagaceae)、麻栎 *Q. acutissima*、栓皮栎 *Q. variabilis*、蒙古栎 *Q. mongolica*、槲栎 *Q. aliena*、柞栎 *Q. dentata*、巴东栎 *Q. engleriana*、曼青冈 *Cyclobalanopsis oxyodon*、板栗 *Castanea mollissima* 等。

(342)栅黄灰蝶 *Japonica saepestriata* (Hewitson，1865)

Dipsas saepestriata Hewitson，1865：67.

Japonica saepestriata：Chou，1994：627.

鉴别特征：翅正面橙红色，常有反面斑纹的投影；外缘线黑色；臀角斑黑色；反面淡黄色；外缘细带黑色；从亚外缘区至翅基部有数列均匀分布的黑色斑列，斑纹长条形；cu_1 及 cu_2 室端部各有 1 个橙红色眼斑，瞳点黑色，cu_2 室眼斑的瞳点下移至臀角端部；尾突黑色，细长。

采集记录：1♂，宁陕广货街，1250m，2010.Ⅶ.07，房丽君采。

分布：陕西(宁陕)、黑龙江、吉林、辽宁、甘肃、福建、四川；俄罗斯，朝鲜，日本。

寄主：麻栎 *Quercus acutissima*(Fagaceae)、栓皮栎 *Q. variabilis*、栎 *Q. serrata*、栗 *Castanea mollissima*。

120. 诗灰蝶属 *Shirozua* Sibatani *et* Ito，1942

Shirozua Sibatani *et* Ito，1942：322. **Type species**：*Thecla jonasi* Janson，1877.

属征：橙黄色的种类。中室长约为翅长的2/5；R_4 脉从 R_5 脉中部分出，与 M_1 脉有短的共柄，均从中室上端角分出。后翅有尾突；臀角半圆形外突；反面臀区有橙红色斑及"W"形纹。雄性外生殖器：背兜与钩突愈合；颚突钩状；基腹弧较宽；囊突短；抱器结构简单；阳茎粗长，无角状突。雌性外生殖器：交配囊导管膜质；交配囊大，卵圆形；交配囊片带状，有锯齿。

分布：古北区，东洋区。全世界记载 2 种，秦岭地区记录 2 种。

分种检索表

后翅反面 cu_1 室近尾突基部处有橙黄色眼斑 ······················· **媚诗灰蝶 *S. melpomene***

后翅反面 cu_1 室近尾突基部无眼斑 ·· 诗灰蝶 *S. jonasi*

（343）诗灰蝶 *Shirozua jonasi*（**Janson，1877**）

Thecla jonasi Janson，1877：157.

Zephyrus jonasi：Leech，1893：385.

Shirozua jonasi：Sibatani & Ito，1942：322.

鉴别特征：翅正面橙黄色；反面色稍淡；中室端斑条形。前翅顶角区黑色；反面外缘带暗黄色；白色亚外缘带模糊；亚缘带及外斜带赭红色。后翅外斜带达 cu_1 室后"W"形弯曲并折向后缘中下部，外侧缘线白色；臀角有 1 个橙红色眼斑，瞳点下移至臀角端部；黑色尾突短。

分布：陕西（秦岭）、黑龙江、吉林、辽宁、北京、河北、山西；俄罗斯，朝鲜，日本。

寄主：低龄以壳斗科 Fagaceae 植物树芽为食，3 龄后转食蚜虫、介壳虫。

（344）媚诗灰蝶 *Shirozua melpomene*（**Leech，1890**）

Dipsas melpomene Leech，1890：41.

Shirozua melpomene：Bridges，1988：98.

Shirozua jonasi melpomene：D′Abrera，1993：404.

鉴别特征：与诗灰蝶 *S. jonasi* 近似，主要区别为：本种前翅顶角及外缘区无黑色斑带。后翅反面 cu_1 室端部有 1 个橙黄色眼斑，瞳点黑色。

采集记录：1♂，周至，1994.Ⅶ.21。

分布：陕西（周至）、浙江、湖北、四川、云南。

寄主：低龄以壳斗科 Fagaceae 植物树芽为食，如蒙古栎 *Quercus mongolica*、麻栎 *Q. acutissima*、栓皮栎 *Q. variabilis* 等，3 龄后转食蚜虫、介壳虫。

121.铁灰蝶属 *Teratozephyrus* Sibatani，1946

Teratozephyrus Sibatani，1946：77. **Type species**：*Zephyrus arisanus* Wilenam，1909.

属征：黑褐色种类。中室长约等于翅长的 $1/2$；R_4 脉从 R_5 脉的中上部分出，与 M_1 脉有短的共柄，均从中室上端角分出。后翅尾突细长；反面 cu_1 室末端有眼斑；臀区有橙色斑及"W"形纹。雄性外生殖器：背兜头巾状；钩突小，末端钝或中部稍凹入；颚突细长；囊突很小；抱器豆瓣形，背端有 1 个矛状突出；阳茎弯曲，有角状器。

分布：东洋区。全世界记载 12 种，中国已知 11 种，秦岭地区记录 1 种。

（345）黑铁灰蝶 *Teratozephyrus hecale*（Leech，1894）

Zephyrus hecale Leech，1894：379.

Teratozephyrus hecale：Chou，1994：628.

鉴别特征：翅正面黑褐色；反面棕褐色。前翅正面中室端部外侧有 2 个横向排列的橙色斑纹，时有模糊；反面端缘黑竭色，基部加宽并呈黑褐色，端部带纹时有消失；外斜带从前缘近顶角 1/4 处斜向 Cu_2 脉端部 1/4 处，内侧缘线黑褐色；后缘淡黄色；中室端斑条形，褐色。后翅反面亚外缘带灰白色；外斜带白色，内侧缘线黑褐色，从前缘中部斜向臀角，到达 cu_2 室端部后"W"形弯曲并折向后缘中下部；cu_2 室端部及臀角各有 1 个橙红色眼斑，瞳点黑色，臀角眼斑瞳点下移至臀角端部；尾突细长，黑色。

采集记录：1♂，长安分水岭，1970m，2010. Ⅶ.27，房丽君采；1♂，凤县通天河，1400m，2012. Ⅴ.25，房丽君采；3♂1♀，宁陕火地塘，1650m，2010. Ⅶ.21，房丽君采。

分布：陕西（长安、凤县、宁陕）、台湾、四川。

寄主：巴东栎 *Quercus engleriana*（Fagaceae）。

122. 线灰蝶属 *Thecla* Fabricius，1807

Thecla Fabricius，1807：286. **Type species**：*Papilio betulae* Linnaeus，1758.

Zephyrus Dalman，1816：62-63. **Type species**：*Papilio betulae* Linnaeus，1758.

Aurotis Dalman，1816：63，90. **Type species**：*Papilio betulae* Linnaeus，1758.

Zephyrius Billberg，1820：80. **Type species**：*Papilio betulae* Linnaeus，1758.

Ruratis Tutt，1906：130. **Type species**：*Papilio betulae* Linnaeus，1758.

属征：大中型灰蝶，雌雄异型。中室长约等于翅长度的 1/2。前翅短阔；R_1 脉及 R_2 脉独立；R_4 脉从 R_5 中部分出，与 M_1 脉有短的共柄，均从中室上端角分出；R_5 脉达顶角。后翅外缘平直，或微波状，有 1 个尾突。雄性外生殖器：背兜很大；颚突弯肘状；囊突短；尾突缺；抱器小，近圆形，末端钝；阳茎细短，角状突小。雌性外生殖器：交配囊导管细长；交配囊近球形；无交配囊片。

分布：古北区。全世界记载 3 种，中国均有记录，秦岭地区记录 2 种。

分种检索表

后翅正面臀角无橙色斑纹 ···························· 桦小线灰蝶 *T. betulina*

后翅正面臀角有橙色斑纹 ····························· 线灰蝶 *T. betulae*

(346) 线灰蝶 *Thecla betulae*（Linnaeus，1758）（图版 61：13-14）

Papilio betulae Linnaeus, 1758：482.

Thecla betulae：Shirôzu, 1962：145.

Thecla betulae daurica Dubatolov, 1999：170.

鉴别特征：雄蝶翅正面棕褐色至黑褐色；反面黄色至橙红色。前翅正面橙色斑纹退化或消失；反面亚外缘带黑灰色，模糊；外斜带及中室端斑比翅色稍深，缘线白色；外斜带未达臀角。后翅反面中斜带宽，从前缘中部斜向臀角，两侧缘线黑白两色，外侧缘线后半部齿状，内侧缘线后半段消失；cu_2 室端部眼斑橙色，黑色瞳点小；臀角橙色眼斑瞳点下移至臀角端部，并半圆形外凸；尾突短，橙黄色，末端白色。雌蝶个体较大，橙黄色或黑褐色。橙黄色型的前翅正面顶角区及外缘区黑褐色。后翅正面基半部有棕灰色晕染；cu_1 室端部黑色斑圆形；黑褐色型前翅正面有橙色外斜带。

采集记录：1♂，长安滦镇，2070m，2010.Ⅷ.29，张宇军采；1♂1♀，周至厚畛子，2009.Ⅸ.21，高可、杨伟采；1♂，洛南巡检，1200m，2012.Ⅹ.02，房丽君采；1♂，山阳中村，740m，2010.Ⅹ.05，房丽君采。

分布：陕西（长安、周至、洛南、山阳）、黑龙江、吉林、北京、河南、青海、新疆、浙江、四川；俄罗斯，朝鲜，亚洲，欧洲。

寄主：西梅 *Prunus domestica*（Rosaceae）、稠李 *P. padus*。

(347) 桦小线灰蝶 *Thecla betulina* Staudinger，1887（图版 61：15-16）

Thecla betulina Staudinger, 1887：127.

Thecla betulina：Shirôzu, 1962：145.

Iozephyrus betulina：Chou, 1994：630.

鉴别特征：与线灰蝶 *T. betulae* 近似，主要区别为：本种个体稍小；翅反面偏赭黄色。后翅正面臀角无橙色斑纹。

采集记录：2♂，周至厚畛子，1480m，2010.Ⅶ.13，房丽君采；1♂，太白黄柏塬，1560m，2010.Ⅷ.08，房丽君采。

分布：陕西（周至、太白）、黑龙江、辽宁、甘肃；朝鲜。

123. 赭灰蝶属 *Ussuriana* Tutt，[1907]

Ussuriana Tutt, [1907]：276. **Type species**：*Thecla michaelis* Oberthür, 1880.

属征：大型灰蝶。翅正面雄蝶黑褐色，雌蝶橙色；反面淡黄色。前翅阔；中室长约为前翅长度的 1/2；R_5 脉从中室上端角生出，与 M_1 脉有一段共柄；R_4 脉从 R_5 脉的中部分出。后翅臀区有黑色及橙色斑，无"W"形纹；臀角不外突。雄性外生殖器：背兜侧突发达；无钩突；颚突钩状；囊突中等长；抱器三角形，末端钩状突出；阳茎短粗，无角状突。雌性外生殖器：交配囊导管骨化；交配囊大，卵圆形；交配囊片发达，成对。

分布：古北区，东洋区。全世界记载 6 种，中国已知 5 种，秦岭地区记录 3 种。

分种检索表

1. 雌蝶正面前翅臀角区及后翅顶角区各有 1 个大黑斑 ·············· 赭灰蝶 *U. michaelis*
   雌蝶两翅正面上述斑纹退化或消失 ··· 2
2. 后翅反面亚缘斑带浅弧形弯曲 ······································ 范赭灰蝶 *U. fani*
   后翅反面亚缘斑带直 ·· 藏宝赭灰蝶 *U. takarana*

(348) 赭灰蝶 *Ussuriana michaelis*（Oberthür, 1880）

Thecla michaelis Oberthür, 1880: 19.

Ussuriana michaelis: Chou, 1994: 630.

鉴别特征：雄蝶翅正面黑褐色；反面淡黄色；两翅反面亚缘斑带花边形，橙、白、黑三色；外缘黑色带窄，镶有白色细线纹。前翅正面中央近后缘有 1 个水滴状橙色斑纹，时有消失。后翅正面臀角橙色带纹有或无；cu_1 室端部及臀角各有 1 个黑色圆斑。雌蝶翅橙色；前翅前缘、顶端及外缘黑色，外缘黑带向后角渐窄；臀角大黑斑近圆形。后翅正面顶角黑斑大；cu_1 室端部及臀角有 1 个黑色圆斑；黑色尾突长，丝状。

采集记录：1♂，周至板房子，1140m，2011.Ⅶ.08，张辰生、程帅采；2♂1♀，华阴华阳川林场，1300m，2011.Ⅴ.07，房丽君采；1♂，柞水牛背梁，1360m，2012.Ⅵ.13，张宇军采。

分布：陕西（周至、华阴、柞水）、吉林、辽宁、河南、浙江、江西、四川；朝鲜。

寄主：白蜡树 *Fraxinus chinensis*（Oleaceae）、水曲柳 *F. mandshurica*、花曲柳 *F. rhynchophylla*、苦枥木 *F. insularis* 等。

(349) 范赭灰蝶 *Ussuriana fani* Koiwaya, 1993（图版 62：1-4）

Ussuriana fani Koiwaya, 1993: 47.

Ussuriana fani huashana Koiwaya, 1993: 51.

鉴别特征：与赭灰蝶 *U. michaelis* 近似，主要区别为：本种雌蝶正面前翅 cu_2 室端部及后翅顶角黑斑退化或消失。

采集记录：1♂，长安大峪，850m，2011.Ⅵ.24，张宇军采；1♂，周至黑河森林公园，1100m，2013.Ⅵ.16，房丽君采；2♂，户县东涝峪，1450m，2010.Ⅶ.06，房丽君采；1♂，佛坪长角坝，1000m，2011.Ⅵ.06，房丽君采。

分布：陕西（长安、周至、户县、佛坪）、河南。

寄主：白蜡树 *Fraxinus chinensis*（Oleaceae）。

(350) 藏宝赭灰蝶 *Ussuriana takarana*（Araki *et* Hirayama, 1941）

Coreana michaelis takarana Araki et Hirayama, 1941：1.

Ussuriana michaelis takarana：Fujioka, 1992：16.

Ussuriana takarana：Chou, 1994：630.

鉴别特征：与赭灰蝶 *U. michaelis* 近似，主要区别为：本种后翅反面亚缘斑带直，不弯曲。

采集记录：1♂，周至厚畛子，1300m，2009.Ⅵ.26，李宇飞采；1♂，留坝姚家沟，2006.Ⅶ.12，许家珠采。

分布：陕西（周至、留坝）、江西、福建、台湾。

124. 陕灰蝶属 *Shaanxiana* Koiwaya, 1993

Shaanxiana Koiwaya, 1993：44. **Type species**：*Shaanxiana takashimai* Koiwaya, 1993.

属征：小型灰蝶。翅正面黑褐色，无斑；反面黄色；两翅端部有花边纹。前翅中室长于前翅长的 1/2；R_1 脉、R_2 脉独立；R_4 脉从 R_5 脉中部分出；R_5 脉与 M_1 脉同柄，从中室上顶角分出。后翅外缘齿状；有尾突；无"W"形纹。雄性外生殖器：背兜短阔；钩突小，二分叉；颚突大；尾突宽；囊突短小；抱器小，内侧中部有 1 个突起；阳茎粗，末端分叉，角状突发达。雌性外生殖器：交配囊导管粗短，上部骨化；交配囊椭圆形；交配囊片成对。

分布：中国。全世界记载 1 种，秦岭地区记录 1 种。

(351) 陕灰蝶 *Shaanxiana takashimai* Koiwaya, 1993（图版 62：5-6）

Shaanxiana takashimai Koiwaya, 1993：46.

鉴别特征：翅正面黑褐色，无斑；外缘有小齿；反面鲜黄色；端部有由白色、黑色、橙色和蓝色组成的花边纹。后翅尾突细长，黑色，周边缘线橙红及蓝色。

采集记录：1♂，周至厚畛子，1320m，2010.Ⅶ.12，房丽君采；1♂，户县东涝峪，1450m，2010. Ⅶ.06，房丽君采；1♂，宁陕火地塘，1680m，2008. Ⅷ.30，房丽君采。

分布: 陕西(周至、户县、宁陕)、河南。

寄主: 白蜡树 *Fraxinus chinensis*(Oleaceae)。

125. 华灰蝶属 *Wagimo* Sibatani *et* Ito，1942

Wagimo Sibatani *et* Ito，1942：319. **Type species**：*Thecla signata* Butler，[1882].

属征: 中小型灰蝶。翅正面黑褐色；反面褐色。前翅有蓝紫色大斑；反面密布白色线纹，向臀角汇合，呈"V"形。前翅中室长约为前翅长的1/2弱；R_5脉从中室上端角分出，达顶角；R_4脉从R_5脉中部分出；M_1脉从中室上端角生出，不与R_5脉同柄。后翅有尾突；反面臀角有橙色斑。雄性外生殖器：背兜短狭；钩突二分叉；颚突发达，镰刀状；囊突中等长；抱器牛角状；阳茎极长，末端平截。雌性外生殖器：交配囊导管长，骨化；交配囊卵圆形；交配囊片发达。

分布: 古北区，东洋区。全世界记载6种，中国记录5种，秦岭地区记录2种。

分种检索表

后翅反面尾突基部眼斑与臀角眼斑紧密相连 ………………………………… 黑带华灰蝶 *W. signata*
上述两个眼斑相互分离 ………………………………………………………… 华灰蝶 *W. sulgeri*

(352) 华灰蝶 *Wagimo sulgeri*(Oberthür，1908)(图版62：7-8)

Thecla sulgeri Oberthür，1908：77.
Zephyus sulgeri：Wu，1938：937.
Wagimo sulgeri：Shirôzu，1962：146.
Wagimo sulgeri sulgeri：D'Abrera，1993：406.

鉴别特征: 翅正面黑褐色或灰黑色，反面棕褐色至棕灰色。前翅正面中域至基部有蓝紫色大斑；反面亚外缘带、外斜带及中室端斑色稍深，带纹两侧均有白色缘线；臀角斑纹黑褐色。后翅正面灰黑色，无斑；反面数条白色线纹从前缘和后缘汇集至臀角区；cu_1室端部及臀角各有1个橙黄色眼斑，瞳点黑色；尾突细长，黑色。

采集记录: 1♂，长安石砭峪，1100m，2010. Ⅶ.04，房丽君采；1♂，周至厚畛子，1480m，2010. Ⅶ.11，房丽君采；1♂，户县东涝峪，1300m，2010. Ⅶ.06，房丽君采。

分布: 陕西(长安、周至、户县)、河南、浙江、江西、福建、台湾。

寄主：橿子栎 *Quercus baronii*（Fagaceae）。

(353) 黑带华灰蝶 *Wagimo signata*（Butler，［1882］）

Thecla signata Butler，［1882］：854.

Wagimo signata：Shirôzu，1962：146.

鉴别特征：与华灰蝶 *W. sulgeri* 近似，主要区别为：本种后翅正面多有蓝紫色闪光，反面 cu_1 室端部及臀角的 2 个橙色眼斑紧密相连。

采集记录：1♀，周至，1994.Ⅵ.15。

分布：陕西（周至）、黑龙江、辽宁、四川；俄罗斯，朝鲜，韩国，日本。

寄主：巴东栎 *Quercus engleriana*（Fagaceae）、大叶栎 *Q. griffithii*。

126. 丫灰蝶属 *Amblopala* Leech，1893

Amblopala Leech，1893：341. **Type species**：*Amblypodina avidiena* Hewitson，1877.

属征：翅形独特，两翅顶角略截形；后翅前缘平直，无尾突；臀角指形外突；反面有丫形纹。前翅中室稍长于前翅长的 1/2；R_5 脉从中室上端角生出，到达翅的前缘；R_4 脉从 R_5 脉中部分出；M_1 脉与 R_5 脉从同点分出。雄性外生殖器：背兜短，头巾状；钩突短宽；颚突细钩状；抱器短阔，阳茎中等大小，末端尖锐，角状突弱。雌性外生殖器：交配囊导管长，膜质，顶端骨化；交配囊短，卵圆形；交配囊片发达，成对，长条形。

分布：古北区，东洋区。全世界仅记载 1 种，秦岭地区有记录。

(354) 丫灰蝶 *Amblopala avidiena*（Hewitson，1877）（图版 62：9-10）

Amblypodia avidiena Hewitson，1877：108.

Amblopala avidiena：Chou，1994：632.

鉴别特征：前翅正面黑褐色；顶角尖；外缘上半部弧形外突；中室及其下方至后缘有 1 个蓝色大斑，该斑端部外侧有 1 个橙黄色斑与其相连；反面赭黄色；顶角及外缘黄褐色，内侧缘线白色。后翅正面棕褐色；前缘平直；外缘强弓形外突；顶角近直角形；中央有蓝色大斑；反面黄褐色；亚缘带白色；中域"Y"形带纹灰白色，缘线白色；臀角至后缘中部有 1 条白色线纹；臀角指状外突，黑褐色。

采集记录：2♂1♀，镇安结子乡，1100m，2011.Ⅳ.30，房丽君采。

分布：陕西（镇安）、河南、江苏、浙江、江西、福建、台湾、四川；印度。

寄主：合欢 *Albizia julibrissin*（Mimosaceae）、山合欢 *A. kalkora* 等植物。

127. 祖灰蝶属 *Protantigius* Shirôzu *et* Yamamoto，1956

Protantigius Shirôzu *et* Yamamoto，1956：339，357. **Type species**：*Drina superans* Oberthur，1914.

属征：大中型灰蝶。翅正面黑褐色；反面白色。前翅中室短于前翅长的 1/2；R_5 脉与 M_1 脉不共柄。后翅尾突细长；臀叶较发达；反面 cu_1 室末端橙色眼斑显著；臀角区有"W"形带纹。雄性外生殖器：钩突发达，分叉；尾突较大；颚突小；囊突短；抱器扁平，结构简单；阳茎宽，角状突弱。

分布：古北区，东洋区。全世界记载 1 种，秦岭地区有记录。

（355）祖灰蝶 *Protantigius superans*（Oberthür，1914）

Drina superans Oberthür，1914：54.

Protantigius superans：Shirôzu，1962：145.

鉴别特征：翅正面褐色或黑褐色；反面白色；外缘线黑色，亚外缘线及亚缘线黑灰色；中室端斑黑色或黑褐色。前翅反面外斜带黑色。后翅尾突细长；Cu_1 脉末端角状尖出；正面 cu_1 及 cu_2 室端部各有 1 个黑色圆斑，圈纹白色，部分模糊；反面中斜带细，从前缘中部斜向臀角，并"W"形弯曲折向后缘中下部；cu_1 室端部眼斑橙色，瞳点黑色；臀角橙色眼斑瞳点外移，瓣状凸出。

分布：陕西（太白、留坝）、辽宁、甘肃、浙江、台湾、四川；朝鲜，俄罗斯。

寄主：山杨 *Populus davidiana*（Salicaceae）。

128. 珠灰蝶属 *Iratsume* Sibatani *et* Ito，1942

Iratsume Sibatani *et* Ito，1942：328. **Type species**：*Thecla orsedice* Butler，[1882].

属征：中型灰蝶；雌雄异型。翅正面青白色；反面褐色至赭黄色。前翅中室长等于前翅长的 1/2；R_4 脉从 R_5 脉中上部分出；M_1 脉与 R_5 脉均从中室上端角生出，有极短的共柄。后翅臀区有橙色斑及"W"形纹；尾突细长。雄性外生殖器：背兜短，分叉；钩突尖长；颚突细长；囊突极短；抱器端部爪状外突；阳茎粗大，末端尖细，无角状器。雌性外生殖器：交配囊导管膜质；交配囊卵圆形。

分布：古北区，东洋区。全世界记载 1 种，秦岭地区有记录。

(356) 珠灰蝶 *Iratsume orsedice*（Butler，[1882]）

Thecla orsedice Butler，[1882]：852.

Iratsume orsedice：Shirôzu，1962：146.

鉴别特征：雄蝶翅正面青灰色；反面褐色至赭黄色。两翅反面外缘线白色；亚缘斑列黑色，圈纹白色。前翅正面黑褐色前缘带窄；外缘带黑褐色，弥散状向内侧扩散；反面外横带窄，黑白两色，时有断续。后翅反面亚外缘带白色，弥散状；白色中斜带细，从前缘中部斜向臀角，至 Cu_1 脉末端近 1/3 处"W"形回折伸向后缘中部，内侧缘线灰褐色；cu_1 室端部眼斑橙黄色，瞳点大，黑色；臀角橙色眼斑瞳点外移；臀瓣稍有外凸；尾突细长，黑色。雌蝶翅正面顶角及外缘褐色。

分布：陕西（秦岭）、湖北、台湾、四川；日本。

寄主：水丝梨 *Sycopsis sinensis*（Hamamelidaceae）。

（二）玳灰蝶族 Deudorigini

前翅脉纹 11 条；有些属 Sc 脉与 R_1 脉接触或交叉。后翅 Cu_2 脉末端常有尾突，有时 Cu_1 脉末端也有尾突，但 2A 脉绝无尾突；臀角瓣状突出。常有第二性征，表现在雄性后翅正面基部的性斑及前翅后缘反面的毛刷。

分属检索表

1. 翅反面赭黄色 ···································· 秦灰蝶属 *Qinorapala*

   翅反面非赭黄色 ··· 2

2. 后翅臀叶发达，极显著 ····························· 燕灰蝶属 *Rapala*

   后翅臀叶小，不显著 ······························· 生灰蝶属 *Sinthusa*

129. 燕灰蝶属 *Rapala* Moore，[1881]

Rapala Moore，[1881]：105. **Type species**：*Thecla varuna* Horsfield，[1829].

Hysudra Moore，1882：250. **Type species**：*Deudorix selira* Moore，1874.

Nadisepa Moore，1882：249. **Type species**：*Papilio iarbas* Fabricius，1787.

Atara Zhdanko，1996：783. **Type species**：*Thecla arata* Bremer，1861.

属征：中型灰蝶。正面雄蝶翅褐色或深蓝色，雌蝶蓝紫色或黑褐色；反面褐色、黄色或青白色；有典型的中室端斑。后翅尾突细长；臀叶发达；cu_1 室端部与臀叶上各有 1 个黑色斑纹。前翅 M_1 脉与 R_5 脉在基部不共柄；中室长等于或短于前翅长的 1/2；第二性征为后翅正面基部有发香鳞区，前翅后缘反面有倒逆的毛。雄性外生殖器：背兜发达；无钩突；尾突大；颚突强壮，弧形弯曲；囊突短；抱器结构简单；阳茎宽扁，有角状器。雌性外生殖器：交配囊导管宽大，部分骨化；交配囊圆形；交配囊片成对，条形，具刺。

分布：古北区，东洋区，澳洲区。全世界记载 50 余种，中国已知 14 种，秦岭地区记录 4 种。

分种检索表

1. 后翅反面臀角区有 1 个完整的橙色眼斑 ·· 2
   后翅反面臀角区有 2 个完整的橙色眼斑 ·· 3
2. 后翅反面 cu_1 室端部眼斑橙色环极窄，不明显 ·············· 霓纱燕灰蝶 *R. nissa*
   后翅反面 cu_1 室端部眼斑橙色环宽，显著 ········· 高沙子燕灰蝶 *R. takasagonis*
3. 雄蝶性标位于 rs 室基部 ································· 彩燕灰蝶 *R. selira*
   雄蝶性标位于前翅反面后缘及后翅正面基部 ··············· 蓝燕灰蝶 *R. caerulea*

(357) 霓纱燕灰蝶 *Rapala nissa* (Koltar，[1844]) (图版 62：11-12)

Thecla nissa Koltar, [1844]：412.

Rapala nissa：Chou, 1994：652.

鉴别特征：翅正面蓝黑色；反面赭黄色至棕灰色。前翅正面基半部和后翅的大部分有蓝紫色闪光；中室端部外侧橙色横斑有或无；反面外缘带（如有）较亚外缘带宽；亚外缘带常间断或模糊不清；外斜带褐色，从前缘近顶角 1/3 处斜向臀角；中室端斑缘线褐色。后翅反面外缘带及亚缘带褐色；外斜带从前缘近顶角 1/3 处斜向 cu_2 室端部 1/4 处，之后 "W" 形弯曲折向后缘中后部，缘线白色；cu_1 室端部眼斑橙黄色，瞳点黑色；臀瓣黑色，外环白色。雄蝶 rs 室基部有长椭圆形毛丛（性标斑）。本种翅色、斑纹常因季节或个体而有变化。

采集记录：1♂，长安鸭池口，660m，2008.Ⅷ.23，房丽君采；1♂，周至楼观台，680m，2010.Ⅷ.15，房丽君采；1♂，户县朱雀森林公园，1620m，2012.Ⅶ.12，房丽君采；1♂，宝鸡首耳沟，1000m，2012.Ⅵ.24，房丽君采；1♂，宁陕旬阳坝，1420m，2010.Ⅶ.29，房丽君采；1♂1♀，石泉七里沟，560m，2009.Ⅳ.05，房丽君采；2♂，镇安结子乡，820m，2011.Ⅳ.30，房丽君采；1♂，丹凤商镇商山公园，890m，2013.Ⅷ.12，张宇军采；1♂，商南梁家湾，500m，2013.Ⅷ.24，房丽君采。

分布：陕西（长安、周至、户县、宝鸡、宁陕、石泉、镇安、丹凤、商南）、黑龙江、河北、河南、浙江、湖北、江西、台湾、广东、广西、四川、云南；泰国，印度，马来西亚。

寄主：溪畔落新妇 *Astilbe rivularis*(Saxifragaceae)、长波叶山蚂蝗 *Desmodium sequax*(Fabaceae)。

(358) 高沙子燕灰蝶 *Rapala takasagonis* Matsumura, 1929

Rapala takasagonis Matsumura, 1929: 96.

鉴别特征：与霓纱燕灰蝶 *R. nissa* 近似，主要区别为：本种翅正面蓝紫色闪光较弱。前翅反面外缘带及亚外缘带模糊。后翅反面臀角外突瓣的橙色纹及 cu_1 室端部眼斑的橙色环窄；rs 室基部毛丛近圆形(性标斑)。

采集记录：2♂3♀，洋县黑峡，2008.Ⅵ.28，许家珠采；3♂1♀，商南金丝峡，800m，2013.Ⅶ.26，房丽君采；1♂，商南梁家湾，500m，2013.Ⅶ.26，房丽君采。

分布：陕西(洋县、商南)、江西、福建、台湾。

寄主：美丽胡枝子 *Lespedeza formosa*(Fabaceae)等植物。

(359) 蓝燕灰蝶 *Rapala caerulea*（Bremer *et* Grey，[1852]）(图版62：13-14)

Thecla caerulea Bremer *et* Grey, [1852]: 60.

Thecla betuloides Blanchard, 1871: 810.

Rapala caerulea: Chou, 1994: 654.

鉴别特征：翅正面蓝褐色，有蓝色闪光；反面赭黄色至棕灰色。斑纹橙色和黑色；带纹褐色。两翅反面有褐色的外缘带、亚缘带及外斜带；中室端斑条形。前翅正面中室端部外侧有橙色斑纹，有时退化近消失。后翅正面臀角橙色斑列有或无；反面外斜带从前缘近顶角 1/3 处斜向 cu_2 室端部 1/4 处，之后"W"形弯曲折向后缘中后部；cu_1 室及 cu_2 室端部各有 1 个橙黄色眼斑，瞳点黑色；臀角瓣黑色，外环白色；雄蝶前翅反面后缘有长毛，后翅正面基部有灰色性标。

采集记录：1♂，长安大峪，940m，2009.Ⅴ.16，房丽君采；1♂1♀，周至厚畛子，1320m，2010.Ⅶ.11，房丽君采；1♂，太白青峰峡，1650m，2011.Ⅵ.11，房丽君采；1♂，宁陕广货街，1260m，2010.Ⅴ.22，房丽君采；1♂，镇安结子乡，1100m，2011.Ⅳ.30，房丽君采；1♂，山阳县银花岬峪沟，1400m，2010.Ⅵ.01，房丽君采。

分布：陕西(长安、周至、太白、宁陕、镇安、山阳)、黑龙江、辽宁、北京、河北、河南、甘肃、山东、江苏、浙江、江西、台湾、四川；朝鲜。

寄主：野蔷薇 *Rosa multiflora*(Rosaceae)、酸枣 *Ziziphus jujuba*(Rhamnaceae)、日本胡枝子 *Lespedeza thunbergii*(Fabaceae)、黄檀 *Dalbergia hupeana*、木蓝 *Indigofera tinctoria*。

(360) 彩燕灰蝶 *Rapala selira*（Moore，1874）（图版 62：15-16）

Deudorix selira Moore，1874：272.

Rapala selira：Chou，1994：654.

鉴别特征：与蓝燕灰蝶 *R. caerulea* 近似，主要区别为：本种后翅臀角橘黄色条斑未被翅脉分割；性标斑位于 rs 室基部；臀叶较小。

采集记录：1♂，长安库峪，980m，2010.Ⅴ.20，房丽君采；1♂1♀，周至楼观台，960m，2010.Ⅳ.29，房丽君采；1♂，户县东涝峪，1400m，2010.Ⅴ.22，房丽君采；1♂，太白青峰峡，1900m，2012.Ⅵ.22，房丽君采；1♂，宁陕旬阳坝，1120m，2010.Ⅴ.23，房丽君采；1♂，镇安黑窑沟，570m，2010.Ⅴ.21，房丽君采；1♂1♀，商州麻街镇，850m，2011.Ⅵ.01，房丽君采。

分布：陕西（长安、周至、户县、太白、宁陕、镇安、商州）、黑龙江、辽宁、河南、甘肃、浙江、云南、西藏；印度。

寄主：野蔷薇 *Rosa multiflora*（Rosaceae）、鼠李 *Rhamnus davurica*（Rhamnaceae）。

130. 秦灰蝶属 *Qinorapala* Chou *et* Wang，1995

Qinorapala Chou *et* Wang，1995：131. **Type species**：*Qinorapala qinlingana* Chou *et* Wang，1995.

属征：翅正面黑褐色，具蓝色闪光斑；反面棕黄色。中室前翅长，后翅短。后翅正面有明显的性斑，前翅反面后缘具毛刷。前翅 R_4 脉从 R_5 脉中上部分出；M_1 脉与 R_5 脉基部共柄；中室长为前翅长的 1/2。后翅尾突弱，仅 Cu_2 脉末端有 1 个短的突起。雄性外生殖器：背兜宽大；无钩突；颚突钩状；无囊突；抱器结构简单；阳茎粗壮，角状突发达。

分布：全世界仅记载 1 种，产于秦岭地区，本卷有记录。

(361) 秦灰蝶 *Qinorapala qinlingana* Chou *et* Wang，1995

Qinorapala qinlingana Chou *et* Wang，1995：131.

鉴别特征：翅正面黑褐色。前翅中室下方至后缘灰色，有蓝色闪光鳞片覆盖；后缘中部有 1 列长毛刷。后翅中域有蓝色闪光；臀角有 1 个橙红色短条斑；反面赭黄色；外横带及中室端斑橙黄色，两侧缘线黑色和银灰色，银灰色缘线较宽；臀角眼斑橙黄色，瞳点黑色；尾突短，角状外凸。

采集记录：1♂，周至，1600m，1994.Ⅵ.14，王敏采；1♂，凤县。

分布：陕西（周至、凤县）。

131. 生灰蝶属 *Sinthusa* Moore, 1884

Sinthusa Moore, 1884: 33. **Type species**: *Thecla nasaka* Horsfield, [1829].

Pseudochliaria Tytler, 1915: 139. **Type species**: *Pseudochliaria virgoides* Tytler, 1915.

属征: 翅正面黑褐色, 多有蓝紫色光泽; 反面灰白色或棕灰色。前翅脉纹 11 条; 无 R_3 脉; Sc 脉与 R_1 脉独立, 相向弯曲; R_4 脉短, 于 R_5 脉上部分出; M_1 脉与 R_5 脉不共柄; 中室长为翅长的 1/2。后翅臀瓣小; 尾突细长; 正面 sc + r_1 室基部有性标斑, 前翅反面后缘中部有倒逆的毛撮。雄性外生殖器: 背兜发达; 无侧突及钩突; 颚突钩状; 囊突短; 抱器结构简单, 长条形, 两端细; 阳茎细长, 角状突发达; 阳茎轭片缺。雌性外生殖器: 交配囊导管长; 交配囊椭圆形; 交配囊片发达, 成对。

分布: 东洋区。全世界记载 18 种, 中国已知 4 种, 秦岭地区记录 2 种。

分种检索表

两翅反面外斜带宽, 分成两段 ·· 生灰蝶 *S. chandrana*

两翅反面外斜带细, 连续 ·· 拉生灰蝶 *S. rayata*

(362) 生灰蝶 *Sinthusa chandrana* (Moore, 1882)

Hypolycaena chandrana Moore, 1882: 249.

Sinthusa chandrana: Chou, 1994: 655.

鉴别特征: 翅正面黑褐色, 有蓝紫色光泽; 反面青灰色或象牙白色; 斑纹多棕灰色。两翅反面端区灰色, 镶有 1 条白色波状纹; 中室端斑条形。前翅反面外斜带断成两段。后翅正面 rs 室近基部有圆形性标; 反面外斜斑列斑纹错位排列; rs 室及中室基部多有黑色小点斑; 臀角和 cu_1 室端部各有 1 个橙黄色眼斑, 瞳点黑色; 上述斑纹缘线白色或黑白两色; 尾突细长, 黑褐色, 端部白色。

采集记录: 1♂, 南郑, 2009. V.03, 许家珠采。

分布: 陕西(南郑)、河南、浙江、江西、福建、台湾、广东、广西、四川、云南; 越南, 泰国, 缅甸, 印度, 新加坡。

寄主: 粗叶悬钩子 *Rubus alceifolius* (Rosaceae)。

(363) 拉生灰蝶 *Sinthusa rayata* Riley, 1939

Sinthusa rayata Riley, 1939: 360.

鉴别特征：与生灰蝶 S. chandrana 近似，主要区别为：本种翅反面外缘带及亚外缘斑消失或模糊不清；外斜带细，连续，赭黄色。后翅反面 cu_1 室端部眼斑小，模糊。

采集记录：2♂，周至，1995. V. 20，王敏采；1♂，宁陕，1995. V. 14。

分布：陕西（周至、宁陕）、四川、河南。

（三）美灰蝶族 Eumaeini

前翅脉纹 10 条，R 脉仅 3 条。后翅 Cu_2 脉及 Cu_1 脉末端有尾突或齿突。第二性征常存在。

分属检索表

1. 无尾突；后翅有指状臀叶 ··· 2
   有尾突；后翅无指状臀叶 ······································· 洒灰蝶属 Satyrium
2. M_1 脉与 R_5 脉分出点有距离 ······················ 齿轮灰蝶属 Novosatsuma
   M_1 脉与 R_5 脉同点分出 ································· 梳灰蝶属 Ahlbergia

132. 梳灰蝶属 Ahlbergia Bryk，1946

Ahlbergia Bryk，1946：50. **Type species**：*Lycaena ferrea* Butler，1866.

Satsuma Murray，1875：168. **Type species**：*Lycaena ferrea* Butler，1866.

Ginzia Okano，1941：239. **Type species**：*Lycaena ferrea* Butler，1866.

属征：小型灰蝶。黑褐色。翅正面有微弱的蓝紫色光泽；反面有斑驳云纹；外横线不完整或不清晰。前翅中室长短于前翅长的 1/2；R_1 脉、R_2 脉与 R_5 脉基部靠近；R_5 脉从中室上端角与 M_1 脉同点分出，伸达顶角附近的前缘。后翅外缘弱弧形；臀叶向内指状凸出，无尾突。

分布：古北区，东洋区。全世界记载 32 种，中国记录 16 种，秦岭地区记录 3 种。

分种检索表

1. 两翅反面端半部密布弥散状蓝灰色鳞粉 ···················· 金梳灰蝶 A. chalcidis
   两翅反面端半部无上述鳞粉 ··· 2
2. 后翅反面棕褐色，后缘中部无椭圆形斑纹 ············· 东北梳灰蝶 A. frivaldszkyi
   后翅反面锈红色，后缘中部有椭圆形斑纹 ··············· 尼采梳灰蝶 A. nicevillei

(364) 东北梳灰蝶 *Ahlbergia frivaldszkyi*（**Lederer, 1855**）（图版 63：1-2）

Thecla frivaldszkyi Lederer, 1855：100.

Satsuma frivaldzskyi：Seok, 1939：216.

Ahlbergia frivaldszkyi：Bryk, 1946：50.

Callophrys frivaldszkyi：Ziegler, 1960：21.

鉴别特征：翅正面棕褐色；除前缘及外缘外，有青蓝色光泽；脉端结节状外突；翅反面棕色；翅端部及基部有黑褐色斑驳纹，时有白色晕染；中室端斑黑色。前翅反面外横带断成数段。后翅反面外横带宽，缘线黑色，锯齿形；臀角指状向内突出。

采集记录：3♂1♀，长安五道梁，1200m，2009.Ⅲ.29，房丽君采；1♂，周至厚畛子，1220m，2010.Ⅴ.30，房丽君采；2♂，户县太平峪，1500m，2010.Ⅳ.05，房丽君采；1♂，太白青峰峡，1650m，2012.Ⅴ.19，房丽君采；1♂，山阳银花，650m，2010.Ⅳ.27，房丽君采。

分布：陕西（长安、周至、户县、太白、山阳）、黑龙江、吉林、辽宁、内蒙古、北京、浙江；俄罗斯，朝鲜。

寄主：金丝桃叶绣线菊 *Spiraea hypericifolia*（Rosaceae）、绣线菊 *S. salicifolia* 等植物的花、花蕾及果实。

(365) 金梳灰蝶 *Ahlbergia chalcidis* Chou et Li, 1994

Ahlbergia chalcidis Chou et Li, 1994：770.

鉴别特征：翅正面黑褐色，有青蓝色光泽；反面古铜色；中室端斑黑色。两翅外缘细齿形；反面端半部密布弥散状蓝灰色鳞粉，内侧缘线黑褐色，曲波形。后翅亚缘线锯齿形；基半部黑褐色；臀角向内指状突出。

采集记录：1♂，户县涝峪，1400m，2010.Ⅴ.22，房丽君采。

分布：陕西（户县）、甘肃、云南。

(366) 尼采梳灰蝶 *Ahlbergia nicevillei*（**Leech, 1893**）

Satsuma nicevillei Leech, 1893：355.

Ginzia nicevillei Okano, 1941：239.

Ahlbergia nicevillei Bryk, 1946：50.

Incisalia nicevillei Gillham, 1956：145.

鉴别特征：翅正面青蓝色；反面红褐色。前翅外缘较平滑；正面前缘、外缘及顶角黑灰色；反面外横线白色，时有消失。后翅正面外缘带黑灰色；反面外横带色稍浅，模糊，内侧缘线波状，黑灰色；后缘中部有新月纹；臀角向内指状突出。

　　采集记录：1♂，商州二龙山，840m，2015.Ⅳ.30，房丽君采。

　　分布：陕西（商州）、浙江、湖北、云南。

　　寄主：忍冬属 *Lonicera* spp.（Caprifoliaceae）植物。

133. 齿轮灰蝶属 *Novosatsuma* Johnson，1992

Novosatsuma Johnson，1992：54. **Type species**：*Novosatsuma monstrabilia* Johnson，1992.

　　属征：与梳灰蝶属 *Ahlbergia* 近似。翅正面蓝紫色；外缘齿轮形。臀角向内指状外突。前翅中室稍长于前翅长的 1/2；R_1 脉、R_2 脉与 R_5 脉从中室前缘分别分出；R_5 脉直达顶角；M_1 脉从中室上端角分出，到达外缘。雄蝶在前翅中室前缘末端有发香鳞带。

　　分布：古北区，东洋区。全世界记载 9 种，中国记录 6 种，秦岭地区记录 2 种。

分种检索表

后翅反面前后缘无白色条斑 ……………………………………………… 璞齿轮灰蝶 *N. plumbagina*
后翅反面前后缘中部有白色条斑 ……………………………………………… 齿轮灰蝶 *N. pratti*

（367）齿轮灰蝶 *Novosatsuma pratti*（**Leech，1889**）（图版 63：3-6）

Thecla pratti Leech，1889：110.
Satsuma pratti：Leech，1893：354.
Ginzia pratti：Okano，1941：239.
Novosatsuma pratti：Bridges，1988：281.

　　鉴别特征：翅正面雄蝶棕褐色；雌蝶蓝紫色；前缘、外缘及顶角黑灰色；反面前翅棕黄色，后翅黑褐色；外缘齿轮形。前翅反面外缘带灰黑色；中横带宽，红褐色，有黑白两色缘线；中室端斑褐色。后翅臀角向内指状外突；反面顶角区有棕黄色块斑；中横线黑色，波形，其前后段均有白色条斑相伴。

　　采集记录：1♂，长安石砭峪，1420m，2011.Ⅳ.27，王峰伟采；1♂，户县太平峪，920m，2010.Ⅳ.17，房丽君采；5♀，勉县连城山，2009.Ⅵ.04，许家珠采。

　　分布：陕西（长安、户县、勉县）、浙江、湖北、湖南、四川、云南。

　　寄主：荚蒾 *Viburnum* spp.（Caprifoliaceae）、越橘 *Vaccinium vitis-idaea*（Ericaceae）。

（368）璞齿轮灰蝶 *Novosatsuma plumbagina* Johnson，1992

Novosatsuma plumbagina Johnson，1992：61.

鉴别特征：与齿轮灰蝶 *N. pratti* 近似，主要区别为：本种前翅反面外缘区及后翅反面中域覆有密集的白色鳞片；后翅反面前后缘无白色条斑。

分布：陕西（周至）、湖北。

134. 洒灰蝶属 *Satyrium* Scudder，1876

Satyrium Scudder，1876：106. **Type species**：*Lycaena fuliginosa* Edwards，1861.

Argus Gerhard，1850：4. **Type species**：*Lycaena ledereri* Boisduval，1848.

Callipsyche Scudder，1876：106. **Type species**：*Thecla behrii* Edwards，1870.

Fixsenia Tutt，1907：142. **Type species**：*Thecla herzi* Fixen，1887.

Leechia Tutt，1907：142. **Type species**：*Thecla thalia* Leech，1893.

Strymonidia Tutt，1908：483. **Type species**：*Thecla thalia* Leech，1893.

Superflua Strand，1910：162. **Type species**：*Thecla sassanides* Kollar，1849.

Necovatia Verity，1951：183. **Type species**：*Papilio acaciae* Fabricius，1787.

Euristrymon Clench，1961：184，212. **Type species**：*Papilio favonius* Smith，1797.

Armenia Dubatolov *et* Korshunov，1984：53，**Type species**：*Lycaena ledereri* Boisduval，1848.

属征：中小型灰蝶。前翅橙色斑纹有或无；反面有白色的外横线或外斜线；后翅反面有"W"形纹；臀域有橙色眼斑；尾突发达。前翅脉纹10条，各自独立；R_3 脉与 R_4 脉消失；前翅 M_1 脉与 R_5 脉不共柄；中室长约为翅长的 1/2。后翅 Cu_2 脉端部有细长的尾突。雄性外生殖器：背兜发达，背面有"X"形内骨；钩突缺；颚突钩状；囊突短小；抱器端尖；阳茎细长，角状器刺突状或条状。雌性外生殖器：交配囊导管粗壮，骨化；交配囊椭圆形；交配囊片成对，钝刺状。

分布：古北区，新北区，东洋区。全世界记载 48 种，中国已知 32 种，秦岭地区记录 13 种。

分种检索表

4. 翅反面端半部有黑色斑列，无白色线带 ·· 塔洒灰蝶 *S. thalia*
   翅反面端半部有淡色线带 ··· 5
5. 前翅反面无黑色亚缘斑列 ·· 普洒灰蝶 *S. prunoides*
   前翅反面有黑色亚缘斑列 ··· 6
6. 前翅正面橙色斑纹大，达后缘 ··· 礼洒灰蝶 *S. percomis*
   前翅正面橙色斑纹小，未达后缘 ··· 7
7. 后翅反面端部亚缘斑列与外横线靠近 ··· 饰洒灰蝶 *S. ornata*
   后翅反面端部亚缘斑列与外横线相距较远 ······························· 红斑洒灰蝶 *S. rubicundulum*
8. 前翅正面无性标斑 ·· 德洒灰蝶 *S. dejeani*
   前翅正面有性标斑 ··· 9
9. 后翅反面臀角无橙色斑纹 ·· 刺痣洒灰蝶 *S. spini*
   后翅反面臀角有橙色斑纹 ·· 10
10. 前翅正面性标月牙形 ··· 苹果洒灰蝶 *S. pruni*
    前翅正面性标近椭圆形 ··· 11
11. 前翅反面外中带基段直，无明显内移 ·· 优秀洒灰蝶 *S. eximia*
    前翅反面外中带基段弯曲，明显内移 ·· 12
12. 前翅反面端部无黑色斑列 ·· 乌洒灰蝶 *S. w-album*
    前翅反面端部有黑色斑列 ·· 大洒灰蝶 *S. grandis*

(369) 幽洒灰蝶 *Satyrium iyonis*（Oxta *et* Kusunoki，1957）（图版 63：7-10）

Strymonidia iyonis Oxta *et* Kusunoki, 1957：101.

Satyrium iyonis：Chou, 1994：658.

鉴别特征：翅正面棕色至黑褐色；反面棕色。前翅正面中室端部外侧斑纹橙色；中室顶端具长椭圆形性标，枯灰色；反面外横带细，白色。后翅外缘带色稍深，镶有黑白 2 条细线纹；亚外缘斑列黑色；外斜带细，白色，该带至 Cu_2 脉端部"W"形弯曲并折向后缘中部；cu_1 室端部和臀角各有 1 个橙色眼斑，瞳点大，黑色，但臀角眼斑橙色带纹较直，横斑形；Cu_1 脉端部角状外凸；Cu_2 脉端部尾突细长。

采集记录：1♂，长安大峪，990m，2011.Ⅵ.24，张宇军采；1♂，周至楼观台，830m，2011.Ⅵ.29，张宇军采；1♂，户县朱雀森林公园，1620m，2012.Ⅶ.12，房丽君采；1♂，太白县黄柏塬，1580m，2012.Ⅵ.19，张宇军采；1♂，留坝城关镇，1080m，2012.Ⅵ.11，张宇军采；1♂，华阴华阳川林场，1320m，2011.Ⅴ.07，房丽君采；1♂，汉阴凤凰山，1000m，2011.Ⅴ.28，房丽君采；1♂，洋县茅坪，780m，2011.Ⅵ.04，房丽君采；1♀，商州黑龙口，1250m，2013.Ⅷ.04，张宇军采。

分布：陕西（长安、周至、户县、太白、留坝、华阴、汉阴、洋县、商州）、吉林、山西、河南、甘肃、青海、四川；日本。

寄主：日本鼠李 *Rhamnus japonica*（Rhamnaceae）、长梗鼠李 *R. yoshinoi*、圆叶鼠

李 *R. globosa*。

(370) 红斑洒灰蝶 *Satyrium rubicundulum*（Leech, 1890）

Thecla rubicundulum Leech, 1890: 40.

Satyrium rubicundulum: Chou, 1994: 658.

鉴别特征: 翅正面黑褐色；反面褐色。前翅正面中室端外下方有 1 个橙色斑纹；此斑个体间变化大，少数无斑；反面外缘带细，黑色；亚外缘及亚缘区各有 1 列黑色条斑；白色外横带细。后翅正面近臀角处有 2 个橘黄色眼斑，模糊；反面外缘带黑色，缘线白色；亚外缘至亚缘区斑列由 2 列近圆形黑斑组成，斑列间有橙红色带相连，外侧 1 列近臀角附近的 3~4 个斑大，且有深灰色鳞片覆盖；外斜线细，白色，该线纹在臀角区"W"形弯曲并折向后缘中部；Cu_2 脉端部尾突细长，Cu_1 脉末端尾突短；臀瓣小。雄蝶无性标斑。

采集记录: 1♂，长安黄峪沟，870m，2008. Ⅵ. 01，房丽君采；1♂，蓝田九间房，1470m，2013. Ⅵ. 23，房丽君采；1♂，户县涝峪，1450m，2009. Ⅵ. 06，房丽君采；1♂，眉县蒿坪寺，1180m，2011. Ⅵ. 25，房丽君采；1♂，太白桃川，1400m，2011. Ⅶ. 16，张辰生、程帅采；1♂，华县杏林乡石堤峪，900m，2011. Ⅶ. 11，房丽君采；1♂，汉阴凤凰山，1000m，2011. Ⅴ. 28，房丽君采；1♂，宁陕旬阳坝，1520m，2010. Ⅶ. 29，房丽君采。

分布: 陕西（长安、蓝田、户县、眉县、太白、华县、汉阴、宁陕）、甘肃、湖北。

寄主: 苹果 *Malus pumila*（Rosaceae）、山楂 *Crataegus pinnatifida* 等。

(371) 优秀洒灰蝶 *Satyrium eximia*（Fixsen, 1887）

Thecla w-album var. *eximia* Fixsen, 1887: 271.

Thecla fixseni Leech, 1893: 360.

Satyrium eximium: Chou, 1994: 660.

鉴别特征: 翅正面黑褐色或褐色，有暗紫色闪光；反面棕褐色或棕黄色。前翅正面中室端部上方有椭圆形性标斑；反面外缘有不完整的浅色细线；亚外缘斑列褐色，模糊或消失；外横带细，白色。后翅反面外缘带镶有黑白两色细线纹；亚外缘斑列黑褐色，缘线白色；外斜带细，该带至 Cu_2 脉端部"W"形弯曲并折向后缘中部；cu_1 室端部及臀角各有 1 个橙色眼斑，瞳点大，黑色；臀角眼斑瞳点下移；Cu_2 脉端部尾突细长；Cu_1 脉末端尾突齿状。雌蝶前翅正面中央有橙色斑纹。后翅正面臀角区有橙色斑带。

采集记录: 1♂，长安抱龙峪，600m，2008. Ⅵ. 21，房丽君采；1♂，蓝田九间房，

1480m,2013.Ⅵ.23,房丽君采;1♂,周至楼观台,920m,2010.Ⅶ.21,彭涛采;1♀,留坝红岩沟,990m,2012.Ⅵ.23,张宇军采;1♂,汉阴凤凰山,1000m,2011.Ⅴ.28,房丽君采;1♂,商州黑龙口,1470m,2013.Ⅵ.23,房丽君采。

分布: 陕西(长安、蓝田、周至、留坝、汉阴、商州)、黑龙江、吉林、辽宁、北京、河南、甘肃、山东、浙江、福建、台湾、广东、海南、四川、云南;朝鲜。

寄主: 金刚鼠李 *Rhamnus diamantiaca*(Rhamnaceae)、小叶鼠李 *R. parvifolia*、琉球鼠李 *R. liukiuensis*、鼠李 *R. davurica*。

(372) 刺痣洒灰蝶 *Satyrium spini*(Fabricius, 1787)

Papilio spini Fabricius, 1787:68.

Papilio lynceus Esper, 1779:356.

Satyrium spini:Chou, 1994:660.

鉴别特征: 与优秀洒灰蝶 *S. eximia* 近似,主要区别为:本种后翅臀角无橙色斑纹;2a 室端部黑斑覆有银白色鳞粉;Cu_2 脉末端有尾突,Cu_1 脉末端无角状外突。

采集记录: 1♂,长安鸡窝子,1800m,2010.Ⅶ.26,张宇军采;1♂,周至县楼观台,850m,2011.Ⅵ.28,张宇军采;1♂1♀,宝鸡陈仓苜耳沟,1000m,2012.Ⅵ.24,房丽君采;1♂,汉阴凤凰山,1000m,2011.Ⅴ.28,房丽君采。

分布: 陕西(长安、周至、宝鸡、汉阴、陈仓)、黑龙江、吉林、辽宁、北京、河北、山西、河南、山东;朝鲜。

寄主: 欧鼠李 *Rhamnus frangula*(Rhamnaceae)、花楸 *Sorbus* spp.(Rosaceae)、苹果 *Malus* spp.、榆树 *Ulmus pumila*(Ulmaceae)。

(373) 苹果洒灰蝶 *Satyrium pruni*(Linnaeus, 1758)(图版 63:11-12)

Papilio pruni Linnaeus, 1758:482.

Papilio prorsa Hufnagel, 1766:68.

Fixsenia pruni:Clench, 1978:279.

鉴别特征: 翅正面褐色;反面黄褐色至褐色。雄蝶前翅中室性标斑月牙形。前翅反面亚外缘斑列黑色,斑纹圆形,圈纹白色;外横线白色。后翅反面亚外缘及亚缘斑列黑色,两列斑纹间夹有橙黄色亚外缘带,斑纹和带纹由后缘至前缘均逐渐变小或变窄;外斜线白色,该线纹至 Cu_2 脉端部"W"形弯曲并折向后缘中部;Cu_2 脉端部尾突细长。

采集记录: 1♂1♀,太白七里川,1750m,2012.Ⅵ.24,房丽君采;1♂,太白黄柏塬,1300m,2010.Ⅵ.15,房丽君采;1♂,宁陕火地塘,1550m,2009.Ⅵ.22,房丽君采。

分布：陕西(太白、宁陕)、黑龙江、吉林、山西、河南、四川；俄罗斯，朝鲜，日本，哈萨克斯坦，欧洲。

寄主：苹果 *Malus pumila* (Rosaceae)、樱桃 *Cerasus pseudocerasus*、李子 *Prunus salicina*、桃 *Amygdalus persica*、覆盆子 *Rubus idaeus*、欧洲稠李 *Padus avium*。

(374) 普洒灰蝶 *Satyrium prunoides* (Staudinger, 1887)

Thecla prunoides Staudinger, 1887: 129.

Satyrium prunoides: Bridges, 1988: 96.

Strymonidia prunoides: D'Abrera, 1993: 440.

Fixsenia prunoides: Koiwaya, 1996: 151.

鉴别特征：翅正面黑褐色至褐色；反面棕褐色；斑纹清晰。前翅正面中室下方有橙色斑纹；反面外横线白色。后翅反面外缘区白色，中间镶有1条黑色细线带；橙色亚外缘带两侧伴有黑色斑列；白色外斜带至 Cu_2 脉端部"W"形弯曲并折向后缘中部；臀角黑斑多有银灰色鳞片覆盖；Cu_1 脉末端尾突刺状；Cu_2 脉端部尾突细长，黑色，末端白色。

采集记录：1♂，凤县；1♂，宁陕，1995. Ⅵ. 20。

分布：陕西(凤县、宁陕)、辽宁、北京、河南、湖北；俄罗斯，朝鲜。

寄主：欧亚绣线菊 *Spiraea media*(Rosaceae)。

(375) 饰洒灰蝶 *Satyrium ornata* (Leech, 1890)

Thecla ornata Leech, 1890: 40.

Satyrium ornata: Bridges, 1988: 96.

Strymonidia ornata: Li et al., 1992: 145.

Satyrium siguniangshanicum Murayama, 1992: 39

Fixsenia ornata: Harada & Tateishi, 1994: 23.

鉴别特征：前翅正面黑褐色；雄蝶无性标斑；中室端部外侧至下方有1个橙红色大块斑，此斑大小变化很大，少数个体无斑；反面棕灰色；黑色外缘线细；亚外缘斑列褐色；亚缘斑列黑色；外横线白色。后翅反面亚缘斑列黑褐色，斑纹外侧有白色圈纹；外斜线白色，该线纹至 Cu_2 脉端部"W"形弯曲并折向后缘中部；Cu_1 脉端部及臀角各有1个橙色眼斑；两个眼斑间覆有银灰色鳞粉。Cu_2 脉端部尾突细长；Cu_1 脉端部突起刺状。

采集记录：2♂1♀，周至，1994. Ⅵ. 13，王敏采；1♂，凤县，1994. Ⅶ. 03；1♂1♀，留坝青桥铺，2009. Ⅵ. 14，许家珠采。

分布：陕西(周至、凤县、留坝)、北京、山西、河南、湖北、四川。

寄主：绣线菊 *Spiraea salicifolia*(Rosaceae)、毛樱桃 *Cerasus tomentosa*。

(376) 礼洒灰蝶 *Satyrium percomis*(Leech, 1894)

Thecla percomis Leech, 1894: 366.

Satyrium percomis: Bridges, 1988: 96.

strymonidia comis: Li *et al*., 1992: 145.

Fixsenia percomis: Koiwaya, 1996: 165.

鉴别特征：与红斑洒灰蝶 *S. rubicundulum* 近似，主要区别为：前翅正面中室上端角外侧有梭形性标斑；两翅正面斑纹橙色。前翅橙色斑纹达后缘；反面中域白色线纹内移，离黑色亚缘斑列较远。

采集记录：1♂，长安黄峪沟，740m，2008.Ⅵ.01，房丽君采；1♂1♀，周至厚畛子，1700m，2009.Ⅵ.27，房丽君采；1♂，户县东涝峪，1410m，2010.Ⅶ.06，房丽君采；2♂3♀，凤县，1995.Ⅵ.20，杜予洲采。

分布：陕西(长安、周至、户县、凤县)、河南、甘肃、四川。

寄主：稠李 *Prunus padus*(Rosaceae)、山荆子 *Malus baccata*。

(377) 塔洒灰蝶 *Satyrium thalia*(Leech, 1893)(图版63：13-14)

Thecla thalia Leech, 1893: 367.

Fixsenia thalia: Clench, 1978: 279.

Strymonidia thalia: D'Abrera, 1993: 404.

鉴别特征：翅正面黑褐色；反面棕褐色。前翅正面臀角区有橙色斑纹，时有消失；反面外缘带褐色；亚缘斑列黑色，圈纹红白两色；外横斑列黑色；中室端斑条形。后翅反面外缘有黑白两色细线纹；亚外缘区基半部有橙色带纹；亚缘及外横斑列黑色，外横斑列斑纹错位不齐，圈纹白色；中室端斑黑色；尾突细长。前翅正面前缘中部具梭形性标斑。

采集记录：2♂1♀，凤县，1995.Ⅳ.20，王敏采；1♂，太白黄柏塬，1300m，2010.Ⅵ.14，房丽君采；1♂，佛坪东岳，900m，2011.Ⅵ.05，房丽君采；1♂，洋县华阳石塔河，1040m，2011.Ⅵ.04，房丽君采。

分布：陕西(凤县、太白、佛坪、洋县)、河南、湖北。

寄主：山荆子 *Malus baccata*(Rosaceae)、河南海棠 *M. honanensis*、圆叶鼠李 *Rhamnus globosa*(Rhamnaceae)。

(378) 德洒灰蝶 *Satyrium dejeani* (Riley, 1939)

Strymon dejeani Riley, 1939: 360.

Satyrium dejeani: Bridges, 1988: 95.

Strymonidia dejeani: D'Abrera, 1993: 440.

鉴别特征：与优秀洒灰蝶 *S. eximia* 近似，主要区别为：本种翅反面外缘区至亚缘区有1列橙色"U"形眼斑，瞳点黑色并附有蓝灰色鳞片（cu_2 室端部瞳点无），圈纹黑白两色，此"U"形眼斑前翅瞳点多消失，雄蝶后翅端半部此斑多模糊或消失；前翅正面无性标斑。

采集记录：1♂1♀，长安石砭峪，1050m，2010.Ⅶ.04，房丽君采；1♂，蓝田汤峪，1350m，2010.Ⅶ.31，房丽君采；1♂，户县东涝峪，1300m，2010.Ⅶ.06，房丽君采；1♂，华阴华阳川林场，1320m，2011.Ⅴ.07，房丽君采。

分布：陕西（长安、蓝田、户县、华阴）、四川。

(379) 维洒灰蝶 *Satyrium v-album* (Oberthür, 1886)

Thecla v-album Oberthür, 1886: 20.

Satyrium v-album: Bridges, 1988: 96.

Strymonidia v-album: D'Abrera, 1993: 439.

Fixsenia v-album: Koiwaya, 1996: 142.

鉴别特征：与幽洒灰蝶 *S. iyonis* 近似，主要区别为：本种前翅反面外横线未达前缘；后翅反面 Cu_2 脉端部至臀角的橙色带纹"U"形。

采集记录：1♂，长安黄峪沟，560m，2008.Ⅵ.01，房丽君采；1♂，蓝田王顺山，2100m，2010.Ⅶ.31，房丽君采。

分布：陕西（长安、蓝田）、河南、四川。

寄主：鼠李 *Rhamnus davurica*（Rhamnaceae）。

(380) 乌洒灰蝶 *Satyrium w-album* (Knoch, 1782)

Papilio w-album Knoch, 1782: 85.

Satyrium w-album: Bridges, 1988: 96.

Fexsenia w-album: Koiwaya, 1996: 138.

鉴别特征：与优秀洒灰蝶 *S. eximia* 近似，主要区别为：本种前翅反面外横线末段多弯曲并内移。后翅反面橙色亚外缘带纹长。

分布：陕西（秦岭）、河北、吉林、内蒙古；朝鲜，日本，欧洲。

寄主：大叶榆 *Ulmus laevis*（Ulmaceae）、春榆 *U. propingua*、榆树 *U. pumila*、大果榆 *U. Macrocarpa*。

（381）大洒灰蝶 *Satyrium grandis*（C. & R. Felder, 1862）

Thecla grandis C. & R. Felder, 1862：24.

Thecla eretria Hewitson, 1869：114.

Strymonidia grandis：D'Abrera, 1986：441.

Satyrium grandis：Bridges, 1988：96.

鉴别特征：与乌洒灰蝶 *S. w-album* 近似，主要区别为：本种前翅反面端部有清晰的黑色斑列；后翅反面外横线与亚缘斑列相距近。

采集记录：1♂1♀，宝鸡陈仓，1000m，2012.Ⅵ.24，房丽君采；1♂，商州北宽坪会峪，860m，2013.Ⅶ.12，张宇军采。

分布：陕西（宝鸡、商州）、黑龙江、河南、江苏、浙江、江西、福建、四川；蒙古，俄罗斯。

寄主：紫藤 *Wisteria sinensis*（Fabaceae）。

（四）娆灰蝶族 Arhopalini

前翅有 11 条脉纹；M_1 脉与 R_5 脉分开，R_5 脉从中室末端前分出，M_1 脉从中室上端角分出。后翅无尾突或有 1~3 条尾突，以 Cu_2 脉的尾突最长。无明显的第二性征。

分属检索表

后翅顶角角状上凸 ··· 玛灰蝶属 *Mahathala*

后翅顶角不如上述 ··· 俳灰蝶属 *Panchala*

135. 俳灰蝶属 *Panchala* Moore, 1882

Panchala Moore, 1882：251. **Type species**：*Amblypodia ganesa* Moore, 1858.

Arhopala Boisduval, 1832：75. **Type species**：*Arhopala phryxus* Boisdval, 1832.

Acesina Moore, 1884：41. **Type species**：*Amblypodia paraganesa* de Nicéville, 1882.

属征：本属从娆灰蝶属 *Arhopala* 分出。中小型灰蝶。翅正面黑褐色，有淡蓝色大斑；反面灰白色至棕白色。前翅中室长约为前翅长的 1/2；R_1 脉、R_2 脉与 R_5 脉从中室前缘依次分出；R_4 脉从 R_5 脉中上部分出，直达近顶角处的前缘；M_1 脉从中室上端角分出。雄性外生殖器：背兜马鞍形；无钩突；颚突端部较顿；囊突长；抱器末端圆钝；阳茎直，基部有尖的盲囊。雌性外生殖器：有发达而强骨化的肛突，为本属种类的识别特征。

分布：东洋区。全世界记载 10 种，中国已知 5 种，秦岭地区记录 1 种。

(382) 俳灰蝶 *Panchala ganesa* (Moore, 1857)

Amblypodia ganesa Moore, 1857：44.
Panchala ganesa：Chou, 1994：636.

鉴别特征：前翅正面黑褐色；除前缘区、外缘区和顶角区外，其余翅面蓝灰色，有青蓝色金属光泽；顶角尖；后角圆；反面灰白色至棕白色；亚缘斑列棕色，块状，排列参差不齐；基半部散布有棕色斑纹。后翅正面翅周缘棕褐色至黑褐色，其宽窄个体间有差异，其余翅面青蓝色，有金属光泽；顶角钝角形，斜截；臀角圆；无尾突；反面外缘区有 1 列褐色点斑；其余翅面密布淡褐色块斑和圈纹，大小及形状不一。

采集记录：2♀，城固上元观，2007.Ⅴ.27，许家珠采。

分布：陕西（城固）、湖北、江西、台湾、海南、四川；日本，泰国，缅甸，印度，尼泊尔。

寄主：通麦栎 *Quercus incana* (Fagaceae)、白背栎 *Q. salicina*。

136. 玛灰蝶属 *Mahathala* Moore, 1878

Mahathala Moore, 1878：702. **Type species**：*Amblypodia ameria* Hewitson, 1862.

属征：大中型灰蝶。翅正面黑褐色至褐色，反面褐色。翅形独特，后翅顶角肩状凸出，前缘凹入，尾突呈匙状，为其显著特征。前翅 M_1 脉与 R_5 脉在基部不共柄，分别从中室上端角分出；R_4 脉从 R_5 脉上部分出；均伸达前缘；M_2 脉与 M_1 脉分出点接近。中室长约为翅长的 1/2。雄性外生殖器：背兜宽大；钩突缺；颚突强壮，基部宽大；囊突尖；抱器近方形，末端"U"形内凹；阳茎粗壮，无角状突。雌性外生殖器：交配囊导管长；交配囊小；无交配囊片。

分布：东洋区。全世界记载 2 种，中国均有分布，秦岭地区记录 1 种。

(383) 玛灰蝶 *Mahathala ameria* (Hewitson, 1862)

Amblypodia ameria Hewitson, 1862：14.

Mahathala ameria: Chou, 1994: 637.

鉴别特征: 前翅正面黑褐色, 除前缘区、外缘区外, 其余翅面蓝紫色, 具金属光泽; 翅脉黑色; 反面棕黄色或褐色; 亚缘带较宽, 端部向内弯曲, 缘线白色; 中横带宽, 近"C"形, 后半部加宽, 淡黄色; 中室内有1排6个黄色细条纹。后翅正面前缘区、外缘区及后缘区黑褐色, 其余翅面蓝紫色; 顶角角状上突; 臀角向内突出; 尾突黑色, 末端圆形膨大; 反面斑纹变化大, 密布黄色、黑色及褐色的细线纹或斑驳云纹斑。

采集记录: 1♀, 西乡, 2009. Ⅵ.22, 许家珠采。

分布: 陕西(西乡)、浙江、湖南、江西、福建、台湾、广东、海南、广西; 缅甸, 印度, 马来西亚, 印度尼西亚。

寄主: 石岩枫 *Mallotus repandus* (Euphorbiaceae)。

(五)富妮灰蝶族 Aphnaeini

前翅脉纹 10~12 条; R_5 脉与 M_1 脉在中室末端接触或同柄。后翅多有尾突, 通常 2A 脉上尾突长, Cu_2 脉上尾突短; 反面通常有银色或金色细线; 无第二性征。

137. 银线灰蝶属 *Spindasis* Wallengren, 1857

Spindasis Wallengren, 1857: 45. **Type species**: *Spindasis masilikazi* Wallengren, 1857.
Cigaritis Donzel, 1847: 528. **Type species**: *Cigaritis zohra* Donzel, 1847.

属征: 中小型灰蝶。雄蝶正面黑褐色至褐色, 有蓝紫色闪光。后翅臀角红色。翅面带纹多向臀角会合, 带内镶有银色的细线。前翅 Sc 脉与 R_1 脉交叉; R_3 脉消失; R_5 脉从中室上端角分出, 到达翅的顶角; R_4 脉从 R_5 脉上部分出; M_1 脉与 R_5 脉有短共柄; 中室短于翅长的 1/2。后翅尾突及臀瓣发达, Cu_2 脉及 2A 脉末端各有 1 个细长的尾突。雄性外生殖器: 背兜宽大; 钩突缺; 颚突长; 囊突短阔; 抱器阔, 末端细, 背缘具突起; 阳茎粗壮, 多有角状突。

分布: 东洋区, 古北区。世界已知近 50 种, 中国记录 7 种, 秦岭地区记录 2 种。

分种检索表

后翅反面近基部斑纹相互分离 ·· **豆粒银线灰蝶 *S. syama***
后翅反面近基部斑纹连成条带 ·· **银线灰蝶 *S. lohita***

(384) 豆粒银线灰蝶 *Spindasis syama*（Horsfield，[1829]）

Amblypodia syama Horsfield，[1829]：107.

Spindasis syama：Chou，1994：642.

鉴别特征：翅正面黑褐色或褐色；基半部有蓝紫色光泽；背面斑纹隐约可见；反面淡黄色至黄色；布满长短不一的褐色条带，多排列成"V"形；条带内镶有银白色线纹。前翅后缘区乳白色。后翅臀角区大眼斑橙红色，2个瞳点下移至臀角处；尾突2条，黑褐色，端部白色。

采集记录：1♀，洋县黑峡，2008.Ⅵ.28，许家珠采。

分布：陕西（留坝、洋县、南郑）、河南、湖北、江西、台湾、广东、海南、广西、四川；缅甸，印度，菲律宾，马来西亚，印度尼西亚。

寄主：薯蓣 *Dioscorea polystachya*（Dioscoreaceae）、石榴 *Punica granatum*（Punicaceae）、山黄麻 *Trema tomentosa*（Ulmaceae）、朴树 *Celtis sinensis*、鬼针草 *Bidens pilosa*（Asteraceae）、枇杷 *Eriobotrya japonica*（Rosaceae）、茶 *Camellia sinensis*（Theaceae）。

(385) 银线灰蝶 *Spindasis lohita*（Horsfield，[1829]）

Amblypodia lohita Horsfield，[1829]：106.

Spindasis lohita：Chou，1994：642.

鉴别特征：与豆粒银线灰蝶 *S. syama* 极为相似，区别为：本种后翅反面基部2列斑纹多连成带状，外侧1条延长并外弯直达臀角。

采集记录：1♂，留坝城关，1050m，2012.Ⅵ.21，张宇军采；1♂，洋县华阳，1160m，2012.Ⅵ.27，张宇军采；1♀，勉县连城山，2009.Ⅵ.20，许家珠采。

分布：陕西（留坝、洋县、勉县）、辽宁、河南、江西、福建、台湾、广东、广西、云南；越南，缅甸，印度，斯里兰卡。

寄主：薯蓣 *Dioscorea polystachya*（Dioscoreaceae）、五叶薯蓣 *D. Pentaphylla*、黄荆 *Vitex negundo*（Verbenaceae）、白楸 *Mallotus paniculatus*（Euphorbiaceae）、红背山麻杆 *Alchornea trewioides*、菝葜 *Smilax china*（Smilacaceae）。

四、 灰蝶亚科 Lycaeninae

前翅脉纹11条；R_5 脉与 M_1 脉通常在基部靠近，有时接触或共柄。后翅 Cu_2 脉端部尾突有或无；臀角圆或有瓣。无第二性征。

本亚科多为低海拔地区常见种。可分为2属组。

分属组检索表

雄蝶前足跗节末端尖锐；后翅反面多黑色小点 ………………………… 灰蝶属组 *Lycaena* Section
雄蝶前足跗节末端圆钝；后翅反面有鲜艳的缘带 …………… 彩灰蝶属组 *Heliophorus* Section

灰蝶属组 *Lycaena* Section

多为红色或橙色的种类。翅的反面特别是后翅多有黑色小斑纹，与眼灰蝶亚科 Polyommatinae 相似。雄蝶前足跗节末端尖，向下弯曲。

分属检索表

前翅正面外横斑列分成三段或无斑 ………………………………… 灰蝶属 *Lycaena*
前翅正面外横斑列呈连续的弧形 …………………………… 呃灰蝶属 *Athamanthia*

138. 灰蝶属 *Lycaena* Fabricius, 1807

Lycaena Fabricius, 1807: 285. **Type species**: *Papilio phlaeas* Linnaeus, 1761.
Heodes Dalman, 1816: 63. **Type species**: *Papilio virgaureae* Scopoli, 1763.
Chysoptera Zincken, 1817: 75. **Type species**: *Papilio virgaureae* Scopoli, 1763.
Lycia Sodoffsky, 1837: 81. **Type species**: *Papilio phlaeas* Linnaeus, 1761.
Migonitis Sodoffsky, 1837: 82. **Type species**: *Papilio phlaeas* Linnaeus, 1761.
Tharsalea Scudder, 1876: 125. **Type species**: *Polyommatus arota* Boisduval, 1852.
Gaeides Scudder, 1876: 126. **Type species**: *Chrysophanus dione* Scudder, 1868.
Chalceria Scudder, 1876: 125. **Type species**: *Chrysophanus rubidus* Behr, 1866.
Epidemia Scudder, 1876: 127. **Type species**: *Polyommatus epixanthe* Boisduval et Leconte, 1835.
Rumicia Tutt, 1906: 131. **Type species**: *Papilio phlaeas* Linnaeus, 1761.
Hyrcanana Bethune-Baker, 1914: 135. **Type species**: *Polyommatus caspius* Lederer, 1869
Thersamonia Verity, 1919: 28. **Type species**: *Papilio thersamon* Esper, 1784.
Helleia Verity, 1943: 20, 48. **Type species**: *Papilio helle* Denis et Schiffermüller, 1775.
Sarthusia Verity, 1943: 20. **Type species**: *Polyommatus sarthus* Staudinger, 1886.
Disparia Verity, 1943: 21, 58. **Type species**: *Papilio dispar* Haworth, 1802.
Palaeochrysophanus Verity, 1943: 23, 64. **Type species**: *Papilio hippothoe* Linnaeus, 1761.
Thersamolycaena Verity, 1957: 225. **Type species**: *Papilio dispar* Haworth, 1802.

属征：中小型灰蝶。翅橙色，有的后翅灰蓝色或灰褐色；有黑色斑点；无尾突或不发达。前翅中室长约为前翅长的 1/2；脉纹 11 条；R_3 脉消失；R_4 脉从 R_5 脉中部分出；M_1 脉从中室上端角与 R_5 脉同点分出。雄性外生殖器：背兜退化，末端具 2 个指状突起；囊突细长；抱器狭长，末端圆；阳茎细长，端尖。

分布：南美洲以外的世界各地。全世界记载 38 种，中国已知 9 种，秦岭地区记录 2 种。

分种检索表

前翅外横斑列断开，分成 3 组 ·· 红灰蝶 *L. phlaeas*
前翅外横斑列弧形 ·· 橙灰蝶 *L. dispar*

(386) 红灰蝶 *Lycaena phlaeas* (Linnaeus, 1761)（图版 63：15-18）

Papilio phlaeas Linnaeus, 1761：285.

Papilio virgaureae Scopoli, 1763：180.

Lycaena phlaeas aestivus Zeller, 1847：158.

Lycaena phlaeas：Chou, 1994：663.

鉴别特征：前翅正面橙色，周缘有黑色带；中室黑斑 3 个；外横斑列自前到后有 3，2，2 三组黑斑；反面外缘带棕色，内侧镶嵌 1 列黑斑；中室基部黑斑较正面清晰。后翅正面黑褐色；外缘带外侧锯齿形，橙色；反面棕黄色或棕灰色；亚缘黑色斑列错位排列；基半部 2 排黑色斑点近平行，点斑内侧 1 组 2 个，外侧 1 组 3 个；中室端斑细条形，黑灰色；尾突齿状。

采集记录：1♂，长安小峪，1200m，2010.Ⅴ.19，房丽君采；1♂，周至金盆水库，650m，2013.Ⅵ.02，房丽君采；2♂1♂，太白桃川枣林沟，1330m，2011.Ⅶ.17，程帅、张辰生采；1♂ 华县少华山，610m，2013.Ⅶ.19，张宇军采；1♂，留坝城关，1040m，2012.Ⅵ.21，张宇军采；2♂1♀，佛坪岳坝麻家湾，1160m，2013.Ⅶ.28，张宇军采；1♂，宁陕广货街沙沟林场，1380m，2010.Ⅴ.04，房丽君采；1♂，石泉饶峰镇，700m，2011.Ⅴ.25，房丽君采；1♂，镇安结子乡木元村，1100m，2010.Ⅹ.07，房丽君采；1♂，洛南巡检王安村，1200m，2012.Ⅹ.02，房丽君采；2♂1♀，山阳银花，620m，2010.Ⅵ.30，房丽君采；1♂，丹凤竹林关，720m，2013.Ⅸ.20，房丽君采；2♂，商南金丝峡寺湾村，400m，2012.Ⅹ.24，房丽君采。

分布：陕西（长安、周至、太白、华县、留坝、佛坪、宁陕、石泉、镇安、洛南、山阳、丹凤、商南）、黑龙江、吉林、辽宁、北京、河北、河南、新疆、江苏、浙江、江西、福建、西藏；朝鲜，日本，欧洲，非洲（北部）。

寄主：皱叶酸模 *Rumex crispus*（Polygonaceae）、酸模 *R. acetosa*、长叶酸模 *R. longifolius*、小酸模 *R. acetosella*、羊蹄 *R. japonicus*、山蓼 *Oxyria digyna*、何首乌 *Fallopia multiflora* 等。

(387) 橙灰蝶 *Lycaena dispar*（Haworth, 1802）（图版 63：19-22）

Papilio dispar Haworth, 1802：3.

Lycaena dispar：Chou, 1994：663.

鉴别特征：雌雄异型。雄蝶翅正面橙黄色或朱红色，无斑纹，有珍珠光泽；翅外缘有窄的黑色带。前翅反面橙黄色，前缘和外缘灰棕色；亚外缘及外横斑列由黑色点斑组成；亚缘带橙红色；中室基部、中部和端部各有1个黑斑，端斑长条形。后翅正面亚外缘斑列黑色；亚缘带橙色；反面灰棕色，基部蓝灰色；橙红色亚缘带两侧各有1列整齐的黑色斑点，时有模糊；外横斑列黑色，错位弧形排列；基半部2组黑色斑点近平行，斑点内侧1组2个，外侧1组3个；中室端斑细条形，黑灰色。雌蝶近似红灰蝶 *L. phlaeas*，区别为：本种前翅外横斑列弧形排列，不分组；后翅无小尾突。

采集记录：3♂1♀，太白咀头，1650m，2013. Ⅷ. 04，房丽君采；2♂1♀，商州板桥镇，740m，2013. Ⅷ. 03，张宇军采。

分布：陕西（太白、商州）、黑龙江、吉林、辽宁、西藏；俄罗斯、朝鲜。

寄主：巴天酸模 *Rumex patientia*（Polygonaceae）、水生酸模 *R. aquaticus*、酸模 *R. acetosa*。

139. 呃灰蝶属 *Athamanthia* Zhdanko, 1983

Athamanthia Zhdanko, 1983：150. **Type species**：*Lycaenn athamantis* Eversmann, 1854.

属征：本属从灰蝶属 *Lycaena* 分出。翅正面橙色或黑褐色，有黑色斑点；反面色较淡，尾突有或无。翅脉特征多与灰蝶属相同。雄性外生殖器：背兜长；钩突弯臂状；囊突管状；抱器方；阳茎长，端部笔尖形。

分布：古北区。全世界记载13种，中国已知8种，秦岭地区记录1种。

(388) 华山呃灰蝶 *Athamanthia svenhedini*（Nordstrom, 1935）（图版 63：23-26）

Chrysophanus svenhedini Nordstrom, 1935：30.

Lycaena svenhedini：Bridges, 1988：62.

Athamanthia svenhedini：Wang et Fan, 2002：253.

鉴别特征：前翅正面橙色；外缘区黑色；外横斑列弧形排列，上半部斑纹相连；中室内有3个黑斑，端斑大，方形。后翅正面褐色；亚缘带橙色，两侧分别伴有黑色斑列；反面淡黄色或灰白色；翅面密布大小及形状不一的黑色斑纹；翅端部3列斑纹近平行排列；Cu_2 脉端部及臀角有橙色眼斑；有1个黑色小尾突。

采集记录：4♂1♀，华县杏林，850m，2011. Ⅴ.08，房丽君采；1♂，华县少华山，1250m，2012. Ⅶ.18，张宇军采。

分布：陕西(华县)、河南、甘肃。

彩灰蝶属组 *Heliophorus* Section

翅正面黑褐色，常有蓝紫色大斑，有金属光泽；反面黄色。后翅有红色的端带。外形和线灰蝶亚科 Theclinae 的种类相似，但无典型的"W"形纹。

140. 彩灰蝶属 *Heliophorus* Geyer，[1832]

Heliophorus Geyer，[1832]：40. **Type species**：*Heliophorus belenus* Geyer，[1832].

Ilerda Doubleday，1847：25. **Type species**：*Polyommatus epicles* Godart，1824.

属征：中小型灰蝶。雌雄异型。翅正面黑褐色，有蓝色、绿色、黄色或紫褐色大斑；有黑色的顶角和宽边缘。后翅外缘有红带。雌蝶前翅常有 1 个红色大斑，反面黄色或橙黄色。前翅翅脉 11 条；中室长约为前翅长的 1/2；R_3 脉消失；R_4 脉在 R_2 脉终点下方从 R_5 脉分出；M_1 脉与 R_5 脉从中室上端角同点分出，不共柄；M_2 脉与 M_1 脉及 M_3 脉距离相等。后翅 Cu_2 脉末端有尾突；M_1 脉处略突出；臀角明显。雄性外生殖器：背兜细，带状；侧突细长，与背兜愈合；囊突极尖细；抱器三角形，端尖；阳茎极细长，末端尖锐。

分布：东洋区。全世界记载 26 种，中国已知 10 种，秦岭地区记录 2 种。

分种检索表

前翅反面有外斜线 ·· 摩来彩灰蝶 *H. moorei*

前翅反面无外斜线 ·· 浓紫彩灰蝶 *H. ila*

(389) 浓紫彩灰蝶 *Heliophorus ila* (de Nicéville *et* Martin，[1896])

Ilerda ila de Nicéville *et* Martin，[1896]：472.

Heliophorus ila：Chou，1994：666.

鉴别特征：雄蝶两翅正面黑褐色，中域至基部深紫蓝色，有金属光泽；反面黄色。前翅反面外缘带橙红色，缘线黑白两色；亚缘斑列多消失或不完整；臀角有黑色条斑。后翅正面外缘有橙红色眼斑列，眼点黑色，未达前缘，时有消失；反面端带宽，橙红色，缘线黑白两色，外侧常镶有黑色斑列；外斜斑列模糊或消失；基部散布有黑色小点斑；Cu_2 脉末端尾突细长。雌蝶翅面黑褐色；中室端外侧有橙红色肾形斑。后翅正面橙红色外缘带达前缘，波浪形。

分布：陕西（秦岭）、河南、江西、福建、台湾、广东、海南、广西、四川、云南；缅甸，印度，不丹，马来西亚，印度尼西亚。

寄主：火炭母草 *Polygonum chinense*（Polygonaceae）、羊蹄 *Rumex japonicus*。

（390）摩来彩灰蝶 *Heliophorus moorei*（**Hewitson，1865**）（图版 64：1-4）

Ilerda moorei Hewitson, 1865：58.

Heliophorus moorei：Chou, 1994：665.

鉴别特征：与浓紫彩灰蝶 *H. ila* 近似，主要区别为：两翅正面中央蓝色，反面橙红色外缘带窄；有棕褐色外斜带。前翅反面臀角黑斑大；后翅尾突较短。

采集记录：2♂2♀，周至楼观台，530m，2010.Ⅷ.15，房丽君采；1♂，户县太平峪，890m，2008.Ⅸ.13，房丽君采；1♂，宝鸡安坪沟，1190m，2011.Ⅷ.27，房丽君采；2♂，留坝城关，1050m，2012.Ⅵ.21，张宇军采；1♂，佛坪长角坝，1000m，2010.Ⅸ.11，房丽君采；1♂，勉县茶店余家湾，740m，2013.Ⅹ.05，房丽君采；1♂1♀，石泉七里沟，550m，2009.Ⅳ.04，房丽君采；1♂，宁陕县火地塘，1950m，2009.Ⅷ.30，房丽君采；1♂，汉阴龙垭，680m，2011.Ⅴ.21，房丽君采；1♂2♀，商州黑龙口，1050m，2011.Ⅵ.01，房丽君采；1♂，山阳中村捷峪沟，800m，2010.Ⅸ.13，房丽君采；1♂，丹凤竹林关，720m，2013.Ⅸ.20，房丽君采。

分布：陕西（周至、户县、宝鸡、留坝、佛坪、勉县、石泉、宁陕、汉阴、商州、山阳、丹凤）、江西、四川、云南；缅甸，印度，不丹。

五、 眼灰蝶亚科 Polyommatinae

前翅脉纹 11 条；R_3 脉消失；R_5 脉与 M_1 脉从基部分开，有时相互靠近。后翅臀角圆，臀叶不发达，无尾突或只 Cu_2 脉末端有 1 条纤细尾突。

分族检索表

触角两性异型，雌蝶的棒状部细长，圆柱形 ……………………………… **黑灰蝶族 Niphandini**

触角两性同型，棒状部明显加大，下方凹入 ……………………………… **眼灰蝶族 Polyommatini**

（一）黑灰蝶族 Niphandini

触角两性异型，雄蝶棒状部突然膨大，下面凹入；雌蝶棒状部细长，圆柱形。翅正面黑褐色，雄蝶有蓝紫色光泽。前翅 Sc 脉与 R_1 脉分离。后翅无尾突。

141．黑灰蝶属 *Niphanda* Moore，[1875]

Niphanda Moore，[1875]：572. **Type species**：*Niphanda tessellata* Moore，[1875].

属征：雌雄异型。翅褐色；有黑色和白色斑纹；反面灰白色或灰褐色，黑色斑纹多呈方形。前翅 Sc 脉与 R_1 脉分离，无 R_3 脉；R_4 脉从 R_5 脉中部分出；M_1 脉基部与 R_5 脉靠近。中室不及翅长的 1/2。后翅无尾突。雄性有第二性征。雄性外生殖器：背兜小；无钩突和囊突；颚突发达；抱器长卵形，后端狭，末端钝；阳茎粗壮，末端下方有 1 个尖刺。雌性外生殖器：交配囊导管粗长；交配囊长；无交配囊片。

分布：东洋区，古北区。全世界记载 6 种，中国已知 2 种，秦岭地区记录 1 种。

（391）黑灰蝶 *Niphanda fusca*（**Bemer *et* Grey，1853**）（图版 64：5-8）

Thecla fusca Bremer *et* Grey，1853：9.
Niphanda fusca：Leech，1893：340.

鉴别特征：翅正面黑褐色，有蓝紫色闪光；斑纹模糊，多为反面斑纹的透射；反面灰白色或棕灰色；斑纹黑褐色或棕褐色。两翅外缘斑列灰白色，镶有褐色斑纹；亚缘斑列灰白色；外横斑列黑褐色，末端斑纹内移。前翅反面中室端斑及中部斑纹黑褐色；cu_2 室基部有 1 个黑褐色水滴状大斑。后翅反面基部密布点状斑，大小及深浅不一。雌蝶个体较大；颜色稍浅，翅正面斑纹清晰。前翅正面中室端部外侧有 1 个灰白色大斑。

采集记录：1♂，长安石砭峪，1050m，2010．Ⅶ.04，房丽君采；1♂，周至黑河森林公园，1100m，2013．Ⅵ.16，房丽君采；1♂，太白县黄柏塬核桃坪，1300m，2010．Ⅵ.15，房丽君采；1♂，佛坪东岳桃园村，880m，2011．Ⅵ.05，房丽君采；1♂，洋县华阳古镇，1200m，2012．Ⅵ.27，张宇军采；1♂，山阳天竺山，920m，2013．Ⅶ.21，张宇军采；1♀，商南梁家湾，500m，2013．Ⅵ.12，房丽君采。

分布：陕西（长安、周至、太白、佛坪、洋县、山阳、商南）、黑龙江、吉林、辽宁、河北、山东、山西、河南、甘肃、青海、浙江、湖北、江西、湖南、福建、四川；朝鲜，日本。

　　寄生：肉食性，以蚂蚁幼虫和卵为食。

（二）眼灰蝶族 Polyommatini

　　触角两性同型，棒状部膨大，下面凹入。翅的正、反面有各种不同的颜色与斑纹。前翅 Sc 脉与 R_1 脉分离、接触或交叉，少数种类 R_1 脉从 R_2 脉分出，有的种类 Sc 与 R_1 之间连有横脉。后翅尾突有或无。

分属组检索表

1. 前翅 R_1 脉独立，不与 Sc 脉接触 ·· 4
   前翅 R_1 脉与 Sc 脉有关联 ··· 2
2. 后翅臀角有长缘毛 ·· **纯灰蝶属组 *Una* Section**
   不如上述 ··· 3
3. 前翅 Sc 脉与 R_1 脉之间有短距离愈合 ···················· **蓝灰蝶属组 *Everes* Section**
   前翅 Sc 脉与 R_1 脉有接触或接近 ························· **吉灰蝶属组 *Zizeeria* Section**
4. 发香鳞子弹形 ·· **亮灰蝶属组 *Lampides* Section**
   发香鳞如有，片状 ·· 5
5. 前翅 Sc 脉端部与 R_1 脉基半部相互靠近 ················ **利灰蝶属组 *Lycaenopsi* Section**
   前翅 Sc 脉与 R_1 脉分离 ··· 6
6. 雄蝶钩突指状，平行，指向后方 ···················· **眼灰蝶属组 *Polyommatus* Section**
   雄蝶钩突不如上述 ···························· **甜（戈）灰蝶属组 *Glaucopsyche* Section**

纯灰蝶属组 *Una* Section

　　眼及须多毛。前翅 R_1 脉与 Sc 脉交叉。后翅无尾突，臀角有长缘毛。无第二性征。

142. 锯灰蝶属 *Orthomiella* de Nicéville，1890

Orthomiella de Nicéville，1890：15，125. **Type species**：*Chilades pontis* Elwes，1887.

　　属征：小型灰蝶。翅正面黑褐色至深蓝色，有蓝紫色闪光；反面棕褐色或棕灰色；后翅基半部有暗色斑；缘毛黑白相间。前翅 Sc 脉与 R_1 脉有一段愈合。后翅前缘平直；$Sc + R_1$ 脉长，到达顶角；无尾突。雄蝶无第二性征。雄蝶外生殖器：背兜微小；无钩突；颚突尖形；囊突圆球形；抱器片状，端部平截，锯齿状，上端角状尖出；

阳茎管状，末端尖，有阳茎端膜。雌蝶外生殖器：交配囊导管粗长；交配囊大，卵圆形；无交配囊片。

分布：东洋区，古北区。全世界记载 3 种，中国均有分布，秦岭地区记录 2 种。

分种检索表

前翅正面外缘带及后翅反面中横带黑褐色 ………………………………… 中华锯灰蝶 *O. sinensis*
前翅正面无黑褐色外缘带；后翅反面中横带棕灰色 ………………………… 锯灰蝶 *O. pontis*

（392）锯灰蝶 *Orthomiella pontis*（Elwes，1887）（图版 64：9-10）

Chilades pontis Elwes，1887：446

Orthomiella pontis：Chou，1994：668.

鉴别特征：翅正面暗褐色，有蓝紫色光泽；反面灰棕色，覆有白色晕染。两翅正面无斑纹；反面散布有大小及深浅不一的块斑，多聚集相连；亚缘带灰白色；中横带色较深。雌蝶有很宽的前缘带与外缘带，缘毛黑白相间。

采集记录：2♂，长安石砭峪，1250m，2012．Ⅴ.06，房丽君采；2♂1♀，周至板房子，1210m，2011．Ⅵ.06，房丽君采；1♂，户县紫阁峪，980m，2010．Ⅴ.27，房丽君采；2♂，太白桃川下河坝，1050m，2011．Ⅵ.11，房丽君采；1♂，华县杏林乡石堤峪，880m，2011．Ⅴ.08，房丽君采；2♂，佛坪长角坝，950m，2011．Ⅵ.06，房丽君采；2♂，洋县华阳卡房，960m，2011．Ⅵ.04，房丽君采；9♂2♀，宁陕广货街蒿沟，1260m，2010．Ⅴ.22，房丽君采；1♂，宁陕关口，1200m，2008．Ⅳ.27，房丽君采；4♂1♀，石泉云雾山，1180m，2011．Ⅴ.26，房丽君采；2♂，汉阴凤凰山，1200m，2011．Ⅴ.28，房丽君采；2♂，镇安黑窑沟，570m，2010．Ⅴ.21，房丽君采；1♂，商州大商垣，900m，2011．Ⅵ.01，房丽君采；3♂1♀，山阳中村白杨沟，2010．Ⅴ.26，房丽君采。

分布：陕西（长安、周至、户县、太白、华县、佛坪、洋县、宁陕、石泉、汉阴、镇安、商州、山阳）、河南、江苏、浙江、湖北、福建；印度。

寄主：栗 *Castanea mollissima*（Fagaceae）。

（393）中华锯灰蝶 *Orthomiella sinensis*（Elwes，1887）

Chilades sinensis Elwes，1887：446.

Orthomiella sinensis：Chou，1994：668.

鉴别特征：与锯灰蝶 *O. pontis* 相似，主要区别为：本种翅色较深，正面黑褐色，反面棕褐色。前翅正面外缘带宽，黑色；反面亚外缘带明显，棕褐色。后翅正面前缘区色淡；反面中横斑列近"V"形，斑纹多愈合成不规则块斑。

采集记录：5♂1♀，长安白石峪，1200m，2010.Ⅳ.24，房丽君采；5♂1♀，周至厚畛子，1320m，2009.Ⅳ.25，房丽君采；2♂，户县太平峪，920m，2010.Ⅳ.17，房丽君采；1♂，佛坪长角坝，1000m，2011.Ⅵ.06，房丽君采；2♂，洋县四郎乡，720m，2011.Ⅳ.09，房丽君采；1♂，宁陕沙坪沟，1220m，2009.Ⅳ.11，房丽君采；1♂，石泉县七里沟，620m，2009.Ⅳ.05，房丽君采。

分布：陕西(长安、周至、户县、佛坪、洋县、宁陕、石泉)、河南、浙江、湖北、江西。

寄主：栗 *Castanea mollissima* (Fagaceae)。

亮灰蝶属组 *Lampides* Section

眼及须有毛。前翅 Sc 脉与 R_1 脉分离；R_5 脉与 M_1 脉分离。后翅有尾突。

143. 亮灰蝶属 *Lampides* Hübner，[1819]

Lampides Hübner，[1819]：70. **Type species**：*Papilio boeticus* Linnaeus，1767.

Cosmolyce Toxopeus，1927：268. **Type species**：*Papilio boeticus* Linnaeus，1767.

Lampidella Hemming，1933：224. **Type species**：*Papilio boeticus* Linnaeus，1767.

属征：雄蝶翅表面被毛状鳞，似乎盖了一层霜，有蓝紫色闪光；翅反面赭黄色；亚缘带白色；翅面密布白色和黄褐色带纹。前翅 Sc 脉与 R_1 脉完全分离；M_1 脉与 R_5 脉从中室上端角同点分出。后翅有尾突。雄性外生殖器：背兜短，带状；无囊突；颚突细短；抱器长，基部膨大，末端截形；阳茎极大，末端膨大，有角状器。

分布：东洋区，古北区，旧热带区，澳洲区。全世界记载 17 种，中国已知 1 种，秦岭地区有记录。

(394) 亮灰蝶 *Lampides boeticus* (Linnaeus，1767)

Papilio boeticus Linnaeus，1767：789.

Papilio damoetes Fabricius，；1775：526.

Papilio archias Cramer，[1777]：129.

Papilio boetica Fabricius，1793：280.

Polyommatus bagus Distant，1886：532.

Lampides ab. *albovittata* Oberthür，1910：156.

Lampides obsoleta Evans，[1925]：351.

Lampides infuscata Querci, 1932: 166.

Lampides boeticus: Shirôzu, 1960: 324.

鉴别特征：翅正面紫褐色(雄蝶)或青褐色(雌蝶)，有反面斑纹的投影；反面赭黄色。前翅正面外缘棕褐色。后翅正面臀角有2个圆形黑斑，圈纹白色；反面两翅密布横的水波纹，由白色及棕褐色两色组成；前翅基部波纹在中室内；亚缘带后翅宽于前翅，白色；臀角眼斑橙色，眼点黑色，斑下部嵌有蓝绿色线纹；尾突细长，从臀角黑斑间伸出。雌蝶后翅正面有外缘眼斑列和白色的亚缘斑列。

分布：陕西(南郑)、河南、浙江、江西、福建、云南；亚洲，欧洲，澳洲，太平洋诸岛，非洲北部。

寄主：扁豆 *Dolichos lablab*(Fabaceae)、豌豆 *Pisum sativum*、蚕豆 *Vicia faba*、野百合 *Crotalaria sessiliflora*、葛藤 *Pueraria lobata*、香豌豆 *Lathyrus odoratus*、菜豆 *Phaseolus vulgaris*、金雀花 *Cytisus scoparius*、紫花苜蓿 *Medicago sativa*。

吉灰蝶属组 *Zizeeria* Section

眼光滑或有毛。前翅 Sc 脉与 R_1 脉相接触或接近。后翅无尾突。

144. 酢浆灰蝶属 *Pseudozizeeria* Beuret, 1955

Pseudozizeeria Beuret, 1955: 125. **Type species**: *Lycaena maha* Kollar, 1844.

属征：小型灰蝶。翅正面雄蝶淡蓝色，有金属光泽；雌蝶色较深，棕蓝色至黑褐色；反面淡棕色，密布小点斑。前翅 Sc 脉与 R_1 脉极接近，但未接触；M_1 脉与 R_5 脉相距较远。雄性外生殖器：背兜小；侧突下弯；颚突钩状；无囊突；抱器牛角状，末端截形，有梳齿；阳茎卵形，末端管状延伸，有1个尖刺。

分布：东洋区，古北区。全世界仅记载1种，秦岭地区有记录。

(395)酢浆灰蝶 *Pseudozizeeria maha* (Kollar, [1844]) (图版64: 11-14)

Lycaena maha Kollar, [1844]: 422.

Polyommatus chandala Moore, 1865: 504.

Lycaena opalina Poujade, 1885: 143.

Plebeius albocoeruleus Röber, 1886: 59.

Lycaena argia Ménétriès, 1857: 125.

Lycaena japonica Murray, 1874: 167.

Lycaena alope Fenton, 1881: 851.

Zizera argia：Butler，1900：108．

Pseudozizeeria maha：Chou，1994：674．

鉴别特征：雄蝶翅正面淡蓝色，有金属闪光；反面淡棕色；斑纹棕褐色至黑褐色，多有白色圈纹环绕。两翅反面端部有平行排列的3列点斑；中室端斑条形。前翅正面外缘带黑褐色；反面外横斑列与端部斑列平行。后翅正面外缘斑列斑纹点状；反面中横斑列近"V"形；基横斑列有3个点斑。雌蝶色较深，棕蓝色至黑褐色。

采集记录：1♂，长安石砭峪，1220m，2010．V．25，房丽君采；1♂，周至厚畛子，1250m，2010．V．30，房丽君采；1♂，太白二郎坝，1080m，2011．Ⅷ．24，程帅、张辰生采；1♂，华县少华山，620m，2013．Ⅶ．17，张宇军采；1♂，潼关西潼峪，1100m，2012．X．02，房丽君采；2♂，留坝红岩沟，980m，2012．Ⅵ．23，张宇军采；3♂，勉县茶店镇余家湾，780m，2013．X．05，房丽君采；1♂，佛坪长角坝，1150m，2010．Ⅸ．11，房丽君采；3♂2♀，洋县四郎乡，500m，2010．X．17，房丽君采；1♂，宁强汉源谢家沟，1060m，2013．X．04，房丽君采；1♂，宁陕广货街蒿沟，1250m，2010．Ⅶ．07，房丽君采；1♂1♀，石泉县七里沟，620m，2009．Ⅳ．05，房丽君采；1♂，柞水营盘大甘沟，1520m，2009．Ⅸ．05，房丽君采；2♂1♀，镇安锡铜沟，830m，2010．X．02，房丽君采；2♂，丹凤土门七星沟，600m，2010．Ⅵ．01，房丽君采；1♂1♀，山阳中村苏峪沟，920m，2013．Ⅸ．21，房丽君采；1♂1♀，商南金丝峡寺湾村，400m，2012．X．04，房丽君采。

分布：陕西(长安、周至、太白、华县、潼关、留坝、勉县、佛坪、洋县、宁强、宁陕、石泉、柞水、镇安、丹凤、山阳、商南)、河南、浙江、江西、福建、台湾、广东、海南、广西、四川；朝鲜，日本，泰国，缅甸，印度，尼泊尔，巴基斯坦，马来西亚。

寄主：酢浆草 *Oxalis corniculata*(Oxalidaceae)、黄花酢浆草 *O. pes-caprae*、红花酢浆草 *O. corymbosa* 等。

蓝灰蝶属组 *Everes* Section

前翅 Sc 脉与 R_1 脉之间有短距离愈合。后翅尾突有或无。

分属检索表

1. 后翅有尾突 ·· 2
   后翅无尾突 ·· 3
2. 雄蝶有发香鳞 ··· 蓝灰蝶属 *Everes*
   雄蝶无发香鳞 ··· 玄灰蝶属 *Tongeia*
3. 两翅反面无缘斑列 ··· 枯灰蝶属 *Cupido*
   两翅反面有缘斑列 ··· 驳灰蝶属 *Bothrinia*

145. 枯灰蝶属 *Cupido* Schrank, 1801

Cupido Schrank, 1801: 153, 206. **Type species**: *Papilio minimus* Fuessly, 1775.

Everes Hübner, [1819]: 69. **Type species**: *Papilio amyntas* Denis *et* Schiffermüller, 1775.

Tiora Evans, 1912: 984. **Type species**: *Papilio sebrus* Hübner, 1823.

Ununcula van Eecke, 1915: 29. **Type species**: *Papilio argiades* Pallas, 1771.

属征: 小型灰蝶。正面雌蝶褐色, 雄蝶有时蓝色, 无斑纹, 反面棕灰色。后翅无尾。前翅 Sc 脉与 R_1 脉交叉。雄性外生殖器: 钩突末端平截; 颚突末端尖; 抱器基部愈合, 有端刺。

分布: 古北区, 东洋区, 新热带区, 澳洲区。全世界记载 16 种, 中国已知 1 种, 秦岭地区有记录。

(396) 枯灰蝶 *Cupido minimus* (Fuessly, 1775) (图版 64: 15-16)

Papilio minimus Fuessly, 1775: 31.

Papilio puer Schrank, 1801: 215.

Papilio alsus Denis *et* Schiffermüller, 1775: 184.

Papilio minutus Esper, 1798: 71.

Zizera minima: Butler, 1900: 110.

Lycaena happensis Matsumura, 1927: 168.

Cupido minimus: Chou, 1994: 675.

鉴别特征: 翅正面黑褐色, 有蓝色光泽; 无斑纹; 反面枯草色; 中室端斑条形; 点斑黑褐色, 近圆形, 具白色圈纹。前翅反面外横斑列斑纹排列较整齐。后翅反面外横斑列错位排列, 时有断续; 基部有 1~3 个点斑。

采集记录: 3♂, 太白咀头, 1650~1770m, 2010. Ⅵ. 14, 房丽君采。

分布: 陕西(太白)、吉林、辽宁、甘肃; 朝鲜。

寄主: 利尻紫云英 *Oxytropis campestris* (Fabaceae)、高山黄耆 *Astragalus alpinus*、冷黄芪 *A. glycyphyllos*、鹰嘴紫云英 *A. cicer*、百脉根 *Lotus corniculatus*。

146. 蓝灰蝶属 *Everes* Hübner, [1819]

Everes Hübner, [1819]: 69. **Type species**: *Papilio amyntas* Denis *et* Schiffermüller, 1775.

属征: 小型灰蝶。雄蝶翅正面淡蓝色至深蓝色, 有蓝紫色闪光; 雌蝶褐色; 反面灰白色；有点斑列。后翅反面臀角有橙色眼斑。前翅 Sc 脉与 R_1 脉有一段愈合；R_5 脉从中室前缘分出；M_1 脉平直，分出点与 R_5 脉远离；中室长约为翅长的 $1/2$，端脉平直。后翅 Cu_2 脉有尾突。雄蝶有发香鳞。雄性外生殖器：背兜狭；钩突与颚突小；无囊突；抱器长阔，末端二分叉；阳茎长，末端平，角状器小齿状。

　　分布：古北区，东洋区，新北区，澳洲区。全世界记载 3 种，中国已知 2 种，秦岭地区记录 2 种。

分种检索表

后翅反面黑色小点清晰 ·· 蓝灰蝶 *E. argiades*
后翅反面仅前缘 2 个、中室下 1 个及近臀角 2 个黑色小点清晰，其余小点均模糊 ····················
··· 长尾蓝灰蝶 *E. lacturnus*

（397）蓝灰蝶 *Everes argiades*（**Pallas, 1771**）（图版 64：17-20）

Papilio argiades Pallas, 1771：472.

Papilio amyntas Denis *et* Schiffermüller, 1775：185.

Everes argiades：Chou, 1994：675.

　　鉴别特征：雄蝶翅正面淡蓝色至深蓝色，有蓝紫色闪光；雌蝶褐色；斑纹点状，多有白色圈纹；前翅外缘、后翅前缘与外缘暗褐色；两翅反面灰白色；中室端斑条形。外缘及亚外缘各有 1 列斑纹，时有模糊或消失；橙黄色亚缘带时有退化或消失。前翅反面外横斑列端部内弯。后翅反面基部有 2~3 个黑褐色点斑；外横斑列斑纹错位排列，时有断续；近臀角有 2 个橙色眼斑，瞳点黑色；尾突细小，白色，端部黑色。

　　采集记录：3♂1♀，长安抱龙峪，650m，2008.Ⅵ.21，房丽君采；1♂，蓝田王顺山，1300m，2010.Ⅶ.31，房丽君采；2♂，周至厚畛子，1340m，2009.Ⅳ.25，房丽君采；2♂1♀，户县太平峪，890m，2008.Ⅸ.13，房丽君采；1♂，宝鸡安坪沟，1130m，2011.Ⅷ.27，房丽君采；2♂1♀，眉县蒿坪寺，1150m，2010.Ⅷ.10，房丽君采；2♂，太白黄柏塬太白河，1400m，2010.Ⅷ.08，房丽君采；2♂，华县杏林乡石堤峪，850m，2011.Ⅴ.08，房丽君采；4♂1♀，华阴华阳川林场，1380m，2011.Ⅴ.07，房丽君采；2♂，留坝紫柏山，1530m，2012.Ⅵ.22，张宇军采；1♂，佛坪长角坝，1280m，2010.Ⅸ.11，房丽君采；2♂1♀，洋县华阳石塔河，1040m，2011.Ⅵ.04，房丽君采；1♂，宁陕火地塘，1630m，2009.Ⅸ.26，房丽君采；1♂，石泉云雾山，1530m，2011.Ⅴ.26，房丽君采；3♂，汉阴铁佛寺，600m，2011.Ⅴ.27，房丽君采；2♂，柞水营盘大甘沟，1520m，2009.Ⅸ.05，房丽君采；2♂1♀，镇安结子乡木元村，680m，2010.Ⅸ.04，房丽君采；1♂，洛南巡检王安村，1200m，2012.Ⅹ.02，房丽君采；2♂，商州黑龙口西峡村，1530m，2013.Ⅵ.23，房丽君采；1♂，山阳银花岬峪沟，620m，2013.Ⅶ.30，房

丽君采；8♂3♀，丹凤月日乡江湾村，570m，2013. Ⅵ. 11，房丽君采；1♂1♀，商南湘河，250m，2013. Ⅸ. 11，房丽君采。

分布： 陕西（长安、蓝田、周至、户县、宝鸡、眉县、太白、华县、华阴、留坝、佛坪、洋县、宁陕、石泉、汉阴、柞水、镇安、洛南、商州、山阳、丹凤、商南）、黑龙江、吉林、辽宁、内蒙古、北京、河北、山东、河南、浙江、江西、福建、台湾、海南、四川、云南、西藏；朝鲜，日本，欧洲，北美洲。

寄主： 苜蓿 *Medicago sativa*（Fabaceae）、豌豆 *Pisum sativum*、羽扇豆 *Lupinus perennis*、紫云英 *Astragalus sinicus*、黄芪 *A. membranaceus*、红花苜蓿 *Trifolium pratense*、酢浆草 *Oxalis corniculata*、白车轴草 *Trifolium repens*。

（398）长尾蓝灰蝶 *Everes lacturnus*（Godart，[1824]）

Polyommatus lacturnus Godart，[1824]：608，660.

Plebejus polysperchinus Kheil，1884：29.

Everes tuarana Riley，1923：37.

Everes syntala Cantlie，1963：38.

Everes okinawanus Fujioka，1975：282.

Everes lacturnus：Chou，1994：676.

鉴别特征： 本种与蓝灰蝶 *E. argiadeses* 相似，主要区别为：个体稍小，尾突长。后翅反面除前缘 2 个、中室 1 个、后缘中部点斑黑褐色外，其余斑纹色淡，棕色；外横斑列中 m_1 室斑淡褐色，位于 rs 室黑色斑外侧，这是与蓝灰蝶重要的区别特征。

采集记录： 2♂，长安抱龙峪，600m，2008. Ⅵ. 21，房丽君采；2♂，蓝田城南，450m，2008. Ⅴ. 25，房丽君采；1♂1♀，周至厚畛子，1250m，2009. Ⅳ. 24，房丽君采；1♂，宝鸡陈仓苜耳沟，1000m，2012. Ⅵ. 24，房丽君采；1♂1♀，眉县蒿坪寺，1150m，2010. Ⅷ. 10，房丽君采；1♂，太白咀头，1730m，2011. Ⅵ. 12，房丽君采；12♂1♀，华阴华阳川林场，1400m，2011. Ⅴ. 07，房丽君采；1♂，佛坪东岳桃园村，980m，2011. Ⅵ. 05，房丽君采；1♂，宁陕火地塘，1700m，2010. Ⅷ. 28，房丽君采；1♂，石泉七里沟，620m，2009. Ⅳ. 05，房丽君采；1♂，柞水营盘大甘沟，1480m，2009. Ⅸ. 05，房丽君采；1♂，镇安结子乡木元村，1100m，2011. Ⅳ. 30，房丽君采；1♂，商州牧护关，1260m，2013. Ⅶ. 05，张宇军采；1♂，山阳中村捷峪沟，800m，2010. Ⅸ. 13，房丽君采；1♂，丹凤商镇商山公园，980m，2013. Ⅷ. 12，张宇军采；1♂，商南太吉河庙台子，760m，2013. Ⅶ. 23，张宇军采。

分布： 陕西（长安、蓝田、周至、宝鸡、眉县、太白、华阴、佛坪、宁陕、石泉、柞水、镇安、商州、山阳、丹凤、商南）、浙江、湖北、江西、福建、台湾、广东、香港、广西、云南；泰国，印度，斯里兰卡，巴布亚新几内亚，澳大利亚。

寄主： 假地立 *Desmodium heterocarpon*（Fabaceae）、灰色山蚂蝗 *D. canum*。

147. 玄灰蝶属 *Tongeia* Tutt, [1908]

Tongeia Tutt, [1908]: 41, 43. **Type species**: *Lycaena fischeri* Eversmann, 1843.

属征: 从蓝灰蝶属 *Everes* 中分出。雄蝶无发香鳞。翅正面棕褐色至黑褐色。反面灰白色至棕灰色; 斑纹多点状, 多有白色圈纹; 翅端部斑纹排列较集中。前翅 Sc 脉与 R_1 脉有短的愈合; R_4 脉从 R_5 脉中部分出; R_5 脉从中室前缘分出, 到达翅前缘; M_1 脉从中室上端角分出, 并与 R_5 脉分出点有距离; 中室长约为前翅长的 1/2。后翅有 1 个尾突。雄性外生殖器: 背兜狭长; 钩突、颚突较发达; 无囊突; 抱器不规则形, 末端腹面有 1 个小钩; 阳茎长, 弯曲。

分布: 古北区, 东洋区。全世界记载 16 种, 中国已知 13 种, 秦岭地区记录 6 种。

分种检索表

1. 前翅反面中室内有黑色点斑 ·· 2
   前翅反面中室内无斑 ·· 3
2. 前翅反面外横带末段内移, 并向翅基部倾斜 ························· **点玄灰蝶 T. filicaudis**
   前翅反面外横带末段仅内移, 不倾斜 ································· **大卫玄灰蝶 T. davidi**
3. 前翅反面亚缘斑相互愈合成亚缘带 ···························· **波太玄灰蝶 T. potanini**
   前翅反面亚缘斑列斑纹未愈合 ·· 4
4. 后翅反面基部有 2 个淡棕色斑纹 ································ **淡纹玄灰蝶 T. ion**
   后翅反面基部有 4 个斑纹 ·· 5
5. 两翅反面亚缘斑列斑纹大小、形状不一 ······················ **竹都玄灰蝶 T. zuthus**
   两翅反面亚缘斑列斑纹大小、形状基本一致 ···················· **玄灰蝶 T. fischeri**

(399) 玄灰蝶 *Tongeia fischeri* (Eversmann, 1843) (图版 65: 1-2)

Lycaena fischeri Eversmann, 1843: 537.
Everes fischeri: Leech, 1893: 330.
Tongeia fischeri: Chou, 1994: 677.

鉴别特征: 翅正面黑褐色, 无斑纹; 反面淡棕色至灰白色; 斑纹黑褐色或橙黄色, 多有白色圈纹; 中室端斑黑褐色。前翅反面黑色外缘线细; 亚外缘和亚缘斑列黑褐色; 外横斑列分成两段, 下端内移并倾斜。后翅反面外缘斑列及亚缘斑列近平行排列; 亚外缘带橙色; 外横斑列分成 3 段, 近 "V" 形排列; 基横斑列由 4 个斑纹组成; 上述斑纹间多有白色斑带夹杂其间; 尾突细小。

采集记录: 2♂, 长安翠华山, 1200m, 2006. V. 14, 房丽君采; 2♂, 户县东涝峪河, 1350m, 2010. V. 22, 房丽君采; 1♂, 周至厚畛子, 1300m, 2009. IV. 24, 房丽君

采；1♂，宝鸡陈仓苜耳沟，1000m，2012. Ⅵ.24，房丽君采；1♂1♀，眉县蒿坪寺，1150m，2010. Ⅷ.10，房丽君采；1♂，太白黄柏塬太白河，1400m，2010. Ⅷ.08，房丽君采；1♂1♀，华县杏林石堤峪，950m，2011. Ⅴ.08，房丽君采；1♂，佛坪立房沟，880m，2010. Ⅸ.12，房丽君采；1♂，镇安结子乡木元村，1100m，2010. Ⅹ.07，房丽君采；1♂，商州二龙山水库，800m，2013. Ⅶ.24，房丽君采；1♂，山阳中村捷峪沟，680m，2010. Ⅶ.10，房丽君采；1♂，商南金丝峡，500m，2013. Ⅶ.28，房丽君采。

分布：陕西(长安、户县、周至、宝鸡、眉县、太白、华县、佛坪、镇安、商州、山阳、商南)、黑龙江、辽宁、河北、山西、河南、山东、江西、福建、台湾；俄罗斯，日本，朝鲜。

寄主：晚红瓦松 *Orostachys erudescens*（Crassulaceae）、多肉瓦松 *O. spinosa*、多肉凤凰 *O. iwarenge*、圆叶景天 *Sedum makinoi*、高岭景天 *S. tricarpum*。

(400) 点玄灰蝶 *Tongeia filicaudis*（Pryer，1877）(图版65：3-6)

Lampides filicaudis Pryer，1877：231.

Tongeia filicaudis：Chou，1994：676.

鉴别特征：与玄灰蝶 *T. fischeri* 近似，主要区别为：本种翅正面色稍淡；反面灰白色。前翅反面中室内和其下方各有1个黑色点斑。

采集记录：1♂，长安饮马池，1390m，2008. Ⅶ.12，房丽君采；2♂1♀，周至楼观台，700m，2010. Ⅷ.15，房丽君采；2♂1♀，户县太平峪，890m，2008. Ⅸ.13，房丽君采；1♂，太白黄柏塬太白河，1380m，2010. Ⅷ.08，房丽君采；1♂，佛坪长角坝，880m，2010. Ⅸ.11，房丽君采；1♂1♀，佛坪立房沟，960m，2010. Ⅸ.12，房丽君采；1♂，宁陕广货街蒿沟，1280m，2010. Ⅴ.22，房丽君采；1♂，汉阴凤凰山大木坝，1100m，2011. Ⅴ.08，房丽君采；1♂，柞水营盘大甘沟，1480m，2009. Ⅸ.05，房丽君采；1♂，镇安锡铜沟，830m，2010. Ⅹ.02，房丽君采；2♂，丹凤土门七星沟，600m，2010. Ⅵ.01，房丽君采；1♂，商南梁家湾，500m，2013. Ⅶ.23，房丽君采。

分布：陕西(长安、周至、户县、太白、佛坪、宁陕、汉阴、柞水、镇安、丹凤、商南)、黑龙江、山西、河南、山东、浙江、江西、四川、福建、台湾。

寄主：倒吊莲 *Kalanchoe spathulata*（Crassulaceae）、落地生根 *Bryophyllum pinnatum*、垂盆草 *Sedum sarmentosum*。

(401) 波太玄灰蝶 *Tongeia potanini*（Alphéraky，1889）(图版65：7-8)

Lycaena potanini Alphéraky，1889：104.

Tongeia potanini：Chou，1994：677.

鉴别特征：与玄灰蝶 *T. fischeri* 近似，主要区别为：本种两翅反面、亚缘区及外横区斑纹愈合在一起形成带纹。后翅反面臀角眼斑橙色，瞳点黑色，其内银白色鳞有蓝绿色闪光；基部有 3 个黑色斑纹；尾突细长。

采集记录： 1♂，周至黑河，730m，2011. V. 14，房丽君采；1♂，旬阳小河，2010. VI. 20，房丽君采；1♂，山阳中村捷峪沟，790m，2010. VII. 25，房丽君采；1♂，丹凤土门谷峪沟，880m，2010. VIII. 16，房丽君采。

分布： 陕西（周至、旬阳、山阳、丹凤）、河南、浙江、江西、四川；老挝，泰国，印度。

寄主： 苦苣苔 *Conandron ramondioides*（Gesneriaceae）。

(402) 淡纹玄灰蝶 *Tongeia ion*（Leech，1891）

Lycaena ion Leech，1891：58.

Tongeia ion：Leech，1893：331.

鉴别特征： 翅正面无斑纹；雄蝶青褐色，雌蝶棕黑色；反面青灰色或淡棕色。前翅反面外缘线黑色；亚外缘及亚缘黑褐色斑列近平行；外横斑列黑褐色；中室端斑条形。后翅反面外缘斑列斑纹圆形，黑褐色；外横斑列淡棕色，外侧伴有白色锯齿形横带；基部斑纹淡棕色，圈纹白色；尾突纤细。

分布： 陕西（秦岭）、四川、贵州、云南、西藏。

(403) 大卫玄灰蝶 *Tongeia davidi*（Poujade，1884）

Lycaena davidi Poujade，1884：135.

Everes davidi Leech，1893：332.

Tongeia davidi：Bridges，1988：111.

鉴别特征： 与点玄灰蝶 *T. filicaudis* 较为近似，但本种前翅反面外横带末段仅内移，不倾斜。

采集记录： 1♂，太白县咀头，1690m，2011. VI. 12，房丽君采；1♂，华县杏林乡石堤峪，1200m，2011. V. 08，房丽君采。

分布： 陕西（太白、华县）、四川。

(404) 竹都玄灰蝶 *Tongeia zuthus*（Leech，1893）

Everes zuthus Leech，1893：330.

Tongeia zuthus：Chou，1994：677.

鉴别特征： 与玄灰蝶 *T. fischeri* 近似，主要区别为：本种翅正面紫黑色；反面基半部淡灰色，端半部深灰色。前翅反面外横斑列末端仅内移，不向基部倾斜；臀角眼斑橙黄色，瞳点黑色，其下方有淡蓝色线纹；所有斑纹均有宽的白色圈纹。

采集记录：1♂，华县杏林乡石堤峪，900m，2011. Ⅶ. 11，房丽君采。

分布：陕西（华县）、四川。

148. 驳灰蝶属 *Bothrinia* Chapman, 1909

Bothrinia Chapman, 1909：473. **Type species**：*Cyaniris chennellii* de Nicéville, 1884.

Bothria Chapman, 1908：677. **Type species**：*Cyaniris chennellii* de Nicéville, 1884.

属征：本属种类较相似于蓝灰蝶属 *Everes*。前翅 Sc 脉与 R_1 脉有短的愈合；R_4 脉从 R_5 脉中部分出；R_5 脉从中室前缘分出，达翅顶角附近；R_5 脉与 M_1 脉分出点有距离。后翅无尾突；反面近臀角无橙色斑；雄蝶无发香鳞。雄性外生殖器：背兜不发达；无钩突；颚突极退化；无囊突；抱器狭，端部尖，末端有小齿，内侧有长突起；阳茎中等大小，基部较膨大。

分布：古北区，东洋区。全世界记载 2 种，中国已知 1 种，秦岭地区有记录。

(405) 雾驳灰蝶 *Bothrinia nebulosa*（Leech，1890）

Cyaniris nebulosa Leech, 1890：43.

Bothrinia nebulosa：Chou, 1994：678.

鉴别特征：翅正面黑褐色，中央有豆瓣形蓝紫色大斑；反面淡灰棕色或灰白色；中室端斑细条形；两翅反面端部斑纹较模糊。前翅反面外横点斑列黑褐色，清晰。后翅反面中横斑列近"V"形；基部有 3 个黑色点斑。雌蝶后翅正面青蓝色眼斑列时有模糊或消失。

采集记录：2♂1♀，长安白石峪，550m，2008. Ⅶ. 26，房丽君采；3♂，周至楼观台，530m，2010. Ⅶ. 22，房丽君采；1♂，太白黄柏塬核桃坪，1380m，2011. Ⅷ. 26，程帅、张辰生采；1♂，华县少华山，810m，2013. Ⅶ. 19，张宇军采；1♂，宁陕县火地塘，1580m，2009. Ⅷ. 30，房丽君采；1♂，佛坪长角坝，900m，2010. Ⅸ. 11，房丽君采；1♂，山阳银花岬峪沟，900m，2010. Ⅵ. 01，房丽君采。

分布：陕西（长安、周至、太白、华县、宁陕、佛坪、山阳）、黑龙江、吉林、河南、宁夏、湖北、四川。

利灰蝶属组 *Lycaenopsi* Section

眼光滑或有毛。翅通常蓝色，中央有部分白色。前翅 Sc 脉与 R_1 脉分离。后翅无尾突。发香鳞片状。

149. 璃灰蝶属 *Celastrina* Tutt, 1906

Celastrina Tutt, 1906: 131. **Type species**: *Papilio argiolus* Linnaeus, 1758.

Maslowskia Kurenzov, 1974: 92. **Type species**: *Celastrina filipjevi* (Riley, 1934).

属征：翅正面蓝色、蓝紫色或蓝棕色，周缘有不同宽度的黑褐色缘带，翅中央时有豆瓣形的白色斑；反面白色或灰白色，点斑清晰或模糊。雌蝶带纹较雄蝶宽。前翅 Sc 脉短于中室长度；中室长于前翅长的 1/2；R_5 脉从中室前缘近上端角处分出；M_1 脉从中室上端角分出。后翅无尾突。雄性外生殖器：背兜阔；无囊突；抱器近长方形，端部有指状突起；阳茎短于抱器，端部尖。

分布：古北区，东洋区，澳洲区。全世界记载 26 种，中国已知 10 种，秦岭地区记录 3 种。

分种检索表

1. 后翅反面点斑黑褐色，清晰 ……………………………………………… 大紫璃灰蝶 *C. oreas*
   后翅反面前后缘及臀角点斑清晰，其余斑点色淡且不清晰………………………………… 2
2. 翅正面淡蓝色；雌蝶周缘黑褐色带纹宽 ……………………………… 璃灰蝶 *C. argiola*
   翅正面雄蝶淡紫色；雌蝶白色，周缘黑褐色带纹窄 ……………… 华西璃灰蝶 *C. hersilia*

(406) 璃灰蝶 *Celastrina argiola* (Linnaeus, 1758)（图版 65: 9-10）

Papilio argiolus Linnaeus, 1758: 483.

Papilio marginatus Retzius, 1783: 30.

Papilio acis Fabricius, 1787: 73.

Celastrina argiola: Chou, 1994: 680.

鉴别特征：翅正面粉蓝色或淡蓝色，有珍珠光泽；反面白色，斑纹多灰褐色；中室端斑色淡。前翅正面前缘带、外缘带雌蝶较雄蝶宽，黑灰色；中室端斑细条形，黑褐色；反面端部有 3 排斑列，时有模糊或消失。后翅正面亚外缘斑列圆形；反面外缘斑列斑纹圆点状；亚缘斑列斑纹"V"形，多模糊不清；其余翅面散布的点斑仅前缘和后缘的斑纹黑褐色，清晰，其余斑纹色较淡，模糊。雄蝶翅正面，尤其是后翅具有特殊构造的发香鳞，散布于普通鳞片之中。

采集记录：1♂，长安抱龙峪，650m，2008. Ⅵ. 21，房丽君采；1♂1♀，周至楼观台，620m，680m，2011. Ⅵ. 29，房丽君采；2♂，户县涝峪，1320m，2009. Ⅵ. 06，房丽君采；1♂，宝鸡尖山，1050m，2013. Ⅴ. 29，房丽君采；2♂，太白黄柏塬镇，1300m，2010. Ⅵ. 14，房丽君采；1♂，佛坪长角坝，880m，2010. Ⅸ. 11，房丽君采；1♂，洋县

茅坪，780m，2011. Ⅵ.04，房丽君采；3♂，宁陕火地塘，1620m，2009. Ⅵ.21，房丽君采；1♂，石泉七里沟，720m，2009. Ⅳ.04，房丽君采；1♂，山阳中村捷峪沟，720m，2010. Ⅶ.25，房丽君采。

分布：陕西（长安、周至、户县、宝鸡、太白、佛坪、洋县、宁陕、石泉、山阳）、黑龙江、辽宁、河北、山西、河南、甘肃、青海、山东、浙江、江西、湖南、福建、台湾、广东、海南、广西、四川、云南、西藏。

寄主：苦参 Sophora flavescens（Fabaceae）、胡枝子 Lespedeza spp.、山蚂蝗 Desmodiumo ryphyllum、野葛 Pueraria lobata、多花紫藤 Wisteria floribunda、苹果 Malus pumila（Rosaceae）、李 Prunus salicina、槲栎 Quercus aliena（Fagaceae）。

(407) 大紫璃灰蝶 *Celastrina oreas*（**Leech，1893**）（图版 65：11-16）

Cyaniris oreas Leech, 1893：321.

Celastrina oreas：Chou, 1994：681.

鉴别特征：与璃灰蝶 C. argiola 近似，主要区别为：本种色彩较深；个体较大。后翅反面点斑黑褐色，清晰。

采集记录：3♂1♀，长安饮马池，1800m，2008. Ⅶ.12，房丽君采；1♂，蓝田汤峪，950m，2008. Ⅶ.20，房丽君采；2♂，周至厚畛子，1550m，2009. Ⅵ.27，房丽君采；2♂，户县涝峪西河，1100m，2009. Ⅵ.06，房丽君采；1♂，宝鸡安坪沟，1240m，2011. Ⅷ.27，房丽君采；1♂，凤县灵官峡，1000m，2012. Ⅴ.26，房丽君采；1♂，眉县蒿坪寺，1420m，2011. Ⅵ.25，张辰生采；1♂，太白黄柏塬大箭沟，1680m，2010. Ⅷ.07，房丽君采；1♂，华县杏林乡石堤峪，940m，2011. Ⅶ.11，房丽君采；1♂1♀，佛坪立房沟，1350m，2010. Ⅸ.12，房丽君采；1♂，洋县华阳，1120m，2011. Ⅵ.04，房丽君采；1♂，宁陕火地塘，1680m，2008. Ⅷ.31，房丽君采；1♂，石泉七里沟，740m，2009. Ⅳ.05，房丽君采；1♂，汉阴龙垭乡石家沟，680m，2000. Ⅴ.27，房丽君采；1♂，镇安结子乡木元村，680m，2010. Ⅸ.04，房丽君采；1♂，山阳银花岬峪沟，910m，2010. Ⅵ.01，房丽君采；1♂，丹凤竹林关高峪村，720m，2013. Ⅸ.20，房丽君采。

分布：陕西（长安、蓝田、周至、户县、宝鸡、凤县、眉县、太白、华县、佛坪、洋县、宁陕、石泉、汉阴、镇安、山阳、丹凤）、黑龙江、浙江、江西、台湾、四川、贵州、云南、西藏；缅甸。

寄主：粗木柃木 Eurya strigillosa（Theaceae）、锐叶柃木 E. acuminata、冈柃 E. groffii、东北扁核木 Prinsepia sinensis。

(408) 华西璃灰蝶 *Celastrina hersilia*（**Leech，1893**）

Cyaniris hersilia Leech, 1893：319.

Celastrina hersilia: Chou, 1994: 681.

鉴别特征: 与璃灰蝶 *C. argiola* 近似, 主要区别为: 本种前翅正面外缘带窄; 雄蝶翅正面淡蓝紫色, 雌蝶正面白色, 基部覆有蓝紫色鳞。

分布: 陕西(秦岭)、浙江、湖北、江西、福建、四川、云南、西藏; 尼泊尔。

寄主: 胡枝子 *Lespedeza* spp. (Fabaceae)、紫藤 *Wisteria sinensis* 等。

甜(戈)灰蝶属组 *Glaucopsyche* Section

眼光滑或有毛。前翅 Sc 脉与 R_1 脉分离。后翅中室端脉中部角状尖出; 无尾突。发香鳞片状。

分属检索表

1. 后翅反面端部有橙色带纹 ··· 2
   后翅反面端部无橙色带纹 ··· 3
2. 前翅反面中室中部无黑色斑纹 ·················· **扫灰蝶属 *Subsulanoides***
   前翅反面中室中部有黑色斑纹 ·················· **珞灰蝶属 *Scolitantides***
3. 前翅反面亚缘 m_3 及 cu_1 室黑色斑极大 ·············· **靛灰蝶属 *Caerulea***
   前翅反面亚缘 m_3 及 cu_1 室黑色斑正常 ························· 4
4. 两翅反面端缘无斑列; 后翅反面中室基部无点斑 ·············· **戈灰蝶属 *Glaucopsyche***
   两翅反面端缘有斑列; 后翅反面中室基部有点斑 ·············· **霾灰蝶属 *Maculinea***

150. 靛灰蝶属 *Caerulea* Forster, 1938

Caerulea Forster, 1938: 108. **Type species**: *Lycaena coeligena* var. *coelestis* Alphéraky, 1897.

属征: 中型灰蝶。翅正面青蓝色, 有金属光泽; 反面褐色; 斑纹黑色。前翅 Sc 脉和中室等长; M_1 脉与 R_5 脉均从中室上端角分出。后翅 Rs 脉与 M_1 脉从中室上端角同点分出。雄性外生殖器: 背兜宽大, 向后畸形突出; 颚突发达; 囊突短; 抱器阔, 端背部有尖钩状突起; 阳茎粗短, 角状突发达。

分布: 古北区, 东洋区。全世界记载 2 种, 均分布于中国, 秦岭地区记录 1 种。

(409) 靛灰蝶 *Caerulea coeligena* (**Oberthür, 1876**) (图版 65: 17-20)

Lycaena coeligena Oberthür, 1876: 21.

Caerulea coeligena：Bridges，1988：18．

鉴别特征：翅正面青蓝色，有金属光泽；反面褐色；斑纹黑色，均带有白色圈纹；中室端斑条形。雄蝶前翅正面顶角和外缘黑色带窄；后翅正面前缘与后缘灰色。雌蝶前翅正面前缘、外缘和后翅正面前缘有黑色宽带，后缘黑带窄。反面前翅亚缘斑大小不一，m_3 与 cu_1 室两斑最大；后翅亚缘斑近"V"形，模糊；中横斑列斑纹圆点状，错位排列；rs 室基部有 1 个点状斑纹。

采集记录：1♂，长安石砭峪，1100m，2011.Ⅳ.27，房丽君采；2♂1♀，户县东涝峪，1300m，2012.Ⅴ.05，房丽君采；1♂，华县杏林乡石堤峪，1200m，2011.Ⅴ.08，房丽君采；1♂1♀，宁陕旬阳坝，1380m，2010.Ⅴ.02，房丽君采；1♂，柞水营盘镇黄花岭，1920m，2013.Ⅶ.14，张宇军采；2♂，镇安结子乡木元村，1150m，2011.Ⅳ.30，房丽君采。

分布：陕西(长安、户县、华县、宁陕、柞水、镇安)、河南、湖北、四川、云南。

寄主：笔龙胆 *Gentiana zollingeri* (Gentianaceae)。

151. 霾灰蝶属 *Maculinea* van Eecke，1915

Maculinea van Eecke，1915：28．**Type species**：*Papilio alcon* Denis et Schiffermüller，1775．

属征：中型灰蝶。翅正面棕褐色，有蓝紫色光泽；反面棕灰色。两翅反面有成列的外缘斑和亚外缘斑，从正面略可透视。前翅 R_4 脉与 R_5 脉共柄；R_5 脉与 M_1 脉同点从中室上端角前分出。后翅中室端脉连接在 M_1 脉上。雄性外生殖器：背兜大，向后畸形突出；颚突发达；囊突短；抱器宽大，末端变窄，端背部有突起；阳茎粗大，角状突发达。

分布：古北区。全世界记载 9 种，中国已知 6 种，秦岭地区记录 1 种。

(410) 胡麻霾灰蝶 *Maculinea teleius* (Bergsträsser，[1779])

Papilio teleius Bergsträsser，[1779]：71．

Maculinea teleia：Chou，1994：684．

Maculinea teleius：Tuzov et al.，2000：156．

鉴别特征：翅色和斑纹多变化。翅正面青蓝色，斑纹黑褐色，斑驳；多为反面斑纹的侵染与透射；外缘带黑褐色；反面棕色至淡棕色，端缘色稍深；外缘斑列褐色，模糊；亚外缘及中横斑列斑纹圆形；中室端斑近"V"形。后翅基部有 1~2 个黑色圆点斑。

采集记录：3♂1♀，太白县咀头，1650m，2013.Ⅷ.03，房丽君采。

分布：陕西(太白)、黑龙江、吉林、北京、河北、内蒙古、山西、河南、宁夏、青海、山东；朝鲜，日本，欧洲。

寄主：细叶地榆 *Sanguisorba tenuifolia* (Rosaceae)、地榆 *S. officinalis*、白山地榆

S. hakusanensis。

152. 戈灰蝶属 *Glaucopsyche* Scudder，1872

Glaucopsyche Scudder，1872：54. **Type species**：*Polyommatus lygdamus* Doubleday，1841.
Phaedrotes Scudder，1876：115. **Type species**：*Lycaena catalina* Reakirt，1866.

属征：中小型灰蝶。翅正面雄蝶蓝紫色，雌蝶褐色；反面灰白色。前翅 R_5 脉从中室前缘近上端角分出，达翅前缘顶角附近；M_1 脉从中室上端角分出，与 R_5 脉相距近。雄性外生殖器：背兜宽大；囊突短小；抱器长阔，端背部有尖钩状突起；阳茎粗短，角状突发达。

分布：古北区。中国已知 2 种，秦岭地区记录 1 种。

(411) 黎戈灰蝶 *Glaucopsyche lycormas*（**Butler，1866**）（图版 66：1-4）

Polyommatus lycormas Butler，1866：57.
Glaucopsyche lycormas：Tuzov *et al.*，2000：151.

鉴别特征：翅正面雄蝶蓝紫色，雌蝶褐色；反面灰白色。斑纹多圆形，黑色；有白色圈纹；缘毛白色。两翅正面端缘黑褐色；反面中室端斑浅"V"形。亚缘斑列前翅弱弧形排列，后翅近"V"形排列；反面后翅基部密被天蓝色鳞片；rs 室基部有 1 个黑色圆形斑纹。

采集记录：1♂，周至楼观台，920m，2010.Ⅳ.29，房丽君采；1♂，太白青峰峡，1710m，2012.Ⅴ.19，房丽君采；1♂1♀，镇安结子乡木元村，870m，2011.Ⅳ.30，房丽君采；1♂，山阳中村枣树沟，700m，2010.Ⅴ.19，房丽君采。

分布：陕西（周至、太白、镇安、山阳）、黑龙江、北京、内蒙古、河南、宁夏、甘肃、青海、新疆、四川；朝鲜，日本。

寄主：野豌豆 *Vicia sepium*（Fabaceae）、蚕豆 *V. faba* 等。

153. 珞灰蝶属 *Scolitantides* Hübner，［1819］

Scolitantides Hübner，［1819］：68. **Type species**：*Papilio battus* Denis *et* Schiffermüller，1775.

属征：正面黑褐色；反面灰白色；斑纹黑色，带纹橙黄色。前翅 Sc 脉和中室等长；R_5 脉比 M_1 脉先分出，达翅前缘近顶角处；M_1 脉从中室上端角分出。后翅前缘平直；$Sc+R_1$ 脉很长，达顶角附近；中室端脉连在 M_1 脉上。雄性外生殖器：背兜向下倾斜；颚突小；无囊突；抱器长椭圆形，腹缘有细齿；阳茎粗短。

分布：古北区，东洋区。全世界记载 3 种，中国已知 1 种，秦岭地区有记录。

(412) 珞灰蝶 *Scolitantides orion* (**Pallas, 1771**) (图版 66：5-8)

Papilio orion Pallas, 1771：471.

Scolitantides orion：Chou, 1994：685.

鉴别特征：斑纹黑色；两翅正面黑褐色，有蓝紫色光泽；亚外缘眼斑列蓝色，黑色瞳点大；反面灰白色；外缘、亚外缘及亚缘各有 1 列斑纹；中室端斑大。前翅反面外横斑列近弧形；中室中部及其下方各有 1 个黑色斑纹。后翅反面亚外缘与亚缘斑列之间夹有橙色带纹；中横斑列与亚缘斑列极靠近；基横斑列由 4 个斑纹组成。

采集记录：1♂，长安子午峪，840m，2008. Ⅴ. 02，房丽君采；1♂1♀，周至厚畛子，1360m，2009. Ⅳ. 25，房丽君采；2♂，户县涝峪西河，1300m，2009. Ⅵ. 06，房丽君采；3♂，凤县通天河，1580m，2012. Ⅴ. 25，房丽君采；1♂，眉县蒿坪寺，1180m，2011. Ⅵ. 25，房丽君采；1♂，太白桃川路平沟，1250m，2011. Ⅵ. 11，房丽君采；4♂1♀，华阴华阳川林场，1400m，2011. Ⅴ. 07，房丽君采；1♂，留坝红岩沟，1080m，2012. Ⅵ. 23，张宇军采；1♂1♀，佛坪长角坝，950m，2011. Ⅵ. 06，房丽君采；1♂，宁陕关口，1200m，2008. Ⅳ. 27，房丽君采；1♂1♀，柞水营盘朱家湾，1340m，2010. Ⅵ. 15，彭涛采；3♂，商州大商垣，930m，2011. Ⅵ. 01，房丽君采；2♂，丹凤土门七星沟，680m，2010. Ⅵ. 01，房丽君采；1♂，山阳中村捷峪沟，800m，2010. Ⅸ. 28，房丽君采。

分布：陕西(长安、周至、户县、凤县、眉县、太白、华阴、留坝、佛坪、宁陕、柞水、商州、丹凤、山阳)、黑龙江、吉林、辽宁、北京、河北、山西、河南、甘肃、新疆、湖北、福建、云南、西藏；俄罗斯，朝鲜，日本，欧洲。

寄主：紫景天 *Sedum telephium* (Crassulaceae)、费菜 *S. aizoon*、黄花景天 *S. ewersii*、杂交景天 *S. hybridum*、瓦松 *Orostachys fimbriata*。

154. 扫灰蝶属 *Subsulanoides* Koiwaya, 1989

Subsulanoides Koiwaya, 1989：208. **Type species**：*Subsulanoides nagata* Koiwaya, 1989.

属征：小型灰蝶，雌雄异型。正面雌蝶黑褐色，雄蝶蓝色；反面驼色或灰白色；翅面具清晰的黑斑、白斑和橙色带。前翅 Sc 脉和中室等长；R_5 脉比 M_1 脉先分出，达翅前缘近顶角处。后翅前缘平直；Sc + R_1 脉很长，达翅顶角附近；中室端脉连在 M_1 脉上。

分布：古北区。全世界仅记载 1 种，秦岭地区有记录。

(413) 扫灰蝶 *Subsulanoides nagata* Koiwaya，1989（图版 66：9-10）

Subsulanoides nagata Koiwaya，1989：210.

鉴别特征：两翅正面雄蝶蓝紫色，雌蝶褐色；斑纹黑褐色，圈纹白色；缘毛黑白相间；反面驼色或灰白色；中室端斑前翅条形，后翅近"V"形。前翅正面黑褐色外缘带较细；反面外缘、亚外缘及亚缘斑列近平行排列。后翅正面亚外缘斑与外缘带相连；反面外缘斑列和亚缘斑列黑褐色，弧形排列；亚外缘斑列橙色；外横带较宽，白色；中横斑列"V"形排列，斑纹大小及形状不一；基部斑纹 3~4 个。

采集记录：2♂，太白咀头，1620~1700m，2011. Ⅵ. 12，房丽君采。

分布：陕西（太白）、甘肃、青海。

寄主：啤酒花 *Humulus lupulus*（Moraceae）。

眼灰蝶属组 *Polyommatus* Section

眼及须有变化。前翅 Sc 脉与 R_1 脉有部分相互靠近，但不接触；R_5 脉与 M_1 脉较接近；中室端脉外凸。古北区分布的种类，后翅无尾突；热带地区分布的种类，有尾突。发香鳞片状。

分属检索表

1. 眼光滑，无毛 ·· 2
   眼有毛 ·· 4
2. 雄蝶两翅正面端缘有橙色斑带 ····························· **爱灰蝶属 *Aricia***
   雄蝶两翅正面无橙色斑带 ··· 3
3. 前翅反面端缘橙色斑带模糊，个体小 ······················ **豆灰蝶属 *Plebejus***
   前翅反面端缘橙色斑带清晰，个体大 ················· **红珠灰蝶属 *Lycaeides***
4. 前翅反面中室中部有点斑 ······························· **眼灰蝶属 *Polyommatus***
   前翅反面中室中部无点斑 ··· 5
5. 前翅反面外横斑列短，仅达 cu_1 室；斑纹圆形，黑色 ··········· **点灰蝶属 *Agrodiaetus***
   前翅反面外横斑列长，达翅后缘；斑纹长条形，浅棕色 ·············· **紫灰蝶属 *Chilades***

155. 爱灰蝶属 *Aricia* Reichenbach，1817

Aricia Reichenbach，1817：280. **Type species**：*Papilio agestis* Denis et Schiffermüller，1775.

Eumedonia Forster，1938：113. **Type species**：*Papilio eumedon* Esper，1780.

Pseudoaricia Beuret，1959：84. **Type species**：*Polyommatus nicias* Meigen，1829.

Ultraaricia Beuret, 1959: 84. **Type species**: *Lycaena anteros* Freyer, 1838.

属征: 小型灰蝶。两翅亚缘有成列的橙色斑带; 翅正面黑褐色, 反面灰白色至驼色; 斑纹黑色, 外圈白色。前翅 R_4 脉从 R_5 脉中下部分出; R_5 脉从中室前缘近顶角处分出; 中室端脉连在 M_1 脉上。后翅无尾突。雄性外生殖器: 背兜平; 无囊突; 抱器长, 两端尖; 阳茎细长。

分布: 古北区。中国记录 2 种, 秦岭地区记录 1 种。

(414) 华夏爱灰蝶 *Aricia chinensis* (Murray, 1874)

Lycaena chinensis Murray, 1874: 523.

Aricia chinensis: Bridges, 1988: 15.

鉴别特征: 斑纹黑色, 有白色圈纹; 斑带橙色; 缘毛黑白相间; 两翅正面黑褐色; 亚外缘斑带橙色; 反面灰白色或浅驼色; 外缘线细, 黑色; 端缘橙色斑带两侧各有 1 列黑色点斑列; 外横斑列近 "V" 形, 与亚缘斑列靠近; 中室端斑前翅较后翅宽; 后翅基横斑列由 3~4 个圆形点斑组成。

分布: 陕西(秦岭)、北京、河南、新疆。

寄主: 牻牛儿苗 *Erodium oxyrhynchum* (Geraniaceae)、老鹳草 *Geranium wilfordii*。

156. 紫灰蝶属 *Chilades* Moore, [1881]

Chilades Moore, [1881]: 76. **Type species**: *Papilio laius* Stoll, 1780.

Luthrodes Druce, 1895: 576. **Type species**: *Polyommatus cleotas* Guérin-Ménéville, 1831.

Edales Swinhoe, 1910: 37. **Type species**: *Lycaena pandava* Horsfield, 1829.

Freyeria Courvoisier, 1920: 234. **Type species**: *Lycaena trochylus* Freyer, 1845.

Lachides Nekrutenko, 1984: 30. **Type species**: *Lycaena galba* Lederer, 1855.

属征: 雄蝶紫色或紫蓝色; 雌蝶褐色, 有蓝紫色光泽; 反面棕黄色或淡棕色; 斑纹多浅棕色。后翅端缘有 1 列缘点, 臀角眼斑橙色。前翅 Sc 脉短于中室长; R_4 脉从 R_5 脉中部分出; R_5 脉从中室前缘近上端角处分出, 达翅顶角附近; 中室端脉连在 M_1 脉上。后翅尾突有或无。

分布: 东洋区。中国已知 3 种, 秦岭地区记录 1 种。

(415) 曲纹紫灰蝶 *Chilades pandava* (Horsfield, [1829])

Lycaena pandava Horsfield, [1829]: 84.

Catochrysops nicola Swinhoe, 1885: 132.

Catochrysops bengalia de Nicéville, 1885：47.

Chilades pandava：Chou, 1994：687.

鉴别特征：斑纹淡褐色和黑色，缘线及圈纹白色；两翅正面雄蝶蓝紫色，雌蝶褐色，有蓝紫色光泽；反面棕黄色或淡棕色。正面端缘2列淡褐色斑纹近平行，有白色波纹相伴；中室端斑淡褐色。前翅正面外缘带黑褐色，反面外横斑列下部斑纹内移。后翅正面外缘区有1列圆形斑纹；臀角有眼斑；反面中横斑列斑纹错位排列；前缘中部有1个黑色圆斑；基部黑色圆斑3~4个；臀角有橙色眼斑；尾突细长。

采集记录：3♂1♀，汉中汉台，2008.Ⅸ.02，许家珠采。

分布：陕西（汉台）、江西、台湾、广东、香港、广西；缅甸，斯里兰卡，马来西亚，印度尼西亚。

寄主：苏铁 *Cycas revoluta*（Cycadaceae）、扁豆 *Lablab purpureus*（Fabaceae）、葛藤 *Argyreia seguinii*。

157. 豆灰蝶属 *Plebejus* Kluk，1780

Plebejus Kluk, 1780：89. **Type species**：*Papilio argus* Linnaeus, 1758.

Lycaeides Hübner, [1819]：69. **Type species**：*Papilio argyrognomon* Bergsträsser, [1779].

Plebeius Kirby, 1871：653. **Type species**：*Papilio argus* Linnaeus, 1758.

Plebulina Nabokov, 1945：104. **Type species**：*Lycaena emigdionis* Grinnel, 1905.

属征：小型灰蝶。翅正面雄蝶淡蓝色或蓝紫色，有蓝紫色光泽；雌蝶黑褐色；反面灰白色至棕褐色；有黑色点斑列和橙色斑带。翅脉特征见爱灰蝶属 *Aricia*。

分布：古北区。全世界记载29种，中国已知4种，秦岭地区记录1种。

(416) 豆灰蝶 *Plebejus argus*（**Linnaeus，1758**）（图版66：11-12）

Papilio argus Linnaeus, 1758：483.

Lycaena aegon plouharnelensis Oberthür, 1910：186.

Lycaeides argus orientaloides Verity, 1931：48.

Plebejus argus：Chou, 1994：689.

鉴别特征：斑纹黑褐色，圈纹白色；翅正面雄蝶青蓝色；外缘带黑褐色；雌蝶棕褐色；反面灰白色至棕灰色；两翅反面端缘有眼斑列，瞳点黑色，覆有蓝色鳞粉，眼斑外侧环白色，内侧环橙色；亚外缘斑列黑色；中域斑列前翅较直，后翅近"C"形排列；中室端斑半月形。后翅反面基部覆有淡蓝色鳞粉，基横斑列由4个圆斑组成。

采集记录：1♂，周至厚畛子，1260m，2009.Ⅴ.21；3♂，太白县青峰峡，1450m，2011.Ⅵ.11，房丽君采。

分布：陕西（周至、太白）、黑龙江、吉林、辽宁、河北、山西、河南、甘肃、青海、新疆、山东、湖南、四川；朝鲜，日本，欧洲。

寄主：大蓟 *Cirsium japonicum*（Asteraceae）、山地蒿 *Artemisia montana*、黄芪 *Astragaius membranaceus*（Fabaceae）、桑寄生属 *Loranthus* spp.（Loranthaceae）、土川七 *Polygonum cuspidatum*（Polygonaceae）。

158. 红珠灰蝶属 *Lycaeides* Hübner，［1819］

Lycaeides Hübner，［1819］：69. **Type species**：*Papilio argyrognomon* Bergsträsser.

属征：正面雄蝶蓝色，雌蝶黑褐色；反面驼色、浅驼色或灰白色，有成列的黑色圆斑。翅脉特征见爱灰蝶属 *Aricia*。雄性外生殖器：背兜向后突出，有2对突起；尾突管状，基部粗阔，末端尖；颚突渐弯曲；无囊突；抱器长卵形，末端有钩；阳茎细短，末端尖。

分布：古北区。全世界记载7种，中国已知3种，秦岭地区记录2种。

分种检索表

前翅反面 cu_1 室黑色斑和中室端斑约等大 ················ **红珠灰蝶 *L. argyrognomon***
前翅反面 cu_1 室黑色斑呈长茄形，长过中室端斑 ··········· **茄纹红珠灰蝶 *L. cleobis***

(417) 红珠灰蝶 *Lycaeides argyrognomon*（Bergsträsser，［1779］）

Papilio argyrognomon Bergsträsser，［1779］：76.

Lycaeides argyrognomon：Chou，1994：688.

鉴别特征：斑纹黑褐色，圈纹白色；正面雄蝶蓝紫色，外缘黑带窄；雌蝶黑褐色，后翅外缘黑带与亚外缘斑列愈合，其内侧伴有橙色新月形斑纹；翅反面棕灰色或驼红色。两翅反面端缘有眼斑列，瞳点黑色（后翅的瞳点覆有蓝色鳞粉），眼斑外侧环白色，内侧环橙色；亚缘斑列黑色；外横斑列前翅微弧形，较直，后翅近"C"形，斑列在顶角处呈角度弯曲；中室端斑半月形。后翅反面基部覆有淡蓝色鳞粉，基横斑列由4个圆斑组成。

采集记录：1♂，宁陕关口，1200m，2008.Ⅳ.27，房丽君采；1♂，商州北宽坪会峪，850m，2013.Ⅶ.12，张宇军采；1♂，丹凤商镇鱼岭水库，620m，2013.Ⅷ.13，张宇军采。

分布：陕西（宁陕、商州、丹凤）、黑龙江、吉林、辽宁、河北、山西、河南、甘肃、青海、新疆、山东、四川；朝鲜，日本，欧洲。

寄主：紫花苜蓿 *Medicago sativa*（Fabaceae）、草木樨 *Melilotus officinalis*、白三叶 *Trifolium repens*、冷黄芪 *Astragalus glycyphyllos*、百脉根 *Lotus corniculatus*、红豆草 *Ono-*

brychis viciifolia、二色补血草 *Limonium bicolor*（Plumbaginaceae）。

(418) 茄纹红珠灰蝶 *Lycaeides cleobis*（Bremer，1861）

Lycaena cleobis Bremer, 1861: 472.

Lycaena aegonides Bremer, 1864: 28.

Lycaeides cleobis: Chou, 1994: 688.

鉴别特征：本种与红珠灰蝶 *L. argyrognomon* 极近似，主要区别为：本种雄蝶翅正面青灰褐色；棕褐色的外缘向翅内放射状扩散；雌蝶翅正面褐色；反面驼黄色。前翅 cu_1 室黑斑长茄形，接近中室端斑。

采集记录：1♂，长安抱龙峪，650m，2008. Ⅵ.21，房丽君采。

分布：陕西（长安）、甘肃；朝鲜，日本。

159. 点灰蝶属 *Agrodiaetus* Hübner，1822

Agrodiaetus Hübner, 1822: 1-10. **Type species**: *Papilio damon* Denis *et* Schiffermuller, 1775.

属征：中型灰蝶。翅正面雄蝶天蓝色，雌蝶棕褐色；两翅反面端缘有橙色眼斑列，有黑色小圆斑组成的外横斑列。前翅反面中室内无点斑。翅脉特征见爱灰蝶属 *Aricia*。

分布：古北区。中国已知 5 种，秦岭地区记录 1 种。

(419) 阿点灰蝶 *Agrodiaetus amandus*（Schneider，1792）（图版 66：13-14）

Papilio amandus Schneider, 1792: 428.

Papilio icarius Esper, 1789: 35.

Lycaena icarius libisonis Fruhstorfer, 1911: 96.

Agriades amdandus r. *bruttia* Verity, 1921: 190.

Agrodiaetus amandus: Wang *et* Fan, 2002: 389.

鉴别特征：除亚外缘区有橙色斑之外，其余斑纹均为黑色，圈纹及缘毛白色；翅正面雄蝶天蓝色，有金属光泽；外缘带窄，黑色，并向内侧渗透；雌蝶褐色；后翅臀角有橙色眼斑，瞳点黑色；反面驼色；翅基部覆有灰蓝色鳞粉；中室端斑半月形。前翅反面端缘眼斑列模糊不清；外横斑列弧形排列，止于 cu_1 室。后翅反面端缘眼斑列橙色，瞳点黑色；外横斑列近"V"形；基横斑列由 3 个小点斑组成。

采集记录：1♂，太白县青峰峡，1450m，2011. Ⅵ.11，房丽君采。

分布：陕西（凤县、太白）、内蒙古、新疆；俄罗斯。

寄主：广布野豌豆 *Vicia cracca*（Fabaceae）、新疆野豌豆 *V. costata*、牧地山黧豆 *Lathyrus pratensis*。

160. 眼灰蝶属 *Polyommatus* Latreille, 1804

Polyommatus Latreille, 1804：185, 200. **Type species**：*Papilio icarus* Rottemburg, 1775.

Agrodiaetus Hübner, 1822：1-10. **Type species**：*Papilio damon* Denis *et* Schiffermüller, 1775.

Bryna Evans, 1912：559, 984. **Type species**：*Lycaena stoliczkana* C. & R. Felder, 1865.

Meleageriade de Sagarra, 1925：271. **Type species**：*Papilio meleager* Esper, 1778.

Uranops Hemming, 1929：243. **Type species**：*Papilio coridon* Poda, 1761.

属征：雄蝶翅正面蓝色，有金属光泽；雌蝶棕褐色；两翅反面端缘有橙色眼斑，眼点黑色。翅脉特征见红珠灰蝶属 *Lycaeides*。眼有毛。雄性外生殖器：背兜较窄；无囊突；抱器长，两端尖；阳茎短。

分布：古北区。中国记载 12 种，秦岭地区记录 1 种。

(420) 多眼灰蝶 *Polyommatus erotides* Staudinger, 1892（图版 66：15-16）

Polyommatus erotides Staudinger, 1892：319.

鉴别特征：斑纹多黑色，圈纹白色；两翅反面端缘有橙白两色的眼斑列，中室端斑新月形。翅正面雄蝶紫蓝色，前翅外缘带黑褐色；后翅外缘斑列斑纹圆形，模糊；雌蝶暗褐色；两翅亚外缘斑列橙色；后翅外缘斑列黑色；反面驼色或灰白色；外横斑列前翅弱弧形，后翅近"V"形；基横斑列由 3 个点斑组成。

采集记录：1♂，周至厚畛子，1300m，2009. Ⅸ. 21，房丽君采；2♂1♀，凤县唐藏镇，1280m，2012. Ⅴ. 25，房丽君采；1♂，太白黄柏塬核桃坪，1480m，2010. Ⅷ. 08，房丽君采；1♂1♀，留坝庙台子，2004. Ⅷ. 03，房丽群采；1♂，山阳县苍龙山，860m，2013. Ⅶ. 22，张宇军采；2♂，丹凤国家湿地公园，580m，2013. Ⅷ. 21，房丽君采。

分布：陕西（周至、凤县、太白、留坝、山阳、丹凤）、黑龙江、吉林、辽宁、河北、河南、宁夏、甘肃、青海、新疆、山东、四川、西藏；蒙古，俄罗斯，朝鲜，日本，欧洲。

寄主：米口袋属 *Gueldenstaedtia* spp.（Fabaceae）。

六、蚬蝶亚科 Riodininae

小型种类。有些特征与喙蝶科相似，因此也有学者将两科合并为喙蚬蝶科 Erycinidae。雌蝶前足正常；雄蝶前足退化，缩在胸下；跗节 1 节，刷状；无爪。前翅 R 脉 5 条，后 3 条共柄；A 脉 1 条，基部分叉。后翅肩角加厚，肩脉发达；A 脉 2 条；外缘齿形；尾突有或无，如有，则在 M_3 脉处或 2A 脉处突出。两翅中室多开式。

分族检索表

1. 后翅有肩室 ·· 波蚬蝶族 Zemerini
   后翅无肩室 ·· 2
2. 后翅肩脉直或弧形 ································· 古蚬蝶族 Nemeobiini
   后翅肩脉弯曲成角度 ······························· 褐蚬蝶族 Abisarini

（一）古蚬蝶族 Nemeobiini

黑褐色种类；斑缘多橙色、白色或黑色。后翅外缘圆整；肩脉直或弧形。

分属检索表

前翅中室短于翅长 1/2；端脉"C"形凹入中室 ············· 豹蚬蝶属 Takashia
前翅中室长于翅长 1/2；端脉微凹入中室 ··············· 小蚬蝶属 Polycaena

161. 豹蚬蝶属 *Takashia* Okano *et* Okano，1985

Takashia Okano *et* Okano，1985：7-8. **Type species**：*Takashia nana*（Leach，1893）.

属征：中小型灰蝶。翅圆；斑纹似豹纹。前翅 R_2 脉从中室前缘近上端角处分出；R_3、R_4 与 R_5 脉同柄；R_5 脉到达外缘；M_1 脉与 R_5 脉有短的共柄。后翅 $Sc + R_1$ 脉短直；Rs 脉与 M_1 脉在中室外有共柄；中室短阔，闭式。雄性外生殖器：背兜长而平坦；钩突小；无囊突；抱器短阔，背端分为两瓣；阳茎极细长，约为抱器长的 2 倍，末端尖。

分布：东洋区。全世界仅记载 1 种，分布于中国，秦岭地区有记录。

(421) 豹蚬蝶 *Takashia nana*（Leech，1893）

Timelaea nana Leech，1893：1.

Takashia nana shaanxiensis Hanafusa，1995：14.

鉴别特征：翅正面橙黄色；反面黄色；外缘黑色，齿状；翅面密布大小及形状不一的黑色斑纹，呈网状，似豹纹。

采集记录：2♂1♀，长安饮马池，1100m，2008.Ⅶ.12，房丽君采；1♂，蓝田王顺山，2000m，2010.Ⅶ.31，房丽君采；1♂，周至厚畛子，1320m，2009.Ⅵ.26，房丽君采；2♂，户县东涝峪河，1450m，2010.Ⅶ.06，房丽君采；2♂，太白黄柏塬大箭沟，1620m，2010.Ⅷ.07，房丽君采；1♂，佛坪观音山，1620m，2013.Ⅶ.30，张宇军采；2♂1♀，宁陕县火地塘，1580m，2008.Ⅷ.31，房丽君采；1♂，柞水营盘大甘沟，1450m，2009.Ⅸ.05，房丽君采；1♂，商州杨斜秦王山，1500m，2013.Ⅷ.10，张宇军采。

分布：陕西(长安、蓝田、周至、户县、太白、佛坪、宁陕、柞水、商州)、四川、云南。

162. 小蚬蝶属 *Polycaena* Staudinger，1886

Polycaena Staudinger，1886：227. **Type species**：*Polycaena tamerlana* Staudinger，1886.
Hyporion Röber，1903：357. **Type species**：*Emesis princeps* Oberthür，1886.

属征：小型种类。体黑褐色。有橙色、黑色和白色的斑点和条纹。前翅中室长于前翅的 1/2；R_2 脉从中室前缘生出；R_3、R_4 与 R_5 脉梳状分支；M_1 脉与 R_5 脉同点分出。后翅 $Sc + R_1$ 脉短；Rs 脉与 M_1 脉基部合并；中室开式。雄性外生殖器：背兜、钩突及颚突均发达；囊突极小；抱器阔三角形，末端钝，上下两瓣；阳茎细长。

分布：古北区，中国已知 8 种，秦岭地区记录 1 种。

(422) 露娅小蚬蝶 *Polycaena lua* Grum-Grshimailo，1891(图版 67：1-2)

Polycaena lua Grum-Grshimailo，1891：454.

鉴别特征：小型蝶类。翅正面黑褐色。前翅正面亚外缘斑列橙色，时有消失；外斜斑列及中室端斑橙色；反面橙色，密布黑色斑纹，有白色斑驳区；后缘基半部褐色。后翅正面亚外缘斑列橙色；反面白色，密布黑色圆形斑纹；亚外缘斑列橙色；cu_1 及 2a 室基半部有黑色条斑。

采集记录：1♂，眉县太白山，3500m，2012.Ⅶ.28，房丽君采；1♂，太白鳌山，2700m，2013.Ⅷ.10，房丽君采。

分布：陕西(眉县、太白)、四川、西藏。

寄主：点地梅属 *Androsace* spp.（Primulaceae）。

(二) 褐蚬蝶族 Abisarini

后翅尾突有或无；肩脉弯曲成角度。

163. 褐蚬蝶属 *Abisara* C. & R. Felder, 1860

Abisara C. & R. Felder, 1860: 397. **Type species**: *Abisara kausambi* C. & R. Felder, 1860.

属征：大中型灰蝶。翅正面褐色至红褐色；反面色稍淡。前翅常有淡色的中横带或斜带。后翅顶角区常有眼斑。前翅中室短，闭式；R_1 脉与 Sc 脉有接触；R_2 脉独立；R_3 脉与 R_5 脉同柄，从中室上端角分出，与 M_1 脉基部互相接近或同柄；M_3 脉从中室下端角分出；Cu_1 脉从中室下缘脉分出。后翅中室短，略闭式；Rs 与 M_1 脉同柄；M_2 脉从中室端脉中部分出；M_3 脉端部有齿突或短尾突。雄性外生殖器：背兜小，马鞍状；钩突比背兜大；颚突钩状；无囊突；抱器短阔，近半圆形；阳茎粗长，末端尖，端膜多小刺。

分布：东洋区，非洲区。全世界记载 28 种，中国已知 8 种，秦岭地区记录 2 种。

分种检索表

前翅中斜带黄色 ·· 黄带褐蚬蝶 *A. fylla*
前翅中斜带白色 ·· 白带褐蚬蝶 *A. fylloides*

(423) 黄带褐蚬蝶 *Abisara fylla* (Westwood, 1851) (图版 67: 3-6)

Taxila fylla Westwood, 1851: pl. 69, f. 3, text: 422.
Abisara fylla: Chou, 1994: 604.

鉴别特征：翅黑褐色至棕褐色；反面色稍淡。前翅中斜带淡黄色，由前缘中部伸向后角；亚缘细带模糊；顶角 2~3 个点斑，白色。后翅亚外缘斑列由 5~6 个近椭圆形眼斑组成，后面几个时有消失，瞳点白色；近顶角 2 个眼斑最大，黑色；中斜带细，棕褐色，波状。雌蝶个体较大，翅色稍淡。

采集记录：2♂1♀，镇安结子乡木元村，850m，2011.Ⅳ.30，房丽君采；1♂，山阳中村青岭沟，800m，2013.Ⅸ.19，房丽君采；1♂，丹凤土门谷峪沟，1000m，2009.Ⅹ.03，房丽君采；1♂，商南过风楼，360m，2012.Ⅸ.04，房丽君采。

分布：陕西（镇安、山阳、丹凤、商南）、江西、福建、云南；泰国，缅甸。
寄主：杜茎山 *Maesa chisia* (Myrsinaceae)、灰叶杜茎山 *M. chisia*。

(424) 白带褐蚬蝶 *Abisara fylloides* Moore, 1902 (图版 67: 7-8)

Abisara fylloides Moore, 1902: 81.

鉴别特征：与黄带褐蚬蝶 *A. fylla* 近似，主要区别为：前翅中斜带白色；顶角区多无白色小点斑。

采集记录：2♂1♀，镇安结子乡木元村，680～800m，2010.Ⅸ.04，房丽君采；1♂，商州二龙山水库，800m，2013.Ⅷ.22，房丽君采；1♂，山阳中村枣树沟，720m，2010.Ⅴ.05，房丽君采。

分布：陕西（镇安、商州、山阳）、浙江、湖北、江西、福建、海南、四川、云南；越南。

寄主：杜茎山 *Maesa chisia*（Myrsinaceae）。

（三）波蚬蝶族 Zemerini

后翅尾突短；有肩室。

分属检索表

后翅外缘 M_3 脉端角状外突；翅面密布小斑纹 ·································· **波蚬蝶属 *Zemeros***

后翅外缘 2A 脉处有尾突；翅面有横带纹，无密集小斑纹 ···························· **尾蚬蝶属 *Dodona***

164. 波蚬蝶属 *Zemeros* Boisduval，［1836］

Zemeros Boisduval，［1836］：pl. 21，f. 5. **Type species：***Papilio allica* Fabricius，1787.

属征：中型灰蝶。翅短阔，红褐色；密布黑白两色的小斑纹。中室短，闭式，长约为翅长的 2/5。前翅 Sc 脉短，稍长于中室；R_1 脉独立，与 Sc 脉靠近；R_2、R_5 与 M_1 脉同柄，从中室上端角分出；M_3 脉与 Cu_1 脉从中室下端角分出。后翅前缘弯曲，外缘波状；M_3 脉端角状外突；Rs 脉与 M_3 脉均从中室上端角分出，有时有共柄。雄性外生殖器：背兜长，平坦；钩突发达；颚突臂状弯曲；无囊突；抱器很短，有 1 个指状的极长抱器铗；阳茎极长，基部粗壮，有角状器。

分布：东洋区。全世界记载 2 种，中国已知 1 种，秦岭地区有记录。

（425）波蚬蝶 *Zemeros flegyas*（Cramer，［1780］）

Papilio flegyas Cramer，［1780］：158.

Zemeros flegyas：Chou，1994：608.

鉴别特征：两翅脉纹清晰；正面红褐色；反面色稍淡；翅面密布黑白两色的小斑

纹；外缘细齿形。后翅外缘在 M_3 脉端外突成短尾。有旱季和湿季型之分。

采集记录：2♂1♀，宁强青木川，2009.Ⅵ.08，许家珠采。

分布：陕西（宁强）、甘肃、浙江、湖北、江西、福建、广东、海南、广西、四川、云南、西藏；缅甸，印度，菲律宾，马来西亚，印度尼西亚。

寄主：杜茎山 *Maesa chisia*（Myrsihaceae）、山地茎山 *M. montana*、鲫鱼胆 *M. perlarius*、碎米荠 *Cardamine hirsute*（Brassicaceae）。

165. 尾蚬蝶属 *Dodona* Hewitson, 1861

Dodona Hewitson, 1861: 75. **Type species**: *Melitaea durga* Kollar, 1844.

属征：大中型灰蝶。翅面有多条斜带。前翅短阔，顶角略尖；中室阔，长约为前翅长的 2/5；Sc 脉短，稍长于中室；R_1 脉独立；R_2 脉自中室上端角分出；R_3 及 R_4 从 R_5 脉分出；M_1 脉从中室上端角分出；M_3 脉与 Cu_1 脉从中室下端角分出。后翅顶角阔圆；臀角瓣状突出；有的有 1 个细尾突；中室长为翅长的 1/2 弱，端脉斜；Rs 脉与 M_1 脉在中室外有共柄，M_3 脉从中室下端角分出；Cu_1 脉从中室下缘近下角处分出。雄性外生殖器：背兜中等发达；钩突阔；颚突钩状；囊突短；阳茎粗壮，密布小刺毛。

分布：东洋区。全世界记载 18 种，中国已知 12 种，秦岭地区记录 2 种。

分种检索表

后翅臀角有短尾突 ·· 银纹尾蚬蝶 *D. eugenes*
后翅臀角无短尾突 ·· 斜带缺尾蚬蝶 *D. ouida*

(426) 银纹尾蚬蝶 *Dodona eugenes* Bates，[1868]（图版 67：9-12）

Dodona eugenes Bates, [1868]: 371.

鉴别特征：翅面黑褐色或棕褐色。前翅顶角区有白色点斑；亚外缘斑列黄色；中域至基部有斜斑列或斑带，正面 2 列，反面 3 列。后翅外缘有小齿突；顶角区 2 个圆斑黑色，圈纹白色；宽窄不一的长条斑分别从顶角、前缘、基部及后缘发出，汇集于臀角，白色或淡黄色；臀角瓣状突出，黑色，其上伸出黑色短尾突；反面色稍浅，斑纹明显，臀叶上方有灰色大斑。雌蝶较大，翅形圆。

采集记录：1♂，佛坪长角坝，1150m，2010.Ⅸ.11，房丽君采；1♂，洋县四郎乡，500m，2010.Ⅹ.17，房丽君采；2♂1♀，汉阴龙垭乡石家沟，680m，2011.Ⅴ.27，房丽君采；1♂，镇安大青沟，2010.Ⅴ.24，房丽君采；1♂，商南金丝峡，500m，2013.Ⅷ.25，房丽君采。

分布：陕西(佛坪、洋县、汉阴、镇安、商南)、河南、浙江、江西、福建、台湾、广东、海南、云南、西藏；越南，泰国，缅甸，印度，不丹，尼泊尔，马来西亚。

寄主：青篱竹属 *Adundinaria* spp. (Poaceae)。

(427) 斜带缺尾蚬蝶 *Dodona ouida* Hewitson，1865

Dodona ouida Hewitson，1865：pl. 41, f. 4-6.

鉴别特征：雌雄异型。雄蝶翅正面栗黑色；反面栗褐色。前翅有 3 条橙黄色斜带，外侧两条在翅外角汇集，中间的条带宽；顶角区有 2 个小白斑。后翅正面有 4 条斑带汇聚于臀角，橙黄色；臀叶黑色；反面有 4 条橙黄色或灰色斑带汇集于臀区；顶角区有 2 个黑色圆斑，镶有白色圈纹；前缘中部圆斑黑白两色，臀角区灰色。雌蝶翅黑褐色；前翅亚外缘带细，橙黄色；中斜带宽，白色；基部斜带在正面模糊或消失。

采集记录：3♂1♀，汉中天台山，2005. Ⅵ. 15，许家珠采。

分布：陕西(汉台)、甘肃、江西、四川、云南；越南，泰国，缅甸，印度。

寄主：杜茎山 *Maesa japonica* (Myrsinaceae)、灰叶杜茎山 *M. chisia*。

第十二章 弄蝶科 Hesperiidae

中小型蝴蝶。体粗壮；颜色深暗，黑色、褐色或棕色，少数为黄色、绿色或白色，多有淡色或透明斑纹。头大，常宽于胸部；触角基部互相远离，常有黑色毛块，端部略粗，钩状弯曲，末端多尖细，是本科显著的特征。眼的前方有长睫毛，表面常光滑，少数种类密生细毛，复眼具眼环。下唇须由 3 节组成，第 2 节粗壮，第 3 节短。前足发达，有步行能力，胫节腹面有 1 对距(净子器)；中足胫节常有 1 对端距；后足有 2 对距；足端有成对的侧垫、爪及 1 个中垫。两翅脉纹均从中室分出，不分叉；前翅 R 脉 5 条，中室开或闭式；A 脉 2 条，中后部合并。后翅多浑圆，A 脉 2 条。

成虫飞翔迅速，跳跃翻转，多在白天活动，有些种类早晚活动，在花丛中穿插取食花蜜。幼虫寄主主要为单子叶植物和一些双子叶植物。有的是水稻、粟类、香蕉及竹子等农林作物的重要害虫。

世界各地均有分布。全世界记载近 3800 种，中国已知 370 余种，陕西秦岭地区记录 75 种。

分亚科检索表

1. 前翅 M_2 与 M_1 脉靠近，距 M_3 脉远；幼虫主要取食双子叶植物 ·············· 2
   前翅 M_2 与 M_3 脉靠近，距 M_1 脉远；幼虫主要取食单子叶植物 ·············· 3

2. 无前毛隆及睫毛；翅休息时竖立 ·· 竖翅弄蝶亚科 Coeliadinae

　　有前毛隆及睫毛；翅休息时多平展 ··· 花弄蝶亚科 Pyrginae

3. 后翅中室等于或长于后翅长的1/2；成虫晒太阳时四翅均平展 ····· 链弄蝶亚科 Heteropterinae

　　后翅中室短于后翅长的1/2；成虫晒太阳时后翅平展，前翅斜立 ········ 弄蝶亚科 Hesperiinae

一、竖翅弄蝶亚科 Coeliadinae

　　大型种类。后翅臀角多延伸成瓣状；休息时翅竖立。前翅 M_2 脉的着生点在 M_1 脉与 M_3 脉的着生点之间，或较接近 M_1 脉的着生点。

分属检索表

1. 前翅中室短于翅后缘 ·· 2

　　前翅中室等于或长于翅后缘 ··· 绿弄蝶属 Choaspes

2. 前翅正面常无斑；2A脉略弯曲；后翅臀角不延伸成瓣状 ·················· 伞弄蝶属 Bibasis

　　前翅正面常有斑；2A脉基部强度弯曲；后翅臀角延伸成瓣状 ·············· 趾弄蝶属 Hasora

166. 伞弄蝶属 *Bibasis* Moore，[1881]

Bibasis Moore，[1881]：160. **Type species**：*Goniloba sena* Moore，1866.

Burara Swinhoe，1893：329. **Type species**：*Ismcne vasutana* Moore，1866.

Sartora Swinhoe，1912：229. **Type species**：*Ismene ionis* de Nicéville，1895.

Tothrix Swinhoe，1912：233. **Type species**：*Ismene mahintha* Moore，1875.

　　属征：大中型弄蝶。多黑褐色、黄褐色或绿色。前翅顶角尖；中室较翅后缘短；A脉基部不弯曲或稍弯曲；翅面多无透明斑。后翅反面脉纹多明显。雄蝶后足胫节外侧有褐色长毛簇。雄性外生殖器：钩突发达；颚突、囊突小；抱器三角形，末端尖；阳茎长，弯曲。雌性外生殖器：交配囊及囊导管长；交配囊片发达，长条形，密生钩状刺突。

　　分布：古北区，东洋区。全世界记载18种，中国已知10种，秦岭地区记录2种。

分种检索表

后翅反面无放射状条纹；基部无黑色斑点 ·· 雕形伞弄蝶 *B. aquilina*

后翅反面有放射状条纹；基部有1个黑色斑点 ··· 白伞弄蝶 *B. gomata*

(428) 雕形伞弄蝶 *Bibasis aquilina* (Speyer, 1879)

Ismene aquilina Speyer, 1879: 346.

Ismen jankowskii Oberthür, 1880: 23.

Bibasis aquilina: Evans, 1949: 51.

Burara aquilina: Bridges, 1994: 16.

鉴别特征: 雄蝶翅褐色; 顶角及外缘黑褐色。前翅前缘基半部棕黄色; 中室端部黑褐色。后翅无斑; 基半部被毛。雌蝶翅棕黄色; 前翅顶角、外缘及中室色深; 外横斑列"V"形排列, 止于 cu_1 室, 淡黄色; 中室端部斑纹水滴状, 淡黄色。

采集记录: 2♂, 周至板房子, 1120~1180m, 2011. Ⅶ.08, 张辰生、程帅采。

分布: 陕西(周至)、黑龙江、吉林、辽宁、甘肃、四川; 俄罗斯, 朝鲜, 日本。

寄主: 刺楸 *Kalopanax septemlobus* (Araliaceae)。

(429) 白伞弄蝶 *Bibasis gomata* (Moore, [1866])

Ismene gomata Moore, [1866]: 783.

Choaspes gomata: de Nicéville, 1883: 83.

Bibasis gomata: Evans, 1949: 50.

鉴别特征: 雌雄异型。雄蝶翅正面灰褐色; 反面蓝绿色; 有蓝紫色光泽; 各翅室均有贯穿翅面的灰白色纵条纹, 放射状排列; 前翅后缘及后翅前缘多灰白色。雌蝶翅正面黑褐色, 基部蓝灰色; 前翅中室下方有 2 个灰白色斑纹, 时有模糊; 反面有 1 条从基部纵贯中室直达外缘的白绿色宽带。

采集记录: 2♂, 宁陕旬阳坝, 1380m, 2010. Ⅶ.30, 房丽君采。

分布: 陕西(宁陕)、湖北、江西、海南、香港、四川、云南; 越南, 老挝, 缅甸, 印度, 菲律宾, 马来西亚, 印度尼西亚。

寄主: 鹅掌柴 *Schefflera octophylla* (Araliaceae)。

167. 趾弄蝶属 *Hasora* Moore, 1881

Hasora Moore, 1881: 159. **Type species**: *Goniloba badra* Moore, 1858.

Parata Moore, 1881: 160. **Type species**: *Papilio chromus* Cramer, 1775.

属征: 大中型弄蝶。翅正面多暗褐色; 反面色稍淡。前翅顶角尖; 中室比翅的后缘短; 2A 脉基部弯曲。后翅臀角明显外延。雌蝶前翅常有半透明的斑点。部分种类雄蝶前翅正面有性标。雄性外生殖器: 钩突牛角状; 颚突发达; 囊突小; 抱器宽大; 阳茎短小。雌性外生殖器: 囊导管长, 约为交配囊的 2 倍。

分布：东洋区，澳洲区。全世界记载 29 种，中国已知 7 种，秦岭地区记录 1 种。

(430) 无趾弄蝶 *Hasora anura* de Nicéville，1889

Hasora anura de Nicéville, 1889: 170.

鉴别特征：雌雄异型。雄蝶翅正面黑褐色；反面色稍淡。前翅端部及后翅上半部多有青紫色或蓝绿色斑驳纹；rs 室基部有 1~2 个白色斑点；反面周缘棕灰色。后翅无斑；反面端部棕灰色；中室中部白色圆斑有或无；cu$_2$ 室近端部有 1 个白色条斑；臀角钝圆。雌蝶前翅亚顶区近前缘有 1 排 3 个小白斑；翅中央 3 个浅黄色斑倒品字形排列。

分布：陕西（略阳、留坝）、河南、浙江、江西、湖南、福建、台湾、海南、香港、广西、四川、云南；越南，老挝，泰国，缅甸，印度。

寄主：水黄皮 *Pongamia pinnata*（Fabaceae）、鸡血藤 *Millettia reticuiata*。

168. 绿弄蝶属 *Choaspes* Moore，[1881]

Choaspes Moore, [1881]: 158. **Type species**: *Hesperia benjaminii* Guérin-Méneville, 1843.

属征：大型弄蝶。翅黑色或褐色；翅上有蓝绿色的鳞，具金属光泽；脉纹黑色，清晰。前翅顶角尖；中室和前翅后缘一样长。后翅臀角瓣状突出，橙色，镶有黑色斑纹。雄蝶后足胫节有毛簇。雄性外生殖器：背兜背面有窗膜区；钩突细尖；有颚突；囊突小；抱器近梯形，抱器铗尖出；阳茎短直。

分布：古北区，东洋区，澳洲区。全世界记载 8 种，中国已知 4 种，秦岭地区记录 1 种。

(431) 绿弄蝶 *Choaspes benjaminii*（**Guérin-Méneville，1843**）（图版 68：1-2）

Hesperia benjaminii Guérin-Méneville, 1843: 79.
Choaspes benjaminii: Evans, 1949: 74.

鉴别特征：翅具金属光泽；正面黑褐至褐色，被蓝绿色鳞；反面蓝绿色；脉纹黑色，清晰。前翅反面后缘区棕灰色。后翅正面基半部被蓝绿色毛；臀角橙黄色，镶有黑色斑纹。雌蝶个体较大。

采集记录：1♂1♀，长安翠华山，2006. V. 14，房丽君采；1♂，周至楼观台，800m，2011. V. 17，房丽君采；1♂，镇安结子乡，1100m，2011. Ⅳ. 30，房丽君采。

分布：陕西（长安、周至、镇安）、河南、甘肃、浙江、湖北、江西、福建、台湾、广东、海南、香港、广西、四川、云南；日本，越南，泰国，缅甸，印度，尼泊尔，斯里兰卡，菲律宾，马来西亚，印度尼西亚。

　　寄主： 钟花清风藤 *Sabia campanulata*（Sabiaceae）、漆叶泡花树 *Meliosma rhoifolia*、笔罗子 *M. rigida*、绿樟 *Meliosma. rquamulata*。

二、 花弄蝶亚科 Pyrginae

　　雄蝶后足胫节有毛撮，能放入胸部的袋内。翅上多白色斑点；前翅 Cu_2 脉起点靠近翅基部。多有访花习性，常在花上发现；多数种类休息时翅平展；大部分种类的幼虫取食双子叶植物。

分族检索表

1. 触角棒状部扁平 ·· 2
   触角棒状部正常 ·· 3
2. 触角端突矛状，向端部渐细；缘毛单色，色暗 ··········· **珠弄蝶族 Erynnini**
   触角端突短粗，末端钝；缘毛黑白两色 ·················· **花弄蝶族 Pyrgini**
3. 后翅反面无大面积的白色区 ······················· **星弄蝶族 Celaenorrhinini**
   后翅反面有大面积的白色区 ························· **裙弄蝶族 Tagiadini**

（一）星弄蝶族 Celaenorrhinini

　　大型，翅阔。前翅多有白色斑点或斜斑带；前翅中室长；M_2 脉在 M_1 脉与 M_3 脉之间。后翅 M_2 脉直而斜，基部接近 M_1 脉而端部接近 M_3 脉。雄蝶有些种有第二性征。

分属检索表

雄蝶前翅无前缘褶；后足胫节有毛刷；后翅反面密布黄色斑纹或无斑 ······ **星弄蝶属 *Celaenorrhinus***
雄蝶前翅有前缘褶；后足胫节无毛刷；后翅反面无黄色斑纹，但总有斑纹 ······ **带弄蝶属 *Lobocla***

169. 带弄蝶属 *Lobocla* Moore，1884

Lobocla Moore，1884：51. **Type species**：*Plesioneura liliana* Atkinson，1871.

属征：中型弄蝶。翅褐色。前翅斑纹多半透明；亚顶区有小白斑；中域有白色或黄色的斑纹，常连成斜带。后翅反面有黑褐色斑纹。雄蝶前翅有前缘褶；后足胫节无毛刷。雄性外生殖器：背兜隆起；颚突密被小刺；囊突细小；抱器近长方形，末端二分裂；阳茎短粗，角状器长梳状。

分布：古北区，东洋区。全世界记载 7 种，中国已知 6 种，秦岭地区记录 2 种。

分种检索表

前翅 m_1 及 m_2 室的白斑外移，与 r_5 室斑分离⋯⋯⋯⋯⋯⋯⋯⋯⋯⋯⋯⋯⋯⋯ **嵌带弄蝶 *L. proxima***
前翅 m_1 及 m_2 室的白斑如有，与 r_5 室斑排在一起 ⋯⋯⋯⋯⋯⋯⋯⋯⋯⋯⋯ **双带弄蝶 *L. bifasciatus***

(432) 双带弄蝶 *Lobocla bifasciatus*（**Bremer et Grey, 1853**）(图版 68：3-6)

Eudamus bifasciatus Bremer et Grey, 1853：60.

Plesioneura bifasciata：Butler, 1883：114.

Achalarus bifasciatus var. *contractus* Leech, 1894：560.

Lobocla bifasciatus：Mabille, 1909：332.

鉴别特征：翅正面褐色至黑褐色；斑纹白色；反面褐色至棕褐色。前翅亚顶区有 1 排小斑点，有时其附近 m_1 与 m_2 室也有小斑点；中斜斑列从前缘中部斜向后角附近，斑纹大小及形状各异，m_3 室斑错位外凸。后翅正面无斑；反面密布灰白色鳞带，并与深褐色横带相间排列。

采集记录：2♂2♀，长安石砭峪，1100m，2010. Ⅶ. 01，房丽君采；1♂，蓝田汤峪，880m，2010. Ⅶ. 31，房丽君采；1♂，周至厚畛子，1280m，2009. Ⅵ. 26，房丽君采；1♂，户县涝峪，1200m，2009. Ⅵ. 06，房丽君采；2♂，宝鸡陈仓苜耳沟，1000m，2012. Ⅵ. 24，房丽君采；1♂，凤县唐藏镇，1200m，2012. Ⅴ. 25，房丽君采；1♂，眉县蒿坪寺，1200m，2011. Ⅵ. 25，张辰生采；1♂1♀，太白县黄柏塬，1350m，2010. Ⅵ. 15，房丽君采；1♂，华阴华阳川林场，1350m，2011. Ⅴ. 07，房丽君采；1♂，留坝红岩沟，1060m，2012. Ⅵ. 23，房丽君采；1♂，佛坪长角坝，950m，2011. Ⅴ. 06，房丽君采；1♂，洋县华阳，1040m，2011. Ⅵ. 04，房丽君采；1♂，宁陕广货街，1250m，2010. Ⅶ. 07，房丽君采；2♂，石泉红卫乡，1080m，2011. Ⅴ. 26，房丽君采；1♂，柞水营盘花门楼，1400m，2010. Ⅵ. 16，张宇军采；1♂，镇安黑窑沟，580m，2010. Ⅴ. 21，房丽君采；3♂2♀，商州黑龙口，1050m，2011. Ⅵ. 01，房丽君采；2♂，山阳银花，620m，2010. Ⅵ. 30，房丽君采；1♂，丹凤土门，720m，2010. Ⅵ. 01，房丽君采。

分布：陕西（长安、蓝田、周至、户县、宝鸡、凤县、眉县、太白、华阴、留坝、佛坪、洋县、宁陕、石泉、柞水、镇安、商州、山阳、丹凤）、黑龙江、吉林、辽宁、北京、河北、山西、河南、甘肃、山东、浙江、湖北、江西、福建、台湾、广东、四川、云南、西藏；俄罗斯，朝鲜。

寄主：橡树 *Quercus palustris*（Fagaceae）、槲树 *Q. dentata*、姜黄 *Curcuma longa*（Zingiberaceae）、月桃 *Alpinia speciosa*。

（433）嵌带弄蝶 *Lobocla proxima*（Leech，1891）

Eudamus proximus Leech，1891：58.

Eudamus frater Oberthür，1891：18.

Achalarus proximus：Leech，1893：560.

Lobocla proximus：Mabille，1909：332.

Lobocla proxima：Chou，1994：702.

鉴别特征：与双带弄蝶 *L. bifasciatus* 相似，主要区别为：本种前翅中斜带与 m$_3$ 室白斑分离；亚顶区斜斑列近八字形排列。后翅反面密布黑褐色云纹斑，有白色圈纹。

分布：陕西（洋县、南郑）、四川、云南。

寄主：槲树 *Quercus dentate*（Fagaceae）。

170. 星弄蝶属 *Celaenorrhinus* Hübner，[1819]

Celaenorrhinus Hübner，[1819]：106. **Type species**：*Papilio eligius* Stoll，[1781].

Ancistrocampta C. & R. Felder，1862：183. **Type species**：*Ancistrocampta syllius* C. & R. Felder，1862.

Hantana Moore，[1881]：179. **Type species**：*Eudamus infernus* Felder，1868.

Gehlota Doherty，1889：131. **Type species**：*Plesioneura sumitra* Moore，1866.

Narga Mabille，1891：lxx. **Type species**：*Narga chiriquensis* Mabille，1891.

Orneates Godman et Salvin，1894：345. **Type species**：*Eudamus aegiochus* Hewitson，1876.

Charmion de Nicéville，1894：48. **Type species**：*Hesperia ficulnea* Hewitson，1868.

Apallaga Strand，1911：143. **Type species**：*Apallaga separata* Strand，1911.

属征：中型弄蝶。翅黑褐色、褐色或红褐色。前翅有透明的白色斑或中斜带。后翅密布黄色斑纹或无斑。雄蝶前翅多无前缘褶；后足胫节有竖立的毛刷。雄性外生殖器：背兜宽大；钩突短粗；颚突粗；囊突细长；抱器端部多分叉；阳茎棒状，有角状突；阳茎轭片种间差异大。雌性外生殖器：部分种类有交配囊片。

分布：世界性分布。全世界记载 103 种，中国已知 21 种，秦岭地区记录 1 种。

（434）斑星弄蝶 *Celaenorrhinus maculosus*（C. & R. Felder，[1867]）

Pterygospidea maculosa C. & R. Felder，[1867]：528.

Celaenorrhinus maculosa: de Nicéville, 1889: 180.

鉴别特征: 翅黑褐色; 反面色稍淡。前翅斑纹白色; 亚顶区 r_3-r_5 室斑排成斜列, 其外侧下方有 2 个斑点; 翅中央 2 个大斑相对排列; m_3 室基部斑小; cu_2 室圆斑 3 个, 基部 1 个, 端部 2 个; 反面基部放射状条纹黄色; 后缘区灰白色。后翅翅面密布黄色斑纹; 基部斑纹条形, 放射状排列; 反面后缘区条斑宽, 从基部直达臀角。

分布: 陕西(洋县、南郑)、内蒙古、河南、甘肃、上海、江苏、浙江、湖北、江西、福建、台湾、四川。

（二）珠弄蝶族 Erynnini

中小型, 暗色的弄蝶。前翅 M_2 起点位于 M_1 脉和 M_3 脉中间; 前缘基部多强度弯曲; 部分雄蝶前翅有前缘褶。后翅端缘有成列的黄色斑点。

171. 珠弄蝶属 *Erynnis* Schrank, 1801

Erynnis Schrank, 1801: 152, 157. **Type species**: *Papilio tages* Linnaeus, 1758.
Thymele Fabricius, 1807: 287. **Type species**: *Papilio tages* Linnaeus, 1758.
Astycus Hübner, 1822: 1, 3, 5, 6, 8-10. **Type species**: *Papilio tages* Linnaeus, 1758.
Thanaos Boisduval, [1834]: 240. **Type species**: *Papilio tages* Linnaeus, 1758.
Hallia Tutt, 1906: 261. **Type species**: *Thanaos marloyi* Boisduval, 1834.

属征: 中型, 暗色种类。前翅前缘基部强度弯曲。后翅端缘有成列的黄色斑; Rs 脉端突出成角度。雄性外生殖器: 背兜大, 隆起; 钩突小; 颚突发达; 囊突短; 抱器阔, 端部多分叉; 阳茎细。

分布: 古北区, 新北区。全世界记载 26 种, 中国记录 4 种, 秦岭地区记录 3 种。

分种检索表

1. 雄蝶后翅外缘斑列黄色 ……………………………………………… 深山珠弄蝶 *E. montanus*
   雄蝶后翅外缘斑列白色 ………………………………………………………………………… 2
2. 前翅正面中域斑带明暗相间明显; 外缘斑清晰 ……………………………… 珠弄蝶 *E. tages*
   前翅正面中域斑带较模糊, 反差不明显; 外缘斑模糊 ……………… 波珠弄蝶 *E. popoviana*

(435) 深山珠弄蝶 *Erynnis montanus* (Bremer, 1861) (图版 68: 7-10)

Pyrgus montanus Bremer, 1861: 556.

Thanaos rusticanus Butler, 1861：58.

Thanaos montanus：Leech, 1892：580.

Erynnis montanus：Evans, 1949：164.

鉴别特征：翅正面暗褐色；反面色稍淡；有紫色光泽；斑纹多黄色。前翅外缘斑列时有模糊；亚外缘区至翅中域有黄色斑纹或棕灰色或黄色斑驳纹。后翅中室端斑条形；外缘斑列排列较整齐；亚缘斑列端部斑纹错位排列。雌蝶前翅中域有1条淡黄色或棕灰色宽带，斑驳，边缘不清。

采集记录：1♂，长安五道梁，1250m，2009.Ⅲ.29，房丽君采；2♂，周至厚畛子，1250m，2009.Ⅳ.25，房丽君采；1♂，户县东涝峪，1300m，2012.Ⅵ.05，房丽君采；1♂1♀，华阴华阳，1400m，2011.Ⅴ.07，房丽君采；2♂1♀，宁陕火地塘，1550m，2011.Ⅳ.23，房丽君采；1♂，镇安结子乡，1150m，2011.Ⅳ.30，房丽君采；1♂1♀，丹凤江湾月日滩，570m，2013.Ⅵ.11，房丽君采。

分布：陕西（长安、周至、户县、华阴、宁陕、镇安、丹凤）、黑龙江、吉林、辽宁、北京、山西、河南、青海、山东、浙江、江西、四川、云南、西藏；俄罗斯，朝鲜，日本。

寄主：橡树 *Quercus palustris*（Fagaceae）、槲树 *Q. dentata*、蒙古栎 *Q. mongolica*、栓皮栎 *Q. variabilis*、水青冈 *Fagus* spp.。

(436) 珠弄蝶 *Erynnis tages*（**Linnaeus，1758**）（图版 68：11-12）

Papilio tages Linnaeus, 1758：485.

Erynnis tages：Evans, 1949：165.

鉴别特征：与深山珠弄蝶 *E. montanus* 近似，主要区别为：本种个体较小。后翅外缘斑列白色。

采集记录：2♂，商州北宽坪，870m，2013.Ⅶ.12，张宇军采。

分布：陕西（商州）、黑龙江、河北、山西、河南、宁夏、甘肃、新疆、山东、四川；蒙古，朝鲜，小亚细亚，欧洲。

寄主：百脉根 *Lotus Corniculatus*（Fabaceae）、马蹄豆 *Hippocrepis comosa*、草木樨状黄芪 *Astragalus melilotoides*、直立黄芪 *A. adsurgens*。

(437) 波珠弄蝶 *Erynnis popoviana*（**Nordmann，1851**）

Hesperia popoviana Nordmann, 1851：443.

Erynnis tages popoviana：Evans, 1949：166.

Erynnis popoviana：Devyatkin, 1996：605.

鉴别特征：与珠弄蝶 E. tages 近似，主要区别为：本种前翅正面外缘斑模糊；亚缘区黑色窄斑带略弯曲，不与翅外缘平行；中域斑带较模糊，反差不明显。

采集记录：4♂，太白山，1956.Ⅶ.19-25；1♀，太白山蒿坪寺，1982.Ⅴ.10，太白山昆虫考察组采；3♂1♀，商州，1997，陈永年采；1♀，商州，1997，陈永年采。

分布：陕西（眉县、商州）、吉林、北京、河北、山西、河南、宁夏、甘肃、青海、山东；俄罗斯。

（三）裙弄蝶族 Tagiadini

小型至大型的弄蝶。多黑褐色；斑纹白色、黑色或黄色。前翅外缘弧形或截形；中室通常短（少数属例外）；M_2 脉接近 M_1 脉；Cu_1 脉分出点接近中室端。后翅在 Rs 脉及 M_3 脉成角度或在 Cu_1 脉及 2A 脉成角度；多数种类后翅中室约等于后翅长的 1/2；M_2 脉直，其基部接近 M_1 脉而外缘接近 M_3 脉。

分属检索表

1. 前翅顶角斜截 ···································· 梳翅弄蝶属 *Ctenoptilum*
   前翅顶角不斜截 ··· 2
2. 前翅无中室端斑或很小 ···························· 捷弄蝶属 *Gerosis*
   前翅有较大的中室端斑 ·· 3
3. 前翅中室末端圆弧形 ······························ 窗弄蝶属 *Coladenia*
   前翅中室末端非圆弧形 ·· 4
4. 前翅中室基部有白斑 ······························ 白弄蝶属 *Abraximorpha*
   前翅中室基部无白斑 ·· 5
5. 后翅反面中域无白色宽横带 ······················ 襟弄蝶属 *Pseudocoladenia*
   后翅反面中域有白色宽横带 ·· 6
6. 后翅反面基部无黑色斑纹 ························· 飒弄蝶属 *Satarupa*
   后翅反面基部有黑色斑纹 ·························· 黑弄蝶属 *Daimio*

172. 白弄蝶属 *Abraximorpha* Elwes *et* Edwards, 1897

Abraximorpha Elwes *et* Edwards, 1897: 123. **Type species**: *Pterygospidea davidii* Mabille, 1876.

属征：中大型。前翅黑褐色或褐色；有大片的白色斑；M_2 脉起点位于 M_1 脉和 M_3 脉之间，或靠近 M_1 脉。后翅白色，密布黑色斑；后缘与前缘等长；A 脉短于 Sc + R_1 脉。雄性外生殖器：背兜小；钩突有分叉；背兜及抱器左右不对称，端部有复杂的分叉；阳茎细。

分布：古北区，东洋区。全世界记载 2 种，中国均有记录，秦岭地区记录 1 种。

(438) 白弄蝶 *Abraximorpha davidii* (Mabille, 1876)（图版 68：13-16）

Pterygospidea davidii Mabille, 1876：54.

Celaenorrhinus davidii：de Nicéville, 1889：186.

Abraximorpha davidii：Evans, 1949：155.

鉴别特征：前翅黑褐或褐色；有大片的白色斑；后翅白色，密布黑色斑。两翅散布的斑纹大小和形状不一；翅周缘斑较密集，中域斑较稀疏。

采集记录：1♂，长安大峪，910m，2011.Ⅷ.12，张宇军采；2♂，周至厚畛子，1220m，2010.Ⅶ.12，房丽君采；1♂，宝鸡潘溪，1200m，2013.Ⅷ.03，房丽君采；1♂，眉县蒿坪寺，1100m，2010.Ⅷ.10，房丽君采；1♂，华县杏林石堤峪，900m，2011.Ⅶ.11，房丽君采；1♂，宁陕旬阳坝，1480m，2010.Ⅶ.29，房丽君采；1♂，柞水牛背梁西沟，1270m，2013.Ⅶ.16，房丽君采；2♂，商州夜村贾庄，950m，2013.Ⅶ.23，房丽君采；1♂，山阳银花岬峪沟，700m，2010.Ⅷ.09，房丽君采；1♂2♀，商南金丝峡，800m，2013.Ⅶ.26，房丽君采。

分布：陕西（长安、周至、宝鸡、眉县、华县、宁陕、柞水、商州、山阳、商南）、山西、河南、甘肃、浙江、湖北、江西、湖南、福建、台湾、广东、海南、香港、四川、云南；越南，缅甸，印度尼西亚。

寄主：白毛悬钩子 *Rubus incanus*（Rosaceae）、山莓 *R. corchorifolius*、木莓 *R. swinhoei*。

173. 黑弄蝶属 *Daimio* Murray, 1875

Daimio Murray, 1875：171. **Type species**：*Pyrgus tethys* Ménétriès, 1857.

Catodaulis Speyer, 1878：179. **Type species**：*Pyrgus tethys* Ménétriès, 1857.

属征：中型弄蝶。黑色，前翅有白色窗斑；后翅中域白色横带宽；缘毛黑白两色相间。前翅 Sc 脉在中室末端前到达前缘。后翅后缘与前缘约等长；2A 脉等于或长过 Sc + R$_1$ 脉。雄性外生殖器：背兜小；钩突短阔；颚突半环状；囊突细长；抱器舌状，抱器背指状突出；阳茎直，长于抱器，末端有刺。

分布：东洋区。全世界记载 1 种，秦岭地区有记录。

(439) 黑弄蝶 *Daimio tethys* (Ménétriès, 1857)（图版 69：1-2）

Pyrgus tethys Ménétriès, 1857：126.

Saturapa lineata Mabille *et* Boullet, 1916：244.

Daimio daiseni Riley, 1921：181.

Daimio yamashiroensis Kato, 1930：208.

Daimio tethys：Chou, 1994：710.

鉴别特征：翅黑色；斑纹白色或黑色。前翅亚顶区小斑 3 ~ 5 个；中横斑列斑纹大小及形状不一。后翅白色中横带宽；外缘 1 列斑纹部分相连或愈合；反面基部灰色；近前缘有 3 个黑色斑纹；中横带较翅正面宽。

采集记录：2♂，长安翠华山，1500m，2006. Ⅴ. 14，房丽君采；1♂，蓝田汤峪，1000m，2008. Ⅶ. 20，房丽君采；1♂，周至厚畛子，1290m，2009. Ⅳ. 25，房丽君采；1♂2♀，户县紫阁峪，950m，2010. Ⅴ. 27，房丽君采；1♂，眉县蒿坪寺，1100m，2010. Ⅷ. 10，房丽君采；1♂，太白县黄柏塬，1230m，2010. Ⅷ. 08，房丽君采；1♂，佛坪岳坝保护站，1140m，2013. Ⅶ. 27，张宇军采；1♂，洋县茅坪，780m，2011. Ⅵ. 04，房丽君采；2♂，宁陕旬阳坝，1120m，2010. Ⅴ. 23，房丽君采；2♂，石泉两河，880m，2011. Ⅴ. 25，房丽君采；2♂，汉阴龙垭乡石家沟，680m，2011. Ⅴ. 27，房丽君采；1♂，柞水营盘，1480m，2009. Ⅸ. 05，房丽君采；3♂2♀，镇安大青沟，2010. Ⅴ. 24，房丽君采；1♂，山阳中村周庄，590m，2013. Ⅶ. 31，房丽君采；1♂，丹凤土门谷峪沟，880m，2010. Ⅷ. 16，房丽君采；5♂2♀，商南金丝峡，500m，2013. Ⅶ. 28，房丽君采。

分布：陕西（长安、蓝田、周至、户县、眉县、太白、佛坪、洋县、宁陕、石泉、汉阴、柞水、镇安、山阳、丹凤、商南）、黑龙江、吉林、辽宁、北京、河北、山西、河南、甘肃、山东、上海、江苏、浙江、湖北、江西、湖南、福建、台湾、海南、香港、四川、云南、西藏；蒙古，朝鲜，韩国，日本，缅甸。

寄主：穿龙薯蓣 *Dioscorea nipponica*（Dioscoreaceae）、薯蓣 *D. opposita*、日本薯蓣 *D. japonica*、蒙古栎 *Quercus mongolica*（Fagaceae）。

174. 捷弄蝶属 *Gerosis* Mabille，1903

Gerosis Mabille, 1903：44，49. **Type species**：*Coladenia hamiltoni* de Nicéville, 1889.

属征：从黑弄蝶属 *Daimio* 分出，与其近似。主要区别为：须的下面黄色，前翅前缘中部无白色小点；无中室端斑或很小。后翅反面基部黑褐色。雄蝶后足胫节的毛刷比胫节长；雌蝶无尾毛刷。雄性外生殖器：背兜略隆起；钩突短粗；颚突发达；囊突很长；抱器略方形，抱器端钩状下弯；阳茎端部尖锐，部分种类有角状器。

分布：东洋区。全世界记载 7 种，中国已知 4 种，秦岭地区记录 2 种。

分种检索表

(440) 中华捷弄蝶 *Gerosis sinica*（C. & R. Felder, 1862）

Pterygospidea sinica C. & R. Felder, 1862：30.

Pterygospidea diversa Leech, 1890：46.

Daimio sinica：Evans, 1949：130.

Gerosis sinica：Eliot, 1992：343.

鉴别特征：翅黑褐色或褐色；斑带白色。前翅亚顶区 r_3-m_2 室有 5 个小斑，"Z"形排列；中横斑列从后缘达中室端部，端部 2 个斑纹相对排列。后翅中域白色带宽，外侧镶有 1 列圆形（位于端部）及条形黑斑，斑间及与端缘黑带连接紧密。

采集记录：1♂，佛坪凉风垭，2009.Ⅷ.07，许家珠采。

分布：陕西（佛坪）、江苏、浙江、湖北、江西、海南、四川；缅甸，印度，马来西亚。

寄主：黄檀 *Dalbergia hupeana*（Fabaceae）、藤黄檀 *D. hancei*、樟 *Cinnamomum camphora*（Lauraceae）。

(441) 匪夷捷弄蝶 *Gerosis phisara*（Moore, 1884）

Satarupa phisara Moore, 1884：50.

Achlyodes cnidus Plötz, 1884：19.

Coladenia hamiltoni de Nicéville, 1888：29.

Gerosis hamiltoni：Mabille, 1903：87.

Saturapa expansa Mabille *et* Boullet, 1916：244.

Daimio phisara：Evans, 1949：131.

Gerosis phisara：Eliot, 1992：343.

鉴别特征：与中华捷弄蝶 *G. sinica* 相似，主要区别为：本种前翅亚顶区小斑弧形排列。后翅反面亚顶区 $sc + r_1$ 室和 rs 室的黑色圆斑与其附近斑纹显著分离；中室下方多有黑色圆斑。

采集记录：1♀，佛坪自然保护区，2008.Ⅸ.30，许家珠采；1♂，洋县长青自然保护区，2001.Ⅵ-Ⅷ，邢连喜、袁朝辉采。

分布：陕西（佛坪、洋县）、浙江、湖北、江西、湖南、福建、广东、海南、广西、四川、云南、西藏，缅甸；印度。

寄主: 黄檀 *Dalbergia hupeana*(Fabaceae)。

175. 飒弄蝶属 *Satarupa* Moore,[1866]

Satarupa Moore,[1866]:780. **Type species**:*Satarupa gopala* Moore,[1866].

属征: 黑褐色的大型弄蝶。前翅有透明的白色斑;中室上端角外延;Cu_1 脉靠近中室下端角;Cu_2 脉较近翅基部。后翅有宽的白色中域带;后缘长于前缘;外缘有凹凸。雄蝶后足胫节内侧有长毛簇。雄性外生殖器:背兜盔状隆起;钩突短粗;颚突钝;囊突长;抱器端部二分叉;阳茎长,角状器锯齿状。

分布: 古北区,东洋区。全世界记载 7 种,中国均有记录,秦岭地区记录 3 种。

分种检索表

1. 前翅外中斑列斑纹均匀排列,不中断 ·· 2
   前翅外中斑列斑纹分成前后 2 组 ······················· 密纹飒弄蝶 *S. monbeigi*
2. 后翅反面 $sc + r_1$ 室有 1 个黑色斑 ···························· 飒弄蝶 *S. gopala*
   后翅反面 $sc + r_1$ 室有 2 个黑色斑 ······················ 蛱型飒弄蝶 *S. nymphalis*

(442) 飒弄蝶 *Satarupa gopala* Moore,1866

Satarupa gopala Moore,1866:780.

Satarupa tonkiniana Fruhstorfer,1909:139.

Satarupa hainana Evans,1932:331.

鉴别特征: 翅黑褐色;前翅外横斑列白色,透明,斑纹大小及形状不一,各自位于各翅室的中部;中室斑位于中室中上部,近三角形,时有消失。后翅白色中域带宽;外缘弧形,外侧镶有 1 列黑色斑纹,端部 2 个近圆形($sc + r_1$ 室圆斑相对独立),其余斑纹近楔形,斑纹间有白色线纹分隔;反面基部灰白色。

采集记录: 1♂,长安区滦镇东佛沟,1920m,2011.Ⅶ.24,张宇军采;1♂1♀,周至厚畛子,1480m,2010.Ⅶ.13,房丽君采;1♂,华县杏林石堤峪,900m,2011.Ⅶ.11,房丽君采。

分布: 陕西(长安、周至、华县)、黑龙江、辽宁、河南、甘肃、浙江、江西、湖南、福建、海南、广西、四川;越南,印度,马来西亚,印度尼西亚。

寄主: 椿叶花椒 *Zanthoxylum ailanthoides* (Rutaceae)、黄檗 *Phellodendron amurense*、川黄檗 *P. chinense*、吴茱萸 *Tetradium ruticarpum*。

(443) 蛱型飒弄蝶 *Satarupa nymphalis* (Speyer, 1879) (图版69: 3-4)

Tagiades nymphalis Speyer, 1879: 348.

Satarupa nymphalis: Staudinger, 1887: 153.

鉴别特征: 与飒弄蝶 *S. gopala* 近似, 主要区别为: 本种个体较大; 前翅 m_1-m_2 室斑及中室斑较大。后翅正面端部黑褐色带完整, 未被白色条带分隔; 中横带白色区域较窄; 反面基部灰白色更淡, 与中横带色差小; $sc + r_1$ 室有2个圆斑。

采集记录: 1♂, 长安大峪, 760m, 2010. Ⅷ. 06, 彭涛采; 2♂, 周至厚畛子, 1500m, 2010. Ⅶ. 13, 房丽君采; 1♂, 户县朱雀森林公园, 1600m, 2012. Ⅶ. 12, 房丽君采; 1♂, 太白咀头, 1950m, 2010. Ⅷ. 09。

分布: 陕西(长安、周至、户县、太白)、黑龙江、吉林、辽宁、甘肃、江西、四川; 俄罗斯, 朝鲜。

寄主: 黄檗 *Phellodendron amurense* (Rutaceae)。

(444) 密纹飒弄蝶 *Satarupa monbeigi* Oberthür, 1921 (图版69: 5-8)

Satarupa monbeigi Oberthür, 1921: 76.

Satarupa omeia Okano, 1982: 91.

Satarupa lii Okano et Okano, 1984: 125.

鉴别特征: 与飒弄蝶 *S. gopala* 近似, 主要区别为: 本种外中斑列分成2段; 中室斑较 m_2 室斑大, 并与 m_3 室斑和 cu_1 室斑接近。后翅中域带外侧镶嵌的黑色斑列斑纹间紧密靠近, 几近愈合。雌蝶后翅白色中域带较雄蝶宽。

采集记录: 1♂, 蓝田王顺山, 1780m, 2010. Ⅶ. 31, 房丽君采; 1♂, 周至楼观台, 760m, 2012. Ⅶ. 03, 张宇军采; 1♂, 山阳中村周庄, 590m, 2013. Ⅶ. 31, 房丽君采。

分布: 陕西(蓝田、周至、山阳)、上海、江苏、浙江、湖北、江西、湖南、广西、四川、贵州; 蒙古。

寄主: 飞龙掌血 *Toddalia asiatica* (Rutaceae)。

176. 窗弄蝶属 *Coladenia* Moore, [1881]

Coladenia Moore, [1881]: 180. **Type species**: *Plesioneura indrani* Moore, 1866.

属征: 中型。翅面褐色至深褐色; 前翅中室末端圆形; 有白色透明的窗斑, 有的后翅无窗斑而为黑色斑点。前翅外缘后方略凹入。后翅臀角较圆; 后缘和前缘等长;

外缘略呈波状。雄性外生殖器：背兜马鞍状；钩突和囊突小；抱器大，端部分叉；阳茎细长，表面有纵脊。

分布：古北区，东洋区。全世界记载19种，中国已知11种，秦岭地区记录3种。

分种检索表

1. 前翅前缘在中室端斑前有2个前缘斑 ⋯⋯⋯⋯⋯⋯⋯⋯⋯⋯⋯⋯⋯⋯ **花窗弄蝶 *C. hoenei***
   前翅前缘在中室端斑前有1个前缘斑 ⋯⋯⋯⋯⋯⋯⋯⋯⋯⋯⋯⋯⋯⋯⋯⋯⋯⋯⋯⋯ 2
2. 后翅中室透明斑与其外多数室斑愈合；须下方橙色 ⋯⋯⋯⋯⋯⋯⋯⋯ **幽窗弄蝶 *C. sheila***
   后翅中室透明斑不与其外各室的斑愈合；须下方灰色⋯⋯⋯⋯⋯⋯⋯⋯ **玻窗弄蝶 *C. vitrea***

(445)花窗弄蝶 *Coladenia hoenei* Evans，1939（图版69：9-10）

Coladenia hoenei Evans，1939：163.

鉴别特征：翅褐色；斑纹白色；两翅均有半透明斑。前翅亚顶区 r_3-r_5 室斑条状；m_1-m_2 室斑很小，时有消失；中横斑列斑纹大小不一，错位排列。后翅中室端斑近正方形，内侧多凹入，此斑周缘排列1圈小斑纹。

采集记录：1♂，长安石砭峪，1100m，2010.Ⅶ.04，房丽君采；1♂，周至厚畛子，1300m，2009.Ⅵ.26，房丽君采；3♂1♀，户县涝峪，1300m，2009.Ⅵ.06，房丽君采；1♂，凤县通天河，1470m，2012.Ⅴ.25，房丽君采；1♂，眉县蒿坪寺，1180m，2011.Ⅵ.25，房丽君采；1♂，太白县黄柏塬，1400m，2010.Ⅵ.15，房丽君采；1♂，柞水营盘，1320m，2010.Ⅵ.15，彭涛采；1♂，镇安大青沟，2010.Ⅴ.24，房丽君采。

分布：陕西（长安、周至、户县、凤县、眉县、太白、柞水、镇安）、河南、浙江、江西、福建。

寄主：高粱泡 *Rubus lambertianus*（Rosaceae）。

(446)幽窗弄蝶 *Coladenia sheila* Evans，1939

Coladenia sheila Evans，1939：163.

鉴别特征：与花窗弄蝶 *C. hoenei* 近似，主要区别为：本种前翅中室端斑前缘处只有1个斑；后翅中室端斑与其周缘斑纹相连并愈合，呈不规则形大块斑。

采集记录：1♂，洋县长青自然保护区，2001.Ⅵ-Ⅷ，邢连喜、袁朝辉采；2♂，山阳银花岬峪沟，900m，2010.Ⅵ.01，房丽君采。

分布：陕西（洋县、山阳）、河南、浙江、江西、福建。

寄主：灰白毛莓 *Rubus tephrodes*（Rosaceae）。

(447) 玻窗弄蝶 *Coladenia vitrea* Leech, 1893

Coladenia vitrea Leech, 1893: 568.

鉴别特征：与幽窗弄蝶 *C. sheila* 相似，主要区别为：本种后翅中室透明斑不与其外各室的斑愈合；正面外缘区后半部和后缘区被灰白色鳞毛；反面除顶角区外，均为灰白色。

采集记录：2♂，凤县，2007. V. 13，胡剑锋采；2♂，宁陕旬阳坝，2001. V. 27，雷生辉采。

分布：陕西（凤县、宁陕）、四川。

177. 襟弄蝶属 *Pseudocoladenia* Shirôzu *et* Saigusa, 1962

Pseudocoladenia Shirôzu *et* Saigusa, 1962: 26. **Type species**: *Coladenia dan fabia* Evans, 1949.

属征：从窗弄蝶属 *Coladenia* 分出，与其非常近似。翅褐色至深褐色；后翅反面有模糊的黄褐色斑。两翅中室末端平截。雄性外生殖器：背兜发达；钩突钳状；囊突小；抱器端部钩状尖出；阳茎粗短。

分布：东洋区。全世界记载4种，中国均有记录，秦岭地区记录1种。

(448) 黄襟弄蝶 *Pseudocoladenia dea* (Leech, 1892)

Coladenia dan var. *dea* Leech, 1892: 568.
Coladenia dan dea: Evans, 1949: 112.
Pseudocoladenia dan dea: Bridges, 1994: 64.
Pseudocoladenia dea: Chou, 1994: 709.

鉴别特征：翅黄褐色或黑褐色；翅面常有斑驳纹散布。前翅亚顶区 r_3-r_5 室各有1个点状斑，3个斑品字形排列；中斜斑列白色或淡黄色，斑纹大小及形状不一，堆叠错位排列。后翅斑暗黄色或灰黑色，大小与排列多变化，时有模糊，但亚缘斑列弧形排列，较为稳定。

采集记录：2♂，洋县黑峡，2008. VI. 28，许家珠采；1♂，山阳中村，840m，2010. IX. 13，房丽君采。

分布：陕西（洋县、山阳）、甘肃、安徽、浙江、湖北、福建、海南、广西、四川；越南，泰国，缅甸，印度，尼泊尔，马来西亚，印度尼西亚。

寄主：土牛膝 *Achyranthes aspera*（Amaranthaceae）、含羞草 *Mimosa pudica*（Fabaceae）。

178. 梳翅弄蝶属 *Ctenoptilum* de Nicéville, 1890

Ctenoptilum de Nicéville, 1890: 220. **Type species**: *Achlyodes vasava* Moore, 1866.

属征: 中型弄蝶; 翅多边形; 褐色至黄褐色。两翅深色区密布白色半透明斑。前翅外缘 M_3 脉端外凸明显; 顶角到 M_3 脉斜截; Sc 脉在中室末端前到达前缘。后翅 Rs 脉及 M_3 脉端角状外突。雄性外生殖器: 背兜发达, 中部缢缩, 钩突与之愈合; 囊突小; 抱器方阔, 末端四分叉, 第 2~3 叉末端有齿; 阳茎长。

分布: 古北区, 东洋区。全世界记载 2 种, 中国已知 1 种, 秦岭地区有记录。

(449) 梳翅弄蝶 *Ctenoptilum vasava* (Moore, [1866]) (图版 69: 11-12)

Achlyodes vasava Moore, [1866]: 786.
Ctenoptilum vasava: Evans, 1949: 157.

鉴别特征: 翅褐色至黄褐色; 反面色稍淡; 斑纹白色, 半透明; 外缘中部角状凸出; 翅端部有黄褐色宽边, 其余区域密被黑褐色鳞。前翅亚顶区 r_2-r_5 室斑条状; m_1-m_2 室小斑点状; 中斜斑列斑纹大小及形状不一, 堆叠错位排列; 翅基部点斑 3 个。后翅顶角斜截; Rs 脉及 M_3 脉端角状外凸; 翅深色区密布形状及大小不一的白色透明斑纹, 靠近臀角的几个斑小, 点状。

采集记录: 1♂, 长安小峪, 1160m, 2010.Ⅴ.19, 房丽君采; 1♂, 周至楼观台, 1290m, 2009.Ⅳ.25, 房丽君采; 1♂, 户县紫阁峪, 980m, 2010.Ⅴ.27, 房丽君采; 2♂1♀, 镇安结子乡, 2011.Ⅳ.30, 房丽君采; 1♂, 山阳中村捷峪沟, 760m, 2010.Ⅳ.28, 房丽君采; 1♂, 丹凤土门七星沟, 680m, 2010.Ⅵ.01, 房丽君采。

分布: 陕西(长安、周至、户县、镇安、山阳、丹凤)、河北、河南、江苏、浙江、江西、四川、云南; 老挝, 泰国, 缅甸, 印度。

(四) 花弄蝶族 Pyrgini

两翅均有白色斑纹; 缘毛黑白相间。前翅前缘直; 中室不弯曲, 并逐渐加宽。后翅顶角圆; M_2 脉在 M_1 脉与 M_3 脉之间, 基部弯向 M_3 脉。

179. 花弄蝶属 *Pyrgus* Hübner, [1819]

Pyrgus Hübner, [1819]: 109. **Type species**: *Papilio alveolus* Linnaeus, 1758.

Syrichtus Boisduval, 1834：230. **Type species**：*Papilio malvae* Linnaeus, 1758.

Scelotrix Rambur, 1858：63. **Type species**：*Papilio carthami* Hübner, 1813.

Bremeria Tutt, 1906：296. **Type species**：*Syrichtus bieti* Oberthür, 1886.

Teleomorpha Warren, 1926：18, 46. **Type species**：*Papilio carthami* Hübner, 1813.

Hemiteleomorpha Warren, 1926：19, 72. **Type species**：*Papilio malvae* Linnaeus, 1758.

Ateleomorpha Warren, 1926：19, 87. **Type species**：*Hesperia onopordi* Rembur, 1840.

属征：小型弄蝶。翅黑褐色至褐色；有白色小斑纹。前翅前缘直；中室狭长，约为翅长的 2/3。雄蝶有前缘褶；无亚外缘斑列（少数种例外）；m_1 室与 m_2 室的斑纹与 r_3-r_5 室的斑纹分离。后翅中室开式。雄蝶后足胫节有毛刷。雄性外生殖器：背兜长，平坦；钩突弯曲；颚突弯臂状；囊突粗短；抱器阔，端部分为两瓣；阳茎细，末端尖。

分布：古北区，东洋区，非洲区，新北区。全世界记载 44 种，中国已知 9 种，秦岭地区记录 1 种。

(450) 花弄蝶 *Pyrgus maculatus* (**Bremer *et* Grey，1853**)（图版 69：13-14）

Syrichtus maculatus Bremer *et* Grey, 1853：61.

Scelothrix zona Mabille, 1875：214.

Scelothrix albistriga Mabille, 1876：27.

Pyrgus sinicus Butler, 1877：96.

Scelothrix amurensis Staudinger, 1892：216.

Pyrgus maculatus：Evans, 1949：203.

鉴别特征：小型弄蝶。翅斑纹白色；缘毛黑白相间。两翅正面黑褐色；反面色稍淡；基部灰褐色或灰白色；前翅顶角与后翅中横带内侧赤褐色。前翅亚顶区 r_3-r_5 室斑排成一列；m_1-m_2 室斑位于近外缘处；中室端斑上方、外侧及下方环绕 4 组斑纹。后翅端部有 2 列斑纹（外侧 1 列时有模糊或消失），并在前缘区相接；反面中横带近"V"形。春型白斑宽阔，后翅亚缘斑列清晰。

采集记录：1♂，周至厚畛子，1340m，2009. Ⅳ. 24，杨伟采；1♂，眉县蒿坪寺，1290m，2011. Ⅷ. 11，张辰生、程帅采；1♂，太白县黄柏塬，1480m，2010. Ⅷ. 08，房丽君采；1♂，佛坪岳坝，1100m，2012. Ⅶ. 01，张宇军采；1♂，宁陕旬阳坝，1380m，2010. Ⅴ. 02，房丽君采；1♂，石泉七里沟，680m，2009. Ⅳ. 05，房丽君采；1♂，商州夜村，1040m，2013. Ⅶ. 23，房丽君采；1♂，镇安结子乡，1100m，2011. Ⅳ. 30，房丽君采；1♂，山阳银花岬峪沟，1100m，2010. Ⅳ. 08，房丽君采。

分布：陕西（周至、眉县、太白、佛坪、宁陕、石泉、商州、镇安、山阳）、黑龙江、吉林、辽宁、北京、内蒙古、山西、山东、河南、上海、浙江、湖北、江西、湖南、福建、广东、广西、四川、云南、西藏；蒙古，俄罗斯，日本，朝鲜。

寄主：乌苏里绣线菊 *Spiraea ussuriensis* (Rosaceae)、欧亚绣线菊 *S. media*、三叶委陵菜 *Potentilla freyniana*、草莓 *Fragaria ananassa*、三白草 *Saururus chinensis* (Saururaceae)。

三、 链弄蝶亚科 Heteropterinae

前翅 M_2 脉起点位于 M_1 脉和 M_3 脉之间。后翅前缘常比前翅后缘长；中室长于后翅长的 1/2。雄虫无性标。

分属检索表

1. 前翅及后翅反面有黄色斜带 ·· 舟弄蝶属 *Barca*
   无上述斜带 ·· 2
2. 后翅反面有从翅基部直达外缘中上部的银白色宽带 ·················· 小弄蝶属 *Leptalina*
   后翅反面斑纹不如上述 ·· 3
3. 后翅反面黄色，密布黑褐色圈纹 ·· 链弄蝶属 *Heteropterus*
   后翅反面斑纹不如上述 ·· 银弄蝶属 *Carterocephalus*

180. 链弄蝶属 *Heteropterus* Duméril, 1806

Heteropterus Duméril, 1806: 271. **Type species**: *Papilio aracinthus* Fabricius, 1777.
Cyclopides Hübner, [1819]: 111. **Type species**: *Papilio steropes* Denis et Schiffermüller, 1775.

属征：中小型弄蝶。翅黑褐色；后翅正面无斑；反面密布有黑色圈纹的卵形白斑。前翅 A 脉直；Cu_1 脉分出点在 R_2 脉分出点之后。雄性外生殖器：背兜隆起；钩突与颚突长而尖；囊突细长；抱器大，长卵形，末端浅裂为二片；阳茎细长。

分布：古北区，东洋区。全世界记载 1 种，秦岭地区有记录。

(451) 链弄蝶 *Heteropterus morpheus*(**Pallas, 1771**) (图版 69：15-16)

Papilio morpheus Pallas, 1771: 471.
Papilio speculum Rottemburg, 1775: 31.
Papilio aracinthus Fabricius, 1777: 271.
Heteropterus morpheus: Kirby, 1871: 623.
Heteropterus coreana Matsumura, 1927: 169.

鉴别特征：雄蝶翅正面黑褐色；反面前翅暗褐色，后翅淡黄色。前翅亚顶区近前缘 r_3-r_5 室有条斑；反面前缘带仅达前缘中部；外缘带未达翅后缘，淡黄色，内侧锯齿形。后翅正面无斑；反面密布带有黑色圈纹的白色卵形斑纹，排成 3~4 列，外边 1 列斑纹相连，长卵形。

采集记录：1♂1♀，蓝田九间房，1200m，2013. VI. 23，房丽君采；2♂，太白桃

川，1050m，2011. Ⅵ.11，房丽君采；1♂，略阳县接官亭，960m，2014. Ⅵ.01，房丽君采；1♂，留坝紫柏山，1700m，2012. Ⅵ.22，张宇军采；1♂，宁陕，1994. Ⅶ，雷生辉采；1♂，柞水营盘，1200m，2010. Ⅵ.13，彭涛采。

分布：陕西(蓝田、太白、略阳、留坝、宁陕、柞水)、黑龙江、吉林、辽宁、内蒙古、山西、河南、甘肃、福建；俄罗斯，朝鲜，乌克兰，欧洲。

寄主：早熟禾 *Poa annua*（Gramineae）、麦氏草 *Molinia coerulea*. 等禾本科植物。

181. 小弄蝶属 *Leptalina* Mabille，1904

Leptalina Mabille，1904：92，110. **Type species：** *Steropes unicolor* Bremer *et* Grey，1852.

属征：小型弄蝶。两翅正面深褐色；无斑。前翅反面周缘棕黄色；后翅前缘长于前翅后缘；反面棕黄色，从基部到外缘上中部有 1 条银白色宽带纹。前翅 A 脉直；Cu_1 脉分出点在 R_2 脉分出点之后。中室长于翅长的 1/2。雄性外生殖器与链弄蝶属 *Heteropterus* 近似。

属征：古北区。全世界记载 1 种，秦岭地区有记录。

(452) 小弄蝶 *Leptalina unicolor*（Bremer *et* Grey，[1852]）

Steropes unicolor Bremer *et* Grey，[1852]：61.
Cyclopides ornatus Bremer，1861：473.
Leptalina unicolor：Evans，1949：225.

鉴别特征：翅正面黑褐色；无斑纹；反面前翅暗褐色，后翅棕黄色。前翅窄长；翅端尖；反面前缘、顶端区至外缘淡棕黄色。后翅中央从基部穿过中室至外缘中上部有 1 条宽的银白色纵条纹；后缘区银白色纵条纹较细。

采集记录：1♂，宝鸡渭滨，950m，2015. Ⅳ.21，房丽君采。

分布：陕西(宝鸡)、黑龙江、吉林、辽宁、北京、河北、浙江、湖北；俄罗斯，朝鲜，日本。

寄主：水稻 *Oryza sativa*（Gramineae）、荻 *Triarrhena sacchariflorus*、狗尾草 *Setaria* spp. 等。

182. 舟弄蝶属 *Barca* de Nicéville，1902

Barca de Nicéville，1902：251. **Type species：** *Dejeania bicolor* Oberthür，1896.
Dejeania Oberthür，1896：40. **Type species：** *Dejeania bicolor* Oberthür，1896.

属征：中型弄蝶。翅黑褐色。前翅黄色中斜带宽。A 脉弯曲；Cu_1 脉分出点在 R_2

脉分出点之前。后翅反面有狭的黄色斜带。雄性外生殖器：背兜与钩突愈合，背缘平坦；囊突小；抱器阔长，两端尖，端部背缘多齿突；阳茎粗短。

分布：东洋区。全世界记载 1 种，秦岭地区有记录。

（453）双色舟弄蝶 *Barca bicolor*（Oberthür，1896）（图版 70：1-2）

Dejeania bicolor Oberthür，1896：40.

Barca bicolor：Evans，1949：233.

鉴别特征：翅黑褐色。前翅从前缘中部至臀角有 1 条黄色宽斜带，外侧弧形，内侧下部内凹；中室端斑黑色，位于黄色横带内。后翅正面无斑；反面黄色斜带从前缘外侧 1/3 处斜向外缘近臀角处。

采集记录：2♂，太白黄柏塬，1450m，2010. Ⅵ. 15，房丽君采；1♂1♀，长安大峪，1870m，2009. Ⅵ. 14，房丽君采；2♂，周至板房子，1500m，2014. Ⅵ. 07，房丽君采；1♂，户县涝峪，1750m，2010. Ⅵ. 5，房丽君采；5♂2♀，佛坪观音山自然保护区，1700m，2014. Ⅴ. 01，房丽君采；1♂，洋县华阳西河口，1982. Ⅴ. 23，钱学聪、胡惠维采。

分布：陕西（长安、周至、户县、佛坪、洋县）、河南、江西、福建、广东、四川、云南；越南。

寄主：豆类 Fabaceae 及禾本科 Gramineae 草类植物。

183. 银弄蝶属 *Carterocephalus* Lederer，1852

Carterocephalus Lederer，1852：26. **Type species**：*Papilio paniscus* Fabricius，1775.

Aubertia Oberthür，1896：40. **Type species**：*Aubertia dulcis* Oberthür，1896.

Pamphilida Lindsey，1925：95. **Type species**：*Papilio palaemon* Pallas，1771.

属征：小型弄蝶。翅黑褐色或黄褐色；正面有白色或黄色斑纹；反面斑纹为黄色或银色。前翅狭；前缘比后缘长，中部常凹入；顶角钝尖；外缘倾斜。前翅 Cu_2 脉从中室下缘近基部分出；中室短，末端不突出；M_2 脉直。后翅前缘比前翅后缘长；顶角凸出，外缘多平截；中室长，超过翅长的 1/2；中室端平直；Cu_2 脉比 Rs 脉先分出；M_2 脉在 M_1 脉与 M_3 脉之间。雄性外生殖器：背兜小，顶部隆起；钩突和颚突细长，末端尖；抱器狭长，末端二分裂；囊突和阳茎细长。雌性外生殖器：囊导管细；具囊尾。

分布：古北区，东洋区，新北区。全世界记载 19 种，中国均有记录，秦岭地区记录 6 种。

分种检索表

(454) 三斑银弄蝶 *Carterocephalus urasimataro* Sugiyama, 1992

Carterocephalus urasimataro Sugiyama, 1992: 15.

鉴别特征: 翅正面黑褐色; 反面色稍淡。前翅有 4 个浅黄色斑纹, 其中亚基区 2 个斑纹, 中区和亚顶区各有 1 个条形斑。后翅正面中央有 1 个淡黄色块斑; 反面肩区斑纹及中室中部小斑银白色; 前缘中部、顶角及臀角各有 2 个大小不一的斑纹; 中央块斑同正面。

采集记录: 2♂, 太白, 2007. V. 27, 刘扬、李涛采; 1♂, 凤县嘉陵江源头, 2001. VI. 07; 1♂, 户县朱雀森林公园, 1995. V. 28, 李宇飞采。

分布: 陕西(太白、凤县、户县)、甘肃、青海、四川。

寄主: 短柄草 *Brachypodium sylvaticum*(Gramineae)和雀麦属 *Bromus* spp. 等禾本科杂草。

(455) 五斑银弄蝶 *Carterocephalus stax* Sugiyama, 1992

Carterocephalus stax Sugiyama, 1992: 16.

鉴别特征: 翅黑褐色; 斑纹橙黄色。前翅亚顶区 2 个斑纹相连; 前缘带仅达前缘中部; 中室斑延伸至前缘, 长方形; 亚缘区基半部条斑与中室端部条斑相连; 后缘区基部斑纹水滴状; 反面顶角和外缘区有黄褐色鳞。后翅正面近基部有棕褐色毛; 中室中部斑纹锲形; 中域 m_1-cu_2 室斑多相连, 边缘不规则; 反面中室外侧块斑周缘有一圈淡黄色的模糊斑或晕染。

采集记录: 1♂, 秦岭, 1995. VII. 16, 李宇飞采。

分布: 陕西(秦岭)、四川。

(456) 黄斑银弄蝶 *Carterocephalus alcinoides* Lee, 1962

Carterocephalus alcinoides Lee, 1962: 141.

鉴别特征: 与五斑银弄蝶 *C. stax* 近似, 主要区别为: 前翅正面亚顶区 r_5 室斑与 m_2 室斑分离。后翅中室外侧 3 个斑相互分离; 反面翅周缘斑纹较清晰, 无晕染。

分布: 陕西(留坝、佛坪)、辽宁、河南、云南。

(457) 基点银弄蝶 *Carterocephalus argyrostigma* (Eversmann, 1851)

Steropes argyrostigma Eversmann, 1851: 624.

Cyctopides argenteogutta Butler, 1870: 512.

Pamphila argyrostigma: Leech, 1892: 585.

Carterocephalus argyrostigma: Evans, 1949: 229.

鉴别特征: 翅正面黑褐色; 斑纹黄色。前翅前缘中部凹入; 顶角斑清晰; 从亚顶区至中室中部有 3 排斜斑列, 斑纹形状不一; 翅基部沿前缘有 1 个窄斑带; 反面顶角处和翅基部前缘斑带白色。后翅正面中室中部斑纹圆形; 中斜斑列斑纹大小及形状不一; 外缘斑列 m_3 室斑纹较大, 其余斑纹小; 前缘近顶角处有 1 个椭圆形大斑; 反面红褐色; 斑纹银白色。

分布: 陕西(秦岭)、黑龙江、内蒙古、甘肃、青海、新疆、西藏; 俄罗斯。

(458) 白斑银弄蝶 *Carterocephalus dieckmanni* Graeser, 1888

Carterocephalus dieckmanni Graeser, 1888: 102.

鉴别特征: 翅黑褐色或褐色; 斑纹白色或淡黄色。前翅顶角有白色斑纹; 亚顶区及基部各有 2 个斑纹; 中斜斑列斑纹大小不一, 错位排列。后翅正面中央有大小两个白斑; 反面黄褐色或黑褐色; 亚顶斑列及中斜斑列银白色; 中室近基部有 1 个小圆斑; 顶角区黄色; 基部近后缘有 1 条灰色带纹。

分布: 陕西(留坝、汉台、南郑)、黑龙江、辽宁、北京、河南、青海、四川、云南、西藏; 俄罗斯, 缅甸。

(459) 克理银弄蝶 *Carterocephalus christophi* Grum-Grshimailo, 1891 (图版 70: 3-6)

Carterocephalus christophi Grum-Grshimailo, 1891: 460.

Aubertia dulcis Oberthür, 1896: 40.

Carterocephalus canopnnctatus Nabokov, 1941: 222.

鉴别特征：与白斑银弄蝶 *C. dieckmanni* 近似，主要区别为：前翅中斜斑列斑纹少(2~3个)，相互靠近，排成整齐的1列；基部斑纹紧贴基部。

采集记录：1♂，长安五道梁，1250m，2009. Ⅲ. 29，房丽君采；2♂，周至厚畛子，1250m，2009. Ⅳ. 25，房丽君采；1♂，户县东涝峪，1300m，2012. Ⅵ. 5，房丽君采；1♂1♀，华阴华阳，1400m，2011. Ⅴ. 07，房丽君采；2♂1♀，宁陕火地塘，1550m，2011. Ⅳ. 23，房丽君采；1♂，镇安结子乡，1150m，2011. Ⅳ. 30，房丽君采；1♂1♀，丹凤江湾月日滩，570m，2013. Ⅵ. 11，房丽君采。

分布：陕西(长安、周至、户县、华阴、宁陕、镇安、丹凤)、甘肃、青海、四川、云南、西藏。

四、 弄蝶亚科 Hesperiinae

休息时翅竖立。前翅 M_2 脉起点位于 M_1 脉和 M_3 脉之间，或靠近 M_3 脉。具性二型现象，雄蝶前翅正面常有性斑或性带；后足胫节无毛刷。

分族检索表

1. 下唇须第3节前伸或斜前伸 ················· **腌翅弄蝶族 Astictopterini**
   绝大部分种类下唇须第3节竖立 ······································· 2
2. 前翅 Cu_2 脉起点靠近翅基部 ··················· **旖弄蝶族 Isoteinonini**
   前翅 Cu_2 脉起点常位于中室下缘中部，或靠近中室端部 ··············· 3
3. 大部分种类前翅 Cu_2 脉起点靠近中室端部 ······· **刺胫弄蝶族 Baorini**
   前翅 Cu_2 脉起点常位于中室下缘中部 ······························ 4
4. 中足胫节常无刺；腹部与后翅后缘等长 ······························· 5
   中足胫节有刺；多数种类腹部长于后翅后缘 ························· 6
5. 后翅中室下端角向上弯曲 ·············· **黄弄蝶族 Taractrocerini**
   后翅中室下端角不向上弯曲 ············· **黄斑弄蝶族 Ampittiini**
6. 后翅 A 脉比 $Sc + R_1$ 脉长 ··················· **弄蝶族 Hesperiini**
   后翅 A 脉与 $Sc + R_1$ 脉等长 ··········· **豹弄蝶族 Thymelicini**

(一)腌翅弄蝶族 Astictopterini

前翅中室长，约为前翅长的3/5；M_2 脉基部直，接近 M_3 脉。后翅中室约为后翅长的2/5。

分属检索表

1. 前翅反面中室无斑或仅有 1 个斑纹 ···································· **锷弄蝶属 Aeromachus**
   前翅反面中室有 2 个斑纹 ·· 2
2. 后翅反面黄色，密布黑色小斑纹和细线纹 ······························ **讴弄蝶属 Onryza**
   后翅反面不如上述 ·· 3
3. 触角端突细长，长于棒状部宽的 3 倍 ································· **琵弄蝶属 Pithauria**
   触角端突短，不及棒状部宽的 2 倍 ····························· **陀弄蝶属 Thoressa**

184. 锷弄蝶属 *Aeromachus* de Nicéville, 1890

Aeromachus de Nicéville, 1890: 214. **Type species**: *Thanaos stigmata* Moore, 1878.

Machachus Swinhoe, 1913: 194. **Type species**: *Thanaos jhora* de Nicéville, 1885.

　　属征：小型。茶褐色或黑褐色。正面多无斑；反面多有淡色小斑列。后翅反面脉纹上鳞片色淡，呈放射状。前翅 Cu_2 脉分出点与 R_1 脉分出点相对应；中室长约等于翅长的 1/2。部分种类前翅正面有性标。雄性外生殖器：背兜短；钩突小而阔；颚突肘状；囊突短小；抱器阔长，末端圆，有 1 列小刺；阳茎末端斜截。雌性外生殖器：囊尾与交配囊间有细管相连。

　　分布：古北区，东洋区。全世界记载 20 种，中国已知 14 种，秦岭地区记录 3 种。

分种检索表

1. 后翅反面斑纹淡紫色 ·· **紫斑锷弄蝶 A. catocyanea**
   后翅反面无淡紫色斑纹 ·· 2
2. 后翅反面翅脉色淡，清晰 ·· **河伯锷弄蝶 A. inachus**
   后翅反面翅脉色深，不清晰 ·· **黑锷弄蝶 A. piceus**

(460) 紫斑锷弄蝶 *Aeromachus catocyanea* (Mabille, 1876)

Pamphila catocyanea Mabille, 1876: 55.

Aeromachus catocyanea: Evans, 1949: 241.

　　鉴别特征：翅正面黑褐色；无斑；反面色稍淡；斑纹淡紫色；性标位于前翅 cu_1-cu_2 室中部，中间有白色鳞；前翅前缘中部有黄色鳞；亚外缘斑列及外横斑列较模糊。后翅反面密被黄褐色鳞，亚外缘斑列斑纹小；中室端斑圆形；中横斑带宽。

　　采集记录：1♂，秦岭，1996.Ⅶ.19，李宇飞采。

分布：陕西（秦岭）、四川、云南、西藏。

（461）河伯锷弄蝶 *Aeromachus inachus*（Ménétriès，1859）

Pyrgus inachus Ménétriès，1859：217.

Aeromachus inachus：Evans，1949：242.

鉴别特征：翅黑褐色。前翅正面外横斑列"V"形，中室端部点斑白色；性标位于 cu_2 室中部；反面亚缘斑列未达后缘。后翅正面无斑；反面翅脉灰白色，与亚外缘斑列、外横斑列及基部斑纹一起交织构成网格状。

采集记录：1♂，丹凤土门，690m，2010.Ⅵ.01，房丽君采。

分布：陕西（丹凤）、黑龙江、吉林、辽宁、山西、河南、甘肃、山东、浙江、湖北、江西、福建、台湾、四川、贵州、云南；俄罗斯，朝鲜，韩国，日本。

寄主：大油芒 *Spodiopogon sibiricus*（Gramineae）、芒 *Miscanthus sinensis*、水稻 *Oryza sativa*。

（462）黑锷弄蝶 *Aeromachus piceus* Leech，1893

Aeromachus piceus Leech，1893：618.

鉴别特征：翅正面黑褐色；无斑；反面色稍淡；斑纹灰白色。前翅正面性标位于近后缘中部。两翅反面亚外缘及外中域各有1列点状斑纹，但后翅斑列模糊，覆有黄色鳞粉。

采集记录：1♂，凤县，2007.Ⅶ.21，胡剑锋采。

分布：陕西（凤县）、甘肃、浙江、福建、广东、海南、广西、四川、云南。

185. 讴弄蝶属 *Onryza* Watson，1893

Onryza Watson，1893：92，112. **Type species**：*Halpe meiktila* de Nicéville，1891.

属征：小型弄蝶。黑褐色或赭黑色。前翅黄斑不透明；中室1对黄斑明显，其中下面的斑纹多变长，向内延伸；前缘直；中室长约为前翅长的3/5，上端角略突出。后翅顶角与臀角稍尖出。雄性外生殖器：背兜小；钩突阔，末端二分叉；颚突粗；无囊突；抱器狭长，二分裂，锯齿状；阳茎细直，末端截形。

分布：东洋区。全世界记载4种，中国记录1种，秦岭地区有记录。

（463）讴弄蝶 *Onryza maga*（**Leech, 1890**）（图版 70：7-10）

Pamphila maga Leech, 1890：48.

Onryza maga：Evans, 1949：251.

鉴别特征：翅正面黑褐色；反面黄色；斑纹雄蝶黄色，雌蝶白色。前翅正面亚顶区 r_3-r_5 室条斑斜向，排列紧密；m_3 室基部和 cu_1 室中部各有 1 个近圆形斑纹，中室端部 2 个斑纹相连，下方 1 个向内延伸变长；反面后缘区黑褐色。后翅正面外中域中部有 2 个大小不一的斑纹；反面黑褐色小斑散布整个翅面，并与黑色脉纹形成网格状。

采集记录：1♂，长安分水岭，2010m，2010.Ⅶ.01，张宇军采；1♂，太白黄柏塬，1320m，2012.Ⅵ.18，张宇军采。

分布：陕西（长安、太白）、浙江、湖北、江西、福建、台湾、广东、海南、广西；越南，泰国，缅甸，新加坡，印度尼西亚。

186. 琵弄蝶属 *Pithauria* Moore，1878

Pithauria Moore，1878：689. **Type species**：*Ismene murdava* Moore，1866.

属征：本属和讴弄蝶属 *Onryza* 近似，主要区别为：中型，个体较大；触角的端尖极细长，长为锤部宽度的 3 倍。须第 2 节极扁。后翅正面多无斑。雄性外生殖器：背兜前伸；钩突背面观"U"形；颚突发达，左右愈合；囊突小；抱器二分裂；阳茎略长于抱器，前部较细。

分布：东洋区。全世界记载 4 种，中国均有记录，秦岭地区记录 2 种。

分种检索表

雄蝶翅正面无性标·· 琵弄蝶 *P. murdava*

雄蝶翅正面有性标·· 黄标琵弄蝶 *P. marsena*

（464）琵弄蝶 *Pithauria murdava*（Moore，1865）

Ismene murdava Moore，1865：784.

Hesperia weimeri Plötz，1883：47.

Pithauria murdava：Moore，1878：689.

鉴别特征：翅正面黑褐色；反面棕褐色；斑纹雄蝶淡黄色，雌蝶白色。前翅外横斑列分成两段，前段 2 个斑位于亚顶区近前缘处，后段 2 个斑位于 cu_1 和 cu_2 室中部；

中室端部 2 个斑纹多上大下小。前翅基部和后翅大半部被稀疏赭绿色毛。后翅无斑。雄蝶翅正面无性标，雌蝶不被赭绿色毛，白色斑较大。

采集记录：1♂，佛坪岳坝，1150m，2012. Ⅵ. 30，张宇军采。

分布：陕西(佛坪)、浙江、福建、海南、广西；越南，泰国，缅甸，印度。

(465) 黄标琵弄蝶 *Pithauria marsena*（Hewitson，[1866]）（图版 70：11-14）

Hesperia marsena Hewitson，[1866]：498.

Hesperia ornata C. & R. Felder，[1867]：515.

Hesperia subornata Plötz，1883：32.

Pithauriopsis aitchisoni Wood-Mason *et* de Nicéville，[1887]：387.

Parnara uma de Nicéville，[1889]：292.

Pithauria marsena：Evans，1949：269.

鉴别特征：与琵弄蝶 *P. murdava* 近似，主要区别为：本种雄蝶前翅基部有黄色性标；斑纹白色；中室 2 个斑纹相连，上部斑纹较下部斑纹小。后翅 Rs 与 M 脉上有针状毛；反面散部稀疏小圆斑。

采集记录：4♂1♀，太白咀头，1700m，2011. Ⅵ. 12，房丽君采；2♂1♀，太白太白河，2008. Ⅶ. 06，许家珠采；2♂，佛坪长角坝，950m，2011. Ⅵ. 06，房丽君采。

分布：陕西(太白、佛坪)、浙江、福建、广西；越南，泰国，缅甸，印度，马来西亚。

187. 陀弄蝶属 *Thoressa* Swinhoe，[1913]

Thoressa Swinhoe，[1913]：284. **Type species**：*Pamphila masoni* Moore，1879.

Pedestes Watson，1893：71，81. **Type species**：*Isoteinon masuriensis* Moore，1878.

Pedesta Hemming，1934：38. **Type species**：*Isoteinon masuriensis* Moore，1878.

属征：中小型弄蝶。翅黑褐色；正面斑纹多白色；脉纹比翅面色深；反面色稍淡。前翅狭，顶角尖；中室上端角外凸，cu_2 室有性标。后翅臀角突出。雄性外生殖器：背兜小，生有 1 对细长的针状突起；钩突阔，二分叉；有颚突；囊突小；抱器长阔，内突发达，抱器端半圆形，具小齿；阳茎末端斜截。

分布：古北区，东洋区。全世界记载 37 种，中国记录 20 种，秦岭地区记录 6 种。

分种检索表

2. 后翅正面外中域有 3 个白色短条斑 ······················· **花裙陀弄蝶 *T. submacula***
　 后翅正面外中域有 2 个橙黄色条斑 ······················· **栾川陀弄蝶 *T. luanchuanensis***
3. 触角棒状部在端突前有浅黄色环纹 ······················· **三点陀弄蝶 *T. kuata***
　 触角棒状部在端突前无浅黄色环纹 ··· 4
4. 性标位于 Cu_2 脉基部，并延伸到 2A 脉中部 ····················· **长标陀弄蝶 *T. blanchardii***
　 性标位于 cu_2 室基半部，其外侧有暗褐色补丁斑 ··· 5
5. 后翅反面无斑 ·· **短突陀弄蝶 *T. breviprojecta***
　 后翅反面有斑或模糊的阴影 ····························· **灰陀弄蝶 *T. gupta***

(466) 花裙陀弄蝶 *Thoressa submacula* (Leech, 1890) (图版 70：15-16)

Halpe submacula Leech, 1890：48.

Thoressa submacula：Evans, 1949：254.

鉴别特征：翅正面黑褐色；反面褐色；斑纹白色或淡黄色。前翅正面外横斑列分成两段；中室端部斑纹"Z"形；黑色性标位于 cu_2 室近基部；反面淡黄色的前缘带仅达前缘中部；亚外缘斑列中下部变窄或缺失；外横斑列下半段有 3 个斑纹。后翅正面外中域 $sc + r_1$ 室、m_3 室、cu_1 室各有 1 个短条斑；反面外缘至亚外缘区无斑，其余翅面条斑长短不一，紧密排列，从翅前缘近基部至臀角有 1 个斑纹断裂带。雌蝶前翅正面外横斑列后半段有 3 个斑纹。

采集记录：1♂，长安白石峪，660m，2008. Ⅶ. 26，房丽君采；1♂1♀，周至板房子，1500m，2013. Ⅵ. 25，房丽君采；1♂，太白黄柏塬，1310m，2011. Ⅷ. 26，张辰生、程帅采；1♂，留坝城关，1050m，2011. Ⅵ. 21，张宇军采；1♂，佛坪岳坝，1520m，2012. Ⅵ. 30，张宇军采；1♂，宁陕旬阳坝，1440m，2010. Ⅶ. 29，房丽君采；1♂，山阳银花岬峪沟，800m，2010. Ⅷ. 09，房丽君采；1♂，丹凤土门谷峪沟，880m，2010. Ⅷ. 16，房丽君采。

分布：陕西(长安、周至、太白、留坝、佛坪、宁陕、山阳、丹凤)、河南、甘肃、江苏、浙江、湖北、江西、福建、海南。

(467) 栾川陀弄蝶 *Thoressa luanchuanensis* (Wang et Niu, 2002)

Ampittia luanchuanensis Wang et Niu, 2002：278.

Thoressa nakai Yoshino, 2003：9.

Ampittia luanchuanensis：Huang, 2003：24.

Thoressa luanchuanensis：Huang & Zhan, 2004：182.

鉴别特征：与花裙陀弄蝶 *T. submacula* 相似，主要区别为：本种前翅反面端部横斑列宽，从外缘区到亚缘区，且中部斑纹延伸至中室端脉处；外横斑列下半段斑纹仅

2 个。后翅正面覆有黄色晕染；外中域有 2 条橙黄色纵纹；反面黄色条斑密布整个翅面，脉纹黑褐色。

采集记录：1♂，凤县，2007.Ⅴ.11，胡剑锋采；1♂1♀，宁陕，2010.Ⅴ.23。

分布：陕西（凤县、宁陕）、河南、湖北、海南。

(468) 三点陀弄蝶 *Thoressa kuata* (Evans, 1940)

Halpe kuata Evans, 1940: 230.

Thoressa kuata: Evans, 1949: 253.

鉴别特征：翅正面黑褐色；斑纹白色。前翅正面外横斑列分成两段，后段 m_3 室及 cu_1 室各有 1 个斑纹；2 个中室端斑连成"Z"形；黑色性标位于 cu_2 室基半部；反面前半部密被黄色鳞。后翅正面中央黄色；m_3 室基部有很模糊的小斑；反面黄色，中域 $sc+r_1$ 室、m_3 室及 cu_1 室各有 1 个白色小斑纹。

采集记录：1♂，凤县，2007.Ⅶ.09，胡剑锋采。

分布：陕西（凤县）、浙江、福建、海南。

(469) 短突陀弄蝶 *Thoressa breviprojecta* Yuan et Wang, 2003

Thoressa breviprojecta Yuan et Wang, 2003: 64-65.

鉴别特征：翅正面黑褐色；斑纹乳白色。前翅亚顶区 r_3-r_5 室斑排成斜列；中室端部斑纹 2 个；m_3 和 cu_1 室斑近方形；性标位于 cu_2 室基半部，其外侧有 1 对暗褐色斑；反面 cu_2 室中部条纹窄。后翅正面基半部黄褐色；无斑；反面黄绿色；中域小斑灰白色，模糊。

采集记录：1♂，凤县，2007.Ⅵ.22，胡剑锋采。

分布：陕西（凤县）、甘肃、四川。

(470) 灰陀弄蝶 *Thoressa gupta* (de Nicéville, 1886)

Halpe gupta de Nicéville, 1886: 255.

Thoressa gupta: Evans, 1949: 255.

鉴别特征：翅正面黑褐色；斑纹乳白色。前翅亚顶区 r_3-r_5 室斑小，排成斜列；中室无斑；m_3 室斑近椭圆形；cu_1 室斑近长方形；性标位于 cu_2 室基半部，其外侧有斑；反面前半部被黄褐色鳞。后翅正面无斑；反面密被黄褐色鳞，中域小斑灰白色，模糊，有暗色阴影。

分布：陕西（秦岭）、甘肃、江西、广东、四川、云南；印度。

（471）长标陀弄蝶 *Thoressa blanchardii*（Mabille, 1876）

Hesperia blanchardii Mabille, 1876: 153.

Pedesta blancharidii: Evans, 1949: 249.

Thoressa blanchardii: Huang & Zhan, 2004: 179.

　　鉴别特征：翅正面黑褐色；反面黄褐色；斑纹淡黄色。前翅亚顶区 r_3-r_5 室小斑排成斜列，r_3 室斑最小；中室端部斑纹上小下大，相连；m_3 室斑楔形，与 cu_1 室圆斑相重叠；性标位于 cu_2 室中部，黑色；反面中室下缘至后缘黑褐色。后翅正面无斑；反面密被黄褐色鳞；中域灰白色小斑模糊。

　　采集记录：1♂，户县朱雀森林公园，1995. Ⅴ. 28，李宇飞采；1♂，凤县，1996. Ⅵ. 29，李宇飞采。

　　分布：陕西（户县、凤县）、甘肃、四川。

（二）刺胫弄蝶族 Baorini

　　翅黑褐色。前翅通常有白色透明斑；中室比翅的后缘长，上端角尖出；M_2 脉基部略弯曲；Cu_2 脉从中室下缘中上部分出。后翅前缘基部有毛簇；中室下角在 Cu_2 脉处向内弯曲；Rs 脉比 Cu_2 脉先分出；反面多有白色小斑。雄蝶有第二性征，部分种类前翅正面有性标。

分属检索表

1.　中足胫节有距 ……………………………………………………………………… 2
　　中足胫节无距 ……………………………………………………………………… 3
2.　雄蝶前翅反面后缘区无烙印斑；后翅反面有白色斑纹 ………………… **谷弄蝶属 Pelopidas**
　　雄蝶前翅反面后缘区有烙印斑；后翅反面无白色斑纹 ………………… **刺胫弄蝶属 Baoris**
3.　前翅中室短于后缘 ………………………………………………………………… 4
　　前翅中室与后缘等长 ……………………………………………………………… 5
4.　前翅外横斑列斑纹连续 ……………………………………………………… **稻弄蝶属 Parnara**
　　前翅外横斑列斑纹不连续，中间断开 …………………………………… **拟籼弄蝶属 Pseudoborbo**
5.　后翅反面通常无斑 …………………………………………………………… **珂弄蝶属 Caltoris**
　　后翅反面有斑 ……………………………………………………………………… 6
6.　触角短于前翅前缘长的 1/2 …………………………………………………… **籼弄蝶属 Borbo**
　　触角等于或长于前翅前缘长的 1/2 ……………………………………… **孔弄蝶属 Polytremis**

188. 刺胫弄蝶属 *Baoris* Moore, [1881]

Baoris Moore, [1881]: 165. **Type species**: *Hesperia oceia* Hewitson, 1868.

属征: 中型, 黑褐色的种类。前翅有透明的白色斑; 后翅无斑。前翅顶角尖出; 中室与后缘等长, 上端角突出长; Cu_2 脉起点靠近中室端部。后翅臀角钝圆形; 绝大部分种类后翅正面中室内有斜立的性标(黑色毛刷), 反面对应有卵形烙印。雄性外生殖器: 背兜小, 平坦或凹陷; 钩突、颚突不发达, 钩突基部有1对耳状突; 囊突长; 抱器阔; 阳茎粗长, 略弯曲, 有角状器。

分布: 东洋区。全世界记载11种, 中国记录4种, 秦岭地区记录2种。

分种检索表

前翅正面 r_3 室有斑; 中室斑较大 ······························· 黎氏刺胫弄蝶 *B. leechi*
前翅正面 r_3 室无斑; 中室斑很小 ······························· 刺胫弄蝶 *B. farri*

(472) 黎氏刺胫弄蝶 *Baoris leechi* (Elwes *et* Edwards, 1897)

Parnara leechi Elwes *et* Edwards, 1897: 274.
Baoris leechii: Evans, 1949: 448.

鉴别特征: 翅正面黑褐色; 斑纹白色。前翅亚顶区 r_3-r_5 室斑排成弧形; 中室端部斑纹分离; m_2-cu_1 室斑渐次变大, 排成斜列; 反面前半部密被黄褐色鳞, Cu_2 脉至后缘浅灰色, 性标为 2A 脉中部红褐色的椭圆形烙印斑及后翅正面近基部的黄褐色毛簇; 反面黄褐色, 无斑。

分布: 陕西(秦岭)、河南、上海、浙江、江西、湖南、福建、广东、四川。
寄主: 竹类 Bambusaceae(Gramineae)植物。

(473) 刺胫弄蝶 *Baoris farri* (**Moore, 1878**)(图版 70: 17-18)

Hesperia farri Moore, 1878: 688.
Baoris scopulifera Moore, 1883: 532.
Baoris sikkima Swinhoe, 1890: 362.
Baoris farri: Evans, 1949: 448.
Baoris longistigmata Huang, 1999: 661.

鉴别特征: 与黎氏刺胫弄蝶 *B. leechi* 相似, 主要区别为: 本种前翅 r_3 室斑退化消失；中室斑很小；反面前半部暗褐色；Cu_2 脉处烙印斑较大。后翅反面暗褐色；无黄褐色鳞。

分布：陕西（南郑）、河南、江西、福建、广东、海南、香港、广西、云南；越南，泰国，缅甸，印度，马来西亚，印度尼西亚。

寄主：刺竹属 *Bambusa* spp.（Gramineae）植物。

189. 珂弄蝶属 *Caltoris* Swinhoe，1893

Caltoris Swinhoe，1893：267-323. **Type species**：*Hesperia kumara* Moore，1878.

Milena Evans，1912：1005. **Type species**：*Pamara plebeia* de Nicéville，1887.

属征：和刺胫弄蝶属 *Baoris* 非常近似。中足胫节无距。前翅 Cu_2 脉起点靠近中室端。少数种类前翅正面有性标。雄性外生殖器：背兜中等大小，略平坦；钩突极小，末端分叉；颚突阔；囊突小；抱器近方形；阳茎盲囊细长，部分种类阳茎有角状器。雌性外生殖器：囊导管骨化；交配囊长圆形。

分布：东洋区，澳洲区。全世界记载 19 种，中国记录 7 种，秦岭地区记录 2 种。

分种检索表

前翅无"V"形外横斑列 ⋯⋯⋯⋯⋯⋯⋯⋯⋯⋯⋯⋯⋯⋯⋯⋯⋯ 黑纹珂弄蝶 *C. septentrionalis*
前翅有"V"形外横斑列 ⋯⋯⋯⋯⋯⋯⋯⋯⋯⋯⋯⋯⋯⋯⋯⋯⋯⋯⋯ 斑珂弄蝶 *C. bromus*

(474) 斑珂弄蝶 *Caltoris bromus*（Leech，1894）

Parnara bromus Leech，1894：614.

Caltoris bromus：Evans，1949：453.

鉴别特征：翅褐色；斑纹白色。前翅亚顶区 r_3-r_5 室各有 1 个小斑；m_2-cu_1 室斑排成 1 列；中室端部 2 个斑分离；cu_2 室中部斑小；反面前缘区和顶角区有黄褐色鳞，cu_2 室斑灰白色，时有模糊。后翅正面无斑；反面密被黄褐色鳞，有时在 m_2-cu_1 室中部有白斑。雌蝶前翅 cu_2 室中部有 1 个淡黄色小斑；后翅 m_3 和 cu_1 室斑有或无。

采集记录：1♀，留坝，1985. Ⅵ，许家珠采；1♂，宁陕旬阳坝，1420m，2010. Ⅶ. 29，房丽君采。

分布：陕西（留坝、宁陕）、浙江、江西、福建、台湾、广东、海南、香港、广西、四川、云南；越南，泰国，缅甸，印度，马来西亚，印度尼西亚。

寄主：开卡芦 *Phragmites karka*（Gramineae）、蓬莱竹 *Bambusa multiplex*。

(475) 黑纹珂弄蝶 *Caltoris septentrionalis* Koiwaya, 1996

Caltoris septentrionalis Koiwaya, 1996: 275.

鉴别特征: 翅正面黑褐色, 无斑纹; 反面灰黑色。脉间有黑色纵条纹。

采集记录: 1♂1♀, 宁陕, 1992.Ⅶ.02, 雷生辉采; 3♂1♀, 宁陕旬阳坝, 2001.Ⅴ.27, 雷生辉采。

分布: 陕西(宁陕)、浙江。

190. 籼弄蝶属 *Borbo* Evans, 1949

Borbo Evans, 1949: 44, 436. **Type species**: *Hesperia borbonica* Boisduval, 1833.

属征: 中小型弄蝶。翅黑色, 顶角尖出。前翅有白色透明斑。雄蝶前翅正面无性标; Cu$_2$ 脉起点靠近中室端部。雄性外生殖器: 背兜小, 略隆起; 钩突细长, 两侧各有 1 个平行的长突起; 囊突极细长; 抱器近长圆形; 阳茎长, 端半部背面膜质。雌性外生殖器: 囊导管膜质, 粗长; 交配囊长袋状; 无交配囊片。

分布: 东洋区, 澳洲区, 非洲区。全世界记载 17 种, 中国记录 1 种, 秦岭地区有记录。

(476) 籼弄蝶 *Borbo cinnara* (Wallace, 1866)

Hesperia cinnara Wallace, 1866: 361.

Hesperia colaca Moore, 1877: 594.

Parnara cingala Moore, [1881]: 167.

Hesperia saturata Wood-Mason *et* de Nicéville, 1882: 19.

Hesperia urejus Plötz, 1885: 226.

Borbo cinnara: Evans, 1949: 437.

鉴别特征: 翅正面暗褐色; 斑纹白色。前翅亚顶区 r$_3$-r$_5$ 及 m$_1$ 室斑各有 1 个点斑, 错位排列; m$_2$-cu$_1$ 室斑上下错位排列; cu$_2$ 室中部有 1 个斑纹; 中室端部斑小而模糊; 反面前半部黄绿色。后翅正面黑褐色, 被黄绿色毛; 外中域 rs 及 m$_2$-m$_3$ 室各有 1 个小斑; 反面黄绿色; 外横斑列未达后缘。

分布: 陕西(洋县)、浙江、湖北、江西、福建、台湾、广东、海南、香港、广西、四川、云南; 越南, 泰国, 缅甸, 印度, 孟加拉国, 斯里兰卡, 菲律宾, 马来西亚, 印度尼西亚, 所罗门群岛, 澳大利亚。

寄主: 芒 *Miscanthus sinensis* (Gramineae)、五节芒 *M. floridulus*、地毯草 *Axonopus compressus*、蟋蟀草 *Eleusine indica*、两耳草 *Paspalum conjugatum*、棕叶狗尾草 *Setaria* *palmifolia*、水稻 *Oryza sativa*。

191. 拟秈弄蝶属 *Pseudoborbo* Lee, 1966

Pseudoborbo Lee, 1966: 226, 228. **Type species**: *Hesperia bevani* Moore, 1878.

属征：从秈弄蝶属 *Borbo* 分出，与该属很相似。前翅外缘较圆；Cu_2 脉比 R_1 脉更接近翅的基部；M_2 脉靠近 M_3 脉。雄蝶无性标。雄性外生殖器：背兜中等大小；钩突小，基部有耳状突；颚突直；囊突较细长；抱器卵形，二分裂；阳茎极粗长，端部有角状器。雌性外生殖器：囊导管粗长，骨化；交配囊近球形；无交配囊片。

分布：东洋区，澳洲区。全世界记载 1 种，秦岭地区有记录。

(477) 拟秈弄蝶 *Pseudoborbo bevani* (**Moore, 1878**)（图版 70: 19-20）

Hesperia bevani Moore, 1878: 688.

Isoteinon modesta Moore, 1883: 534.

Hesperia vaika Plötz, 1886: 96.

Pamphila sarus Mabille, 1891: 181.

Pamphila thyone Leech, [1893]: 610.

Borbo bevani: Evans, 1949: 437.

Pseudoborbo bevani: Lee, 1966: 223.

鉴别特征：翅正面褐色至黑褐色；斑纹白色。前翅亚顶区 r_3-r_5 室小斑排列整齐或错位；m_2 室斑小，时有模糊；m_3 及 cu_1 室斑错位排列；cu_2 室中部斑纹模糊；中室斑点状。后翅正面无斑；反面黄绿色；外中域 rs-cu 室点斑模糊。雌蝶中室斑比雄性略大。

采集记录：1♂，长安石砭峪，1160m，2011. V.26，张宇军采；1♂，周至厚畛子，1260m，2010. Ⅶ.12，房丽君采；2♂，太白青峰峡，1900m，2012. Ⅵ.22，房丽君采；7♂2♀，太白咀头，1800m，2012. Ⅵ.24，房丽君采；1♂，柞水营盘，1340m，2010. Ⅵ.15，彭涛采。

分布：陕西(长安、周至、太白、柞水)、河南、浙江、江西、福建、台湾、海南、香港、四川、云南。广泛分布于印度至澳大利亚地区。

寄主：水稻 *Oryza sativa*(Gramineae)。

192. 谷弄蝶属 *Pelopidas* Walker, 1870

Pelopidas Walker, 1870: 56. **Type species**: *Pelopidas midea* Walker, 1870.

Chapra Moore，[1881]：169. **Type species**：*Hesperia mathias* Fabricius, 1798.

属征：中小型弄蝶。黑褐色。前翅有白色斑；中室上端角尖出，与后缘等长；Cu_2 脉起点靠近中室端部。后翅反面中室有 1 个小白斑。部分种类前翅正面有性标。雄性外生殖器：背兜短平；钩突与颚突大部分愈合；囊突细长；抱器阔长，上下缘略平行；阳茎特别长，有角状器；部分种类钩突基部有 1 对耳状突。雌性外生殖器：囊导管骨化。

分布：古北区，东洋区，澳洲区，非洲区，新热带区。全世界记载 11 种，中国记录 7 种，秦岭地区记录 3 种。

分种检索表

1. 后翅正面无斑 ·· 2
   后翅正面有斑 ··· **中华谷弄蝶 *P. sinensis***
2. 性标较长，下端位于中室斑连线内侧 ··················· **隐纹谷弄蝶 *P. mathias***
   性标较短，下端位于中室斑连线外侧 ··················· **南亚谷弄蝶 *P. agna***

(478) 中华谷弄蝶 *Pelopidas sinensis*（**Mabille，1877**）（图版 70：21-22）

Gegenes sinensis Mabille, 1877：232.
Chapra prominens Moore, 1882：261.
Pelopidas sinensis：Evans, 1949：438.

鉴别特征：翅正面暗褐色；斑纹白色。前翅亚顶区 r_3-r_5 室斑排成斜列；中室端部 2 个斑纹及 m_2-cu_1 室斑斜向排列，斑纹渐次变大；cu_2 室中部性标灰白色，斜线状，上端指向 cu_1 室斑；反面性标外侧区灰白色。后翅正面外中域 m_1-cu_1 室白色斑点排成不整齐的一列；反面 rs 室斑清晰；中室中部斑纹圆点状。雌蝶斑纹较大，后翅中室内银白色斑纹明显。

采集记录：1♂，长安白石峪，610m，2008.Ⅶ.26，房丽君采；1♂，蓝田王顺山，2100m，2010.Ⅶ.31，房丽君采；1♂，周至楼观台，780m，2011.Ⅵ.29，房丽君采；1♂，太白闲云岭，1750m，2013.Ⅷ.03，房丽君采；1♂，华县杏林，920m，2011.Ⅵ.11，房丽君采；1♂，佛坪龙草坪，1420m，2011.Ⅵ.06，房丽君采；1♀，宁陕火地塘，1560m，2008.Ⅷ.31，房丽君采；1♂1♀，镇安云镇黄石板沟，2010.Ⅴ.24，房丽君采；4♂1♀，商州黑龙口，1250m，2013.Ⅷ.04，张宇军采；1♂，丹凤土门，900m，2010.Ⅷ.16，房丽君采；1♂，商南金丝峡，700m，2013.Ⅶ.24，张宇军采。

分布：陕西（长安、蓝田、周至、太白、华县、佛坪、宁陕、镇安、商州、丹凤、商南）、山西、河南、安徽、浙江、湖北、江西、湖南、福建、台湾、广东、海南、四川、贵州、云南、西藏；朝鲜，日本，印度。

寄主： 水稻 *Oryza sativa*（Gramineae）、茭白 *Zizania latifolia*。

(479) 南亚谷弄蝶 *Pelopidas agna*（Moore，[1866]）（图版 71：1-2）

Hesperia agna Moore，[1866]：791.

Hesperia balarama Plötz，1883：46.

Chapra mathias niasica Fruhstorfer，1911：50.

Pelopidas agna：Evans，1949：439.

鉴别特征： 与中华谷弄蝶 *P. sinensis* 相似，主要区别为：本种前翅斑点较小；性标位于前翅中室端部 2 个白点斑联线上或外侧，其末端在 2A 脉上。后翅多数无斑纹或仅有极小的斑点痕迹；反面赭绿色；有小的外中域斑列及 1 个中室斑。雌蝶前翅斑纹大，m_1 室有 1 个白斑；cu_2 室有上、下分离的 2 个斑，位于中室斑连线外侧。

采集记录： 1♂，长安大峪，1420m，2010.Ⅷ.07，彭涛采；2♂，周至厚畛子，1280m，2010.Ⅴ.30，房丽君采；1♂，户县朱雀森林公园，1550m，2012.Ⅶ.12，房丽君采；1♂，太白黄柏塬，1400m，2012.Ⅵ.18，房丽君采；1♂，潼关西潼峪，1100m，2012.Ⅹ.02，房丽君采；1♂，佛坪龙草坪，1420m，2011.Ⅵ.06，房丽君采；1♂1♀，宁陕火地塘，1700m，2010.Ⅷ.28，房丽君采；3♂，镇安木王，1650m，2009.Ⅹ.17，房丽君采；1♂，洛南巡检，1200m，2012.Ⅹ.02，房丽君采；1♂，商州杨斜镇秦王山，770m，2013.Ⅷ.10，张宇军采；1♂，山阳银花岬峪沟，700m，2010.Ⅷ.09，房丽君采；1♂，丹凤商镇鱼岭水库，770m，2013.Ⅷ.13，张宇军采。

分布： 陕西（长安、周至、户县、太白、潼关、佛坪、宁陕、镇安、洛南、商州、山阳、丹凤）、浙江、江西、福建、台湾、广东、海南、香港、广西、四川、贵州、云南；泰国，缅甸，印度，斯里兰卡，菲律宾，马来西亚，印度尼西亚，澳大利亚。

寄主： 水稻 *Oryza sativa*（Gramineae）、高粱 *Sorghum bicolor*、玉米 *Zea mays*、大黍 *Panicum maximum*、细毛鸭嘴草 *Ischaemum indicum*。

(480) 隐纹谷弄蝶 *Pelopidas mathias*（Fabricius，1798）（图版 71：3-4）

Hesperia mathias Fabricius，1798：433.

Hesperia chaya Moore，1865：791.

Gegenes elegans Mabille，1877：232.

Pamphila umbrata Butler，1879：191.

Hesperia ella Plötz，1883：46.

Caphra mathias：de Nicéville，1889：176.

Parnara mathias：Leech，1892：606.

Pelopidas mathias：Evans，1949：441.

鉴别特征：与南亚谷弄蝶 *P. agna* 相似，主要区别为：本种斑纹较小；性标长，上端指向 cu_1 室斑外侧，下端位于中室端斑连线内侧。后翅正面无斑纹；外中域 rs-cu_1 室及中室内有模糊的小白点。雌蝶斑纹大而清晰。

采集记录：1♂，长安东坪沟，1770m，2011. Ⅷ.30，张宇军采；1♂1♀，蓝田王顺山，1420m，2010. Ⅶ.31，房丽君采；2♂，周至楼观台，700m，2011. Ⅶ.30，房丽君采；1♂，太白二郎坝，1060m，2012. Ⅵ.18，张辰生、程帅采；2♂，潼关西潼峪，1100m，2012. Ⅹ.02，房丽君采；1♂，佛坪长角坝，950m，2011. Ⅵ.06，房丽君采；1♂，洋县茅坪，780m，2011. Ⅵ.04，房丽君采；2♂1♀，宁陕火地塘，1680m，2009. Ⅸ.26，房丽君采；1♂，镇安锡铜沟，830m，2010. Ⅹ.02，房丽君采；1♂，洛南巡检，1200m，2012. Ⅹ.02，房丽君采；1♂，山阳银花干沟，2200m，2009. Ⅹ.04，房丽君采；2♂，丹凤商镇商山公园，650m，2013. Ⅷ.12，张宇军采；1♂，商南过风楼，360m，2012. Ⅹ.04，房丽君采。

分布：陕西(长安、蓝田、周至、太白、潼关、佛坪、洋县、宁陕、镇安、洛南、山阳、丹凤、商南)、辽宁、内蒙古、北京、山西、河南、甘肃、山东、浙江、湖北、江西、湖南、福建、台湾、海南、广西、四川、贵州、云南；朝鲜，日本，斯里兰卡，印度尼西亚。

寄主：芒 *Miscanthus sinensis*(Gramineae)、五节芒 *M. floridulum*、白茅 *Imperata cylindrica*、稗 *Echinochloa crusgalli*、水稻 *Oryza sativa*、高粱 *Sorghum bicolor*、谷子 *Setaria italica*、甘蔗 *Saccharum officinarum* 等。

193. 稻弄蝶属 *Parnara* Moore，[1881]

Parnara Moore，[1881]：166. **Type species**：*Eudamus guttatus* Bremer *et* Grey，1853.
Baorynnis Waterhouse，1932：201. **Type species**：*Pamphila amalia* Semper，1879.

属征：中小型弄蝶。触角短；翅黑褐色。前翅有透明的白色斑；M_2 脉基部向下弯曲，Cu_2 脉与中室端部接近；cu_2 室无白色斑；雄蝶无第二性征。雄性外生殖器：背兜狭小；钩突及颚突小，钩突基部有 1 对耳状突；囊突细长；抱器近长方形，背缘平直，腹端有细齿；阳茎直，中等长。雌性外生殖器：囊导管骨化。

分布：古北区，东洋区，非洲区，澳洲区。全世界记载 11 种，中国记录 5 种，秦岭地区记录 3 种。

分种检索表

1. 后翅正面中域斑退化或消失；前翅中域斑纹淡黄色 ·························· **幺纹稻弄蝶 *P. bada***
   后翅正面中域有 3~4 个斑纹；前翅斑纹白色 ······································· 2
2. 后翅 4 个斑排成直线；前翅中室有斑 ·························· **直纹稻弄蝶 *P. guttatus***

后翅 3~4 个斑不排成直线；前翅中室无斑 ·························· **曲纹稻弄蝶 *P. ganga***

(481) 直纹稻弄蝶 *Parnara guttatus*（Bremer *et* Grey，1852）（图版 71：5-6）

Eudamus guttatus Bremer *et* Grey，1852：60.

Parnara guttatus：Elwes，1888：445.

鉴别特征：翅正面黑褐色；斑纹白色。前翅亚顶区 r_3-r_5 室斑排成斜列，r_3 室斑多退化消失；m_2-cu_1 室各有 1 个斑，依次变大；中室端部斑纹上下排列，细条形；反面前缘区和顶角区有黄褐色鳞。后翅正面中域 m_1-cu_1 室斑纹水平排成 1 列，渐次变大；反面黄褐色；中室端部圆形小点斑模糊。雌蝶体型较大；前翅中室端部的 2 个斑上大下小或消失。

采集记录：7♂2♀，长安嘉午台，1500m，2008.Ⅸ.20，房丽君采；1♂，蓝田汤峪，1080m，2008.Ⅶ.20，房丽君采；2♂，周至厚畛子，1340m，2009.Ⅳ.24，陈芳颖采；1♀，户县十寨沟，1250m，2012.Ⅹ.06，房丽君采；1♂，太白二郎坝，1100m，2011.Ⅷ.24，张辰生、程帅采；1♂，华县少华山，610m，2013.Ⅶ.17，张宇军采；3♂，潼关西潼峪，1080m，2012.Ⅹ.02，房丽君采；2♂，留坝紫柏山，2008.Ⅹ.04，房丽君采；1♂，佛坪凉风垭，1750m，2013.Ⅶ.30，张宇军采；2♂1♀，宁陕旬阳坝，1430m，2010.Ⅶ.29，房丽君采；1♂，镇安木王，1400m，2009.Ⅹ.17，房丽君采；2♂1♀，洛南巡检，1200m，2012.Ⅹ.02，房丽君采；1♂，商州二龙山水库，800m，2013.Ⅷ.22，房丽君采；1♂，山阳天桥，1900m，2009.Ⅹ.04，房丽君采；1♂，丹凤竹林关，450m，2012.Ⅹ.05，房丽君采；1♂2♀，商南梁家湾，500m，2013.Ⅷ.24，房丽君采。

分布：陕西（长安、蓝田、周至、户县、太白、华县、潼关、留坝、佛坪、宁陕、镇安、洛南、商州、山阳、丹凤、商南）、黑龙江、吉林、辽宁、河北、河南、宁夏、甘肃、山东、江苏、安徽、浙江、湖北、江西、湖南、福建、台湾、广东、海南、广西、四川、贵州、云南；俄罗斯，朝鲜，日本，越南，老挝，缅甸，印度，马来西亚，巴西。

寄主：水稻 *Oryza sativa*（Gramineae）、高粱 *Sorghum bicolor*、玉米 *Zea mays*、茭白 *Zizania latifolia*、甘蔗 *Saccharum officinarum*、竹类 Bambusaceae、稗 *Echinochloa crusgalli*、雀稗 *Paspalum thunbergii*、芒 *Miscanthus sinensis*、油菜 *Brassica campestris*（Brassicaceae）。

(482) 曲纹稻弄蝶 *Parnara ganga* Evans，1937

Parnara ganga Evans，1937：83.

鉴别特征：与直纹稻弄蝶 *P. guttata* 相似，主要区别为：本种翅色稍淡，褐色。前翅中室多无斑。后翅外中域 m_1-cu_1 室白斑排列不整齐。雌蝶后翅外中域斑较小而模糊，多有缺失。

采集记录：1♂，长安分水岭，2250m，2010.Ⅶ.27，彭涛采；1♂，蓝田王顺山，2100m，2010.Ⅶ.31，房丽君采；2♂，周至厚畛子，1240m，2010.Ⅶ.12，房丽君采；2♂，周至厚畛子，1240m，2010.Ⅶ.12，房丽君采；1♂，户县朱雀森林公园，2009.Ⅷ.07，高可、杨伟采；1♂，太白咀头，1900m，2010.Ⅷ.09，房丽君采；1♂，凤县通天河，1800m，2012.Ⅶ.22，房丽君采；1♂，宁陕旬阳坝，1450m，2010.Ⅶ.29，房丽君采；1♂，山阳银华干沟，2200m，2009.Ⅹ.04，房丽君采。

分布：陕西（长安、蓝田、周至、户县、太白、凤县、宁陕、山阳）、内蒙古、河南、山东、浙江、江西、海南、香港、广西、四川、贵州、云南；越南，泰国，缅甸，印度，马来西亚。

寄主：水稻 *Oryza sativa*（Gramineae）、高粱 *Sorghum bicolor*、玉米 *Zea mays*、芦苇 *Phragmites australis*、竹类 Bambusaceae、稗 *Echinochloa crusgalli*、芒 *Miscanthus sinensis*、紫竹 *Phyllostachys nigra* 等禾本科植物。

(483) 幺纹稻弄蝶 *Parnara bada*（Moore，1878）

Hesperia bada Moore，1878：688.

Gegenes hainanus Moore，1878：703.

Hesperia daendali Plötz，1885：226.

Baoris philotas de Nicéville，1895：402.

Parnara bada：Moore，[1881]：167.

鉴别特征：与曲纹稻弄蝶 *P. ganga* 相似，主要区别为：本种斑纹较小；前翅 m_2 室斑纹多消失。后翅正面外中域斑列通常仅有 1~3 个斑可见；反面外中域斑多退化成小点斑。

采集记录：1♂，长安大峪，1730m，2009.Ⅵ.14，房丽君采；1♂，户县东涝峪，1400m，2010.Ⅶ.06，房丽君采；1♂，丹凤马炉，780m，2013.Ⅷ.20，房丽君采。

分布：陕西（长安、户县、丹凤）、浙江、江西、福建、台湾、海南、贵州、云南；菲律宾，马来西亚，印度尼西亚，马达加斯加，毛里求斯，澳大利亚。

寄主：水稻 *Oryza sativa*（Gramineae）、高粱 *Sorghum bicolor*、玉米 *Zea mays*、甘蔗 *Saccharum officinarum*、芒 *Miscanthus sinensis*、芦苇 *Phragmites australis*、竹类 Bambusaceae、稗 *Echinochloa crusgalli*、大麦 *Hordeum vulgare*、谷子 *Setaria italica*、狗尾草 *S. viridis* 等禾本科植物。

194. 孔弄蝶属 *Polytremis* Mabille，1904

Polytremis Mabille，1904：136. **Type species**：*Goiloba lubricans* Herrich-Schäffer，1869.

Zinaida Evans，1939：64. **Type species**：*Parnara nascens* Leech，1893.

　　属征：中型弄蝶。黑褐色、黄褐色或灰褐色。两翅有白色斑；后翅反面无中室斑。前翅 Cu_2 脉起点靠近中室端部。部分种类雄蝶前翅正面有性标。雄性外生殖器：背兜大，隆起；钩突细，端部二分叉，基部有耳状突；颚突小；囊突细长；抱器阔长；阳茎粗壮。雌性外生殖器：囊导管粗，骨化；交配囊多无交配囊片。

　　分布：古北区，东洋区。全世界记载 19 种，中国记录 16 种，秦岭地区记录 4 种。

分种检索表

(484) 华西孔弄蝶 *Polytremis nascens*（Leech，1892）

Parnara nascens Leech，1892：614.

Polytremis nascens：Evans，1949：444.

　　鉴别特征：翅黑褐色至褐色；斑纹白色。前翅亚顶区 r_3-r_5 室小斑排成斜列；中室端部斑纹点状；m_2-cu_1 室斑纹斜向中室端部下方，斑纹由点状渐成条形；性标灰白色，位于 cu_2 室，分成 2 段，与 m_2-cu_1 室斑成 1 列；反面前半部密被黄褐色鳞。后翅外中域 m_1-cu_1 室点斑排成不整齐的一列。

　　采集记录：1♂，周至，1997.Ⅶ.22，刘天龙采；1♂，凤县，2010.Ⅶ.27；1♀，宁陕，2010.Ⅷ.07。

　　分布：陕西（周至、凤县）、四川、云南、香港。

(485) 盒纹孔弄蝶 *Polytremis theca*（Evans，1937）（图版71：7-8）

Zinaida theca Evans，1937：65.

Polytremis theca：Evans，1949：445.

　　鉴别特征：翅正面黑褐色；斑纹白色。前翅亚顶区 r_3-r_5 室斑排成弧形，r_5 室斑外移；中室端部斑纹 2 个，上下排列；m_2、m_3 室及 cu_2 室斑较小；cu_1 室斑较大，水滴状；反面棕褐色。后翅正面外中域 m_1-cu_1 室斑纹排列错位；反面棕黄色，被蓝灰色鳞。雄蝶无性标。

采集记录：2♂，镇安结子乡，680m，2010.Ⅸ.04，房丽君采。

分布：陕西(镇安)、安徽、浙江、湖北、江西、福建、广东、广西、四川、云南。

寄主：水稻 *Oryza sativa*(Gramineae)。

(486) 刺纹孔弄蝶 *Polytremis zina* (Evans, 1932)

Baoris zina Evans, 1932：416.

Polytremis zinoides Evans, 1937：64.

Polytremis zina：Evans, 1949：446.

鉴别特征：与盒纹孔弄蝶 *P. theca* 相似，主要区别为：本种前翅亚顶区r_3-r_5室斑近"V"形排列；中室端部 2 个斑中下方 1 个呈长刺状。

分布：陕西(留坝、洋县、西乡)、黑龙江、吉林、辽宁、浙江、江西、湖南、福建、台湾、广东、广西、四川。

寄主：水稻 *Oryza sativa* (Gramineae)、芒 *Miscanthus sinensis*、芦苇 *Phragmites australis*、竹类 Bambusaceae、狗尾草 *Setaria viridis*。

(487) 黑标孔弄蝶 *Polytremis mencia* (Moore, 1877) (图版71：9-10)

Pamphila mencia Moore, 1877：52.

鉴别特征：与盒纹孔弄蝶 *P. theca* 相似，主要区别为：本种有性标，位于中室下侧，白色条状，上端黑色。后翅外中域斑较小。

采集记录：1♂，商南金丝峡，720m，2013.Ⅶ.24，张宇军采。

分布：陕西(商南)、上海、安徽、浙江、江西、湖南、台湾、四川。

寄主：水稻 *Oryza sativa*(Gramineae)、芒 *Miscanthus sinensis*、芦苇 *Phragmites australis*、竹类 Bambusaceae、稗 *Echinochloa crusgalli*、狗尾草 *Setaria viridis*。

(三) 弄蝶族 Hesperiini

翅茶褐色或黑褐色；斑纹橙色和白色。前翅顶角尖出；中室短于前翅后缘，上端角突出；M_2 脉基部弯曲；M_3 脉与 Cu_1 脉接近；Cu_2 脉靠近中室端部。后翅前缘基部有毛簇；后缘比前缘长；中室短，约为后翅长的 2/5，下端角略向上翘；M_2 脉退化；臀区有瓣；臀角略突出；A 脉比 Sc + R_1 脉长。大部分种类雄蝶前翅正面有性标。

195. 赭弄蝶属 *Ochlodes* Scudder, 1872

Ochlodes Scudder, 1872: 78. **Type species**: *Hesperia nemorum* Boisduval, 1852.

　　属征: 中型弄蝶。翅赭黄色、茶褐色或黑褐色; 斑纹橙色或白色, 有的透明。前翅外缘弱弧形; Sc 脉端部弯曲, 靠近 R_1 脉; Cu_2 脉靠近翅基部; 中室短于后缘, 上端角尖出长。雄蝶前翅正面有性标。雄性外生殖器: 背兜拱形弯曲; 钩突基部与之愈合, 端部二分叉; 颚突和钩突相似; 囊突短; 抱器长方形, 末端上钩, 后端有细锯齿; 阳茎粗长。雌性外生殖器: 囊导管多骨化, 粗短; 交配囊长圆形; 无交配囊片。
　　分布: 古北区, 东洋区。全世界记载 22 种, 中国记录 15 种, 秦岭地区记录 5 种。

分种检索表

1. 前翅外横斑列后段斑纹间断排列 ⋯⋯⋯⋯⋯⋯⋯⋯⋯⋯⋯⋯⋯⋯⋯⋯⋯⋯⋯⋯⋯⋯⋯⋯⋯⋯⋯ 4
   前翅外横斑列后段斑纹连续排列, 不间断⋯⋯⋯⋯⋯⋯⋯⋯⋯⋯⋯⋯⋯⋯⋯⋯⋯⋯⋯⋯⋯⋯ 2
2. 前翅有透明斑; 正面 m_1 室很少有斑, m_2 室斑常为小点 ⋯⋯⋯⋯⋯ **透斑赭弄蝶 *O. linga***
   前翅无透明斑; 正面 m_1 及 m_2 室有小斑 ⋯⋯⋯⋯⋯⋯⋯⋯⋯⋯⋯⋯⋯⋯⋯⋯⋯⋯⋯⋯⋯ 3
3. 雄蝶翅周缘黑褐色区域宽, 与橙色斑纹界限清晰⋯⋯⋯⋯⋯⋯⋯⋯ **宽边赭弄蝶 *O. ochracea***
   雄蝶翅周缘黑褐色区域窄, 与橙色斑纹界限模糊, 相互渗透 ⋯⋯⋯⋯ **小赭弄蝶 *O. venata***
4. 后翅反面外横斑列黄色 ⋯⋯⋯⋯⋯⋯⋯⋯⋯⋯⋯⋯⋯⋯⋯⋯⋯⋯ **白斑赭弄蝶 *O. subhyalina***
   后翅反面外横斑列白色 ⋯⋯⋯⋯⋯⋯⋯⋯⋯⋯⋯⋯⋯⋯⋯⋯⋯⋯⋯ **黄赭弄蝶 *O. crataeis***

(488) 小赭弄蝶 *Ochlodes venata* (**Bremer *et* Grey, 1853**) (图版 71: 11-14)

Hesperia venata Bremer et Grey, 1853: 61.

Pamphila selas Mabille, 1878: 233.

Pamphia herculea Butler, 1881: 140.

Augiades chosensis Matsnmura, 1929: 156.

Ochlodes venata: Evans, 1949: 350.

　　鉴别特征: 雄蝶翅面黄褐色或橙黄色; 翅脉黑色; 外缘带黑褐色; 性标位于前翅中室下缘, 黑色。后翅周缘黑色; 外中域淡黄色斑纹时有模糊。雌蝶翅正面黑褐色; 反面黄褐色; 斑纹淡黄色。前翅外横斑列上窄下宽, m_1 及 m_2 室斑外移缩小, 上下相对; 中室端斑形状不规则。后翅中室有模糊的斑; 亚缘斑列"V"形。
　　采集记录: 1♂, 长安黄峪沟, 700m, 2008. Ⅶ. 27, 房丽君采; 2♂, 周至厚畛子, 1280m, 2010. Ⅴ. 30, 房丽君采; 1♂, 户县涝峪, 1380m, 2009. Ⅵ. 06, 房丽君采; 1♂1♀, 眉县蒿坪寺, 1200m, 2011. Ⅵ. 25, 房丽君采; 2♂1♀, 太白高山草甸,

1860m，2012. Ⅵ. 23，房丽君采；1♂，华阴华阳川林场，1400m，2011. Ⅴ. 07，房丽君采；1♂，留坝紫柏山，1680m，2012. Ⅵ. 22，张宇军采；1♂，佛坪岳坝，1120m，2012. Ⅶ. 01，张宇军采；1♀，宁陕火地塘，1820m，2009. Ⅵ. 22，房丽君采；1♂，柞水营盘，1270m，2010. Ⅵ. 14，彭涛采；1♂，镇安结子乡，830m，2011. Ⅳ. 30，房丽君采；1♂，商州牧护关，1250m，2013. Ⅶ. 05，张宇军采；2♂，山阳天竺山，920m，2013. Ⅶ. 21，张宇军采；1♂1♀，商南金丝峡，500m，2013. Ⅶ. 28，房丽君采。

分布：陕西（长安、周至、户县、眉县、太白、华阴、留坝、佛坪、宁陕、柞水、镇安、商州、山阳、商南）、黑龙江、吉林、辽宁、北京、山西、河南、甘肃、新疆、山东、上海、浙江、湖北、江西、福建、四川、西藏；蒙古，俄罗斯，朝鲜，日本，小亚细亚。

寄主：芒 *Miscanthus sinensis*（Gramineae）。

(489) 宽边赭弄蝶 *Ochlodes ochracea*（**Bremer，1861**）（图版 71：15-16）

Pamphila ochracea Bremer，1861：473.

Pamphila rikuchina Butler，1878：285.

Angiades ochracea：Leech，1892：605.

Augiades ampittiformis Matsumura，1919：737.

Ochlodes ochracea：Evans，1949：353.

鉴别特征：翅正面黑褐色；反面黄褐色；外缘宽边黑褐色。前翅外横带上窄下宽。雄蝶前翅中室橙黄色，下方有黑色性标；反面外横带后段淡黄色。后翅中央有橙黄色大斑。雌蝶 m_1、m_2 室斑小并外移；中室端斑黄色；后翅亚缘斑列橙黄色。

采集记录：2♂，周至厚畛子，1300m，2009. Ⅵ. 22，房丽君采；1♂，户县东涝峪，1300m，2010. Ⅶ. 06，房丽君采；1♂1♀，眉县蒿坪寺，1280m，2011. Ⅷ. 11，程帅、张辰生采；1♂，太白黄柏塬，1380m，2011. Ⅷ. 26，程帅、张辰生采；1♂，留坝紫柏山，1680m，2012. Ⅵ. 22，张宇军采；1♂，柞水牛背梁西沟，1250m，2013. Ⅶ. 16，张宇军采；1♂，商南金丝峡，950m，2013. Ⅶ. 26，房丽君采。

分布：陕西（周至、户县、眉县、太白、留坝、柞水、商南）、黑龙江、吉林、辽宁、北京、河南、甘肃、浙江；俄罗斯，朝鲜，日本。

寄主：苔草属 *Carex* spp.（Cyperaceae）、拂子茅属 *Calamagrostis* spp.（Gramineae）、短柄草属 *Brachypodium* spp. 植物。

(490) 透斑赭弄蝶 *Ochlodes linga* **Evans，1939**（图版 71：17-18）

Ochlodes linga Evans，1939：166.

鉴别特征：与宽边赭弄蝶 *O. ochracea* 近似，主要区别为：前翅有半透明斑纹，乳白色；正面 m_1 室很少有斑，m_2 室斑常为小点状。

采集记录：1♂，蓝田蓝桥，1200m，2011.Ⅵ.01，房丽君采；1♂，周至厚畛子，1350m，2009.Ⅵ.26，房丽君采；1♂，户县东涝峪，1480m，2010.Ⅶ.06，房丽君采；1♂，凤县通天河，2350m，2012.Ⅵ.16，房丽君采；1♂，眉县蒿坪寺，1180m，2011.Ⅵ.25，房丽君采；2♂1♀，太白黄柏塬，1450m，2010.Ⅵ.15，房丽君采；2♂1♀，石泉云雾山，1530m，2011.Ⅴ.26，房丽君采；1♂，镇安结子乡，1100m，2011.Ⅳ.30，房丽君采；1♂，商州大商垣，900m，2011.Ⅵ.01，房丽君采；1♂1♀，丹凤土门七星沟，560m，2010.Ⅵ.01，房丽君采。

分布：陕西（蓝田、周至、户县、凤县、眉县、太白、石泉、镇安、商州、丹凤）、山西、河南、甘肃、浙江。

（491）白斑赭弄蝶 *Ochlodes subhyalina*（**Bremer *et* Grey，1853**）（图版71：19-20）

Hesperia subhyalina Bremer *et* Grey，1853：61.

Augiades subhyalina：Leech，1892：602.

Ochlodes subhyalina：Evans，1949：354.

鉴别特征：与透斑赭弄蝶 *O. linga* 近似，主要区别为：本种 m_1 及 m_2 室斑较大，清晰；cu_1 室斑小；cu_2 室斑边界模糊；性标粗，中央黑灰色，边缘黑色。

采集记录：1♂，长安大峪，1200m，2010.Ⅷ.07，张宇军采；1♂，蓝田汤峪，880m，2010.Ⅶ.31，房丽君采；1♂，周至厚畛子，1450m，2010.Ⅶ.11，房丽君采；1♂，户县紫阁峪，930m，2010.Ⅴ.27，房丽君采；1♀，太白鹦鸽，960m，2013.Ⅷ.03，房丽君采；2♂，华阴华阳川林场，1320m，2011.Ⅴ.07，房丽君采；1♂，留坝紫柏山，1660m，2012.Ⅵ.22，张宇军采；1♂，佛坪岳坝，1480m，2012.Ⅵ.30，张宇军采；1♂，宁陕县江口，820m，2010.Ⅶ.07，房丽君采；2♂1♀，商州夜村，1040m，2013.Ⅶ.23，房丽君采；3♂1♀，商南金丝峡，900m，2013.Ⅶ.26，房丽君采。

分布：陕西（长安、蓝田、周至、户县、太白、华阴、留坝、佛坪、宁陕、商州、商南）、黑龙江、吉林、辽宁、北京、河南、甘肃、山东、江苏、浙江、湖北、江西、福建、广西、四川、贵州、云南；蒙古，俄罗斯，朝鲜，日本，缅甸，印度。

寄主：川上短柄草 *Brachypodium kawakamii*（Gramineae）、膝曲荩竹 *Microstegium geniculatum*、竹类 Bambusaceae 等。

（492）黄赭弄蝶 *Ochlodes crataeis*（**Leech，1892**）

Augiades crataeis Leech，1892：603.

Ochlodes crataeis：Evans，1949：355.

鉴别特征：翅正面基半部黄褐色，端半部黑褐色；斑纹白色或淡黄色。前翅亚顶区 r_3-r_5 室小斑排成斜列；中室端部 2 个斑相连；cu_1 室斑大，雌蝶近方形；灰白色线状性标从中室下端角伸向后缘中基部，并在 Cu_2 脉处断开，性标周围黑褐色；反面前半部黄褐色，后半部黑色。后翅正面周缘黑褐色；中央黄褐色；外中域斑纹 3 个，分别位于 rs 室、m_3 室和 cu_1 室；反面黄褐色。

　　分布：陕西（洋县、南郑）、黑龙江、河南、浙江、江西、四川。

　　寄主：莎草 *Cyperus rotundus*（Cyperaceae）。

（四）豹弄蝶族 Thymelicini

　　从弄蝶族 Hesperiini 分出。翅黄褐色；斑纹有或无，如有斑纹，则连续排列。后翅前缘比后缘长。雄蝶前翅细的性标有或无。

196. 豹弄蝶属 *Thymelicus* Hübner，[1819]

Thymelicus Hübner，[1819]：113. **Type species**：*Papilio acteon* Rottemburg，1775.

Adopoea Billberg，1820：81. **Type species**：*Papilio linea* Denis et Schiffermiiller，1775.

Pelion Kirby，1858：[3]. **Type species**：*Papilio linea* Müller，1776.

　　属征：小型弄蝶。橙色或黑褐色。前翅中室稍短于后缘，上端角尖出明显；Cu_2 脉比 R_1 脉先分出；部分种类前翅正面有性标。后翅 Sc + R_1 脉与 2A 脉约等长；中室端脉平直；M_2 脉靠近 M_3 脉。雄性外生殖器：背兜长，隆起；钩突尖长；颚突左右愈合；抱器近长方形；囊突及阳茎细长。雌性外生殖器：囊导管膜质；多无交配囊片。

　　分布：古北区，东洋区，非洲区，新北区。全世界记载 10 种，中国记录 4 种，秦岭地区记录 3 种。

分种检索表

1. 雄蝶前翅正面有性标 ··· 2
　　雄蝶前翅正面无性标 ······································· 黑豹弄蝶 *T. sylvatica*
2. 翅脉明显，黑色 ··· 豹弄蝶 *T. leoninus*
　　翅脉非黑色，不明显 ······································· 线豹弄蝶 *T. lineola*

（493）豹弄蝶 *Thymelicus leoninus*（Butler，1878）

Pamphila leoninus Butler，1878：286.

Thymelicus leoninus：Staudinger，1887：151.

Adopaea leoninus：Leech，1892：592.

Thymelicus leoninus：Tong，1993：74.

鉴别特征：雄蝶翅橙色；前翅外缘区、后翅周缘及翅脉黑色；黑色线状性标位于前翅 Cu_1 脉基部至 2A 脉基半部之间；反面色稍淡，cu_2 室基部和近臀角处为黑色。雌蝶翅黄色；正面翅周缘、中室端脉及其外侧黑褐色；基部黄褐色；反面外横带淡黄色。

采集记录：1♂，长安石砭峪，1370m，2010.Ⅶ.01，房丽君采；2♂，蓝田王顺山，2080m，2010.Ⅶ.31，房丽君采；2♂1♀，周至厚畛子，1320m，2010.Ⅶ.12，房丽君采；1♂，宝鸡潘溪镇，1250m，2013.Ⅷ.03，房丽君采；1♂，太白黄柏塬，1480m，2010.Ⅷ.08，房丽君采；2♂1♀，华阴华阳川林场，1320m，2011.Ⅴ.07，房丽君采；1♂，留坝城关，1120m，2012.Ⅵ.21，张宇军采；1♂，佛坪岳坝，1200m，2012.Ⅶ.01，张宇军采；1♀，宁陕火地塘，1600m，2009.Ⅵ.21，房丽君采；2♂，柞水营盘黄花岭，1870m，2013.Ⅶ.14，张宇军采；1♂，商州麻池河，970m，2013.Ⅶ.01，张宇军采；1♂1♀，商南梁家湾，500m，2013.Ⅶ.28，房丽君采。

分布：陕西（长安、蓝田、周至、宝鸡、太白、华阴、留坝、佛坪、宁陕、柞水、商州、商南）、黑龙江、吉林、辽宁、北京、山西、甘肃、安徽、浙江、江西、福建、广西、四川、云南；俄罗斯，朝鲜，日本。

寄主：鹅观草 *Roegneria kamoji*（Gramineae）、草芦 *Phalaris arundinacea* 等。

（494）黑豹弄蝶 *Thymelicua sylvatica*（**Bremer，1861**）（图版 71：21-22）

Pamphila sylvatica Bremer，1961：557.

Adopaea sylvatica：Leech，1892：591.

Thymelicus sylvatica：Evans，1949：347.

Thymelicus sylvaticus：Chou，1994：735.

鉴别特征：与豹弄蝶 *T. leoninus* 相似，主要区别为：本种雄蝶无性标；翅正面黑色外缘带很宽；基部黑褐色。前翅中室端部外侧有近三角形的黑褐色斑纹；反面黄褐色；黑色脉纹清晰；黑褐色区域包括两翅臀角、前翅后缘基半部及后翅后缘。

采集记录：1♂，长安石砭峪，1330m，2010.Ⅷ.09，房丽君采；1♂，周至厚畛子，1480m，2010.Ⅶ.13，房丽君采；1♂，太白闲云岭，1750m，2013.Ⅷ.03，房丽君采；1♂，华县杏林，920m，2011.Ⅶ.11，房丽君采；1♂，留坝红岩沟，1140m，2012.Ⅵ.23，张宇军采；1♂，南郑元坝，1580m，2004.Ⅶ.23，房丽君采；1♂，佛坪东岳，880m，2011.Ⅵ.05，房丽君采；1♂，宁陕旬阳坝，1420m，2010.Ⅶ.29，房丽君采；1♂，柞水牛背梁自然保护区，1460m，2013.Ⅶ.15，房丽君采；1♂，镇安结子乡，1150m，2011.Ⅳ.30，房丽君采；1♂，丹凤土门，900m，2010.Ⅷ.16，房丽君采。

分布：陕西（长安、周至、太白、华县、留坝、佛坪、宁陕、柞水、镇安、丹凤）、黑龙江、吉林、辽宁、北京、河北、内蒙古、河南、宁夏、甘肃、浙江、湖北、江西、湖南、福建、四川、西藏；俄罗斯，朝鲜，日本。

寄主：鹅观草 *Roegneria kamoji*（Gramineae）、草芦 *Phalaris arundinacea* 等。

（495）线豹弄蝶 *Thymelicus lineola*（Ochsenheimer，1808）

Papilio lineola Ochsenheimer，1808：230.

Papilio virgula Hübner，1813：130.

Pamphila lodoviciae Mabille，1883：48.

Thymelicus diluta Graves，1925：43.

Adopaea hemmingi Romei，1927：127.

Thymelicus antizrdens Lempke，1939：121.

Thymelicus lineola：Evans，1949：341.

鉴别特征：翅正面橙色；反面色稍淡；脉纹非黑色，不清晰。黑色外缘带窄；灰黑色线状性标位于中室下脉。后翅正面外缘及后缘区黑色，反面基部色略深。

采集记录：1♀，周至黑河，1992.Ⅷ.10，路秀明采；1♂，凤县，2007.Ⅵ.22，胡剑锋采。

分布：陕西（周至、凤县）、黑龙江、甘肃、新疆；俄罗斯，中亚，欧洲，非洲北部，北美洲。

寄主：匍匐冰草 *Agropyron repens*（Gramineae）、梯牧草 *Phleum pratense*、拂子茅 *Calamagrostis epigeios*、发草 *Deschampsia caespitosa*、偃麦草 *Elytrigia repens*。

（五）旖弄蝶族 Isoteinonini

翅外缘较圆；前翅中室比前翅后缘短；R_3 脉与 Cu_1 脉分出点相对应；M_2 脉直或微向下弯曲；Cu_2 脉近基部而远离中室端部。后翅前缘与后缘等长；中室约为翅长的1/2，下端角稍尖出；Rs 脉先于 Cu_2 脉分出；2A 脉与 $Sc+R_1$ 脉等长；M_2 脉位于 M_1 脉与 M_3 脉之间，常消失。

197. 蕉弄蝶属 *Erionota* Mabille，1878

Erionota Mabille，1878：34. **Type species**：*Papilio thrax* Linnaeus，1767.

属征：大型弄蝶。翅茶褐色。前翅中域有白色或淡黄色大块透明斑；中室有大斑；Cu_2 脉起点靠近翅基部而远离中室端；中室端角不突出；M_3 脉与 R_4 脉或 R_5 脉对应。后翅无斑；中室约为翅长度的 1/2。雄性外生殖器：背兜中等大，背面平坦；钩突、颚突及囊突小；抱器阔长，端部钩状上弯，前缘有锯齿；阳茎基部细，端部膨大，末端斜截。雌性外生殖器：交配囊长袋状，或中部有缢缩。

分布：东洋区。全世界记载 10 种，中国记录 3 种，秦岭地区记录 1 种。

（496）白斑蕉弄蝶 *Erionota grandis*（Leech，1890）

Plesioneura grandis Leech，1890：47.

Erionota grandis：Evans，1949：328.

鉴别特征：翅正面黑褐色或棕黑色；斑纹白色。前翅中域 2 个块斑斜向排列；m_3 室中部斑纹近圆形；反面棕褐色，端部色淡，前缘至中央区域黑褐色。后翅无斑。

采集记录：1♂，佛坪自然保护区龙滩子站，2015.Ⅷ.12，李孟楼采；1♂，佛坪袁家庄，900m，2013.Ⅶ.29，张宇军采；1♂，南郑，900m，1993.Ⅶ.23，李永田采。

分布：陕西（佛坪、南郑）、江西、广西、四川、云南。

寄主：蒲葵 *Livistona chinensis*（Arecaceae）、棕榈 *Trachycarpus fortunei*、芭蕉 *Musa basjoo*（Musaceae）、美人蕉 *Canna indica*、蕉藕 *C. edulis*。

（六）黄弄蝶族 Taractrocerini

翅黑褐色；斑纹橙色。前翅中室约为前翅长的 3/5，上端角尖出；M_2 脉常弯曲，接近 M_3 脉。Cu_2 脉起点位于中室下缘中部。后翅前缘基部有毛簇；后缘比前缘长；中室约为后翅长的 1/2，端脉斜；M_2 脉常不清晰；A 脉常比 $Sc + R_1$ 脉长。多数种类雄蝶前翅正面有性标。

198. 黄室弄蝶属 *Potanthus* Scudder，1872

Potanthus Scudder，1872：75. **Type species**：*Hesperia omaha* Edwards，1863.

Padraona Moore，[1881]：170. **Type species**：*Pamphila maesa* Moore，1865.

Inessa de Nicéville，1897：570. **Type species**：*Inessa ilion* de Nicéville，1897.

属征：小型，黑褐色；有黄色斑。前翅中室长，上端角尖出；Cu_1 脉接近中室末端；M_2 脉弯曲，接近 M_3 脉。后翅后缘长过前缘；中室长等于后翅长的 1/2；M_2 脉不明显；A 脉比 Sc 脉长。雄蝶前翅正面有性标，接近 2A 脉。翅面斑纹种间差异小，大多数情况下需借助雄性外生殖器进行鉴定。雄性外生殖器：背兜发达，有 1 条横脊线；钩突与背兜愈合；囊突细长；抱器近长方形，端部钩形外凸；阳茎中等长。

分布：东洋区，古北区。全世界记载 31 种，中国记录 21 种，秦岭地区记录 3 种。

分种检索表

(497) 断纹黄室弄蝶 *Potanthus trachalus*（Mabille, 1878）

Pamphila trachala Mabille, 1878: 237.

Hesperia zatilla Plötz, 1886: 103.

Potanthus trachala: Evans, 1949: 376.

Potanthus trachalus: Chou, 1994: 742.

鉴别特征：翅黑褐色；反面有黄色晕染；斑纹黄色；外横斑带在 m_1-m_2 室断开，m_1 和 m_2 室斑外移。前翅前缘及后缘基半部有黄色细带；中室端部 2 个条斑相连，向翅基部延伸；线状性标位于 cu_2 室中部，紧靠 Cu_2 脉，模糊；反面前缘、顶角及外缘区黄色。后翅正面 $sc+r_1$ 室和中室中部各有 1 个圆形斑纹；外横带从 m_1 室达 cu_2 室，边缘不整齐；反面斑纹两侧有模糊的黑褐色小斑点。

采集记录：1♂，商州，陈永年采。

分布：陕西（商州）、甘肃、安徽、湖北、江西、湖南、福建、海南、四川、云南；泰国，缅甸，印度，马来西亚，印度尼西亚。

寄主：芒 *Miscanthus sinensis*（Gramineae）、五节芒 *M. floridulus*。

(498) 曲纹黄室弄蝶 *Potanthus flavus*（Murray, 1875）（图版 71: 23-24）

Pamphila flava Murray, 1875: 4.

Potanthus flava: Evans, 1949: 381.

Potanthus flavus: Pinratana, 1985: 101.

鉴别特征：与断纹黄室弄蝶 *P. trachalus* 相似，主要区别为：m_1、m_2 室斑与 r_5 和 m_3 室斑相连。

采集记录：1♂，蓝田九间房，1200m，2013. VI. 27，房丽君采；2♂，周至厚畛子，790m，2011. VI. 28，张宇军采；1♂，佛坪岳坝，1100m，2012. VI. 30，张宇军采；1♂，镇安结子乡，820m，2011. IV. 30，房丽君采；1♂，丹凤商镇商山公园，630m，2013. VIII. 12，张宇军采。

分布：陕西（蓝田、周至、佛坪、镇安、丹凤）、黑龙江、吉林、辽宁、河北、甘肃、山东、浙江、湖北、江西、湖南、福建、四川、贵州、云南；俄罗斯，朝鲜，日本，泰国，缅甸，印度，马来西亚。

寄主：竹类 Bambusaceae（Gramineae）、芒 *Miscanthus sinensis*、野青茅 *Deyeuxia arundinacea* 等植物。

（499）锯纹黄室弄蝶 *Potanthus lydius*（Evans，1934）

Padraona lydia Evans, 1934：184.
Potanthus lydia：Evans, 1949：385.
Potanthus lydius：Chou, 1994：742.

鉴别特征：与断纹黄室弄蝶 *P. trachalus* 相似，主要区别为：m_1、m_2 室斑与 r_5、m_3 室斑相连；前翅正面中室内黑色线带细而短。

采集记录：1♂，丹凤土门，870m，2010.Ⅷ.12，房丽君采。

分布：陕西（丹凤）、广西、四川、云南；泰国，缅甸，印度，马来西亚。

（七）黄斑弄蝶族 Ampittiini

翅面有黄色斑纹；后翅反面多有网格状斑纹。前翅通常无 m_1 及 m_2 室斑，有时无斑；M_1 脉从中室上端角分出；M_3 脉基部直；Cu_2 脉分出点与 R_1 脉分出点相对应或以后分出，离 Cu_1 脉分出点较近。后翅中室下端角不上弯；M_3 脉直。

199. 黄斑弄蝶属 *Ampittia* Moore，[1881]

Ampittia Moore, [1881]：171. **Type species**：*Hesperia maro* Fabricius, 1798.

属征：中小型弄蝶；斑纹黄色或橙色。两翅中室端脉直；M_2 脉从中室端脉中间分出。前翅中室长于翅长的1/2；Cu_1 脉先于 R_2 脉分出，靠近中室端部。后翅中室短于翅长的1/2。雄蝶前翅正面多有性标。后翅 Rs 脉与 M_1 脉上有毛刷。雄性外生殖器：背兜阔，扁平；钩突阔短；颚突不发达；囊突中等长；抱器近长方形，抱器内突、抱器腹发达；阳茎约与抱器等长，有角状器。雌性外生殖器：囊导管粗，膜质；无交配囊片。

分布：古北区，东洋区，澳洲区。全世界记载9种，中国记录6种，秦岭地区记录3种。

分种检索表

1. 雄蝶前翅正面有 3 个黄色大斑 ························· 三黄斑弄蝶 *A. trimacula*
   雄蝶前翅正面斑纹不如上述 ····································· 2
2. 后翅正面无斑 ································· 小黄斑弄蝶 *A. nana*
   后翅正面有黄色或白色斑纹 ····················· 钩形黄斑弄蝶 *A. virgata*

(500) 三黄斑弄蝶 *Ampittia trimacula* (Leech, 1891)

Taractrocera trimacula Leech, 1891: 60.

Padraona trimacula: Leech, 1892: 599.

Ampittia reducta Draeseke et Reuss, 1925: 228.

Ampittia trimacula: Evans, 1949: 240.

鉴别特征: 翅黑褐色;斑纹黄色。前翅前缘基半部条斑细长;中室 2 个端斑相连;外中域 r_3-r_5 室斑近方形;m_3-cu_1 室斑四边形;cu_2 室小斑三角形;反面外缘从顶角到 m_2 室有模糊的淡黄色斑带。后翅正面中央黄色块斑长方形;反面被淡黄色鳞;翅面密布大小不一的黄色斑纹,被黄色翅脉连接呈网状。

采集记录: 2♂,宁陕旬阳坝,1995. Ⅶ. 21,寿建新、李宇飞采。

分布: 陕西(宁陕)、四川。

(501) 小黄斑弄蝶 *Ampittia nana* (Leech, 1890)

Cydopides nanus Leech, 1890: 49.

Aeromachus nanus: Leech, 1892: 620.

Ampittia nanus: Evans, 1949: 241.

Ampittia mana: Tong et al., 1993: 76.

鉴别特征: 小型弄蝶。翅正面黑褐色;外横斑带细,中部"C"形外凸;中室端部小白斑有或无。后翅正面无斑;反面密布黄色小斑纹,翅端部两列弧形排列。

采集记录: 1♂,户县朱雀森林公园,1800m,2012. Ⅶ. 12,房丽君采;2♂,太白咀头,1650m,2013. Ⅷ. 04,房丽君采;1♂,佛坪袁家庄,1000m,2013. Ⅶ. 29,张宇军采;1♂,洋县茅坪,780m,2011. Ⅵ. 04,房丽君采;1♂,汉阴铁佛寺,600m,2011. Ⅴ. 27,房丽君采;1♂1♀,镇安结子乡,850m,2011. Ⅳ. 30,房丽君采;1♂,山阳中村捷峪沟,800m,2010. Ⅶ. 25,房丽君采。

分布: 陕西(户县、太白、佛坪、洋县、汉阴、镇安、山阳)、河南、江苏、安徽、浙江、湖北、江西、湖南、福建、广西、四川。

寄主: 李氏禾 *Leersia hexandra* (Gramineae)。

（502）钩形黄斑弄蝶 *Ampittia virgata*（Leech，1890）（图版 71：25-26）

Pamphila virgata Leech，1890：47.

Padraona virgata：Leech，1892：598.

Ampittia virgata：Evans，1949：239.

鉴别特征：中小型弄蝶。翅黑褐色；斑纹黄色。前翅前缘基半部带纹细；外横斑列于 m_1-m_2 室处断开；雄蝶中室端斑钩状；cu_2 室基部斑条形，其内侧有 1 个黑色性标；反面外缘区从顶角至 m_3 室斑带黄色。后翅正面外中域中部斑带宽；反面密被黄色鳞和交织的黄色网状纹。雌蝶中室端部斑小。后翅正面外中域斑小，较模糊。

采集记录：1♂，蓝田九间房，1230m，2013. Ⅵ. 23，房丽君采；1♂，周至楼观台，860m，2012. Ⅶ. 06，房丽君采；1♂，户县紫阁峪，900m，2010. Ⅴ. 27，房丽君采；1♂，石泉云雾山，1080m，2011. Ⅴ. 26，房丽君采；1♂，商州麻街，850m，2011. Ⅵ. 01，房丽君采。

分布：陕西（蓝田、周至、户县、石泉、商州）、河南、浙江、湖北、江西、湖南、福建、台湾、广东、海南、广西、四川。

寄主：芒 *Miscanthus sinensis*（Gramineae）、五节芒 *M. floridulus*、稻 *Oryza sativa*、蔗 *Saccharum officinarum*、竹类 Bambusaceae 等植物。

主要参考文献

白水隆. 1985. 白水隆著作集. 大阪：光荣堂印刷株式会社：1-1676.

白水隆. 1997. 中国地方的蝶分布与特异性. 日本鳞翅学会第 44 回大会讲演要旨集：5.

胡经甫. 1938. 中国昆虫名录. 北京.

李传隆，朱宝云. 1992. 中国蝶类图谱. 上海：远东出版社：1-238.

李传隆. 1958. 蝴蝶. 北京：科学出版社：1-198.

李传隆. 1952. 对于"中国昆虫名录"中蝶亚目学名的正误和意见. 昆虫学报，2(2)：119-135.

李宇飞，张雅林，周尧. 秦岭北坡的蝶类区系及其季节变化(鳞翅目). 昆虫分类区系研究，2001，
  200-207.

寿建新，周尧，李宇飞. 2006. 世界蝴蝶分类名录. 陕西：陕西科学技术出版社.

汪松，解焱(主编). 2004. 中国物种红色名录 第 1 卷红色名录. 北京：高等教育出版社：133-138.

王治国. 2005. 中国蝴蝶名录(鳞翅目：蝶类). 河南科学，23(增刊)：1-113.

武春生，魏忠民. 2007. 中国粉蝶科(鳞翅目)昆虫的寄主植物分析，昆虫学研究：3-6.

武春生. 2001. 中国动物志 昆虫纲 第二十五卷 鳞翅目 凤蝶科. 北京：科学出版社：1-367.

武春生. 2010. 中国动物志 昆虫纲 第五十二卷 鳞翅目 粉蝶科. 北京：科学出版社：1-416.

西北农学院植保系. 1978. 陕西省经济昆虫图志 蝶类. 陕西人民出版社：1-106.

张雅林，陈艳霞. 蜘蛱蝶属 *Araschnia* Hübner 分类研究. 昆虫分类学报，2006，28(1)：49-53.

郑乐怡. 1987. 动物分类学的原理与方法. 高等教育出版社.

周尧，刘思孔，谢卫平，译. 1969. 昆虫外生殖器在分类上的应用. 香港：天则出版社.

周尧. 1998. 中国蝶类志. 郑州：河南科学技术出版社：1-800.

周尧. 1998. 中国蝴蝶分类与鉴定. 郑州：河南科学技术出版社.

周尧，邱琼华. 1962. 太白山蝶类及其垂直分布. 昆虫学报，11(增刊)：90-102.

猪又敏男. 1990. 原色蝶类检索图鉴. 东京.

Alphéraky, S. N. 1889. Lépidoptères rapportés de ia Chine et de la Mongolie par G. N. Potanine. *In*：
  Romanoff. *Mémoires sur les Lépidoptères*, 5：59-123.

Alphéraky, S. N. 1895. Lépidoptères nouveaux. *Deutsche Entomologische Zeitschrift Iris*, 8(1)：180-202.

Atkinson, W. S. 1871. Descriptions of three New Species of Diurnal Lepidoptera from Western Yunan col-
  lected by Dr. Anderson in 1868. *Proceedings of the Zoological Society of London*, 1871：215-216,
  pl. 12.

Atkinson, W. S. 1873. Description of a new Genus and Species of Papilionidae from the South-eastern Hi-
  malayas. *Proceedings of the Zoological Society of London*, 1873：570-572, pl. 50.

Bang-Haas, O. 1927. *In*：Bang-Haas. *Horae Macrolepidopterologicae Regionis Palaearcticae* Vol. 1. Dres-
  den：Verlag Dr Staudinger O, Bang-Haas A：128pp.

Bang-Haas, O. 1933. Neubeschreibungen und Berichtigungen der Palaearktischen Macrolepidopterenfauna
  V. *Entomologische Zeitschrift*, 47 (11), pp. 90-92.

Bates, H. W. [1868]. A Catalogue of Erycinidae, a Family of Diurnal Lepidoptera. *Zoological Journal of the Linnean Society*, 9(39): 373-436.

Bergsträsser, J. A. B. [1779]. *Nomenclatur und Beschreibung der Insecten in der Graftschaft Hanau-Münzenburg.* und jenseits des Mains, mit erleuchteten Kupfertafeln herausgegeben, 2: 1-79, pl. 15-48.

Bethune-Baker, D. T. 1914. Synonymic Notes on the Ruralidae. *The Entomologist's Record and Journal of Variation*, 26(5): 133-136.

Beuret, H. 1955. Zizeeria karsandra Moore in Europa und die systematische Stellung der Zizeerinae (Lepidoptera, Lycaenidae). *Mitteilungen der Entomologischen Gesellschaft Basel*, (n. f.)5(9): 123-130.

Beuret, H. 1959. Zur Taxonomie einiger paläarktischer Bläulinge (Lep. , Lycaenidae). *Mitteilungen der Entomologischen Gesellschaft Basel*, (n. f.)9(4): 80-84.

Blanchard, C. E. 1871. Remarques sur la faune de la principauté thibétane du Moupin. *Comptes Rendus de l'Académie des Sciences de Paris*, 72: 807-813.

Billberg, G. J. 1820. *Enumeratio insectorum in Museo Gust.* Joh. Billberg. Typis Gadelianis, Stockholm, 4 + 138 pp.

Boisduval, J. B. A. & Leconte, J. E. 1830. *Histoire générale et iconographie des lépidoptères et des chenilles de l'Amérique septentrionale.* Paris, Roret (5/6): 41-56, pl. 13-18, (7/8): 57-80, pl. 19-24.

Boisduval, J. B. A. 1832. *Voyage de découvertes de l'Astrolabe exécuté par ordre du Roi, pendant les années 1826-1827-1828-1829, sous le commandément de M. J. Dumont d'Urville.* Faune entomologique de l'Océan Pacifique, avec l'illustration des insectes nouveaux recueillis pendant le voyage. Lépidoptères in d'Urville, Voy. Astrolabe(Faune ent. Pacif.)1: 267 pp. , 5 pls.

Boisduval, J. B. A. 1832a. *Icones historique des Lépidoptères nouveaux ou peu connus.* Vol. 1. Paris: A La Librairie. Encyclopédique de Roret: 1-251.

Boisduval, J. B. A. de. [1834]. Icones historique des Lépidoptères nouveaux ou peu connus. *Collection, avec Figures coloritées, des Papillons d'Europe nouvellement découverts; ouvrage formant le complément de tous les auteurs iconographes.* Paris, Roret, 1 (23-24): 225-248, pl. 45-47.

Boisduval, J. B. A. 1836. *Histoire Naturelle des Insectes. Species Général des Lépidoptéres. Tome Premier.* Librairie Encyclopédique de Roret, Paris, 1: xii +690pp. , 24 pls.

Bremer, O. 1861. Neue Lepidopteren aus Ost-Sibirien und dem Amur-Lande gesammelt von Radde und Maack, bescrieben von Otto Bremer. *Bulletin de l' Acedémie Impériale des Sciences de St. -Pétersbourg*, 3: 461-496.

Bremer, O. 1864. Lepidopteren Ost-Sibiriens, insbesondere der Amur-Landes, gesammelt von den Herren G. Radde, R. Maack und P. Wulffius. *Mémoires de l'Académie des Sciences de St-Pétersbourg*, (7)8 (1): 3, 6, 28, pl. 1, 3, f. 1, 3, 4, 8.

Bremer, O. & Grey, W. [1852]. Diagnoses de Lépidopterères nouveaux, trouvés par Mm. Tatarinoff et Gaschkewitch aux environs de Pekin in Motschulsky. *Etudes entomologiques*, 1: 58-67.

Bremer, O. & Grey, W. 1853a. *Beiträge zur Schmetterlings-Fauna des nördlichen China's.* St. Petersburg: 23 pp.

Bremer, O. & Grey, W. 1853a. Diagnoses de Lépidopterères nouveaux, trouvés par Mm. Tatarinoff et Gaschkewitch aux environs de Pekin in Motschulsky. *Etudes entomologiques*, 1: 58-67.

Bridges, C. A. 1988. *Catalogue of Lycaenidae & Riodinidae (Lepidoptera: Rhopalocera). Bridges*, Urbana, Illinois, 811 PP.

Bryk, F. 1934. *Lepidoptera*: *Baroniidae*, *Teinopalpidae*, *Parnassiidae pars I*. In Schulze, et al. Tierreich, xxiii + 131 pp, 87 f.

Bryk, F. 1935. *Lepidoptera. Parnassiidae pars II*. Das Tierreich, 65: i-li, 788 pp.

Bryk, F. (1937): Danaidae I. Subfamilia: Danainae. *Lepidoptera Catalogue Pars*, 78, pp. [1-432].

Bryk, F. 1944. Über die Schmetterlingsausbeute der Schwedischen wissenschaftlichen Expedition nach Patagonien 1932-1934. Report number 11 from the Ljungner Expediton 1932-1934. *Arkiv för Zoologi*, 36A(3), pp. 1-30, 2 pls, 19 f.

Bryk, F. 1946. Type Lycaena ferra for Satsuma Murray nec. Adams (trans.). *Arkiv för Zoologi*, 38: 50.

Butler, A. G. 1866. A list of the diurnal Lepidoptera recently collected by Mr. Whitely in Hakodadi (North Japan). *Zoological Journal of the Linnean Society*, 9(34): 50-58.

Butler, A. G. 1867. Description of a New Genus and Species of Diurnal Lepidoptera. *Entomologists Monthly Magazine*, 4: 121-122.

Butler, A. G. 1867a. Description of new or little-known Species of Asiatic Lepidoptera. *Annals & Magazine of Natural History*, (3)20(120): 399-404, pl. 8-9.

Butler, A. G. 1867b. Descriptions of five new Genera and some new Species of Satyride Lepidoptera. *Annals & Magazine of Natural History*, (3)19: 161-167, pl. 4.

Butler, A. G. 1867c. Descriptions of some remarkable new Species and a new Genus of Diurnal Lepidoptera. *Annals & Magazine of Natural History*, (3)20(117): 216-217, pl. 4.

Butler, A. G. 1868. A monographic Revision of the Lepidoptera hitherto included in the Genus Adolias, with Descriptions of new Genera and Species. *Proceedings of the Zoological Society of London*, (3): 599-615, pl. 45.

Butler, A. G. 1870. A revision of the Genera of the Sub-family Pierinae. *Cistula Entomologica*, 1(3): 33-58, pl. 1-4.

Butler, A. G. 1870a. Descriptions of some new diurnal Lepidoptera, chiefly Hesperiidae. *Transactions of the Entomological Society of London*, 1870(4): 485-520.

Butler, A. G. 1871. Descriptions of some new Species and a new Genus of Pierinae, with a Monographic Lists of the Species of Ixias. *Proceedings of the Zoological Society of London*, 1871: 250-254, pl. 19.

Butler, A. G. 1871a. Descriptions of five new species, and a new genus, of diurnal Lepidoptera, from Shanghai. *Transactions of the Entomological Society of London*, 1871(3): 401-403.

Butler, A. G. 1874. Descriptions of four new Asiatic Butterflies. *Cistula Entomologica*, 1(9): 235-236.

Butler, A. G. 1877. On Rhopalocera from Japan and Shanghai, with Descriptions of new Species. *Annals & Magazine of Natural History*, (4)19(109):91-97.

Butler, A. G. 1878. On some Butterflies recently sent home from Japan by Mr. Montagne Fenton *Cistula Entomologica*, 2(19): 281-286.

Butler, A. G. 1879. On a Collection of Lepidoptera from the Island of Johanna. *Annals & Magazine of Natural History*, (5)3(15): 186-192.

Butler, A. G. 1880. Observations upon certain Species of the Lepidopterous Genus Terias, with descriptions of hitherto unknown forms from Japan. *Transactions of the Entomological Society of London*, 1880 (4): 197-200, pl. 6.

Butler, A. G. 1881. On a Collection of Butterflies from Nikko, Central Japan. *Annals & Magazine of Natural History*, (5)7(38): 132-140.

Butler, A. G. 1881a. Descriptions of new Species of Lepidoptera in the Collection of the British Museum. *Annals & Magazine of Natural History*. (5)7(37): 31-37, pl. 4.

Butler, A. G. (1882): On the Lepidoptera collected in Socotra by Prof. I. B. Balfour. *Proceedings of the Zoological Society of London*, 1881(4), pp. [851].

Butler, A. G. 1882a. On Lepidoptera collected in Japan and the Corea by Mr. W. Wykeham Perry. *Annals & Magazine of Natural History*, (5)9(49): 13-20.

Butler, A. G. 1883. On some Lepidoptera from the Victoria Nyanza. *Annals & Magazine of Natural History*, (5)12 (68): 101-107.

Butler A. G. 1883a. On a Third Collection of Lepidoptera made by Mr. H. E. Hobson in Formosa. *Annals & Magazine of Natural History*, (5)12(67): 50-52.

Butler A. G. 1885. On three new Species of Gonepteryx from India, Japan, and Syria. *Annals & Magazine of Natural History*, (5)15(89): 406-408.

Butler A. G. 1885a. Note respecting Butterflies confounded under the name of *Delias belladonna* of Fabricius. *Annals & Magazine of Natural History*, (5)15(85): 57-58.

Butler , A. G. 1886. On Lepidoptera collected by Major Yerbury in Western India *Proceedings of the Zoological Society of London*, 1886(3): 355-395, pl. 35.

Butler, A. G. [1886]. An account of two collections of Lepidoptera recently received from Somali-land. *Proceedings of the Zoological Society of London*, 1885(4): 756-776, pl. 47.

Butler, A. G. 1900. A Revision of the Butterflies of the Genus Zizera represented in the Collection of the British Museum. Proceedings of the *Zoological Society of London*, 1900: 104-111, pl. 11.

Butler in Butler & Fenton, [1882]. On butterflies from Japan, with which are incorporated notes and descriptions of new species by Montague Fenton. *Proceedings of the Zoological Society of London*, 1881 (4): 846-856.

Bremer, O. 1864. Lepidopteren Ost-Sibiriens, insbesondere der Amur-Landes, gesammelt von den Herren G. Radde, R. Maack und P. Wulffius. *Mémoires de l'Académie des Sciences de St-Pétersbourg*, (7)8 (1): 1-104, pl. 1-8.

Bremer, O. & Grey W. 1852. Diagnoses de Lépidopterères nouveaux, trouvés par Mm. Tatarinoff et Gaschkewitch aux environs de Pekin in Motschulsky, *Etudes entomologiques*, 1: 58-67.

Chapman, T. A. 1908. Two New Genera (and a New Species) of Indian Lycaenids. *Proceedings of the Zoological Society of London*, 1908(3): 677-678, pl. 38.

Chapman, T. A. 1909. A review of the species of the lepidopterous genus Lycaenopsis Feld. (Cyaniris auct. nec Dalm.) on examination of the male ancilliary appendages. *Proceedings of the Zoological Society of London*, 1909(2): 419-476.

Clench, H. K. 1961. "Lycaenidae", pp. 176-288 in P & A. Erlich (eds.), *How to know the butterflies*: 1-262.

Clench, H. K. 1978. The names of certain holarctic hairstreak genera (Lycaenidae). *Journal of the Lepidopterists' Society*, 32(4): 277-281.

C. & R. Felder. 1860. Lepidopterologische Fragmente. V-VI, *Wiener Entomologische Monatsschrift*, 4 (12): 397; (8): 225, pl. 3-4.

C. & R. Felder. 1860a. Lepidoptera nova in paeninsula Malayica collecta diagnosibus instructa. *Wiener Entomologische Monatsschrift*, 4: 394-402.

C. & R. Felder. 1862. Observationes de Lepidoteris nonullis Chinae centralis et Japoniae. *Wiener Ento-mologische Monatsschrijt*, 6(1):22-32, (2): 33-40.

C. & R. Felder. 1862a. Lepidoptera nova a Dr. Carolo simper in Insulis Philippinis Collecta diagnosibus. *Wiener Entomologische Monatsschrijt*, 6: 22-29.

C. & R. Felder 1863. Lepidoptera nova a Dr. Carolo Semper in Insulis Philippinis collecta diagnosibus. *Wiener Entomologische Monatsschrijt*, 7: 105-127.

C. & R. Felder. 1864. Species Lepidopterum, hucusque descriptae vel iconibus expressae, in seriem sys-tematicam digestae 1. Papilionidae. *Verhandlungen der Zoologisch-Botanischen Gesellschaft in Wien*, 14 (3): 305.

C. & R. Felder. 1864a. 1865. *Reise derösterreichischen Fregatte Novara um die Erde in den Jahren 1857*, 1858, 1859 *unter den Behilfen des Commodore B. von Wüllerstorf-Urbair. Zoologischer Theil. Band 2. Abtheilung 2. Lepidoptera. Rhopalocera. Carl Gerold's Sohn, Wien, Bd 2*(Abth. 2), 1864, (1): 129, pl. 20, f. d; 1865, (1): 64.

C. & R. Felder. [1867]. *Reise derösterreichischen Fregatte Novara um die Erde in den Jahren 1857*, 1858, 1859 *unter den Behilfen des Commodore B. von Wüllerstorf-Urbair. Zoologischer Theil. Band 2. Abtheilung 2. Lepidoptera. Rhopalocera. Carl Gerold's Sohn, Wien, Bd 2*(Abth. 2) (3): 379-536, pl. 48-74 (Rhop.) (C. & R. Felder, 1867).

Courvoisier, L. G. 1920. Zur Synonymie des genus. *Lycaena. Deutsche Entomologische Zeitschrift. Iris*, 34: 234.

Cramer, L. 1775. De *Uitlandsche Kapellen, Voorkomende in de drie Waereld-deelen Asia, Africa en Ameri-ca [Papillons exotique des trois parties de Monde l'Asie, l'Afrique et l'Amerique.]*. Amsteldam: Chez S. J. Baalde, Chez Barthelmy Wild: 1: 1-132.

Cramer, L. [1775]. *Uitlandsche Kapellen (Papillons exotiques)*. S. J. Baalde (Amsteldam), Barthele-my Wild (Utrecht), 1(1-7): 1-132, pl. 1-84 (1775), (8): 133-155, pl. 85-96 (1776).

Cramer, L. [1777]. *Uitlandsche Kapellen (Papillons exotiques)*. S. J. Baalde (Amsteldam), Barthele-my Wild (Utrecht), 2(9-16): 1-152, pl. 97-192 (1777).

Cramer, L. 1779. *De uitlandsche kapellen, voorkomende in de drie waereld-deelen Asia, Africa en America. Amsteldam*: Chez S. J. Baalde, Chez Barthelmy Wild: 3 (17-21): 1-104.

Cramer, L. [1779]; Cramer, [1780]. *Uitlandsche Kapellen (Papillons exotiques)*. S. J. Baalde (Am-steldam), Barthelemy Wild (Utrecht), 3 (17-21): 1-104, pl. 193-252 (1779), (23-24): 129-176, pl. 265-288 (1780).

Crotch, G. R. 1872. On the Generic Nomenclature of Lepidoptera. Cistula Entomologica 1: 59-71.

Crüger, C. 1878. *Ueber Schmetterlinge von Wladiwostok*. Verhandlungen des Vereins für naturwissen-schaftliche Unterhaltung zu Hamburg, 3: 128-133.

D'Abrera, B. 1982. *Butterflies of the Oriental Region Part* I. London: Hill House Publishers: 1-244.

D'Abrera, B. 1985. *Butterflies of the Oriental Region Part* II. London: Hill House Publishers.

D'Abrera, B. 1986. *Butterflies of the Oriental Region Part* III. London: Hill House Publishers.

D'Abrera, B. 1990. *Butterflies of the Holarctic Region Part* I. London: Hill House Publishers, 1-253.

D'Abrera, B. 1992. *Butterflies of the Holarctic Region Part* II. Hill House.

D'Abrera, B. 1993. *Butterflies of the Holarctic Region Part* III. Hill House.

Dalman, J. W. 1816. Försök till systematiks Uppställing af Sveriges Fjärilar. *Kungliga Svenska Vetenskap-*

sakademiens Handlingar, (1): 48-101, (2): 199-225.

de Haan, W. (1840): Bijdragen tot de Kennis der Papilionidea. - In: Verhandelingen over de Natuurlijke Geschiedenis der Nederlandsche overzeesche bezittingen, door de Leden der Naturrkundige Comissie in Indië en andere Schrijvers. *Zoologie* (Temminck, C. J. ed.), S. en J. Luchtmans en C. C. Van der Hoek. 2(6), Leiden, pp. [pp. 1-44, pls. 1-9].

de Lesse, H. 1951. Divisions génériques et subgénériques des anciens genres Satyrus et Eumenis (s. l.). *Revue française de Lépidoptérologie*, 13(3/4): 39-42.

de Nicéville, L. 1883. On new and little-known Rhopalocera from the Indian region. *Journal of the Asiatic Society of Bengal*, Pt. Ⅱ, 52 (2/4): 65-91.

de Nicéville, L. 1885. List of the butterflies of Calcutta and its neighbourhood, with notes on habits, food-plants, etc. *Journal of the Asiatic Society of Bengal*, 54 Pt. Ⅱ (2): 39-54.

de Nicéville, L. 1886. On some New Indian Butterflies. *Journal of the Asiatic Society of Bengal*, 55 Pt. Ⅱ (3): 249-256, pl. 11.

de Nicéville in Elwes & de Nicéville, [1887]. List of the Lepidopterous Insects collected in Tavoy and in Siam during 1884-1885 by the Indian Museum Collector under C. E. Pitman, Esq., C. I. E., Chief Superintendent of Telegraphs. (2), Rhopalocera. *Journal of the Asiatic Society of Bengal*, 55 Pt. Ⅱ (5): 433.

de Nicéville, L. 1889. On new and little-known Butterflies from the Indian Region, with Revision of the Genus *Plesioneura* of Felder and of Authors. *The Journal of the Bombay Natural History Society*, 4 (3): 163-194, pl. A-B.

de Nicéville, L. [1889]. On new or little-known Butterflies from the Indian Region. *Journal of the Asiatic Society of Bengal*, 57Pt. Ⅱ (4): 273-293, pl. 13-14.

de Nicéville, L. 1890. On new and little-known Butterflies from the Indian Region, with Descriptions of three new Genera of Hesperidae. *The Journal of the Bombay Natural History Society*, 5(3): 199-225, pl. D-E.

de Nicéville in Marshall & de Nicéville, 1890. *The Butterflies of India, Burmah and Ceylon*, a descriptive Handbook of all the known Species of rhopalocerous Lepidoptera inhabiting that Region, with Notices of allied Species occurring in the neighbouring Countries along the Border, with numerous Illustrations. Vol. 3. Calcutta Central Press, 3: 1-503, pl. 25-29.

de Nicéville, L. 1891. On new and little-known Butterflies, from the Indo-Malayan region. *The Journal of the Bombay Natural History Society*, 6: 341-398.

de Nicéville, L. 1893. On new and little-known Butterflies from north-east Sumatra collected by Hofrath Dr. L. Martin. *The Journal of the Bombay Natural History Society*, 8 (1): 37-56, pl. K-M.

de Nicéville, L. 1894. On new and little-known butterflies from the Indo-Malayan region. *Journal of the Asiatic Society of Bengal*, 63 Pt. Ⅱ (1): 1-59, pl. 1-5.

de Nicéville, L. 1895. On new and little-known Butterflies from the Indo-Malayan Region. *The Journal of the Bombay Natural History Society*, 9(3): 259-321, pl. N-Q, (4): 366-410.

de Nicéville, L. 1897. On new or little-known Butterflies from the Indo- and Austro-Malayan Regions. *Journal of the Asiatic Society of Bengal*, 66 Pt. Ⅱ (3): 543-577, pl. 1-4.

de Nicéville, L. 1900. On a new Genus of Butterflies from Western China allied to Vanessa. *Journal of the Asiatic Society of Bengal*, 68 Pt. Ⅱ (3): 234

de Nicéville, L. 1902. On new and little-known butterflies, mostly from the Oriental region. *The Journal of the Bombay Natural History Society*, 14 (2): 236-251.

de Nicéville L. & Martin, L. [1896]. A List of the Butterflies of Sumatra with special reference to the Species occurring in the north-east of the Island. *Journal of the Asiatic Society of Bengal*, 64Pt. II (3): 357-555.

de Sagarra y Castellarnau, Ignacio (1926): Anotaciones a la lepidopterologia Ibérica. II. - *Butll. Inst. catal. Hist. nat.* (2)5, pp. [270-274].

Della Bruna, C. et al. 2004. *Guide to the Butterflies of the Palearctic Region*, *Pieridae* part I. Milano: Omnes Artes: 1-86.

Denis et Schiffermüller. 1775. *Ankündung eines Systematischen Werkes von den Schmetterlingen der Wienergegend*. Wien: Augustin Bernardi: 1-322.

Devyatkin, A. L. 1996. Taxonomic notes on the genus *Erynnis* Schrank, 1801 (Lepidoptera, Hesperiidae). *Atalanta*, 27(3/4): 605-614.

Distant, W. L. 1886. Contributions to a Knowledge of Malayan Entymology, Part V. *Annals & Magazine of Natural History*, (5)17(102): 530-532.

Doherty, Y. V. 1886. A List of Butterflies taken in Kumaon. *Journal of the Asiatic Society of Bengal*, 55: 103-140.

Doherty, Y. V. 1889. On certain Lycaenidae from lower Tenasserim. *Journal of the Asiatic Society of Bengal*, 58Pt. II, (4): 411, 414.

Doherty, Y. V. 1889a. Notes on Assam butterflies. *Journal of the Asiatic Society of Bengal*, 58Pt. II (1): 118-134.

Donzel, H. F. 1847. Description de Lépidoptéres nouveaux. *Annales de La Societe Entomologique de France*, (2)5: 525-530, pl. 8.

Doubleday, E. 1842. Characters of undescribed Lepidoptera. *In*: *The Zoological Miscellany* (Gray, J. E. ed.), Treutell, Würtz & Co., London: 74, 77-78.

Doubleday, E. 1843. Description de deux nouvelles espèces de *Charaxes* des Index orientales, de la Collection de M. Henri Doubleday. *Annales de La Societe Entomologique de France*, (2)1(3): 217-220, pl. 7-8.

Doubleday, E. 1846-1852. *The genera of diurnal Lepidoptera: comprising their generic characters, a notice of their habits and transformations, and a catalogue of the species of each genus*. London: Longman Brown Green and Longmans: 1-534.

Doubleday, E. (1847): *List of the specimens of lepidopterous insects in the collection of the British Museum. Part* II, Edward Newman, London: 1-57.

Draeseke, J. & Reuss, F. A. T. (1925). Die Schmetterlinge der Stötznerschen Ausbeute. *Deutsche Entomologische Zeitschrift Iris*, 39(4), pp. [211-231].

Druce, H. 1875. Descriptions of new Species of diurnal Lepidoptera. *Cistula entomologica*, 1(12): 357-363.

Druce, H. 1895. A Monograph of the Bornean Lycaenidae. *Proceedings of the Zoological Society of London*, (3): 576.

Dubatolov & Korshunov, 1984. [New data on the systematics of USSR butterflies (Lepidoptera, Rhopalocera)] in, *Insects and Helmints* 17: 51-57 (Novye i Maloizvestnye Vidy Fauny Sibiriri).

Dubatolov, V. V. & Sergeev, M. G. 1982. New hairstreaks of the tribe Theclini (Lepidoptera, Lycaenidae) of the USSR fauna[in Russian]. *Ent. obozr.* (Revue Entom.)61(2): 375-381 (Russian).

Dubatolov, V. V. & Sergeev, M. G. 1987. [Notes on the systematic of hairstreaks genus *Neozephyrus* Sibatatani et Ito (Lepidoptera, Lycaenidae)] [in Russian]*Nasekom'ye*, *Kleschi i Gel'mantry*, *Novosibirsk*, *Nauka Siberian dept.* 19: 18-30

Duméril, A. M. C. 1806. *Zoologie analytique, ou, Méthode naturelle de classification des animaux: rendue plus facile a l'aide de tableaux synoptiques.* Allais libraire (Paris) 344 pp.

Dunning, J. W. & Pickard, O. 1858. *An accentuated list of the British Lepidoptera with hints on the derivation of the names.* London: The Entomological Society of Oxford: 5.

Dyar, H. G. 1903. A List of North American Lepidoptera and Key to the Literature of this Order of Insects. *Bulletin of the United States National Museum*, 52: 1-723.

Edwards, W. H. 1870. Descriptions of new species of diurnal Lepidoptera found within the United States. *Transactions of the American Entomological Society*, 3(1): 10-22.

van Eecke, R. 1915. Systematische Catalogus der Rhopalocera Neerlandica. *Zoologische mededeelingen*, 1 (5): 33-70.

Eliot, J. N. 1969. An analysis of the Eurasian and Australian Neptini (Lepidoptera: Nymphalidae). *Bulletin of the British Museum (Natural History)*, Suppl. 15: 1-155, pl. 1-3.

Eliot, J. N. 1992. *The Butterflies of the Malay Peninsula*, Fourth revised edition (originally by Corbet A S. and Pendlebury H M.). Kuala Lumpur: Malayan Nature Society: 1-595.

Elwes, H. J. 1887. Description of some new Lepidoptera from Sikkim. *Proceedings of the Zoological Society of London*, 1887: 444-446.

Elwes, H. J, & Möller O. 1888. A catalogue of the Lepidoptera of Sikkim, with additions, corrections, and notes on seasonal and local distribution. *Transactions of the Entomological Society of London*, 36 (3): 269-465. T.

Elwes H. J. & Edwards, J. 1893. A revision of the genus Ypthima, with especial reference to the characters afforded by the male genitalia. *Transactions of the Entomological Society of London*, 41(1): 1-54, pl. 1-3.

Elwes H. J. & Edwards, J. 1897. A Revision of the Oriental Hesperiidae. *Transactions of the Entomological Society of London*, 14(4): 101-324, pls. 18-27.

Esper, E. J. C. 1779. Die Schmetterlinge in Abbildungen nach der Natur mit Beschreibungen. Theil I. Die Tagschmetterlinge. Band 1. Erlangen: Wolfgang Walthers, *Bd.* 1 (9): 217-388, pl. 49-50.

Esper, E. J. C. 1780; 1781; 1783. Die Schmetterlinge in Abbildungen nach der Natur mit Beschreibungen. Theil I. Die Tagschmetterlinge. Fortsetzung. Band 2 Erlangen: Wolfgang Walthers, *Bd.* 2(3): 69-100, pl. 63-68 (1781).

Esper, E. J. C. 1783-1784. Die *Schmetterlinge in Abbildungen nach der Natur mit Beschreibungen. Theil I. Die Tagschmetterlinge.* Erlangen: Wolfgang Walthers: 141-190.

Esper, E. J. C. 1789. *Die Schmetterlinge in Abbildungen nach der Natur mit Beschreibungen. Theil I. Die Tagschmetterlinge. Supplement Theil 1. Abschnitt 1.* Erlangen: Wolfgang Walthers, Th 1 (3-4): 9-60, pl. 95-101.

Esper, E. J. C. 1793. *Die ausländischen oder die ausserhalb Europa zur Zeit in den übrige Welttheilen vorgefundenen Schmetterlinge in Abbildung nach der Natur mit Beschreibungen.* Wolfgang Walther, Erlangen, 145-160, pl. 37-40.

Esper, E. J. C. 1794. *Die Schmetterlinge in Abbildungen nach der Natur mit Beschreibungen. Theil I. Die Tagschmetterlinge. Supplement Theil* 1. *Abschnitt* 1. Erlangen: Wolfgang Walthers, 1-51.

Esper, E. J. C. 1798. *Die Schmetterlinge in Abbildungen nach der Natur mit Beschreibungen. Theil I. Die Tagschmetterlinge. Supplement Theil* 1. *Abschnitt* 1. Erlangen: Wolfgang Walthers, 1 ([7]): [69-88], pl. [107-109].

Esper, E. J. C. 1805. *Die Schmetterlinge in Abbildungen nach der Natur mit Beschreibungen. Theil I. Die Tagschmetterlinge. Supplement Theil* 2. Die Schmett. , Th I, Suppl. Th. 2(11): 1-24, pl. 117-122.

Evans, B. W. H. 1912. A list of Indian butterflies. *The Journal of the Bombay Natural History Society*, 21(2): 553-584, (3): 969-1008.

Evans, B. W. H. 1925. The identification of Indian Butterflies (5-8). *The Journal of the Bombay Natural History Society*, . 30(2): 340, 351.

Evans, B. W. H. 1927. *Identification of Indian Butteflies* (ed. 1). Madras, Bombay nat. His. Soc.: 1-302, pl. 1-32.

Evans, B. W. H. 1932. *The Identification of Indian Butterflies* (ed. 2). Madras, Bombay nat. Hist. Soc. (ed. 2): x + 454pp, 9 figs, 32 pls.

Evans, B. W. H. 1934. Indo-Australian Hesperiidae: Descriptions of new genera, species and subspecies. *The Entomologist*, 67: 181-184.

Evans, B. W. H. 1937a. Indo-Australian Hesperiidae: Descriptions of new genera, species and subspecies. *The Entomologist*, 70: 64-66.

Evans, B. W. H. 1937. *A catalogue of the African Hesperiidae*. British Museum (Natural History), London: 212 pp. , pls. 30.

Evans, B. W. H. 1939. New species and subspecies of Hesperiidae (Lepidoptera) obtained by Herr H. Höne in China in 1930-1936. *Proceedings of the Royal Entomological Society of London*, (B) 8 (8): 163-166.

Evans, B. W. H. 1940. Descriptions of three new Hesperiidae (Lepidoptera) from China. *The Entomologist*, 73: 230.

Evans, B. W. H. 1949. *A catalogue of the Hesperiidae from Europe, Asia and Australia in the British Museum (Natural History)*. British Museum (Natural History), London, 502 pp., pls. 53.

Eversmann, E. F. 1843. Quaedam lepidopterorum species novae in montibus Uralensibus et Altaicus habitantes nunc descriptae et depictae. *Bulletin de la Societe Imperial des Naturalistes de Moscou*, 16 (3): 535-553.

Eversmann, E. F. 1847. Lepidoptera quaedam nova Rossiae et Sibiriae indigena descripsit et delineavit. *Bulletin de la Societe Imperial des Naturalistes de Moscou*, 20: 66-83.

Eversmann, E. F. 1851. Description de quelques nouvelques espèces de Lépidopètres de la Russie. *Bulletin de la Societe Imperial des Naturalistes de Moscou*, 24(2) : 610-644.

Fabricius, J. C. 1775. *Systema Entomologiae, sistens Insectorum Classes, Ordines, Genera, Species, Adiectis Synonymis, Locis, Descriptionibus, Observationibus.* Library Kortii, Flensburgh and Leipzig,: 832 pp.

Fabricius, J. C. 1787. *Mantissa insectorum sistens species nuper detectas adiectis synonymis, observationibus, descriptionibus, emendationibus.* Copenhagen, Christ. Gottl. Proft, 2: 382 pp.

Fabricius, J. C. 1793. *Entomologia Systematica Emendata et aucta. Secundum classes, ordines, genera, species adjectis synonimis, locis, observationibus, descriptionibus*, Vol. 3. Hafniae: Christian Gottlieb Proft, 3: 487 pp.

Fabricius, J. C. 1798. *Entomologiae systematicae (Supplementum)*. Proft et Storch, Hafniae: 572 pp., (index) 1-53.

Fabricius, J. C. 1807. Systema Glossatorum. *In*: Illiger. Die neueste Gattungs-Eintheilung der Schmetterlinge aus den Linnischen Gattungen Papilio und Sphinx. *Magazin für Insektenkunde* (Illiger), 6: 277-295.

Fabricius, J. C. 1938. Systema Glossatorum Secundum Ordines, Genera, Species Adiectis Synonymi Locis, Observationibus, Descriptionibus *in Systema Glossatorum* (*Brunovici* 1807) (*Bryk, F. , J. Chr. Fabricius ed.*). Verlag Gustav Feller : 24.

Felder, C. 1860. Lepidopterorum Amboienensium species novae diagnosibus. *Sber. Akad. Wiss. Wien* 40 (11): 448-462

Felder, C. 1861. Ein neues Lepidopteron aus der Familie der Nymphaliden und seine Stellnung im natürlichen System, begründet aus der Synopse der übrigen Gattungen. *Novorum Actorum Academiae Caesareae Leopoldino-*Carolinae germanicae Naturae Curiosorum, 28(3) :1-50, pl. 1.

Fenton, M. in Butler A. G. & Fenton, M. 1881. On butterflies from Japan, with which are incorporated notes and descriptions of new species by Montague Fenton. *Proceedings of the Zoological Society of London*, 1881(4) : 846-856.

Romanoff, N. M. G. (1884-1901). *Mémoires sur les Lépidoptères*. St. Petersbourg, 3: 233-356, pl. 13-15.

Forbes, W. T. M. 1939. Revisional notes on the Danainae (Lepidoptera). *Ent. Amer.* (N. S.) 19: 101-140.

Forster, W. 1938. Das System der *paläarktischen* Polyommatini (Lep. Lycaenidae). *Mitteilungen der Münchner Entomologischen Gesellschaft*, 28: 97-118.

Forster, W. [1948]. Beitrage zur Kenntnis der ostasiatischen *Ypthima-*Arten. *Mitteilungen der Münchner Entomologischen Gesellschaft*, 34(2): 472-492, pl. 30-33.

Freyer, C. F. 1829. *Beiträge zur Geschichte europäischer Schmetterlinge mit Abbildungen nach der Natur.* Nürnberg, Rieger, 2: 166pp, pl. 49-96

Fruhstorfer, H. 1902. Neue und seltene Lepidopteren aus Annam und Tonkin und dem malayischen Archipel. *Deutsche Entomologische Zeitschrift*, 14: 169-276, 342.

Fruhstorfer, H. 1907. Historische Notizen über Neptis lucilla Denis und Beschreibung von neuen Formen. *Societas entomologica*, 22(7): 50-51 (1 July).

Fruhstorfer, H. 1907a. Neue Danaiden und Uebersicht der bekannten Indo-Australischen Arten. *Deutsche Entomologische Zeitschrift Iris*, 19(4) : 161-202 (15 May).

Fruhstorfer, H. 1908. Neue ostasiatische Rhopaloceren. *Entomologisches Wochenblatt*, 25(9): 37-38 (27 February).

Fruhstorfer, H. 1908a. Versuch einer monographischen Revision der Indo-Australischen Neptiden. *Stettiner Entomologische Zeitung*, 69(2): 240-412, pl. 1-3 (May).

Fruhstorfer, H. 1909. Zwei neue palärktische Neptis. *Entomologische Zeitschrift*, 23(8) : 42(22 May).

Fruhstorfer, H. 1909a. Neue Satyriden. *Internationale Entomologische Zeitschrift*, 3(23): 130-131 (4

September), (24): 133-135 (11 September).

Fruhstorfer, H. 1910. Familie: Pieridae. *In*: Seitz A. (Ed.) *The Macrolepidoptera of the world*. Stuttgart: Kernen Verlag, 9:172.

Fruhstorfer, H. 1910. Familie: Danaidae. in Seitz, *Gross-Schmett. Erde*, 9: 191-216.

Fruhstorfer, H. 1911. Neue palaearktische Rhopaloceren. *Societas entomologica*, 25(24): 95-96.

Fruhstorfer, H. 1911a. Family Satyridae. *In*: Seitz A. (Ed.) *The Macrolepidoptera of the world*. Stuttgart: Kernen Verlag: 285-381.

Fruhstorfer, H. 1912. 6. Familie: Nymphalidae. in Seitz, *Gross-Schmett. Erde*, 9: 513-528.

Fruhstorfer, H. 1913; Fruhstorfer, 1914. 6. Familie: Nymphalidae in Seitz, *Gross-Schmett. Erde*, 9: 721-744.

Fujioka, T. 1994. *Zephyrus* (Theclini butterflies) in the world (5). Genus *Favonius*. Butterflies, 7: 3-17.

Gerhard, B. 1850. *Versuch einer Monographie der europäischen Schmetteringsarten: Thecla, Polyomattus* [*sic*], *Lycaena, Nemeobius. Als Beitrag zur Schmetterlingskunde*. Hamburg, Herausgeber(1): 1-4, pl. 1-4.

Geyer, C. 1832. in Hübner, *Zutage sur Sammlung exotische Schmetterlinge*, 4: 40, 104-131.

Geyer, C. 1837. *Zutage sur Sammlung exotische Schmetterlinge*, 5: 138-151.

Godart, J. B. 1819. In: Encyclopédie Méthodique. *Histoire naturelle Entomologie, ou histoire naturelle des crustacés, des arachnides et des insectes*. Histoire Naturelle [Zoologie] 9 Entomologie(1): 3-328.

Godart, J. B. [1824]. In: Encyclopédie Méthodique. *Histoire naturelle Entomologie, ou histoire naturelle des crustacés, des arachnides et des insectes*. Histoire Naturelle [Zoologie] 9 Entomologie (2): 329-828.

Godman, F. & Salvin, O. [1894]; Godman, F. & Salvin, O. [1901]. *Biologia Centrali-Americana. Rhopalocera*. (1887-1901). London, 2: 1-782, 3: pl. 1-112.

Graeser, A. L. 1888. Beiträge zur Kenntnis der Lepidopteren-Fauna des Amurlandes. *Berliner Entomologische Zeitschrift*, 32(1): 33-153.

Graves, P. P. ([7 Aug] 1925): The Rhopalocera and Grypocera of Palestine and *Transjordania*. *Transactions of the Entomological Society of London*, 73(1/2), pp. 17-126.

Gray, G. R. (1831): Descriptions of eight new species of Indian butterflies (Papilio, Lin.) from the collection of General Hardwicke. - Zoological Miscellany (J. E. Gray) 1831, pp. [32-33.]

Gray, G. R. 1846. *Descriptions and Figures of some new Lepidopterous Insects chiefly from Nepal*. London: Longman, Brown, Green, and Longmans: 1-16.

Gray, G. R. 1852. On the Species of the genus Sericinus. *Proceedings of the Zoological Society of London*, (1852): 70-73.

Gray, G. R. [1853]. *Catalogue of Lepidopterous Insects in the Collection of the British Museum. Part* 1. *Papilionidae*. London (British Museum): 1-84, pl. 1-10, 10*, 11-13.

Gray, G. R. 1856. *List of Lepidopterous Insects in the Collection of the British Museum. Part I. Papilionidae*. Taylor & Francis, London: 106 pp.

Grose-Smith, H. 1893. Descriptions of Four new Species of Butterflies from Omei-shan, North-west China, in the Collection of Grose Smith H. *Annals & Magazine of Natural History*, (6) 11 (63): 216-218.

Grose-Smith, H. 1895. Descriptions of new species of butterflies, captured by Mr. Doherty in the islands of the Eastern Archipelago, and now in the Museum of the Hon. Walter Rothschild at Tring. *Novitates Zoologicae*, 2: 75-85.

Grose-Smith, H. 1887. Descriptions of eight new Species of Asiatic Butterflies. *Annals & Magazine of Natural History*, (5) 20: 265-268.

Grose-Smith, H. & Kirby, W. F. 1891. Rhopalocera Exotica, being Illustrations of New, Rare, and Unfigured Species of Butterflies. Gurney & Jackson, London[2]1: (Euthalia)5-10, pl. 2-3 (1891).

Grose-Smith, H. & Kirby, W. F. 1893. *Rhopalocera Exotica, being Illustrations of New, Rare, and Unfigured Species of Butterflies.* Gurney & Jackson, London [3]2: (Lycaenidae)85-107, pl. 20-23.

Grote, A. R. 1873. On Mr. Scudder's systematic revision of some New England butterflies. *Canadian Entomologist*, 5(4): 62-63, (8): 143-145.

Grote, A. R. 1898. Specializations of the Lepidopterous Wing; the Pieri-Nymphalidae. *Proc. Amer. Phil. Soc.* 37: 17-44, pl. 1-3

Grote, A. R. 1900. The descent of the pierids. *Proc. Amer. Phil. Soc.* 39: 4-67, pl. 1-4.

Guérin-Méneville, F. E. 1843. *in Souvenirs d'un voyage dans l'Inde execute de 1834 a 1839, Animaux Articulés in Delessert.*

Guérin-Méneville, Félix Édouard [1843]: In A. Delessert, Souvenirs d'un Voyage dans l'Inde exécut de 1834 - 1839 par M. Adolphe Delessert. Part II, Histoire Naturelle. Paris (2): [Lépidoptéres, 33-98], pl. 11-27.

Grum-Grshimailo, G. E. 1891. Lepidoptera nova in Asia centrali novissime lecta et descripta. *Horae Society Entomologicae Rossicae*, 25(3-4): 445-465.

Hancock, G. L. 1983. Classification of the Papilionidae (Lepidoptera): a phylogenetic approach. *Smithersia*, 2: 35.

Hayward, K. J. 1922. Some curious aberrations of *Danais chrysippus* L. *Entomologist*, 55:178-179.

Hemming, A. F. 1929. Notes on the generic names of Holarctic Lycaenidae (Lep. Rhop.). *Annals & Magazine of Natural History*, (10)3: 243.

Hemming, A. F. (1931): On the types of certain genera of the family Pieridae (Lepidoptera). *The Entomologist*, 64(823), pp. [272-273].

Hemming, A. F. 1933. A new Syrian butterfly (Lepidoptera, Lycaenidae). *The Entomologist*, 66: 224.

Hemming, A. F. 1934. Notes on nin genera of butterflies. *The Entomologist*, 67: 37-38.

Hemming, A. F. 1939. On five genera in the Lepidoptera Rhopalocera at present without valid names. *Proceedings of the royal entomological Society of London*, (B)8: 39

Hemming, A. F. 1943. Notes on the generic nomenclature of the Lepidoptera Rhopalocera II. *Proceedings of the Zoological Society of London*, (B)12: 23-30.

Heppner, J. B. 1998. Classification of Lepidoptera. Part 1. Introduction. *Holarctic Lepidoptera*, 5 (suppl. 1): 148 pp.

Herrich-Schäffer, G. A. W. 1867. Versuch einer systematischen Anordnung der Schmetterlinge. *Correspondenz Blatt des zoologisch-mineralogischen Vereines in Regensburg*, 21 (9): 100-106, (11): 138-144.

Hewitson, W. C. 1853. *Illustrations of new species of exotic butterflies selected chiefly from the collections of W. Wilson Saunders and William C. Hewitson. John Van Voorst, London.* [1]: (Systematic Index)I,

(Ornithoptera and Papilio): (Pieris II): [31-32], pl. [17].

Hewitson, W. C. 1861; Hewitson, 1866. *Illustrations of new species of exotic Butterflies selected chiefly from the collections of W. Wilson Saunders and William C. Hewitson. John Van Voorst*, London. [4]: (Systematic Index) Ⅳ, (Sospita): [75-76], pl. [39] (1861).

Hewitson, W. C. 1862-1865. *Illustrations of new species of exotic Butterflies selected chiefly from the collections of W. Wilson Saunders and William C. Hewitson* 3. John Van Voorst, London. 1-119.

Hewitson, W. C. 1864. Descriptions of New Species of Diurnal Lepidoptera. *Transactions of the Entomological Society of London*, (3)2(3): 245-249.

Hewitson, W. C. 1863, 1865, 1869. *Illustrations of diurnal Lepidoptera. Lycaenidae*. John Van Voorst, London. (1): 1-36, 37*, pl. 1-16 (1863), (2): 37-76, pl. 17-30 (1865) (4): 115-136, 14 a-h, pl. 47-54, 3a-c, (Suppl.)? 1-16, pl. 1-5 (1869).

Hewitson, W. C. 1865. A Monograph of the Genus *Yphthima*, *with descriptions of two new Genera of diurnal Lepidoptera. Transactions of the Entomological Society of London*, (3) 2 (4): 281-294, pl. 17v18.

Hewitson, W. C. [1866]. Descriptions of new Hesperidae. *Transactions of the Entomological Society of London*, (3)2(6): 479-501.

Hewitson, W. C. 1876. Notes on Mr. Atkinson's collection of East Indian Lepidoptera, with descriptions of new species of Rhopalocera. *Entomologists Monthly Magazine*, 13(7): 149-152.

Hewitson, W. C. 1877. Descriptions of new species of Rhopalocera. *Entomologists Monthly Magazine*, 14: 107-108.

Higgins, L. G. 1981. A revision of *Phyciodes* Hübner and related genera, with a review of the classification of the Melitaeinae. *Bulletin of the British Museum (Natural History)*, 43(3): 77-243, f. 1-490, 124a, 125a.

Hoffmannsegg, J. C. 1804. Alphabetisches Verzeichniss zu J. Hübner's Abbildungen der Papilionen mit den beigefügten vorzüglichsten Synonymen. *Magazin für Insektenkunde*, 3: 181-206.

Holland, W. J. 1920. Lepidoptera of the Congo. Being a Systematic List of the Butterflies and Moths Collected by the American Museum of Natural History Congo Expedition Together with Descriptions of Some Hitherto Undescribed Species. *Bulletin of the American Museum of natural History*, 43(6): 109-369, pl. 6-14.

Honrath, E. G. 1888. Zwei neue Tagfalter-Varietäten aus Kiukiang (China). *Neue Entomologische Nachrichten*, 14:161.

Horsfield, T. [1829]. *Descriptive Catalogue of the Lepidopterous Insects contained in the Museum of the Horourable East-India Company, illustrated by coloured figures of new species and of the Metamorphosis of Indian Lepidoptera, with introductory Observations on a general a*. London. Parbury, Allen and Co., (2): 1-144, pl. 5-8, (expl.) [1-4].

Houlbert, C. V. 1922. *In*: Oberthür C. Contribution à l'étude des Melanargiinae de Chine et de Sibérie. *Etudes de Lepidopterologie Comparee.*, 19: 117-163.

Howarth, T. G. 1957. A Revision of the Genus *Neozephyrus* Sibatani & Ito (Lepidoptera: Lycaenidae). *Bulletin of the British Museum (Natural History)*, 5(6): 233-272, 13pls(105 figs.).

Huang, H. (1999): Some new butterflies from China - 1 (Rhopalocera). *Lambillionea*, 99 (4), pp. [642-676 [97 figs.].]

Huang, H., Wu, C. S. & Yuan, F. 2003. *Zophoessa ocellata* (Poujade, 1885) and its allies in China with the description of two new species. A review of the genera *Lethe*, *Zophoessa* and *Neope* in China 1. Neue Entomologische Nachrichten, 55: 145-158.

Huang, H. & Zhan, C. H. 2004. Notes on the genera *Thoressa* and *Pedesta*, with description of a new species from South China. *Neue Entomologische Nachrichten*, 57: 179-186.

Hübner, J. (1816-[1826]): *Verzeichniss bekannter Schmettlinge.*, Augsburg, Author. 431 + 72 pp.

Hübner, J. 1818. *Zuträge zur Sammlung exotischer Schmettlinge.* Vol. 1 [1808-] 1818, Jacob Hübner, Augsburg. 1: 8-32.

Hübner, J. [1819]. *Verzeichniss bekannter Schmettlinge.* Jacob Hübner, Augsburg. (1-11): 176 pp.

Hübner, J. [1821]. *Sammlung exotischer Schmetterlinge.* Vol. 2 ([1819] - [1827]) Jacob Hübner, Augsburg. 2: pl. [122].

Hübner, J. 1822. *Systematisch-alphabetisches Verzeichniss aller bisher bey den Fürbildungen zur Sammlung europäischer Schmetterlinge angegebenen Gattungsbenennungen; mit Vormerkung auch augsburgischer Gattungen.* Augsburg: [I-III], IV-VI, [1]-2-81.

Hufnagel (1766): Tabelle von den Tagevögeln der hiesigen Gegend, worauf denen Liebhabern der Insekten Beschaffenheit, Zeit, Ort und andere Umst? nde der Raupen und der daraus entstehenden Schmetterlinge bestimmt werden. *Berlinisches Magazin, oder gesammlete [sic] Schriften und Nachrichten für die Liebhaber der Arzneywissenschaft, Naturgeschichte und der angenehmen Wissenschaften überhaupt*, 2 (1), pp. [54-90].

Igarashi, S. 1979. *Papilionidae and Their Early Stages.* Vols. 1 and 2. Kódansha Ltd., Tokyo (in Japanese). : 126-170.

Janson, O. E. 1877. Notes on Japanese Rhopalocera with the description of new species. *Cistula Entomologica*, 2(16): 157-158.

Janson, O. E. (30 Jun 1878). Remarks on Japanese Rhopalocera and descriptions of five apparently new species. *Cistula Entomologica*, 2(19), pp. [269-274, pl 5].

Janson, O. E. 1879. Descriptions of two new eastern Species of the genus Papilio. *Cistula Entomologica*, 2(21): 433-434, pl. 8, f. 2.

Johnson, K. (1992): A high Andean new species of Terra (Lepidoptera, Lycaenidae) The Palaearctic "elfin" butterflies (Lycaenidae, Theclinae) - Journal of the New York entomological Society 100(3), pp. [522-526, 2 figs.]

Kardakoff, N. 1928. Zur Kenntnis der Lepidopteren des Ussuri-Gebietes. *Ent. Mitt.* 17(4): 261-273.

Kato, M. (Dec 1930): Two new butterflies from Japan and Formosa. *Zephyrus*, 2(4), pp. [206-208, 1 f].

Kheil, N. M. 1884. *Zur Fauna des Indo-Malayischen Archipels. Die Rhoplalocera der Insel Nias.* Berlin: [1-5], 6-38, 5pls.

Klug, J. C. F. (1836): *Neue Schmetterlinge der Insekten-Sammlung des k? nigl. zoologischen Musei der Universität zu Berlin.* vol. 1, Berlin.

Kindermann in Lederer, J. 1853; Lederer, J. 1853. Lepidopterologisches aus Sibirien. *Verhandlungen des zoologisch-botanischen Vereins in Wien*, 3: 351-386, pl. 1-7.

Kirby, W. 1837. Fauna Boreali-Americana or the Zoology of the northern parts of British America in Richardson. *Lepidoptera News*, 10(5): 325pp, 8pls.

Kirby, W. F. 1871. *A synonymic catalogue of the diurnal Lepidoptera.* John Van Voorst, London:

vii + 690pp.

Kirby, W. F. 1877. *A Synonymic Catalogue of Diurnal Lepidoptera. Supplement.* John Van Voorst, London: 699.

Klots, A. B. 1930. A generic revision of the Euchloini. *Bulletin of the Brooklyn entomological Society*, 25 (2): 80-95, pl. 5 (10 May)

Kluk, K. 1780; Kluk, K. 1781. *Historyja naturalna zwierzat domowych idzikich, osobliwie kraiowych, historyi naturalney poczatki, i gospodarstwo: potrzebnych I pozytecznych donowych chowanie, rozmnozenie, chorob leczenie, dzikich lowienie, oswaienie: za · zycie; szkodliwych zas wygubienie.* 4 vols. J. K. Mosci, Warszawa. 4: 84, 86, 89.

Knoch, A. W. 1782. *Beiträge zur Insektengeschichte Beitr, II.* Stück. Schwickert, Leipzig:? 1-102, pl. 1-6.

Koch, G. 1860. Entwurf einer Aenderung des System der Lepidopteren. *Entomologische Zeitung. Herausgegeben von dem entomologischen Vereine zu Stettin* 21: 226-235.

Kollar, V. [1844]. *Aufzählung und Beschreibung der von Freiherr C. v. Hügel auf seiner Reise durch Kaschmir und das Himaleygebirge gesammelten Insekten in Hügel. Kaschmir und das Reich der Siek.* Stuttgart, Hallbergerische Verlagshandlung, 4: 393-564, pl. 1-28.

Koiwaya, S. 1993. Descriptions of three new genera, eleven new species and seven new subspecies of butterflies from China. Studies of Chinese Butterflies. *Studies of Chinese Butterflies*, 2: 9-27, : 43-111.

Koiwaya, S. (1996): Ten new species and twenty-four new subspecies of butterflies from China, with notes on the systematic postions of five taxa. *Studies of Chinese Butterflies*, 3: pp. [168-202, 237-280 [figs. 1007-1338].].

Koiwaya, S. (1996a). Early stages of Chinese butterflies II (Lycaenidae I). *Studies of Chinese Butterflies*, 3, pp. [18-166 [figs. 101-998].].

Kremky, J. (1925b). Neotropische Danaididen in der Sammlung des polnischen Naturhistorischen Staatsmuseums in Warschau. Annales *zoologici Musei polonici Historiae naturalis*, 4(3), pp. [141-275, pls. 20-28, 193 figs.].

Kristensen, N. P. (1976): Remarks on the family-level phylogeny of butterflies (Insecta, Lepidoptera, Rhopalocera) - Zeitschrift für zoologische Systematik und Evolutions-Forschung 14(1), pp. [25- 33, 1 fig.].

Kudrna, O. & Belicek, 2005. The 'Wiener Verzeichnis', its authorship, publication date and some names proposed for butterflies therein. Oedippus? 23: 1-32.

Kurentzov, A. I. (1950): [Eolimentis (gen. n.) eximia (Molt.) Kurenz. (Nymphalidae, Lepidoptera) of Ussursk region]. [In Russian]. *Byull. Mosk. Obshch. Ispyt. Prir.* 55(3), pp. [37-45, 6f].

Lang, H. G. 1789. *Verzeichniss seiner Schmetterlinge, in dem Gegenden um Augburg gesammelt und nach dem Wiener systematischen Verzeichniss eingetheilt, mit den Linneischen, auch deutschen und französischen Namen, und Anführung derjenigen Werke, worinn sie mit Farben abgebildet find Verz.* Augsburg, Klett (ed. 2): 226 pp.

Lathy, P. I. 1903. On a new subspecies of Isodema adelma, Feld. *Entomologist*, 36: 12.

Latreille, P. A. (1804). Tableau méthodique des insectes. -In: *Nouveau Dictionnaire...*, *Deterville*. 24: ii + 84 + 238 + 18 + 34 pp., 28 pls., Paris, pp. [pp. 129-200].

Latreille, P. A. 1807. In: [Illiger, J. C. W.], Latreille's Eintheilung der Linnéischen Gattungen *Papilio* und *Sphinx. Magazin für Insektenkunde*, 6: 290-295.

Le Cerf, F. L. (1933). Formes nouvelles de lépidoptères rhopalocères. *Bulletin du Muséum national d'Histoire Naturelle* (Paris) (2)5(3), pp. [212-214].

Lederer, J. 1852. Versuch die europäischen Lepidopteren (einschlissig der ihrem Habitus nach noch zure europäischen Fauna gehörigen Arten Labradors, der asiatischen Türkei un des asiatischen Russlands) in möglichst natürliche Reihenfolge zu stellen, nebst Bemerkungen zu eineg Familien und Arten. Rhopaloceren & Heteroceren. *Verhandlungen des zoologisch-botanischen Vereins in Wien*, 2 (Abh.): 14-54 (Rhopaloceren), : 65-126 (Heteroceren).

Lederer, J. 1855. Weiterer beitrag zur Schmetterlinge-fauna de Altaigerbirges in Sibirien. *Verhandlungen der Zoologisch-Botanischen Gesellschaft in Wien*, 5: 97-120, pl. 1-2.

Lee, C. L. 1962. Some new species of Rhopalocera in China (2) *Acta entomologica sinica*, 11 (2): 139-148, pl. 1-6.

Lee, S. M. 1982. *Butterflies of Korea*. Korea: Seoul., 44-78, 134.

Leech, J. H. 1887. On the Lepidoptera of Japan and Corea—Part I. Rhopalocera. *Proceedings of the Zoological Society of London*, 3: 398-431.

Leech, J. H. 1889. On a collection of Lepidoptera from Kiukiang. *Transactions of the Entomological Society of London*, (1): 99-148, pl. 7-9.

Leech, J. H. 1890. New species of Lepidoptera from China. *The Entomologist*, 23: 26-50, 81-83,: 109-114,: 187-192, pl. 1.

Leech, J. H. 1891. New species of Rhopalocera from North-west China. The Entomologist, 24 (Suppl.): 23-66.

Leech, J. H. 1891a. New Species of Rhopalocera from Western China. *The Entomologist*, 24: 57-68.

Leech, J. H. 1891b. New Species of Lepidoptera from China. The Entomologist 24 (Suppl.): 1-6.

Leech, J. H. 1892. *Butterflies from China, Japan, and Corea, I*. London, Priv. publ.: Porter R H: 681 pp.

Leech, J. H. 1892-1894. *Butterflies from China, Japan, and Corea, Part* II. London, Priv. Publ. (1): 1-296, pl. 1-28, (2): 297-681(176), pl. 29-43.

Leech, J. H. 1893. A new species of Papilio, and a new form of Parnassius delphius, from western China. *The Entomologist*, 26(Suppl.): 104.

Lempke, B. J. (1939). Deux formes nouvelles de diurnes hollandais. *Entomologische Berichten*, 10, pp. [120-121].

Lewis, H. L. 1974. *Butterflies of the World. Chicago*. Follett Publishing Company, 1-158.

Lindsey, A. W. (1925): The types of hesperioid genera. *Annals of the entomological Society of America*, 18(1), pp. [75-106].

Linnaeus, C. 1758. *Systema Naturae per Regna Tria Naturae, Secundum Clases, Ordines, Genera, Species, cum Characteribus, Differentiis, Symonymis, Locis. Tomis I (Ed. 10)*. Stockholm: Laurentii Salvii: 824 pp.

Linnaeus, C. 1763. Amoenitates Academicae; seu Dissertationes variae Physicae, Medicae, Botanicae, Antehac seorsim editae, nunc collectae et auctae cum tabulis aeneis. *In*: Johansson B. *Centuria Insectorum Rariorum* 6. Uppsala: Johansson B: 384-415.

Linnaeus C. 1764. *Museum S: ae R: ae M: tis Ludovicae Ulriciae Reginae, Suecorum, Gothorum, Vandal-*

orumque, etc. *In quo Animalia Rariora*, *Exotica*, *Imprimis*, *Insecta* & *Conchilia describuntur et deter-minantur*. Stockholm: Holmiae: 720 pp.

Linnaeus, C. 1767. *Systema naturae. Editio duodecima, reformata (Ed.* 12), Vol. 1. Stockholm: Holmiae: 751, 755, 768, 785(533-1327).

Linnaeus, C. 1767a. *Systema Naturae per Regna tria Naturae, secundum Classes, Ordines, Editio Duocecima Reformata. Tom.* 1. Part II. Laurentius Salvius, Holmiae (Edn 12)1(2) : 533-1327.

Linnaeus, C. 1768. Sparrman (Thesis), Iter Chinense in Sparrman. *Amoenit*. acad. , 7(150): 497-506

Lucas, P. H. 1852. Description de nouvelles Espèces de Lépidoptères appartenant aux Collections entomologiques du Musée de Paris. *Revue et Magazin de Zoologie pure et appliquée*, (2)4(9): 422-432, pl. 10 (1852).

Lucas, P. H. (1883): [Note sur un nouveau genre de Lépidoptères: Timelaea]. *Bulletin de la Société entomologique de France*, (6)3, pp. [xxxv-xxxvi].

Mabille, P. [1885-1887] . Histoire naturelle des Lépidoptères. in Grandidier, *Histoire physique, naturelle et politique de Madagascar*. Paris. L'Impr. Nationale, 18(Lép. 1) : 364 pp.

Mabille, P. (1875): Quelques diagnoses d'Hespériens. *Bulletin de la Société entomologique de France*, (5)5, pp. [ccxiii-ccxv.].

Mabille, P. 1876. [Hespérides]. *Bulletin de la Société entomologique de France*, (5)6: ix-xi, [9-11],: xxv-xxvii, [25-27],:liv-lvii, [54-57],: clii-cliii, [152-153],: cxcvii-ccii.

Mabille, P. 1877. Catalogue des Lépidoptères du Congo. [1] *Bulletin de la Société entomologique de France*, 2(3): 214-240.

Mabille, P. 1878. Descriptions de Lépidoptères nouveaux de la famille des Hespérides. *Petites Nouvelles entomologiques*, 10(197): 233-234, (198): 237-238.

Mabille, P. 1878a. Catalogue des Hespérides du Musée Royal d'Histoire Naturelle de Bruxelles. *Annales de la Société entomologique de Belgique*, 21: 12-44.

Mabille, P. (1883): Description d'hespéries. *Annales de la Société entomologique de Belgique*, 27, pp. [li-lxxviii].

Mabille, P. 1891. Description d'Hespérides nouvelles (1-3). *Bulletin et Annales de la Société Royale Entomologique de Belgique*, 35 (16): lix-lxxxviii, (17): cvi-cxxi, (18): clxviii-clxxxvii.

Mabille, P. 1903-1904. Lepidoptera. Rhopalocera. Family Hesperidae in Wytsman. *Genera Insectorum*, 17(A): 1-78 (1903), (B): 79-142 (1904).

Mabille, P. (1909): Die palaearctica Tagfalter. Grypocera. In Seitz, *Grossschmett. Erde* 1, pp. [329-354].

Mabille, P. & Boullet, E. [13 Nov] 1916: Descriptions d'Hesperides nouveaux (Lep. Hesperiinae, sect. B). *Bulletin de la Société entomologique de France*, 1916(15): 243-247.

Marshall, G. F. L. 1882. Some New or Rare Species of Rhopalocerous Lepidoptera from the Indian Region Part II. *Journal of the Asiatic Society of Bengal*, 51: 37-43.

Marshall, G. F. L. 1882a. Notes on Asiatic Butterflies, with Descriptions of some new Species. *Proceedings of the Zoological Society of London*, 1882(4): 758-761.

Matsumura, S. 1909. Die Danaiden und Satyriden Japans. *Entomologische Zeitschrift*, 23(19): 91-92.

Matsumura, S. 1919. *Thousand Insects of Japan. Additamenta* 3 [Shin Nihon senchu zukai]Tokyo, Keiseisha, 475-742, pl. 26-53.

Matsumura, S. 1927. A list of the butterflies of Corea, with description of new species, subspecies and aberrations. *Insecta Matsumurana Sapporo*, 1: 159-170.

Matsumura, S. 1929. New butterflies from Japan, Korea and Formosa. *Insecta Matsumurana* 3(2/3): 87-107, pl. 4.

Matsumura, S. 1929. Some new butterflies from Korea received from Mr. T. Takamuku. *Insecta Matsumurana*, 3: 152-156.

Matsumura, S. 1931. New Species and new Forms of Butterflies from Japan. *Insecta Matsumurana*, 6 (1-2): 43-45.

Matsumura, S. (1931). 6000 *illustrated insects of Japan-Empire*(*in Japanese*). Tokyo, Japan: pp. 1689.

Matsumura, S. 1939. The butterflies from Jehol (Nekka) Manchoukuo, collected by Marqis Y. Yamashina. *Bull. biogeogr. Soc. Japan*, 9(20): 343-359, pl. 13-14.

Meigen, J. W. 1828. *Systematische Beschreibung der Europäischen Schmetterlinge*; *mit Abbildungen auf Steintafeln* 1. Aachen and Leipzig, Jacob Anton Mayer: 97 pp.

Ménétriès, E. 1855. *Enumeratio corporum animalium Musei Imperialis Academiae Scientiarum Petropilitanae. Classis Insectorum, Ordo Lepidopterorum.* Cat. lep. Petropoli [St. Petersburg] (1): (supplement)67-112.

Ménétriès, S. 1857. *Enumeratio corporum animalium Musei Imperialis Academiae Scientiarum Petropilitanae. Classis Insectorum, Ordo Lepidopterorum. Catalogue lépidoptères.* Petropoli [St. Petersburg] (1), 2: 67-97, 99-144, pl. 7-14.

Ménétriès, S. 1859. Lépidoptères de la Sibérie orientale et en particulier des rives de l'Amour. *Bulletin de l'Acedémie Impériale des Sciences de St. -Pétersbourg.* 17(14): 212-221.

Mitis, H. 1893. Revision des Pieriden-Genus Delias. *Deut- sche entomologische Zeitschrift 'Iris'*, 6 (1): 97-144.

Moore, F. 1857. In: Horsfield T, Moore F. *Cat. lep. Ins. Mus. East India Coy.* London: M. H. Allen and Co.: 228 pp.

Moore, F. 1857. Moore, F. [1858]. A *Catalogue of the Lepidopterous Insects in the Museum of the Hon.* East-India Company in Horsfield & Moore, 1: 278 pp, pl. 1-12, 1a, 2a, 3a, 4a, 5a, 6a.

Moore, F. 1859. A Monograph of the Genus Adolias, a Genus of diurnal Lepidoptera belonging to the Family Nymphalidae. *Transactions of the Entomological Society of London*, (2)5(2): 62-80.

Moore, F. 1865. List of diurnal Lepidoptera collected by Capt. A. M. Lang in the N. W. Himalayas. *Proceedings of the Zoological Society of London.*, 2: 486-511, pl. 30-31.

Moore, F. [1866]. On the Lepidopterous Insects of Bengal. *Proceedings of the Zoological Society of London* 1865(3): 755-823, pl. 41-43.

Moore, F. 1872. Descriptions of new Indian Lepidoptera *Proceedings of the Zoological Society of London* 1872(2): 555-583, pl. 32-34.

Moore, F. 1874. List of diurnal Lepidoptera collected in Cashmere Territory by Capt. R. B. Reed, 12th Regt., with descriptions of new species. *Proceedings of the Zoological Society of London.*, 1: 264-274, pl. 43.

Moore, F. [1875]. Descriptions of new Asiatic Lepidoptera *Proceedings of the Zoological Society of London* 1874(4): 565-579, pl. 66-67.

Moore, F. 1877. The Lepidopterous Fauna of the Andaman and Nicobar Islands *Proceedings of the Zoological Society of London* 1877(3): 580-632, pl. 58-60.

Moore, F. 1877a. Descriptions of Asiatic diurnal Lepidoptera. *Annals & Magazine of Natural History.*, 20 (4): 43-52, 115, 118.

Moore, F. 1878. A list of the Lepidopterous insects collected by Mr. Ossian Limborg in Upper Tenasserim, with descriptions of new species. *Proceedings of the Zoological Society of London*, (3): 702, (4): 821-859.

Moore, F. 1878a. Descriptions of new Asiatic Hesperidae. *Proceedings of the Zoological Society of London*, 3: 686-695.

Moore, F. 1878b. List of Lepidopterous Insects collected by the late R. Swinhoe in the Island of Hainan *Proceedings of the Zoological Society of London*, 1878(3): 695-708

Moore, F. [1880]. The Lepidoptera of Ceylon Lepid. Ceylon1(1): 1-40, pl. 1-18.

Moore, F. 1880a. On the Asiatic Lepidoptera referred to the genus *Mycalesis*, with discriptions of new genera and species. *Transactions of the Entomological Society of London.*, 28: 155-177.

Moore, F. [1881]. The Lepidoptera of Ceylon Lepid. Ceylon 1 (2): 41-80, pl. 19-36, (3): 81-136, pl. 37-54, (4): 137-190, pl. 55-71.

Moore, F. 1881. Descriptions of new Asiatic diurnal Lepidoptera. *Transactions of the Entomological Society of London*, 1881 (3): 305-313.

Moore, F. 1882. List of the Lepidoptera collected by the Rev. J. H. Hocking, chiefly in the Kangra District, N. W. Himalaya; with descriptions of new genera and species—Part I. *Proceedings of the Zoological Society of London*, (1): 234-263, pl. 11-12.

Moore, F. 1883. A monograph of Limnainae and Euploeina, two groups of diurnal Lepidoptera belonging to the subfamily Euploeinae, with descriptions of new genera and species. *Proceedings of the Zoological Society of London.*, London, 201-324, 4 pls.

Moore, F. 1883a. Descriptions of new Asiatic diurnal Lepidoptera. *Proceedings of the Zoological Society of London*, (4): 521-535.

Moore, F. 1884. Descriptions of some new Asiatic diurnal Lepidoptera; chiefly from specimens contained in the Indian Museum, Calcutta. *Journal of the Asiatic Society of Bengal*, Pt. II, 53 (1): 16-52.

Moore, F. 1886. List of the Lepidoptera of Mergui and its Archipelago collected for the Trustees of the Indian Museum, Calcutta, by Dr John Anderson F. R. S. , Superintendent of the Museum. *Journal of the Linnean Society of London (Zoology)*, 21(1): 29-60, pl. 3-4.

Moore, F. 1888. Descriptions of new Indian Lepidopterous Insects from the collection of the late Mr. W. S. Atkinson. *Calcutta, Asiatic Society of Bengal.*, (3): 283-284.

Moore, F. 1891-1892. Lepidoptera Indica. Rhopalocera, Family Nymphalidae. Sub-families Euploeinae and Satyrinae. *Lepidoptera Indica*, 1: 1-192 (1890), : 193-276 (1891), , : 277-317 (1892)

Moore, F. 1893-1896. Lepidoptera Indica. *Rhopalocera. Family Nymphalidae. Sub-families Satyrinae (continued), Elymniinae, Amathusiinae, Nymphalinae (Group Charaxina)*. London: L. Reeve & Co.: 274 pp.

Moore, F. [1897]; Moore, [1898]. Lepidoptera Indica. Rhopalocera. Family Nymphalidae. Sub-family Nymphalinae (continued), Groups Potamina, Euthalina, Limenitina *Lepidoptera Indica*, 3 (27): 49-72, pl. 207-214 (1897), (32): 145-168, pl. 247-254 (1898).

Moore, F. 1899-1900. Lepidoptera Indica. Rhopalocera. Family Nymphalidae. Sub-family Nymphalinae (continued), Groups Limenitina, Nymphalina, and Argynnina. *Lepidoptera Indica*, 4: 1-176

[？1-112] (1899),: 177-260 [？113-260] (1900).

Moore, F. 1902. Lepidoptera Indica. Rhopalocera. Family Nymphalidae. Sub-family Nymphalinae (continued), Groups Melitaeina and Eurytelina. Sub-families Acraeinae, Pseudergolinae, Calinaginae, and Libytheinae. Family Riodinidae. Sub-family Nemeobiinae. Family Papilionidae. Sub-famlies Parnassiinae, Thaidinae, Leptocircinae, and Papilionae. *Lepidoptera Indica*, 5: 1-248, pl. 379-466.

Moore, F. [1903-1904]. Lepidoptera Indica. Rhopalocera. Family Papilionidae. Sub-family Papilioninae (continued), Family Pieridae. Sub-family Pierinae. *Lepidoptera Indica*, 6: 1-240, pl. ? 467-550.

Moore, F. [1906]; Moore, F. [1907]. Lepidoptera Indica. Rhopalocera. Family Papilionidae. Subfamily Pierinae (continued), Family Lycaenidae. Sub-families Gerydinae, Lycaenopsinae and Everinae. *Lepidoptera Indica*. 7: 1-286, pl. 551-639.

Morishita, K. 1981. New or unnamed butterflies from south east Asian islands (Lep. Pieridae, Danaidae). *Memoirs of the Tsukada Collection*, (3): 1-18, 3pls.

Motschulsky, V. I. 1860. Insectes du Japon. *Etudes entomologiques*, 9: 4-39.

Motschulsky, V. I. 1866. Catalogue des Lépidoptères rapportés des environs du fleuve Amour depuis la Schilka jusqu'à Nikolaevsk. *Bulletin de la Societe Imperial des Naturalistes de Moscou*, 39(3): 116-119.

Murayama, S. 1958. Über die einigen Aberrantförmigen und die unbekannte Schmetterlinge aus Formosa. *New Entomologist.*, 7(1): 26-30, 1pl.

Murayama, S. 1961. An unrecorded and some aberrant butterflies from Formosa [in Japanese] *Tyô to Ga*11 (4): 54-61.

Murayama, S. 1983. Some new Rhopalocera from southwest and northwest China (Lepidoptera: Rhopalocera). *Entomotaxonomia*, 5 (4): 281-288.

Murayama, S. 1992. Some new Lycaenid species of Chinese Rhopalocera. *Nature & Ins.* 27(5): 37-41.

Murray, R. 1873. Description of a new Japanese species of Lycaena, and change of name of *L. cassioides Murray*. *Entomologist's monthly Magazine*, 10: 126.

Murray, R. 1874. Notes on Japanese Butterflies, with descriptions of new Genera and Species. *Entomologist's monthly Magazine*, 11: 166-172.

Murray, R. 1874. Descriptions of some new species belonging to the genus Lycaena. *Transactions of the Entomological Society of London*, 22(4): 523-529, pl. 10.

Murray, R. 1875a. Notes on Japanese Butterflies, with descriptions of new Genera and Species. *Entomologists Monthly Magazine*, 11: 166-172.

Murray, R. 1875. Notes on Japanese Rhopalocera, with description a new Species. *Entomologists Monthly Magazine*, 12: 2-4.

Nabokov, V. (Sep 1941): On some Asiatic species of Carterocephalus. *Journal of the New York entomological Society*, 49(3), pp. [221-223].

Nabokov, V. (1946): A Third Species of Echinargus Nabokov (Lycaenidae, Lepidoptera). *Psyche (Cambridge)*, 52(3/4), pp. [193].(104).

Nordmann, A. 1851. Neue Schmetterlinge Russlands *Bulletin de la Société Impériale des Naturalistes de Moscou*, 24: 439-446, pl. 11-12.

Nordström, F. (1935). Schwedischchinesische wissenschaftliche Expedition nach den nordwestlichen Provinzen Chinas. 21. Lepidoptera. 1. Diurna. 2. Sphinges. *Arkiv för Zoologi*, 27A(7), pp. [37 pp, 2 pls].

Oberthür, C. 1876. Sur la Faune des Lépidoptè de I'Algerie. *Etudes d'Entomologie*, 1: 1-74; 2: 13-21, pl. 2-3, f. 1-2.

Oberthür, C. 1876a. Espèces nouvelles de Lépidopterès recueillis en Chine. *Etudes d'Entomologie*, 2: 13-34.

Oberthür, C. 1877. Espèces nouvelles de Lépidopterès recueillis en Chine par M. l'abbé A. David. *Etudes d'Entomologie*, 2: 13-34.

Oberthür, C. 1879. Catalogue raisonné des Papilionidae de la Collection de Ch. Oberthür. *Etudes d'Entomologie*, 4: 19-115.

Oberthür, C. 1879. Diagnoses d'Escpèces nouvelles de Lépidoptères de l'ile Askold. Diagn. Lep. Askold: 1-16.

Oberthür, C. 1880. Faune des Lépidoptères de l'ile Askold. Premiere Partie. *tudes d'Entomologie*, 5: 1-88, pl. 1-9.

Oberthür, C. 1881. Lépidoptères d'Algerie. *Études d'Entomologie*, 6: 45-96.

Oberthür, C. 1884. Lépidoptères du Thibet. *Études d'Entomologie*, 9: 7-22, pl. 1-2.

Oberthür, C. 1885. Note synonymique sur le genre Lemodes, Boh. et descrition de deux espèces nouvelles. *Bulletin de la Société entomologique de France*, 6: 227.

Oberthür, C. 1886. Espèces Nouvelles de Lépidoptères du Thibet. *Etudes d'Entomologie*, 11: 13-38.

Oberthür, C. 1886a. [Lépidoptères de la Chine et du Thibet]. *Bulletin de la Société entomologique de France*, (6) 6: 12.

Oberthür, C. 1890. Lépidoptères de China. *Etudes d'Entomologie*, 13: 35-45.

Oberthür, C. (1890a): Description d'une espèce nouvelle de lépidoptère appartenant au genre *Parnassius*., Rennes: 1.

Oberthür, C. 1891. Nouveaux Lépidoptères d'Asie. *Etudes d'Entomologie*, 15: 7-25.

Oberthür, C. 1893. Lépidoptères d'Asie. *Etudes d'Entomologie*, 18: 11-45, pl. 2-6.

Oberthür, C. 1894. Lépidoptères d'Europe, d'Algérie, d'Asie et d'Océanie. *Etudes de Lepidopterologie Comparee*, 19: 1-41.

Oberthür, C. (1896): De la variation chez les lépidoptères. *Etudes d'Entomologie*, 20, pp. [xx + 74 pp., 24 pls., 5 figs.]

Oberthür, C. 1906. Observations sur les Neptis à taches jaunes de la région sino-thibétaine. *Etudes de Lepidopterologie Comparee*, 2: 7-18, pl. 8-9.

Oberthür, C. 1909. Notes pour server à établir la Faune Francaise et Algériénne des Lépidoptères. *Etudes de Lepidopterologie Comparee*, 3: 101-400.

Oberthür, C. 1910. Notes pour servir à établir la Faune Française et Algérienne des Lépidoptères. *Etudes de Lepidopterologie Comparee*, 4: 15-691, pl. 35-58.

Oberthür, C. (May 1914a): Lépidoptères de la région sino-thibétaine. *Etudes de Lepidopterologie Comparee*, 9(2), pp. [41-60].

Oberthür, C. 1921. Explication des Planches Photographiques. *Etudes de Lepidopterologie Comparee*, 18 (1): 52-77, pl. J-W, W bis, X, Y, Y bis, Z, Z bis

Oberthür, C. & Houlbert, C. (1922c): Convergence ou variation parallèle dans le genre Halimede (Lépidopt. Satyridae). *Comptes rendus hebdomadaires des séances de l'Académie des Sciences*, 174, pp. [704-707, 2 pls].

Ochsenheimer, F. 1808. *Die Schmetterlinge von Europa. Erster Theil, Zweyte Abtheilung. Falter, oder Tagschmetterlinge.* Leipzig, Fleisher 10 Bd, 1(2): 1-240.

Ochsenheimer, F. 1816. Die *Schmetterlinge von Europa.* Leipzig, Fleisher 10 Bd, 4: 1-223.

Okano, K. 1941. [Description of genus Ginzia]. *Tokyo, Igaku to Seihutugako* 11: 239.

Okano, K. (30. Jun 1982): The butterflies of Manchuria. Papers on the Manchurian butterflies published in Manchuria before the year 1945. *Tokurana* 3(*Acta Rhopalocera*) 3, pp. [1-190, ill].

Ôta, K. & Kusunoki, H. (1957): Strymonidia - butterflies of Shikoku, with the description of a new species. *Trans. Shikoku ent. Soc.* 5, pp. [101-103].

Page, M. G. P. & Treadaway, C. G. 2003. Descriptions of New Subspecies and Changes in Classification in Bauer & Frankenbach. *Butterflies of the World* 17*bis* (Supplement 8): 1-6.

Pagenstecher, A. F. 1893. Beiträge zur Lepidopteren - Fauna des Malayischen Archipels. (7 & 8) *Jb. Nassau. Ver. Nat.* 46: 27-40, pl. 2-3, : 81-88, pl. 4.

Pallas, V. I. 1771. *Reise durch verschiedene Provinzen des Russischen Reiches.* St. Peterburg: Kayserl. Akademie der Wissenschaften, 1: 1-504.

Petersen, B. 1963. The male genitalia of some Colias species. *J. Res. Lepid.* 1(2): 135-156.

Plötz, C. 1883. Die Hesperiinen – Gattung Hesperia Aut. und ihre Arten. (3) & (4) *Stettiner Entomologische Zeitung*, 44(1-3): 26-64.

Plötz, C. 1884. Die Hesperiinen-Gruppe der Achlyoden. *Jb. nassau. Ver. Naturk.*, 37(1884): 1-55.

Plötz, C. 1885. Neue Hesperiden des indischen Archipels und Ost-Africa's aus der Collection des Herrn H. Ribbe in Blasewitz-Dresden, gesammelt von den Herren: C. Ribbe auf Celebes, Java un den Aru-Inseln, Künstler auf Malacca (Perak); Kühn auf West-Guinea (Jekar); Menger auf Ceylon. *Berliner Entomologische Zeitschrift*, 29(2): 225-232.

Plötz, C. (1886): Nachtrag und Berichtigungen zu den Hesperiinen. *Stettiner Entomologische Zeitung*, 47, pp. [83-117].

Poujade, G. A. (1885): Descriptions de Lépidoptères de la province de Mou-Pin (Thibet). *Bulletin de la Société entomologique de France*, (6)4, pp. [cxxxiv-cxxxvi, cxl-cxli, cliv-clv, clviii].

Poujade, G. A. 1888. Piéride et de Noctuélide. *Bulletin de la Société entomologique de France*, (6) 8: 19-20.

Pryer, W. B. 1882. On certain temperature forms of Japanese Butterflies. *Transactions of the Entomological Society of London*, 1882(3): 487.

Pryer, W. B. 1877. Description of new Species of Lepidoptera North China. *Cistula Entomologica*, 2: 231-235.

Querci, O. (1932). Contributo alla conoscenza della biologia dei Rhopaloceri Iberici. *Trab. Mus. Cienc. nat. Barcelona* 14, pp. [3-269].

Rambur, J. P. 1858. *Catalogue systematique des lépidoptères de l'Andalousie.* Paris, J. B. Baillière (1): 1-92.

Reakirt, T. [1865]. Notes upon exotic Lepidoptera, chiefly from the Philippine Islands, with Descriptions of some new Species. *Proceedings of the Entomological Society of Philadelphia*, 3: 503.

[Reichenbach, H. G. L.] (1817). Die Schmetterlinge von Europa - Jenaische allgemeine Literatur. *Zeitung* (14)1(35), pp. [273-280; (36)281- 288; (37)289-293].

Retzius, A. J. 1783. Genera et Species Insectorum. *Gen. Spec. Ins.*: 7-220.

Reuss, T. 1920. Die Androconien von Yramea cytheris Drury und nächtststehenden analogen Schuppenbildungen bei Dione Hbn. und Brenthis Hbn. (Lep.). *Entomologische Mitteilungen*, 9: 192.

Reuss, T. (1922). Eine Androconialform von. *Arch. Naturgesch*, (A)87(11), pp. [180-230].

Reuss, T. 1926. Systemischer berlich der Dryadinae T. Rss mit einigen Neubeschreibungen (Lep. Rhopal.). *Deutsche entomologische Zeitschrift*, 1926(1): 65-70.

Reuss, T. (1927). Über Funktion der Sexualarmaturen bei Lepidopteren (Rhop.) und die resultierende Weiterentwicklung meines versuchten natürlichen Systems der Dryadinae T. Rss. *Deutsche entomologische Zeitschrift*, [Iris] 41(5), pp. [431-440, 2 f].

Riley, N. D. 1923. New Rhopalocera from Borneo. *Entomologist*, 56(2): 35-38, pl. 1.

Riley, N. D. 1939. Notes on oriental Theclinae (Lepidopera, Lycaenidae) with description of new species. *Novitates Zoologicae*, 41(4): 355-361.

Rippon, R. N. F. [1890]. *Icones Ornithopterorum*: *a Monograph of the Papilionine tribe Troides of Hübner or Ornithoptera (Bird-wing butterflies) of Boisduval.*, London, Author Folio, 1: 4

Röber, J. K. M. 1886. Neue Tagschmetterlinge der Indo-Australischen Fauna. *Correspondenzblatt des Entomologischen Vereins "Iris" zu Dresden*, 1(3): 45-72, pl. 2-5.

Röber, J. K. M. 1903. Lepidopterologisches. *Stettiner Entomologische Zeitung*, 64(2): 337-358.

Röber, J. K. M. ([1907]): 2. Familie: Pieridae, Weisslinge.. In: I. Abteilung: *Die Großschmetterlinge des Palaearktischen Faunengebietes.* 1. Band: *Die Palaearktischen Tagfalter.* (Seitz, A. ed.), ser. Die Groß = Schmetterlinge der Erde, Lehmann, Stuttgart, pp. [39-74.]

Röber, J. K. M. [1909]. 2. Familie: Pieridae, Weisslinge in Seitz, *Grossschmett. Erde* 5: 89-96.

Roepke, W. K. J. 1938. *Rhopalocera Javanica, geïllustreerd overzicht der Dagvlinders van Java.* (3) *Nymphalidae.* Wageningen, Fonds Landbouw Export Bureau (3): 235-362, pl. 26-36.

Romei, E. (1927). Notes of Collecting in Spain in 1925-1926. *Ent.* Rec. 39, pp. :127-129 (15 Sep).

Rothschild, L. W. 1892. Notes on a Collection of Lepidoptera made by William Doherty in Southern Celebes during August and September 1891. Part I, Rhopalocera. *Deutsche Entomologische Zeitschrift Iris*, 5(2): 429-442.

Rothschild, L. W. 1894. Some new species of Lepidoptera. *Novitates Zoologicae*, 1(2): 535-540.

Rothschild, L. W. 1895. A revision of the Papilios of the Eastern Hemisphere, exclusive of Africa. *Novitates Zoologicae*, 2(3): 167-463.

Rothschild, L. W. 1915. On Lepidoptera from the islands of Ceram (Seran), Buru, Bali, and Misol. *Novitates Zoologicae*, 22(1): 105-144.

Rothschild, L. W. & Jordan, K. 1899. A Monograph of *Charaxes* and the allied Prionopterous genera. (2) *Novitates Zoologicae*, 6(2): 220-286, pl. 7-8, (index): 454.

Rottemburg, 1775. Unmertungen zu den Hufnagelifchen Tabellen der Schmetterlinge. *Der Naturforscher*, 6: 1-34.

Rühl, F. 1895. *Die palaearktischen Grossschmetterlinge und ihre Naturgeschichte Band* 1. New York: Heyne E.: 804 pp.

Schrank, F. P. 1801. *Fauna Boica. Durchgedachte Geschichte der in Baiern einheimischen und zahmen Thiere.* Bd. 2, Abt. 1. Ingolstadt, J. W. Krüll2(1): 374 pp.

Schultze, A. 1920. *Lepidoptera* (1 & 2), *Ergebnisse der zweiten deutschen Zentral-Afrika-Expedition,*

1910-1911. , Leipzig. Klinkhardt und Biermann (14): 639-829.

Scopoli, J. A. 1763. *Entomologia Carniolica exhibens Insecta Camiolae indigena et distributa in Ordines*, *Genera*, *Species*, *Varietates Methodo* Linnaeana. Vindobonae: Trattner: 421 pp.

Scopoli, J. A. 1763. *Entomologica Carniolica exhibens insecta carnioliae indigena et distributa in ordines*, *genera*, *species varietates methodo Linnaeana*. Vindobonae: Trattner: 420 pp.

Scopoli, J. A. 1777. Introductio ad Historiam naturalem sisteus Genera Lapidum, Plantarum et ANimalium detecta, Characteribus—in *tribus divisa*, *subinde ad Leges Naturae*. Prag: Wolfgang Gerle: [x], 506 pp. + [34 pp.].

Scudder, S. H. 1872. *A systematic Revision of some of the American Butterflies*; *with brief notes on those known to occur in Essex County*, Mass. 4th Ann. Report of the Peabody Academy of Science, (1871): 24-83.

Scudder, S. H. 1875. Historical Sketch of the Generic Names proposed for Butterflies: A Contribution to Systematic Nomenclature. *Proc. Amer. Acad. Arts Sci.*, 10(2): 91-293

Scudder, S. H. 1876. Synonymic list of the butterflies of North America, north of Mexico. (2) Rurales. *Bulletin of the Buffalo Society of Natural Sciences*, 3: 98-129.

Scudder, S. H. 1889. The Butterflies of the Eastern United States and Canada, with special reference to New England. *Butts eastern U. S. Canada* 1: 766 pp.

Seitz, A. 1908. Die Grosschmetterlinge des Palaearktischen Faunengebietes. 1. *Die Palaearktischen Tagfalter. Gross-Schmetterlinge der Erde*, Verlag Alfred Kernen, Stuttgart 1: 379 pp.

Seitz, A. 1909. Die Grosschmetterlinge des Palaearktischen Faunengebietes 1. *In*: *Die Gross-Schmetterlinge der Erde*. Stuttgart: Alfred kermen: 397 pp.

Seok, D. M. 1934. Concerning Satsuma ferrea at Songdo. *Bulletin of the Kagoshima Agricultural College*, 25 Anniv., 1: 763, 763.

Seok, D. M. 1936. Pri la du novaj specoj de *Papilio*, *Neptis okazimai kaj Zephyrus ginzii*. *Zoological Magazine*, 48: 60-66, 8 figs.

Seok, D. M. (1939): *A Synonymic List of Butterflies of Korea* (Tyosen). Seoul, Korea, Royal Asiatic Soc. xxxi + 391 pp, 2 pls.

Shirôzu, T. 1953. New or little know butterflies from the North-Eastern Asia, with some synonymic notes. (1) & (2) *Sieboldia* 1(1952): 11-37 (11pls), : 149-159.

Shirôzu, T. (1960). *Butterflies of Formosa in Colour*. Hoikusha. Osaka, Japan (in Japanese). 483 pp.

Shirôzu, T. 1962. Evolution of the food-habits of larvae of the Thecline butterflies (Fifteenth Anniversary (1960) Commemorative Publication) [in Japanese]. *Tyô to Ga* 12(4): 144-162.

Shirôzu, T. & Saigusa, T. 1962. Butterflies collected by the Osaka City University Biological Expedition to Southeast Asia 1957-58. (1) *Nature Life of Southeast Asia*, 2: 25-94, 47figs, pl. 1-18.

Shirôzu, T. & Saigusa, T. (1973): A generic classification of the genus Argynnis and its allied genera. *Sieboldia*, 4, pp. [99-114].

Shirôzu T. & Yamamoto, H. 1956. A generic revision and the phylogeny of tribe Theclini (Lepidoptera: Lycaenidae). *Sieboldia* 1(4): 329-421, 422, pl. 35-85.

Sibatani, A. 1943. Über einige Nymphaliden-formen aus Nippon (Lepidoptera). *Trans. Kansai ent. Soc.* 13(2): 12-24.

Sibatani, A. (1946): Zweiter Beitrag zur Systematik der Lycaeninen (= Theclinen) aus Japan und angrenzenden Gegenden nebst Bemerkungen über einige Formen aus Formosa. *Bull. Lep. Soc. Japan* 1 (3), pp. [61-86, ill].

Sibatani, A. et Ito, S. 1942. Beitrag zur Systematik der Theclinae im Kaiserreich Japan unter besonderer Berücksichtigung der sogenannten Gattung Zephyrus. *Tenthredo*, 3(4): 299-334.

Smart, P. E. 1976. *The Illustrated Encyclopedia of the Butterfly World in colour*. London: Hamlyn: 275 pp.

Smart, P. E. 1989. *The Illustrated Encyclopedia of the Butterfly World*. London: Crescent Books: 275 pp.

Snellen, P. C. T. 1894. Lepidopterologische Aanteekeningen. *Tijdschr. Ent.* 37: 67-72, pl. 3.

Sodoffsky, C. H. W. 1837. Etymologische Untersuchungen ueber die Gattungsnamen der Schmetterlinge. Bulletin de la *Societe Imperial des Naturalistes de Moscou*, 10: 76-97.

Speyer, A. (1878). Die Hesperiden-Gattungen die Europäischen Faunengebietz. *Stettiner Entomologische Zeitung*, 39(1-6), pp. [167-193].

Speyer, A. 1879. Neue Hesperiden der palaearktischen Faunengebietes. *Stettiner Entomologische Zeitung*, 40(7-9): 342-352.

Staudinger, O. 1886. Centralasiatische Lepidopteren. *Entomologische Zeitung herausgegeben von dem entomologischen Vereine zu Stettin*, 47(4-6): 193-215, (7-9): 225-256.

Staudinger, O. 1887. *In*: Romanoff. Neue Arten und Varietäten von Lepidopteren aus dem Amur-Gebiete. *Mémoires sur les Lépidoptères*, 3: 126-232.

Staudinger, O. 1892. Die Macrolepidopteren des Amurgebiets. I. Theil. Rhopalocera, Sphinges, Bombyces, Noctuae in Romanoff. *Mémoires sur les Lépidoptères*, 6: 83-658.

Stephens, J. F. 1827. *Illustrations of British Entomology, or, a synopsis of indigenous insects: containing their generic and specific distinctions; with an account of their metamorphoses, times of appearance, localities, food, and economy, as far as practicable*. Baldwin and Cradock, London1 (1): 1-56, pl. 1-9.

Stichel, H. F. E. J. 1939: Nymphalidae III: Subfam. : Charaxidininae II. *Lepidopterorum Catalogus*, 93, pp. [543-794].

Stoll, C. 1780-1782. *In*: Cramer *Uitlandsche Kapellen (Papillons exotiques)*. Berlin, Friedländer & Sohn, 4: 29-400.

Strand, E. 1910. Fünf neue gattungsnamen in Lepidoptera. *Entomologische Rundschau*, 27: 161-162.

Strand, E. 1911. Apallaga separata Strand, n. g. n. sp. Hesperiidarum. *Entomologische Rundschau*, 28: 143-144.

Strand, E. 1922. H. Sauter's Formosa-Ausbeute. Nachträge zu den Lepidoptera. *Entomologische Zeitschrift*, 36(5): 19.

Sugiyama, H. 1992. New butterflies from West-China, including Hainan. *Pallarge*, 1: 1-19.

Swainson, W. 1821. *Zoological illustrations, or original figures and descriptions of new, rare, or interesting animals, selected chiefly from the classes of omithology, entomology, and conchology, and arranged on the principles of Cuvier and other modern zoologists*. Baldwin, Cradock, and Joy & W. Wood, London, (1)1: pl. 19-66.

Swainson, W. 1832-1833. *Zoological illustrations, or original figures and descriptions of new, rare or interesting animals, selected chiefly from the classes of omithology, entomology, and conchology, and arranged according to their apparent affinities, Second series*. Lodon, 2(19): 86-90, pl. 86-90, 3

(22): 97-101, pl. 97-101.

Swinhoe, C. 1885. On the Lepidoptera of Bombay and the Deccan. Part I-IV *Proceedings of the Zoological Society of London*, 1885: 124-148, pl. 9(I. Rhopalocera).

Swinhoe, C. 1893. A List of the Lepidoptera of the Khasi Hills. Part I. *Transactions of the Entomological Society of London*, 1893(3): 267-330.

Talbot, G. 1949. *Butterflies* 2, [XVI]. London. [part of The Fauna of India, including Pkistan, Ceylon and Burma], 506.

Toxopeus, L. J. 1927. Eine Revision der javanischen, zu Lycaenopsis Felder und verwandten Genera geh? rigen Arten. (Mit Einführung von 6 neuen Genera, Beschreibung von 2 neuen Species un 5 neuen Subspecies). Lycaenidae Australasiae II. *Tijdschr. Ent.* 70(3/4): 232-302, pl. 1, 27 text figs.

Tutt, J. W. 1906. A Study of the generic Names of the British Lycaenides and their close Allies. *The Entomologist's Record and Journal of Variation.*, 18(5): 129-132.

Tutt, J. W. [1906]. A natural history of the British Lepidoptera. A text-book for students and collectors. *Nat. Hist. Br. Lepid.* 8: 1-479, pl. 1-20.

Tutt, J. W. [1907]; Tutt, [1908]. A natural history of the British Lepidoptera. A text-book for students and collectors. *Nat. Hist. Br. Lepid.* 9: 1-495, pl. 1-28.

Tutt, J. W. [1908]. A natural history of the British Lepidoptera. A text-book for students and collectors. *Nat. Hist. Br. Lepid.* 10: 1-410, pl. 1-53.

Tuzov, V. K. *et al.* 2000. Guide to the Butterflies of Russia and adjacent territories: Libytheidae, Danaidae, Nymphalidae, Riodinidae, Lycaenidae. *Butts.* Russia adj. terr. , 2: 1-580.

Tuzov, V. K. 1997. Guide to the Butterflies of Russia and Adjacent Territories Vol. 1. Sofia: PENSOFT: 1-480.

Tytler, H. C. 1914. Notes on some new and interesting Butterflies from Manipur and the Naga Hills. *Journal of the Bombay Natural History Society*, 23: 216-229.

Tytler, H. C. 1915. Notes on some new and interesting butterflies from Manipur and the Naga Hills. Part 1-3. *Journal of the Bombay Natural History Society*, 24(1): 119-155, pl. 3-4.

van Eecke, R. (1915): Studies on Indo-Australian Lepidoptera II. The Rhopalocera collected by the third New Guinea Expedition, In Herderschee, A. F. , Résultats de l'Expedition Scientifique Néerlandaise à la Nouvelle Guinée en 1912 et 1913. *Nova Guinea*, 13(Zool. 3), pp. [55-80, pls I-III].

Vane-Wright, B. & Ackery, 2002. Miriamica, a new genus of milkweed butterflies with unique androconial organs (Lepidoptera: Nymphalidae). *Zool. Anz.* 241: 255-267.

Verity, R. 1908. *Rhopalocera Palaearctica Iconographie et Description des Papillons diurnes de la région paléarctique. Papilionidae et Pieridae.* R. Verity, Florence, 1: 86-368.

Verity, R. 1911. *Rhopalocera Palaearctica Iconographie et Description des Papillons diurnes de la région paléarctique. Papilionidae et Pieridae.* R. Verity, Florence, 1: 86-368.

Verity, R. 1919. Seasonal polymorphism and races of some European Grypocera and Rhopalocera. *The Entomologist's Record and Journal of Variation*, 31: 28, 46.

Verity, R. 1921. Seasonal polymorphism and races of some European Grypocera and Rhopalocera. *The Entomologist's Record and Journal of Variation*, 33: 190.

Verity, R. 1929. Essai sur les origines des Rhopalocères Européens et Méditerranéens et particulièrement des Anthocharidi et des Lycaenidi du groupe d'Aagestis Schiff. *Annales de La Societe Entomologique de France*, 98(3): 323-360.

Verity, R. 1931. On the geographical variations and the evolution of *Lycaeides argus* L. *Deutsche Entomologische Zeitschrift Iris*, 45: 30-69.

Verity, R. (1951): [Description of Necovatia]. *Revue fr. Ent.*, 17 (Suppl.), pp. [183 +].

Verity, R. 1953. *Le Farlalle Diurne d' Italia*. 5. *Divisione Papilioidea. Seizione Nymphalina*: *Famiglia Satyridae*. Florence, Italy. Casa editrice Marzocco: 1-194.

Verity, R. 1957. Les *Variations Géographiques et Saisonnières des Papillons diurnes en France* 3. Paris: Le Charles: 1-436.

Walker, F. 1870. A list of the Butterflies collected by J. K. Lord Esq. in Egypt, along the African shore of the Red Sea, and in Arabia; with descriptions of the Species new to Science. *Entomologist*, 5 (76): 48-57, (80-81): 123-134, (82): 151-155.

Wallace, A. R. 1866. List of Lepidopterous insects collected at Takow, Formosa, by Mr. Robert Swinhoe. *Proceedings of the Zoological Society of London*, 1866(2) : 355-365.

Wallace, A. R. 1867. On the Pieridae of the Indian and Australian Regions. *Transactions of the Entomological Society of London.*, (3) 4 (3): 301-416.

Wallengren, H. D. J. 1853. Lepidoptera Scandinaviae Rhopalocera. *Skandinaviens Dagfjärilar*, 9: 30.

Wallengren, H. D. J. 1857. *Kafferlandets Dag-fjärilar*, insamlade åren 1838-1845 af J. A. Wahlberg / *Lepidoptera Rhopalocera in Terra Caffrorum annis* 1838-1845 collecta a J. A. Wahlberg. K. svenska VetenskAkad. Handl. (nf)2(4): 1-55.

Wallengren, H. D. J. 1858. Nya Fjärilslägten. *Öfvers. Kongl. Vetensk. -Akad. Förh*, 15: 75-215.

Wang & Niu, 2002. Description of new species of Chinese bufferflies [in Chines]. *Entomotaxonomia*, 24 (4): 276-282.

Warren, 1926. Monograph of the tribe Hesperiidi (European species) with revise classification of the subfamily Hesperiinae (Palaearctic species) based on the genital armature of the males. *Transactions of the Entomological Society of London*, 74(1): 1-170.

Warren, B. C. S. 1942. Genus Pandoriana gen. nov. A preliminary description. *Entomologist*. 75: 245-246.

Waterhouse, G. A. 1932. New genera of Australian Hesperiidae and a new subspecies. *Austral. Zool.* 7 (3): 198-201.

Watkins, H. T. G. 1925. New Callerebias. *Annals & Magazine of Natural History*(9) 16: 233-237.

Watson, J. 1893. A proposed classification of the Hesperiidae, with a revision of the genera. *Proceedings of the Zoological Society of London* 1893(1): 3-133, pl. 1-3.

Watson, J. 1895. On the rearrangement of the Fabrician genus Colias, and the proposal of a new genus of Pierinae. *Entomologist*, 28: 166-168.

Westwood, J. O. 1841. *In*: Humphreys H N, Westwood J O. *British Butterflies and their transformations*. London: William Smith: 1-138.

Westwood, J. O. 1841, 1842, 1843. *Arcana entomologica, or Illustrations of new, rare and interesting exotic Insects*. London, William Smith 1: (1841-1843) [iv], 192pp, pl. 1-48 (in 12 parts).

Westwood, J. O. 1842. Insectorum novorum Centuria. Decadis quartae, ex ordine Lepidopterum et genere Papilionis, Synopsis. *Annals & Magazine of Natural History.*, 9: 36-39.

Westwood, J. O. 1850. *In*: Doubleday. *The genera of diurnal Lepidoptera, comprising their generic char-*

acters, *a notice of their habitats and transformations*, *and a catalogue of the species of each genus*. London, Longman, Brown, Green & Longmans: 243-326.

Westwood, J. O. 1851. *In*: Doubleday. *The genera of diurnal Lepidoptera*, *comprising their generic characters*, *a notice of their habitats and transformations*, *and a catalogue of the species of each genus*. London, Longman, Brown, Green & Longmans: 327-466.

Westwood, J. O. 1851a. On the Papilio telamon of Donovan, with descriptions of two other eastern Butterflies. *Transactions of the Entomological Society of London*. , 2: 173-176.

Weymer, G. 1884. Danais Clarippus? n. sp. *Ent. Nachr.* 10(17): 257-259.

Wichgraf, F. 1918. Neue afrikanische Lepidopteren. *Internationale Entomologische Zeitschrift*, 12(4): 25-30.

Winhard, W. 2000. Pieridae I. *Butterflies of the world*, 10: 1-40, pl. title, 1-48, back.

Wood-Mason J. & de Nicéville, L. 1886, 1887. List of the Lepidopterous Insects collected in Cachar by Mr. J. Wood-Mason, part ii. *Journal of the Asiatic Society of Bengal*, 55 Pt. II (4): 343-393, pl. 15-18.

Wynter-Blyth, M. A. 1957 (1982 Reprint). Butterflies of the Indian Region. *Bombay. Bombay Natural History Society.*: 375, 379, 397, 398, 401, 402, 421.

Yoshino, K. 2001. Notes on Chryzozephyrus marginatus? Howarth (Lepidoptera, Lycaenidae) and related species from China. *Futao*(38): 2-8.

Yoshino, K. 2003. New butterflies from China. Neo *Lepidoptera*, 8 *Futao* (43): 6-19.

Yuan & Wang, 2003. Two new species of the genus Thoressa from China. *Entomotaxonomia* 25(1): 61-66.

Zeller, P. C. 1847. *Bemerkungen über die auf einer Reise Nach Italien und Sicilien Beobachteten Schmetterlingsarten*. Isis von Oken, 1847(2): 121-159.

Zhdanko, A. B. (1983): Key to the lycaenid genera (Lepidoptera, Lycaenidae) of the Soviet Union, Based on Characters of the male genitalia. *Ent. Rev.* 62(1), pp. [120-152].

Ziegler, J. B. 1960. Preliminary contribution to a redefinition of the genera of North America hairstreaks (Lycaenidae) north of Mexico. *Journal of the Lepidopterists' Society*, 14(1960): 19-23.

Zinken, J. L. T. F. (1817): [Review of works on Lepidoptera]. *Allg. Lit. -Zeit.* 1817(3)(216), pp. [59, (218):75].

中名索引

（按首字音序排列，右边的号码为该条目在正文的页码）

学名索引

（按首字母顺序排列，右边的号码为该条目在正文的页码）

金裳凤蝶 *Troides aeacus*，♀，正反

1–4.麝凤蝶 *Byasa alcinous*，♂，正反；5–6.多姿麝凤蝶 *Byasa polyeuctes*，♂，正反

1–2. 小黑斑凤蝶 *Chilasa epycides*，♂，正反；3–4. 蓝美凤蝶 *Papilio (Menelaides) protenor*，♂，正反；
5–6. 姝美凤蝶 *Papilio (Menelaides) macilentus*，♂，正反

红基美凤蝶 *Papilio (Menelaides) alcmenor*，♀，正反

黑美凤蝶 *Papilio (Menelaides) bootes* ，♂，正反

玉带美凤蝶 *Papilio (Menelaides) polytes*
1–2. ♂，正反；3–4. ♀，正反

碧翠凤蝶 *Papilio (Princeps) bianor*，♂，正反

巴黎翠凤蝶 *Papilio (Princeps) paris*，♂，正反

1–2. 柑橘凤蝶 Papilio (Sinoprinceps) xuthus, ♂, 正反；3–4. 青凤蝶 Graphium sarpedon, ♂, 正反；
5–6. 升天剑凤蝶 Pazala eurous, ♂, 正反

三尾凤蝶 *Bhutanitis thaidina*，♂，正反

1-2. 丝带凤蝶 Sericinus montela，♂，正反；3-4. 冰清绢蝶 Parnassius glacialis，♂，正反；5-6. 珍珠绢蝶 Parnassius orleans，♂，正反

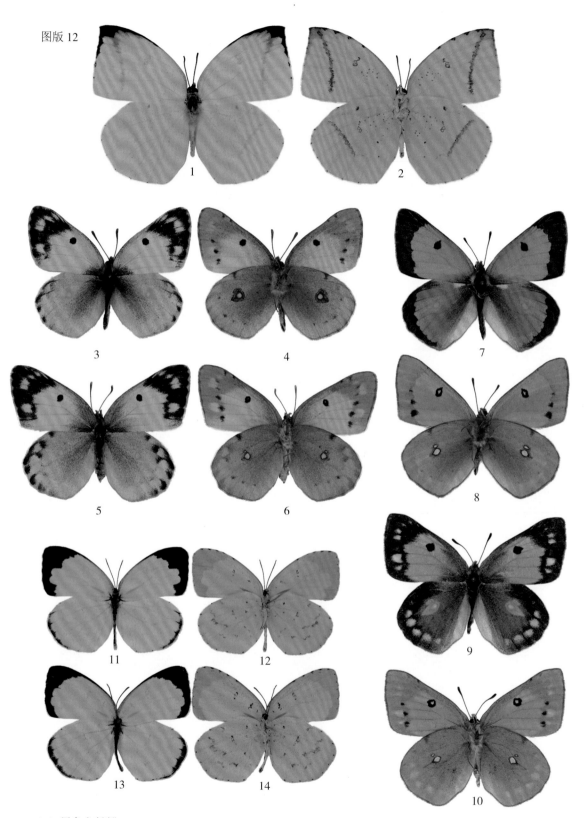

1–2.黑角方粉蝶 *Dercas lycorias*，♂，正反；3–6.斑缘豆粉蝶 *Colias erate*（3–4. ♂，正反；5–6. ♀，正反）；
7–10.橙黄豆粉蝶 *Colias fieldii*（7–8. ♂，正反；9–10. ♀，正反）；11–14.宽边黄粉蝶 *Eurema hecabe*，
♂，正反

1-4. 尖钩粉蝶 *Gonepteryx mahaguru*（1-2. ♂，正反；3-4. ♀，正反）；5-6. 绢粉蝶 *Aporia crataegi*，♂，正反；
7-10. 秦岭绢粉蝶 *Aporia tsinglingica*（7-8. ♀，正反；9-10. ♂，正反）

1-4. 锯纹绢粉蝶 Aporia goutellei（1-2. ♂，正反；3-4. ♀，正反）；5-6. 灰姑娘绢粉蝶 Aporia intercostata，♂，正反；7-8. 普通绢粉蝶 Aporia genestieri，♂，正反

1–4. 大翅绢粉蝶 *Aporia largeteaui*（1–2. ♂，正反；3–4. ♀，正反）；5–6. 菜粉蝶 *Pieris rapae*，♂，正反；
7–10. 东方菜粉蝶 *Pieris canidia*（7–8. ♂，正反；9–10. ♀，正反）

1–2. 暗脉菜粉蝶 *Pieris napi*，♂，正反；3–6. 黑纹粉蝶 *Pieris melete*（3–4. ♂，正反；5–6. ♀，正反）；
7–8. 云粉蝶 *Pontia daplidice*，♀，正反

1-4. 黄尖襟粉蝶 *Anthocharis scolymus*（1-2. ♂，正反；3-4. ♀，正反）；5-8. 红襟粉蝶 *Anthocharis cardamines*（5-6. ♂，正反；7-8. ♀，正反）；9-12. 突角小粉蝶 *Leptidea amurensis*（9-10. ♀，正反；11-12. ♂，正反）；13-14. 锯纹小粉蝶 *Leptidea serrata*，♂，正反

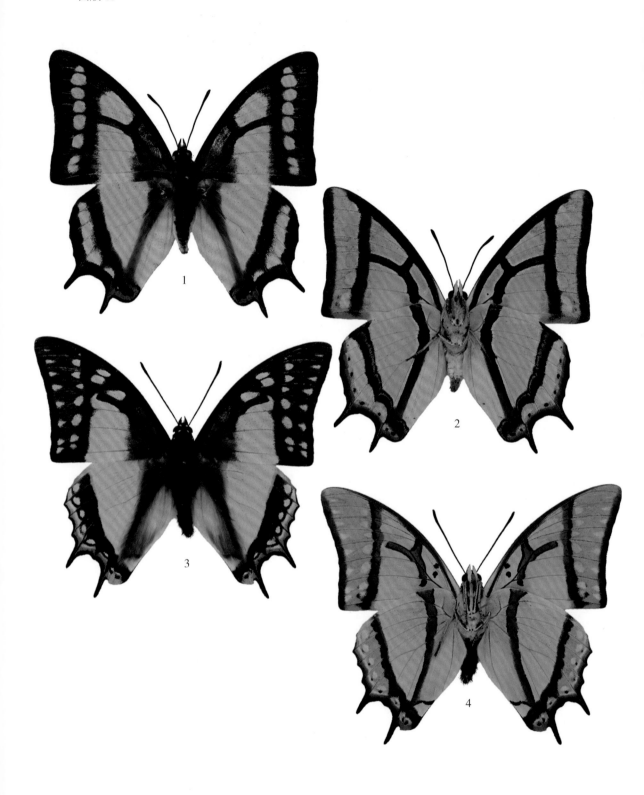

1-2.二尾蛱蝶 *Polyura narcaea*， ♂，正反；3-4.大二尾蛱蝶 *Polyura eudamippus*， ♂，正反

1–2. 紫闪蛱蝶 Apatura iris，♂，正反；3–6. 柳紫闪蛱蝶 Apatura ilia，♂，正反

1–4. 曲带闪蛱蝶 *Apatura laverna*（1–2. ♂，正反；3–4. ♀，正反）；5–6. 迷蛱蝶 *Mimathyma chevana*，♂，正反

1–2. 迷蛱蝶 *Mimathyma chevana*，♀，正反；3–6. 夜迷蛱蝶 *Mimathyma nycteis*（3–4. ♂，正反；5–6. ♀，正反）

白斑迷蛱蝶 *Mimathyma schrenckii*
1-2. ♂，正反；3-4. ♀，正反

1–2. 武铠蛱蝶 *Chitoria ulupi*，♂，正反；3–4. 猫蛱蝶 *Timelaea maculata*，♂，正反；5–6. 明窗蛱蝶 *Dilipa fenestra*，♂，正反

1–4. 累积蛱蝶 Lelecella limenitoides（1–2. ♂，正反；3–4. ♀，正反）；5–6. 黄帅蛱蝶 Sephisa princeps，♂，正反

1-2. 黑脉蛱蝶 *Hestina assimilis*，♂，正反；3-6. 拟斑脉蛱蝶 *Hestina persimilis*，♂，正反

绿脉蛱蝶 *Hestina mena*
1-2. ♂，正反；3-4. ♀，正反

大紫蛱蝶 *Sasakia charonda*，♂，正反

1–4. 绿豹蛱蝶 *Argynnis paphia*（1–2. ♂，正反；3–4. ♀，正反）；5–8. 斐豹蛱蝶 *Argyreus hyperbius*（5–6. ♂，正反；7–8. ♀，正反）

1–2. 老豹蛱蝶 Argyronome laodice，♂，正反；3–6. 云豹蛱蝶 Nephargynnis anadyomene（3–4. ♂，正反；
5–6. ♀，正反）

1–4. 小豹蛱蝶 *Brenthis daphne*，♂，正反；5–6. 青豹蛱蝶 *Damora sagana*，♀，正反；7–8. 银豹蛱蝶 *Childrena childreni*，♂，正反

1-2. 银斑豹蛱蝶 *Speyeria aglaja*，♂，正反；3-6. 灿福蛱蝶 *Fabriciana adippe*（3-4. ♂，正反；5-6. ♀，正反）；7-8. 曲斑珠蛱蝶 *Issoria eugenia*，♂，正反；9-10. 珍蛱蝶 *Clossiana gong*，♂，正反

1-2. 嘉翠蛱蝶 *Euthalia kardama*，♀，正反；3-4. 红线蛱蝶 *Limenitis populi*，♂，正反；5-6. 巧克力线蛱蝶 *Limenitis ciocolatina*，♀，正反

1–4. 折线蛱蝶 Limenitis sydyi（1–2. ♂，正反；3–4. ♀，正反）；5–8. 横眉线蛱蝶 Limenitis moltrechti（5–6. ♂，正反；7–8. ♀，正反）

1-4. 重眉线蛱蝶 Limenitis amphyssa（1-2. ♂，正反；3-4. ♀，正反）；5-8. 扬眉线蛱蝶 Limenitis helmanni（5-6. ♂，正反；7-8. ♀，正反）

1-4. 戟眉线蛱蝶 *Limenitis homeyeri*（1-2. ♂，正反；3-4. ♀，正反）；5-8. 残锷线蛱蝶 *Limenitis sulpitia*（5-6. ♂，正反；7-8. ♀，正反）

1–2. 断眉线蛱蝶 *Limenitis doerriesi*，♂，正反；3–4. 虬眉带蛱蝶 *Athyma opalina*，♂，正反；5–8. 玉杵带蛱蝶 *Athyma jina*（5–6. ♂，正反；7–8. ♀，正反）

1–2. 幸福带蛱蝶 *Athyma fortuna*，♂，正反；3–4. 倒钩带蛱蝶 *Athyma recurva*，♂，正反；5–8. 拟缕蛱蝶 *Litinga mimica*（5–6. ♂，正反；7–8. ♀，正反）

1–2. 中华黄葩蛱蝶 *Patsuia sinensium*，♂，正反；3–4. 婀蛱蝶 *Abrota ganga*，♂，正反；5–8. 锦瑟蛱蝶 *Seokia Pratti*（5–6. ♀，正反；7–8. ♂，正反）

1–4. 小环蛱蝶 Neptis sappho（1–2. ♂，正反，3–4. ♀，正反）；5–6. 耶环蛱蝶 Neptis yerburii，♂，正反；
7–10. 断环蛱蝶 Neptis sankara（7–8. ♂，正反；9–10. ♀，正反）

1-2. 娑环蛱蝶 Neptis soma，♂，正反；3-4. 羚环蛱蝶 Neptis antilope，♂，正反；5-6. 矛环蛱蝶 Neptis armandia，♂，正反；7-8. 莲花环蛱蝶 Neptis hesione，♂，正反；9-10. 茂环蛱蝶 Neptis nemorosa，♂，正反

1–2. 蛛环蛱蝶 *Neptis arachne*，♂，正反；3–6. 黄环蛱蝶 *Neptis themis*(3–4. ♂，正反；5–6. ♀，正反）

1-2. 海环蛱蝶 *Neptis thetis*，♂，正反；3-6. 提环蛱蝶 *Neptis thisbe*(3-4. ♂，正反；5-6. ♀，正反)；
7-8. 司环蛱蝶 *Neptis speyeri*，♂，正反

1–2.折环蛱蝶 *Neptis beroe*，♂，正反；3–6. 朝鲜环蛱蝶 *Neptis philyroides*（3–4. ♂，正反；5–6. ♀，正反）；
7–8.单环蛱蝶 *Neptis rivularis*，♂，正反

1-4. 链环蛱蝶 Neptis pryeri（1-2. ♂，正反；3-4. ♀，正反）；5-8. 重环蛱蝶 Neptis alwina（5-6. ♂，正反；7-8. ♀，正反）

1–2. 黑条伞蛱蝶 *Aldania raddei*，♂，正反；3–4. 大红蛱蝶 *Vanessa indica*，♂，正反；5–8. 朱蛱蝶 *Nymphalis xanthomelas*（5–6. ♂，正反；7–8. ♀，正反）

1–2. 琉璃蛱蝶 *Kaniska canace*，♂，正反；3–4. 白钩蛱蝶 *Polygonia c - album*，♂，正反；5–6. 孔雀蛱蝶 *Inachis io*，♂，正反；7–8. 散纹盛蛱蝶 *Symbrenthia lilaea*，♂，正反

1-2. 曲纹蜘蛱蝶 *Araschnia doris*，♂，正反；3-4. 布网蜘蛱蝶 *Araschnia burejana*，♂，正反；5-6. 斑网蛱蝶 *Melitaea didymoides*，♂，正反；7-8. 帝网蛱蝶 *Melitaea diamina*，♂，正反；9-10. 大网蛱蝶 *Melitaea scotosia*，♂，正反

1–2. 秀蛱蝶 *Pseudergolis wedah*，♂，正反；3–4. 素饰蛱蝶 *Stibochiona nicea*，♂，正反；5–6. 大卫绢蛱蝶 *Calinaga davidis*，♂，正反；7–8. 黑绢蛱蝶 *Calinaga lhatso*，♂，正反

1–2. 金斑蝶 *Danaus chrysippus*，♂，正反；3–4. 大绢斑蝶 *Parantica sita*，♂，正反；5–6. 朴喙蝶 *Libythea celtis*，♂，正反

双星箭环蝶 *Stichophthalma neumogeni*
1–2. ♂，正反；3–4. ♀，正反

1-2. 黛眼蝶 *Lethe dura*，♂，正反；3-4. 华山黛眼蝶 *Lethe serbonis*，♂，正反；5-6. 明带黛眼蝶 *Lethe helle*，♂，正反；7-10. 棕褐黛眼蝶 *Lethe christophi*（7-8. ♂，正反；9-10. ♀，正反）

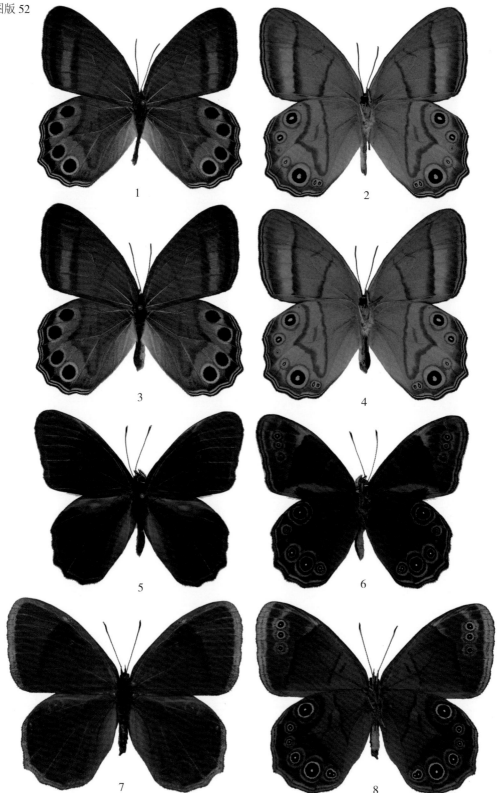

1-4. 连纹黛眼蝶 *Lethe syrcis* （1-2. ♂，正反；3-4. ♀，正反）；5-8. 苔娜黛眼蝶 *Lethe diana* （5-6. ♂，正反；7-8. ♀，正反）

1-4. 直带黛眼蝶 *Lethe lanaris*（1-2. ♂，正反；3-4. ♀，正反）；5-6. 蛇神黛眼蝶 *Lethe satyrina*，♂，正反；
7-8. 圆翅黛眼蝶 *Lethe butleri*，♂，正反

1–2.奥荫眼蝶 *Neope oberthueri*，♂，正反；3–6.蒙链荫眼蝶 *Neope muirheadii*（3–4. ♂，正反；5–6. ♀，正反）；7–8.丝链荫眼蝶 *Neope yama*，♂，正反

1-2. 宁眼蝶 *Ninguta schrenkii*，♂，正反；3-6. 蓝斑丽眼蝶 *Mandarinia regalis*（3-4. ♂，正反；5-6. ♀，正反）；7-10. 网眼蝶 *Rhaphicera dumicola*（7-8. ♂，正反；9-10. ♀，正反）

1-2. 藏眼蝶 *Tatinga thibetana*，♂，正反；3-4. 斗毛眼蝶 *Lasiommata deidamia*，♀，正反；5-8. 稻眉眼蝶 *Mycalesis gotama*（5-6. ♂，正反；7-8. ♀，正反）；9-10. 拟稻眉眼蝶 *Mycalesis francisca*，♂，正反

图版 57

1–2. 白斑眼蝶 *Penthema adelma*，♂，正反；3–4. 粉眼蝶 *Callarge sagitta*，♂，正反；5–6. 绢眼蝶 *Davidina armandi*，♀，正反；7–8. 白眼蝶 *Melanargia halimede*，♂，正反

1–4. 黑纱白眼蝶 *Melanargia lugens*，♂，正反；5–8. 亚洲白眼蝶 *Melanargia asiatica*（5–6. ♂，正反；7–8. ♀，正反）；9–10. 曼丽白眼蝶 *Melanargia meridionalis*，♂，正反

1–4. 蛇眼蝶 *Minois dryas*（1–2. ♂，正反；3–4. ♀，正反）；5–6. 古眼蝶 *Palaeonympha opalina*，♂，正反；
7–10. 矍眼蝶 *Ypthima baldus*（7–8. ♂，正反；9–10. ♀，正反）

1–2. 幽矍眼蝶 Ypthima conjuncta，♂，正反；　3–4. 前雾矍眼蝶 Ypthima praenubila，♂，正反；5–6. 东亚矍眼蝶 Ypthima motschulskyi，♂，正反；5–6. 东亚矍眼蝶 Ypthima motschulskyi，♂，正反；7–8. 密纹矍眼蝶 Ypthima multistriata，♂，正反；9–10. 乱云矍眼蝶 Ypthima megalomma，♂，正反；11–12. 白瞳舜眼碟 Loxerebia saxicola，♂，正反；13–14. 牧女珍眼蝶 Coenonympha amaryllis，♂，正反

1–2. 蚜灰蝶 *Taraka hamada*，♀，正反；3–4. 尖翅银灰蝶 *Curetis acuta*，♀，正反；5–6. 黑缘金灰蝶 *Chrysozephyrus nigroapicalis*，♂，正反；7–8. 闪光金灰蝶 *Chrysozephyrus scintillans*，♀，正反；9–10. 考艳灰蝶 *Favonius korshunovi*，♂，正反；11–12. 黄灰蝶 *Japonica lutea*，♂，正反；13–14. 线灰蝶 *Thecla betulae*，♂，正反；15–16. 桦小线灰蝶 *Thecla betulina*，♀，正反

1–4. 范赭灰蝶 Ussuriana fani（1–2. ♂，正反；3–4. ♀，正反）；5–6. 陕灰蝶 Shaanxiana takashimai，♂，正反；7–8. 华灰蝶 Wagimo sulgeri，♂，正反；9–10. 丫灰蝶 Amblopala avidiena，♂，正反；11–12. 霓纱燕灰蝶 Rapala nissa，♂，正反；13–14. 蓝燕灰蝶 Rapala caerulea，♀，正反；15–16. 彩燕灰蝶 Rapala selira，♀，正反

图版 63

1–2. 东北梳灰蝶 *Ahlbergia frivaldszkyi*，♂，正反；3–6. 齿轮灰蝶 *Novosatsuma pratti*(3–4. ♂，正反；5–6. ♀，正反)；7–10. 幽洒灰蝶 *Satyrium iyonis*，(7–8. ♂，正反；9–10. ♀，正反)；11–12. 苹果洒灰蝶 *Satyrium pruni*，♀，正反；13–14. 塔洒灰蝶 *Satyrium thalia*，♀，正反；15–18. 红灰蝶 *Lycaena phlaeas*(15–16. ♂，正反；17–18. ♀，正反)；19–22. 橙灰蝶 *Lycaena dispar*（19–20. ♂，正反；21–22. ♀，正反）；23–26. 华山呃灰蝶 *Athamanthia svenhedini*（23–24. ♂，正反；25–26. ♀，正反）

1-4. 摩来彩灰蝶 *Heliophorus moorei*（1-2. ♂，正反；3-4. ♀，正反）；5-8. 黑灰蝶 *Niphanda fusca*（5-6. ♂，正反；7-8. ♀，正反）；9-10. 锯灰蝶 *Orthomiella pontis*，♂，正反；11-14. 酢浆灰蝶 *Pseudozizeeria maha*（11-12. ♂，正反；13-14. ♀，正反）；15-16. 枯灰蝶 *Cupido minimus*，♀，正反；17-20. 蓝灰蝶 *Everes argiades*（17-18. ♂，正反；19-20. ♀，正反）

1–2. 玄灰蝶 *Tongeia fischeri*，♀，正反；3–6. 点玄灰蝶 *Tongeia filicaudis*（3–4. ♂，正反；5–6. ♀，正反）；7–8. 波太玄灰蝶 *Tongeia potanini*，♂，正反；9–10. 璃灰蝶 *Celastrina argiola*，♀，正反；11–16. 大紫璃灰蝶 *Celastrina oreas*（11–14. ♂，正反；15–16. ♀，正反）；17–20. 靛灰蝶 *Caerulea coeligena*（17–18. ♂，正反；19–20. ♀，正反）

1–4. 黎戈灰蝶 *Glaucopsyche lycormas*（1–2. ♂，正反；3–4. ♀，正反）；5–8. 珞灰蝶 *Scolitantides orion*（5–6. ♂，正反；7–8. ♀，正反）；9–10. 扫灰蝶 *Subsulanoides nagata*，♂，正反；11–12. 豆灰蝶 *Plebejus argus*，♂，正反；13–14. 阿点灰蝶 *Agrodiaetus amandus*，♂，正反；15–16. 多眼灰蝶 *Polyommatus erotides*，♂，正反

1–2. 露娅小蚬蝶 *Polycaena lua*，♀，正反；3–6. 黄带褐蚬蝶 *Abisara fylla*（3–4. ♂，正反；5–6. ♀，正反）；7–8. 白带褐蚬蝶 *Abisara fylloides*，♂，正反；9–12. 银纹尾蚬蝶 *Dodona eugenes*（9–10. ♂，正反；11–12. ♀，正反）

图版 68

1–2. 绿弄蝶 *Choaspes benjaminii*，♂，正反；3–6. 双带弄蝶 *Lobocla bifasciatus*（3–4. ♂，正反；5–6. ♀，正反）；7–10. 深山珠弄蝶 *Erynnis montanus*（7–8. ♂，正反；9–10. ♀，正反）；11–12. 珠弄蝶 *Erynnis tages*，♂，正反；13–16. 白弄蝶 *Abraximorpha davidii*（13–14. ♂，正反；15–16. ♀，正反）

1–2. 黑弄蝶 *Daimio tethys*，♀，正反；3–4. 蛱型飒弄蝶 *Satarupa nymphalis*，♂，正反；5–8. 密纹飒弄蝶 *Satarupa monbeigi*，♂，正反；9–10. 花窗弄蝶 *Coladenia hoenei*，♂，正反；11–12. 梳翅弄蝶 *Ctenoptilum vasava*，♂，正反；13–14. 花弄蝶 *Pyrgus maculatus*，♂，正反；15–16. 链弄蝶 *Heteropterus morpheus*，♂，正反

1–2. 双色舟弄蝶 *Barca bicolor*，♂，正反；3–6. 克理银弄蝶 *Carterocephalus christophi*（3–4. ♂，正反；5–6. ♀，正反）；7–10. 讴弄蝶 *Onryza maga*（7–8. ♂，正反；9–10. ♀，正反）；11–14. 黄标琵弄蝶 *Pithauria marsena*（11–12. ♂，正反；13–14. ♀，正反）；15–16. 花裙陀弄蝶 *Thoressa submacula*，♂，正反；17–18. 刺胫弄蝶 *Baoris farri*，♂，正反；19–20. 拟籼弄蝶 *Pseudoborbo bevani*，♂，正反；21–22. 中华谷弄蝶 *Pelopidas sinensis*，♂，正反

1–2. 南亚谷弄蝶 *Pelopidas agna*，♂，正反；3–4. 隐纹谷弄蝶 *Pelopidas mathias*，♂，正反；5–6. 直纹稻弄蝶 *Parnara guttatus*，♂，正反；7–8. 盒纹孔弄蝶 *Polytremis theca*，♂，正反；9–10. 黑标孔弄蝶 *Polytremis mencia*，♀，正反；11–14. 小赭弄蝶 *Ochlodes venata*（11–12. ♂，正反；13–14. ♀，正反）；15–16. 宽边赭弄蝶 *Ochlodes ochracea*，♂，正反；17–18. 透斑赭弄蝶 *Ochlodes linga*，♀，正反；19–20. 白斑赭弄蝶 *Ochlodes subhyalina*，♀，正反；21–22. 黑豹弄蝶 *Thymelicua sylvatica*，♂，正反；23–24. 曲纹黄室弄蝶 *Potanthus flavus*，♂，正反；25–26. 钩形黄斑弄蝶 *Ampittia virgata*，♀，正反